LA REINE MYSTÉRIEUSE
Hatshepsout

PRINCIPAUX ÉCRITS

L'ART ÉGYPTIEN AU MUSÉE DU LOUVRE, Éditions Floury Paris, 1941.
LE STYLE ÉGYPTIEN, Larousse, 1946. (Plusieurs rééditions ; ouvrage couronné en 1947 par l'Académie des inscriptions et belles-lettres.)
LA RELIGION ÉGYPTIENNE (histoire générale des religions). Aristide Quillet, Paris, 1947. (Réédité en 1960 ; ouvrage couronné par le prix de l'association France-Égypte.)
LES SCULPTEURS CÉLÈBRES (les Égyptiens du Moyen et du Nouvel Empire), Éditions Mazenod, Paris, 1955.
LES FEMMES CÉLÈBRES, tome I (reines et impératrices ; grandes dames et femmes politiques), Éditions Mazenod, Paris, 1960.
L'EXTRAORDINAIRE AVENTURE AMARNIENNE, Éditions des Deux-Mondes, Paris, 1960.
ÉGYPTE : art égyptien, Grand Larousse, 1961.
TEMPLES DE NUBIE : DES TRÉSORS MENACÉS, Art et Style, Paris, 1961.
L'ART ÉGYPTIEN (« Les neuf muses »), PUF, Paris, 1962. (Traduit en plusieurs langues, réédition prévue.)
PEINTURES DES TOMBEAUX ET DES TEMPLES, Unesco, Paris, 1962. (Édité en plusieurs langues.)
TOUTANKHAMON, VIE ET MORT D'UN PHARAON, Rainbird, Hachette, 1963, Pygmalion, 1977. (Prix Broquette-Gonin d'histoire de l'Académie française, édité en seize langues.)
TOUTANKHAMON ET SON TEMPS (catalogue de l'exposition au Petit-Palais), Association d'action artistique des Affaires étrangères, Paris, 1967. (Plusieurs éditions.)
LE PETIT TEMPLE D'ABOU SIMBEL (en collaboration avec Ch. Kuentz), CEDAE, Le Caire, 1968, 2 volumes.
LE SPEOS D'EL LESSIYA, EN NUBIE, tomes I et II, CEDAE, Le Caire, 1968.
LE MONDE SAUVE ABOU SIMBEL (étude archéologique des deux temples), Éditions Koska, Vienne, Berlin, 1968. (Édité en trois langues.)
RAMSÈS LE GRAND (catalogue de l'exposition au Grand-Palais) ; ministère des Affaires étrangères et des Affaires culturelles, 1976. (Plusieurs éditions.)
LE DÉPARTEMENT DES ANTIQUITÉS ÉGYPTIENNES, LA CRYPTE DE L'OSIRIS, Miniguides du musée du Louvre. Éditions de la Réunion des musées nationaux, Paris.
L'UNIVERS DES FORMES, NRF, PARIS. (Traduit en plusieurs langues.)
– *Le Temps des pyramides* (Les arts de transformation), volume 1, 1978.
– *L'Empire des conquérants* (Les arts de transformation), volume II, 1979.
– *L'Égypte du crépuscule* (Les arts de transformation), volume III, 1980.
UN SIECLE DE FOUILLES FRANÇAISES EN ÉGYPTE (exposition au palais de Tokyo), Ifao et Réunion des musées nationaux, Imprimerie nationale, 1981.
LA GRAMMAIRE DES FORMES ET DES STYLES (Antiquités : Égypte). Bibliothèque des Arts, Paris ; Office du Livre, Fribourg, 1981.
LA MOMIE DE RAMSÈS II (contributions égyptologiques ; histoire du roi – bilan des découvertes), Éditions Recherches sur les civilisations, Paris, 1985.
LA FEMME AU TEMPS DES PHARAONS, Éditions Stock, 1986, Paris (Prix Diane-Potier Boes, de l'Académie française).
LA GRANDE NUBIADE, Éditions Stock, 1992, Paris.
(Prix Saint-Simon, Prix de l'Académie française, Médaille de Vermeil)
L'ÉGYPTE VUE DU CIEL, Éditions La Martinière.
AMOURS ET FUREURS DE LA LOINTAINE, (Clés pour la compréhension de symboles égyptiens) Stock/Pernoud, Paris, 1995.
RAMSÈS II, LA VÉRITABLE HISTOIRE, Éditions Pygmalion, 1996, Paris.
LE SECRET DES TEMPLES DE NUBIE, Editions Stock, , Paris.

LIVRES EN PRÉPARATION

RAMESSEUM : LA SALLE ASTRONOMIQUE.
VALLÉE DES REINES
– La Tombe de Touy, mère de Ramsès.
– La Tombe de Bent-Anta, fille-épouse de Ramsès.
– La Tombe d'une fille-épouse de Ramsès, princesse inconnue.
– La Grotte sacrée de la Vallée.

Cette bibliographie concerne uniquement les ouvrages se rapportant à des sujets d'ensemble et s'inscrit indépendamment des nombreux articles et recherches scientifiques et rapports de fouilles parus dans les diverses revues et collections spécialisées en égyptologie.

CHRISTIANE DESROCHES NOBLECOURT

Conservateur général honoraire
Département des Antiquités Égyptiennes
du musée du Louvre

LA REINE MYSTÉRIEUSE
Hatshepsout

Pygmalion
Gérard Watelet
Paris

Sur simple demande adressée aux
Éditions Pygmalion/Gérard Watelet, 70, avenue de Breteuil, 75007 Paris
vous recevrez gratuitement notre catalogue
qui vous tiendra au courant de nos dernières publications.

ISBN 2-85704-748.7

A Gérard Watelet,
sans la tenace et affectueuse insistance de qui
ce livre n'aurait jamais vu le jour.

Chronologie reconstituée

La vie d'Hatshepsout : 1495-1457 (?) avant notre ère.
La corégence de la reine : 1479-1457 (?) avant notre ère.

Les dates certaines se rapportant à l'existence et à l'action de la reine sont peu nombreuses. Toutes celles qui sont signalées ici par un point d'interrogation ont été fixées avec une grande vraisemblance et après étude très serrée du déroulement des événements connus.

Aménophis Ier (monte sur le trône le 3e mois de *Shémou*)

An VIII	Expédition au pays de *Koush*. Au retour, stèle de Kasr Ibrim.
An IX-X ?	Naissance d'Imenmès.
An XI ?	Naissance de Ouadjmès.
An XII ?	**Naissance d'Hatshepsout (vers 1495 avant notre ère).**
An XIII ?	Naissance de Thoutmosis II.
An XVI ?	Naissance de Néféroubity.
An XXI, 3e mois de *Pérèt*, 20e jour	Mort d'Aménophis Ier.
Thoutmosis Ier	
An I, 3e mois de *Pérèt*, 21e jour	Intronisation de Thoutmosis Ier. Hatshepsout a 8 ou 9 ans.
An II, 2e mois d'*Akhèt*, 15e jour	Départ de Thoutmosis Ier au pays de *Koush*.
An II, 2e mois de *Pérèt*, 29e jour	Oracle d'Amon pour Hatshepsout.
An III, 1er mois de *Shémou*, 22e jour	Retour de Thoutmosis Ier du pays de *Koush*.
An IV	Voyage d'Hatshepsout et de son père dans le Delta. Guiza, nom du général Imenmès dans un cartouche (il devait avoir 15 ans).
An VI ?	Hatshepsout a 17-18 ans, Thoutmosis II a 16-17 ans. Hatshepsout associée à certaines fonctions royales.
An VII ?	Mariage d'Hatshepsout et de Thoutmosis-Âakhéperenrê.
An VIII-IX ?	Naissance de Néférourê (Hatshepsout a 19 ans). Ahmès Pen-Nekhbèt est désigné comme son précepteur.
An X-XI ?	Naissance de Maïherpéra. Naissance de Thoutmosis III.

Thoutmosis II (Avènement à 21 ans, Hatshepsout a 22 ans)

An I, 2e mois d'*Akhèt*, 8e jour	Départ d'une expédition au pays de *Koush*.

An II	Sénèmout désigné comme précepteur de Néférourê
An III ?	Naissance de Mérytrê-Hatshepsout. Creusement de la première tombe de la reine. Décès d'Ouadjmès ?
An III, An IV ?, 1er mois de Shémou, 3e jour ?	Mort de Thoutmosis II.
Thoutmosis III – Hatshepsout	
An I, 1er mois de *Shémou*, 4e jour(1479)	Couronnement de Thoutmosis III et début de la « corégence ». Hatshepsout se fait déjà appeler Maât Ka-Rê.
Ans II-III ?	Restauration du temple de Bouhen.
An II, 2e mois de Shémou, 7e jour	Restaurations en Nubie (Koummé).
An IV ?	Sénènmout est responsable de l'extraction et du transport des deux obélisques de Thoutmosis II.
An IV ?, 1er mois de Shémou, 16e jour	Donation de Sénènmout au temple d'Amon. Début des travaux à Deir el-Bahari.
An V	Expédition au Sinaï – Expédition en Nubie. Décès de la reine mère Ahmès ?
An V, 1er mois d'*Akhèt*, 1er jour	Intronisation d'Ousèramon au poste de vizir. Hatshepsout a 30 ans et Thoutmosis III 9 ans.
An V, 2e mois de *Pérèt*, 1er jour	Début des travaux à l'île d'Eléphantine pour la triade de Khnoum.
Avant l'an VI ?	Amplification des travaux au *Djéser-djésérou* (Deir el-Bahari).
An VI, 4e mois de *Shémou*, 1er jour	Fin des travaux à l'île d'Eléphantine. Sènmèn désigné comme précepteur de Néférourê. Son cénotaphe au Gebel Silsilé.
An VII, 1er mois d'Akhèt, 16e jour	Retour de Thoutmosis III du Réténou
An VII, « Jour de l'An »	« Couronnement ». Hatshepsout a 31 ans.
An VII, 2e mois de *Pérèt*, 8e jour	Scellement de la tombe des parents de Sénènmout.
An VII, 4e mois de *Pérèt*, 2e jour	Début des travaux de la chapelle de Sénènmout.
An VII	Mort d'Inéni.
An VIII	Ouverture de la Vallée des Rois. Début du creusement du caveau de la reine. Intervention armée de la reine en Nubie (graffito de Tiya). Fondation du VIIIe pylône. Fabrication du sarcophage d'Hatshepsout-reine, plus tard affecté à son père. Préparation de l'expédition de *Pount*.
An IX	Expédition au pays de *Pount*. Creusement du caveau destiné à Sénènmout.

An X ?	Retour de l'expédition de Pount. Mariage de Thoutmosis III et Néférouré. Néférouré a 15 ans, Thoutmosis III 14 ans, Maïherpéra 17 ans.
An XI ?	Fin d'une partie des travaux de la chapelle de Sénènmout. Composition des scènes de la théogamie à Deir el-Bahari.
An XI	Néférouré princesse héritière, au Sinaï
An XII	Expédition à Tangour.
An XII	Edification du temple de l'Est et des deux grands obélisques. Grande inspection des travaux à Deir el-Bahari. Thoutmosis III a 17 ans.
An XIII-XIV ?	Enterrement de Maïherpéra (21-22 ans). Expédition de Thoutmosis III au Sinaï.
An XIII, 4e mois d'Akhèt, 29e jour	Ultime date inscrite dans la tombe de Sénènmout.
An XIV ?	Edification des chapelles d'Hathor et d'Anubis à Deir el-Bahari. Hatshepsout a 40 ans.
An XV ?	Cérémonie au Spéos Artémidos : bilan du règne.
An XV, 2e mois de Pérèt, 1er jour	Début de l'extraction par Amenhotep des obélisques pour la *Iounit* .
An XVI, 4e mois de Shémou, dernier jour	Fin de l'érection des obélisques dans la *Iounit*, qui deviendra une *Ouadjit*.
An XVI, 1er mois d'Akhèt, 8e jour	Date d'une jarre à vin de la tombe de Sénèmout.
An XVI	« Jubilé » d'Hatshepsout – mort d'Hapouséneb.
An XVI	Expédition de Thoutmosis III au Sinaï
An XVI	Construction du *Khâ-akhèt* à Deir el-Bahari. Graffito d'Amenhotep, scribe du vice-roi, se rapportant à Thoutmosis III seul à Shalfak.
Ans XVI-XX ?	Construction de la Chapelle rouge à Karnak.
An XVIII	Répression à Shalfak.
An XX	Graffito d'Hatshepsout à Sérabit el-Khadim.
An XX, 3e mois de Pérèt, 2e jour	Graffito de Nakht à Sakkara, citant les deux souverains corégents.
An XXII, 2e mois de Pérèt, 9e jour ?	Mort d'Hatshepsout ? (vers 1457 av. J.-C., après 21 ans de corégence.
An XXII, 2e mois de Pérèt, 10e jour	Stèle de Thoutmosis III à Erment.
An XXII, 4e mois de Pérèt, 16e jour	Départ de Thoutmosis III pour sa 1ère campagne en Syrie.
Entre les années XLII et IL	Deux statues de Sénènmout dans le *Djésèr-Akhèt*. Sénènmout, sans doute, encore vivant vers 1435 avant notre ère.

ARBRE GÉNÉALOGIQUE RECONSTITUÉ DE LA FAMILLE

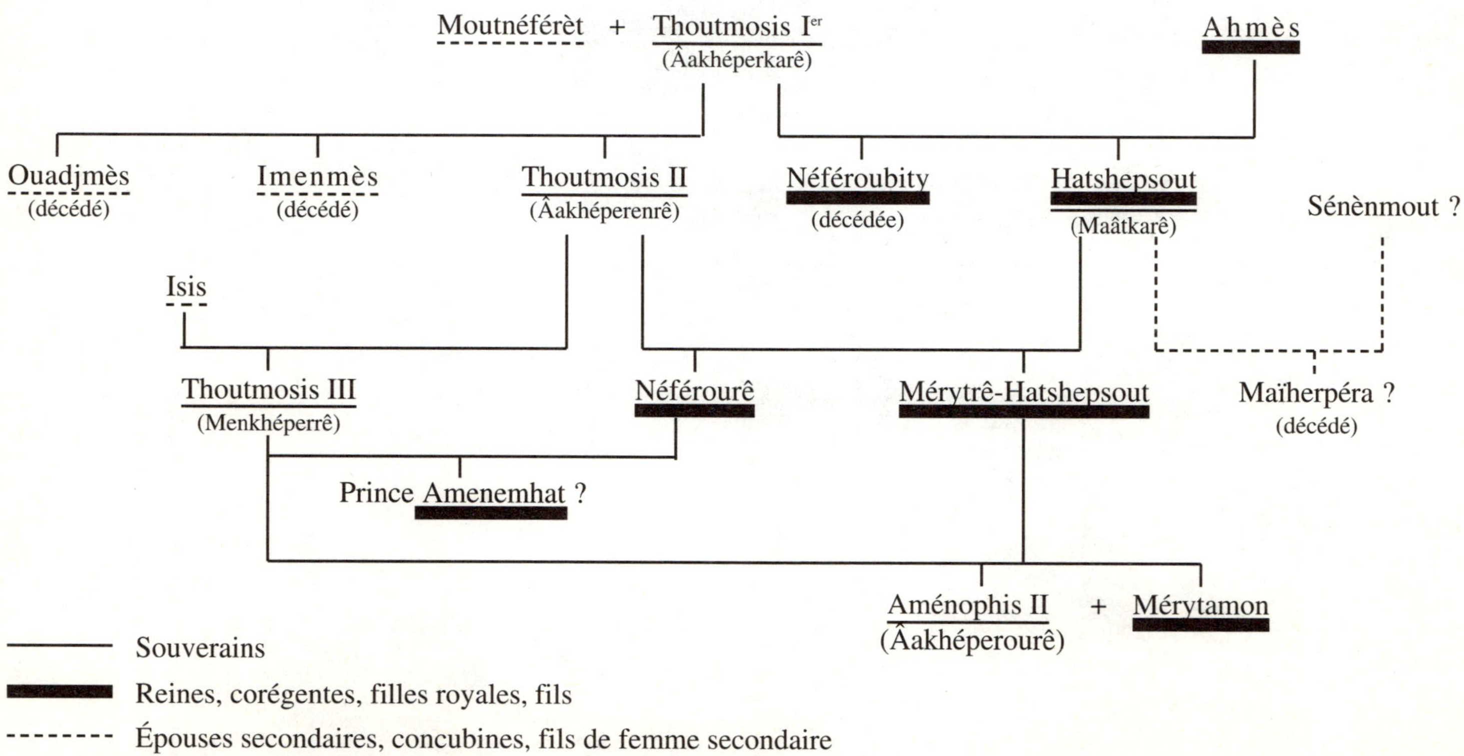

Buste de statue d'Hatshepsout. La jeune reine est figurée assise, en souveraine portant le pagne, mais son corps évoque encore celui d'une femme. La tête, un avant-bras et des fragments du trône furent découverts en 1926-1928 dans la « carrière » de Deir el-Bahari. La partie inférieure avait été emportée à Berlin par R. Lepsius en 1854 et cédée au Metropolitan Museum de New York en 1929. Ce buste a été restauré, en particulier le côté gauche du visage. Calcaire cristallin, anciennement polychrome. (Metropolitan Museum of New York)

HATSHEPSOUT L'INCONNUE
LA MÉCONNUE

Se risquer à faire revivre l'aventure d'une Egyptienne morte il y a plus de 3 400 années peut sembler illusoire, si l'on songe à la disparition des vestiges de son temps, sous le poids des siècles.

L'essai s'annonce bien plus périlleux encore, puisqu'il s'agit d'une mystérieuse reine dont les monuments furent, de surcroît, objets d'une systématique destruction, preuve indiscutable d'une vindicte visant à l'éradication de son souvenir.

Voici le problème, voici l'occasion de tenter le défi !

Lorsque, en 1829, Champollion aborda les ruines du temple de Deir el-Bahari, il put, sur les rares textes sortant des décombres, déchiffrer des allusions à une souveraine. Aussi incroyable que cela pouvait paraître, une femme avait dû régner sur le pays : c'était à peine concevable !

Quelque trente années plus tard, A. Mariette, le fondateur du Service des Antiquités de l'Egypte, au cours de sa vaste prospection archéologique sur tout le territoire, s'attaqua au dégagement partiel de l'édifice, à l'endroit même du second portique Sud du temple. Il venait alors de mettre au jour les bas-reliefs représentant la fabuleuse expédition au Pays de *Pount* : L'entreprise avait effectivement été organisée par une reine dont il pouvait déchiffrer le nom, prononcé à cette époque *Hatshopsitou*. Les ruines de ce temple, sur la rive gauche de Thèbes, venaient de livrer, sortie d'un oubli total, la vision d'un des exploits de l'énigmatique reine d'Egypte.

Le site de Deir el-Bahari, au XIXe siècle, avant les premières prospections d'Auguste Mariette.

Ce champ de décombres, encore bien mal protégé des « fouilles sauvages », subit alors un pillage dont le butin aboutit trop rarement dans certains musées européens. Cependant, à la fin du XIXe siècle, les premières recherches scientifiques furent heureusement entreprises sur le site, sous la direction de l'égyptologue genevois Edouard Naville, assisté entre autres par un talentueux dessinateur, Howard Carter… lequel, en 1922, devait découvrir la tombe parfaitement ignorée du petit pharaon Toutânkhamon. La magistrale publication qui clôtura les relevés de Naville fut, à l'époque, le modèle du genre. Les ruines du temple étaient partiellement dégagées : les bas-reliefs historiques des portiques et sanctuaires en partie sauvés apparaissaient à nouveau au grand jour. Dès lors, Naville avait détecté, sans hésitation possible, l'existence d'une souveraine d'Egypte, rayée de l'Histoire, Hatshepsout, l'auteur de cette merveille architecturale : les représentations et les textes la concernant

L'image soigneusement martelée d'Hatshepsout, recevant le « baptême » d'Horus et de Thot. (Deir el-Bahari)

avaient bien été martelés méticuleusement, cependant que les images des membres de sa famille demeuraient pourtant intactes.

Qui pouvait donc avoir intérêt à faire disparaître les traces de la reine, et quelle en était la raison ? Les mêmes destructions relevées sur d'autres monuments, à Karnak et sur plusieurs édifices également érigés par elle en Haute Egypte, incitèrent les égyptologues à diriger leurs soupçons sur Thoutmosis III, le neveu de la souveraine, très jeune à la mort de son père, et dont ils pensaient qu'elle avait usurpé le trône. De surcroît, il semblait logique d'attribuer le comportement de la reine à l'influence néfaste d'un habile et dangereux – mais aussi talentueux « architecte » – sans noble ascendance, au prénom étrange, un certain *Sénènmout*. La pernicieuse légende de la reine venait de naître.

Dans ses grandes lignes, ce panorama fut légèrement atténué lorsque l'égyptologue américain Herbert Winlock, conservateur de la section égyptienne du Metropolitan Museum de New York, entouré d'une brillante équipe, s'attaqua, dès 1911 – et pendant une vingtaine d'années –, au dégagement complet de toute l'aire du temple. Il devint le véritable champion de la reine Hatshepsout, exhumant des centaines de milliers de fragments de statues et de sphinx, dont il entreprit la reconstitution avec une ardeur et une patience admirables. Mais tout avait été si bien et si méthodiquement brisé que retrouver le véritable visage d'Hatshepsout devenait une opération difficilement réalisable.

Un phénomène analogue se produisait si l'on s'éloignait des grands tableaux conservés de son règne : transport d'obélisques, construction de sanctuaires, théogamie et naissance miraculeuse, couronnement, scènes de culte, déroulement des panégyries, jubilé...

Aucune trace précise concernant la vie personnelle d'Hatshepsout alors n'apparaissait, pas davantage en ce qui concernait les liens entretenus avec son entourage familial, ni ses intimes sentiments, sa position vis-à-vis du phénomène religieux, sa vie sentimentale, et les rares éléments retrouvés concernant la chronologie de son règne.

Hatshepsout ne fut pourtant pas seule à subir cette étrange persécution. Les monuments funéraires des plus fidèles de ses intimes connurent, après sa disparition, les mêmes outrages.

Dans le cercle des égyptologues, on continuait à professer qu'une femme, seule, privée d'une présence masculine à ses côtés, aurait été bien incapable de gouverner son pays : en définitive, l'opinion générale était de reconnaître en Thoutmosis III l'auteur de la vengeance d'un neveu brimé, par une régente, durant sa jeunesse, et l'ayant poursuivie, après sa mort, pour détruire son exécrable mémoire.

Depuis une quinzaine d'années, les travaux consacrés à certains aspects du règne d'Hatshepsout , dont celui de sa Chapelle rouge, ont apporté quelques éclaircissements propres à modifier le jugement généralement négatif porté sur la souveraine. Il se trouve même, parmi les égyptologues, quelques admirateurs de la reine ! Cependant, le mystère autour d'Hatshepsout demeure encore opaque. Il a même été recommandé, avec une certaine morosité, de ne pas tenter l'impossible aventure, au risque de passer pour un de ces petits romanciers privés de la moindre discipline historique. Je cite : *« La biographie privée du personnage*

Buste d'une des nombreuses statues « Osiriaques » d'Hatshepsout, victimes des persécutions et en voie de reconstitution. (Deir el-Bahari)

ressemble à un livre quasiment vierge et qui ne pourra sans doute jamais s'écrire, sauf à solliciter pour le divertissement, l'imaginaire et l'invention romanesque. »*

Il est bien évident qu'un « amateur » ne peut avoir l'audace de tenter l'essai. En revanche, après avoir vécu et œuvré en égyptologie depuis plus de soixante années, je crois pouvoir tenter, avec toute la prudence requise, l'évocation de cette existence si secrète, mais devenue très attachante, et oser pénétrer autant que faire se peut dans l'intimité de cette véritable héroïne d'un roman unique au monde, de cette impressionnante « figure de proue » à l'intelligence subtile, à l'indomptable volonté.

Ainsi m'a-t-il fallu évidemment tisser la toile, reconstituer la mosaïque disloquée, parfois « naviguer à l'aveuglette » dans le brouillard, mais arriver à tout vérifier de ce qui était avancé, soulever chaque pierre, analyser à nouveau les textes, interroger

---

* Bernard Mathieu, *Egypte* n° 17, mai 2000, p. 9.

encore tout éventuel antique témoignage. Ce fut une véritable enquête policière, sur le terrain et dans le laboratoire, enquête à laquelle je convie, maintenant, mes chers lecteurs ; j'ai plaisir à leur prendre la main pour les entraîner sur toutes les pistes où les si vétustes témoins, meurtris ou brisés, ont été décryptés et m'ont conduite à mieux percevoir et à faire découvrir un être d'une rare nature, à l'action exceptionnelle.

La terre d'Egypte lui doit un réveil éclatant, porteur de la remarquable montée de la XVIIIe dynastie des pharaons.

Au cours de ces recherches, j'ai bénéficié d'une bien amicale sollicitude. Une fois de plus, Elisabeth David a porté grand soin à la saisie de mon manuscrit, à l'établissement des index et au dépistage de certains documents, dernière tâche à laquelle Elisabeth Delange a contribué parfois avec une égale efficacité.

Ma gratitude s'exprime aussi à Michel François qui a remarquablement œuvré dans la restauration informatique de clichés souvent détériorés et quasiment illisibles. Il a aussi pu rendre miraculeusement au jeune Maïherpéra son visage « solaire ». Andrew Ware n'a pas manqué de me faire profiter de documents en sa possession et avec un œil infaillible a su repérer au musée de Boston l'unique portrait d'Hatshepsout à peine sortie de l'enfance, quasiment intact, et ignoré de tous.

Je dois encore citer Anne Saurat à qui je dois de précieuses informations sur l'existence et le rôle du Delta de Gash ; elle a pu me procurer les images du bananier sauvage d'Ethiopie, le *Musa ensete*.

Ma reconnaissance va aussi à mon fils Alain que j'ai accablé de demandes pour me fournir, par internet, nombre de références et de documents photographiques conservés dans les musées étrangers. Enfin, plusieurs de mes anciens étudiants et de mes collaborateurs m'ont généreusement procuré des photographies prises en Egypte, et vérifié sur place certains détails archéologiques.

Ces concours très précieux d'efficace assistance m'ont permis de gagner un temps considérable. Que chacun trouve, ici, l'expression de ma profonde reconnaissance.

Hatshepsout, à l'imposante dignité, reçoit des mains d'Amon la couronne *Khéperèsh* de la royauté. Pyramidion d'un des deux obélisques jubilaires. (Karnak, près du Lac Sacré)

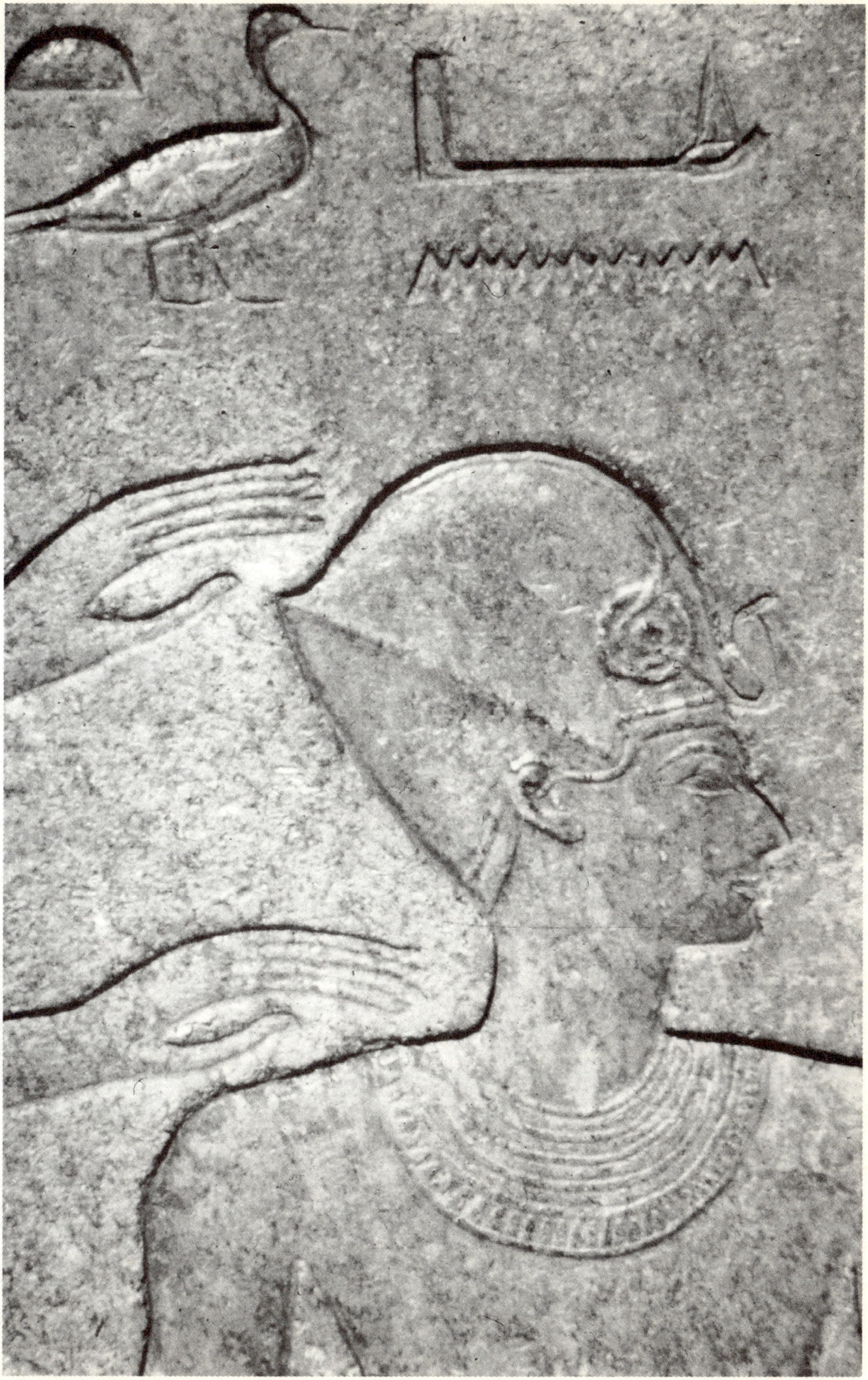

Ahmès, Grande Epouse royale de Thoutmosis le Premier et mère d'Hatshepsout. Elle tient en main le flabellum des reines et le collier sacré *Ménat*. (Deir el-Bahari - Photo Desroches Noblecourt)

I

LES PREMIÈRES ANNÉES D'HATSHEPSOUT

Naissance d'Hatshepsout (vers 1495 avant notre ère)

A Thèbes, sur les bords du Nil, non loin du Palais où résidaient Aménophis le Premier et son épouse Méryt-Amon, le fleuve, une fois de plus, venait de retrouver son lit après les quatre mois de l'Inondation [1] clôturés par les fêtes de Khoïak, environ 1 500 années avant notre ère. Tout près, le domaine du noble Thoutmosis était en émoi. Son épouse Ahmès, sa sœur aussi par Séniséneb leur commune mère, ressentait les douleurs de l'enfantement. Les servantes étaient allées chercher les sages-femmes dans l'officine où, depuis deux journées, elles étaient affairées à préparer les potions prescrites par le *Sinou* [2], sous la protection des sept fées Hathor, celles qui présidaient à l'avenir, et dont l'image figurait sur le godet à onguent qu'elles allaient apporter avec le pot à pharmacie en forme de femme tenant, sur son giron, le petit enfant qu'elle venait d'allaiter.

Installée sur le rudimentaire siège rituel de quatre briques de terre crue, soutenue par les deux accoucheuses qui se tenaient devant et derrière elle [3], Ahmès venait de donner le jour à une ravissante petite fille d'une coudée (0,52 m) de longueur, au

Figurées entre deux Hathor ou représentées comme un « hiéroglyphe », souveraines ou civiles accouchaient accroupies. (Epoque ptolémaïque)

visage triangulaire déjà marqué d'une finesse, d'un charme et d'une noblesse extrêmes. En la contemplant, Ahmès s'écria : *Hat-Shépésout* (« elle est à la tête des Nobles Dames ») [4] !

Ainsi fut baptisée celle qui allait devenir, quelques années plus tard, la première grande souveraine connue de l'Histoire : c'était probablement en l'an XII d'Aménophis Ier-Djéserkarê, fils de la sainte et très efficace reine Ahmès-Nofrétari, épouse du roi libérateur Ahmosis.

Les premiers jours

Il n'était pas encore question de penser à l'avenir ; l'heureux père se réjouissait de cette naissance tant attendue par sa belle Ahmès, alors que son épouse secondaire Moutnéférèt lui avait déjà donné deux fils : Imenmès, sans doute né en l'an IX-X du roi Aménophis, et Ouadjmès, son cadet de deux années.

Sat-Rê, la nourrice qui avait été choisie plusieurs mois à l'avance, était au chevet de la jeune mère lorsque Thoutmosis se présenta dans la chambre retirée hors de la demeure, aménagée dans le jardin pour sa Noble Dame. Il fut accueilli par les cris de joie, les « youyous » des femmes de la maisonnée. Ahmès devait demeurer rituellement dans le local où elle avait accouché, au cœur du beau jardin [5], pour bénéficier des purifications après la naissance de l'enfant. Entourée de Sat-Rê, de sa mère Ahmès et des femmes de la maisonnée, elle se trouvait ainsi strictement en milieu féminin, où elle allait recevoir la visite des dames de la société thébaine aux demeures, en partie, regroupées dans les agréables quartiers de la ville, et proches de la maison du savant Chef des travaux Inéni, possesseur du fameux jardin botanique jouxtant la propriété de Thoutmosis.

L'épouse d'Inéni était déjà aux côtés d'Ahmès et l'émotion gagna les deux Thébaines lorsque la reine douairière, Ahmès-Nofrétari [6], se fit annoncer. Cette remarquable reine, veuve du libérateur du pays contre les envahisseurs hyksôs, était vénérée dans toute l'Egypte, mais surtout dans la région thébaine, berceau de la nouvelle famille royale. Elle continuait encore à s'occuper des Affaires de l'Etat et secondait son fils le premier Aménophis après la douloureuse occupation étrangère.

Pendant cette période relativement calme et après la grande expédition punitive de son fils en l'an VIII au pays de *Koush*, autour de la Quatrième Cataracte du Nil, la reine mère s'était penchée sur l'organisation du clergé [7] et du culte d'Amon [8], le grand soutien des valeureux princes libérateurs.

Pour une autre raison, elle s'était aussi tenue très proche des compagnons d'armes de son fils, car Méryt-Amon, épouse de ce dernier, était restée stérile. Aussi, Ahmès-Nofrétari veillait à l'avenir de

Ahmès-Nofrétari, la mère d'Aménophis Ier, devient la Patronne des ouvriers de la Nécropole Thébaine. Son culte se poursuivit encore à la XIXe dynastie, sous les Ramessides. (Karnak. photo Centre Franco Egyptien de Karnak)

la Couronne encore vulnérable : il fallait songer au choix le plus judicieux de celui qui prendrait la relève. Le brillant et sage officier d'illustre ascendance, peut-être originaire d'el Kab (face à Hiérakonpolis), méritait d'être sur les rangs. Deux fils lui étaient déjà nés : Imenmès, pendant sa longue expédition nubienne, puis, vers l'an X, Ouadjmès à la bien faible constitution. Mais leur mère, l'épouse secondaire Moutnéférèt, n'était pas aussi titrée, semble-t-il, qu'Ahmès. L'enfant de cette dernière venait ainsi de voir le jour, d'autres naissances surviendraient bientôt encore, l'avenir serait assuré par l'œuvre de la dame Ahmès.

Le vœu d'Ahmès-Nofrétari ne fut pas comblé. L'année suivante, c'est à nouveau Moutnéférèt qui accoucha d'un troisième garçon, à qui fut donné le nom de son père : Thoutmosis.

L'enfance

La petite Hatshepsout passa les premières années de sa vie dans la ville de *Ouaset* (Thèbes), sur la rive droite, entre le sanctuaire d'Amon, la Force cachée en son fief d'*Ipèt-Sout* (« La plus choisie des places », Karnak), et son « Harem du Sud » (*Ipèt-résèt*), la Louxor actuelle où les oracles du dieu pouvaient parfois s'exprimer.

Elle allait atteindre sa quatrième année lorsque sa mère mit au monde une autre fille, Néféroubity. Une compagne de jeu serait la bienvenue, mais avant tout la fillette portait un grand intérêt à tout ce qui l'entourait, et surtout au magnifique jardin dont le très savant orfèvre Inéni, leur voisin, avait entouré sa non moins magnifique demeure. Cette dernière était une imposante maison de briques de terre crue [9], blanchie à la chaux, assez semblable à celle des parents d'Hatshepsout. Elle était munie de deux étages dominant un rez-de-chaussée que masquait un grand mur d'enceinte, ondulé comme la première vague de l'océan d'où naquit le monde [10]. Au sous-sol, ainsi que dans toute demeure cossue, les servantes, sous la surveillance de la maîtresse de maison, filaient et tissaient le lin pour les vêtements de la famille. Le premier étage abritait, avant tout, le bureau d'Inéni et ses annexes. Le second étage était réservé à l'appartement des dames et des enfants, et à la vie familiale. On pouvait également se tenir sur la terrasse où les serviteurs cuisinaient parfois de sobres collations.

Amon-Rê, Maître de Karnak, dont les oracles intervinrent dès le début de la période thoutmoside. Hatshepsout lui voua une totale dévotion. Granit rose, Karnak. (Pyramidion d'obélisque - Photo Desroches Noblecourt)

Thoutmosis-Âakhéperkarê, la reine Ahmès et la princesse Néféroubity rendent hommage à la barque sacrée d'Amon. (Deir el-Bahari)

Mais les communs étaient répartis dans la cour près des silos à grain, en forme de pain de sucre, là où Sat-Rê [11], la grande nourrice allait souvent chercher les « petits sablés [12] » préparés pour Hatshepsout.

Début d'éducation – le temps de la nourrice

A l'âge de sept ans, Hatshepsout fut autorisée à pénétrer avec son père Thoutmosis dans le vaste bureau d'Inéni, son voisin, car ce dernier commençait à prendre la responsabilité de certains travaux d'art commandés par Aménophis Ier. Elle désirait voir ces beaux bijoux dont Inéni avait fait les dessins, et était intriguée par ces « portes forgées en bronze, d'une seule pièce », incrustées « d'or fin », destinées au temple d'Amon. Elle voulait aussi voir les projets du grand naos d'albâtre recouvert d'images en relief que le roi Aménophis faisait préparer pour Karnak [13], afin d'abriter la barque sacrée d'Amon.

Souvent déjà Sat-Rê, entre deux leçons d'écriture hiéroglyphique et de lecture, avait emmené la petite fille attirée par l'activité reprise dans le temple de Karnak, dans le domaine d'Amon où plusieurs chapelles de calcaire, remontant au Moyen Empire et

12. Du mot *shât*, « sable ».

délabrées faute de soin pendant l'occupation hyksôs, en partie gagnées par les herbes sèches et la lourde poussière, étaient en voie de nettoyage et de reconstitution.

Sur la rive gauche, les restaurations étaient menées dans les tombes des souverains Antef, Sébekemsaf, Sékénenrê et celle de la reine Iâhhotep, dont les chapelles étaient coiffées de petites pyramides.

Mais c'était le grand temple étagé à piliers de Monthouhotep qui impressionnait beaucoup Hatshepsout, car on abordait la terrasse supérieure contre la montagne après avoir emprunté son allée triomphale bordée de statues du grand roi Monthouhotep, serré dans son costume de jubilé, présentant le visage et les membres noirs, comme plongé dans des ténèbres provisoires.

Une des statues assises du Grand Monthouhotep, qui bordait la voie d'accès au premier temple de Deir el-Bahari. (Musée du Caire)

Hatshepsout revenait toujours vers le grand parc d'Inéni, l'artiste, l'architecte et aussi le botaniste, après les leçons qui lui étaient dispensées durant chaque semaine de dix jours, sanctionnées chacune par le congé du dernier jour de chaque décade. Inéni avait probablement accompagné son roi Aménophis au cours de sa longue expédition punitive de l'an VIII, au-delà même de la Quatrième Cataracte vers l'intérieur des terres dans les parages du « Haut-Puits » d'où, avec l'aide du chef nautonnier Ahmès fils d'Abana, il avait rapporté, en redescendant le Nil, des essences rares, replantées avec succès jusque-là, et en avait même consigné les noms [14] sur un des murs de sa chapelle funéraire. Quand elle serait grande, Hatshepsout voulait aussi posséder un grand jardin, planté d'arbres rapportés de ces pays lointains.

Statue de la noble Dame Sat-Rê qui « nourrit Hatshepsout de son lait » et subit la même vindicte que sa maîtresse. (Musée du Caire)

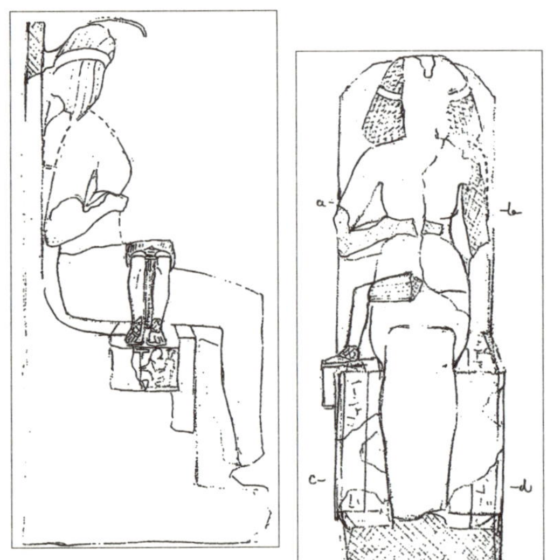

L'acharnement dont Sat-Rê fut victime montre qu'elle demeura, toute sa vie, fidèle à son nourrisson.
On peut distinguer sous les pieds de l'enfant l'image fracassée du « *Séma-Taouy* » royal. Ce détail montre que la statue fut sculptée et consacrée après le « couronnement » d'Hatshepsout, car elle n'était pas née princesse.
(Dessin de Bodil Hornemann)

Aménophis Ier. (Musée du Caire)

La mort d'Aménophis Ier

Sat-Rê demeurait toujours auprès de la jeune Hatshepsout, mais entre la huitième et la neuvième année de celle-ci, un grand événement vint transformer son existence : au bout de vingt années et sept mois de règne, le vingtième jour du troisième mois de *Pérèt* [15], le roi Aménophis-Djéserkarê venait de mourir. Suivant l'exemple rappelé pour Amenemhat Ier : « Le roi de Haute et Basse Egypte… fut enlevé au ciel, et ainsi se trouva uni avec le globe solaire, et le corps du dieu s'absorba en Celui qui l'avait créé [16]. »

En dépit des imposantes et silencieuses cérémonies de deuil précédant les obsèques, la profonde douleur de la reine douairière n'aveuglait pas cette forte femme, plus que jamais soucieuse de l'avenir de sa chère *Kémèt* [17] : « le roi était mort, il fallait donc que vive immédiatement le nouveau roi », car le vide durant un éventuel interrègne pouvait engendrer le chaos. Ainsi donc il était indispensable que le lendemain même du décès, le 21e jour du 3e mois de *Pérèt*, un nouvel Horus [18] occupât le trône des ancêtres. Nul doute qu'Ahmès-Nofrétari ait joué un rôle de premier plan [19] dans le choix du successeur de son fils disparu sans héritier, héritier peut-être déjà envisagé par lui-même. Le noble Thoutmosis était-il apparenté à la famille royale ? Aucun document à notre disposition à ce jour ne permet de le prouver. D'imperceptibles éléments cependant laissent supposer qu'ils auraient pu, lui et son épouse, appartenir à une branche latérale de la lignée des princes libérateurs [20]. De surcroît, il avait sûrement participé aux expéditions militaires d'Aménophis Ier, aux côtés des fidèles de la Couronne.

Y avait-il d'autres prétendants au trône ? Le choix porté sur Thoutmosis aurait pu susciter quelques remous que son autorité, et les protections dont jouissait le nouveau souverain (celle du clergé d'Amon n'était pas des moindres) auraient pu rapidement juguler. Les termes par lesquels le roi du Sud et du Nord Thoutmosis informa de son avènement Touri [21], son Vice-roi de Nubie, laissent supposer que des problèmes de succession ont pu ou même dû surgir. En effet, sur l'inscription de Bouhen (Ouadi Halfa), répétée à deux reprises à Kouban et à Assouan, Sa Majesté insiste sur le fait que l'information a été envoyée expressément pour qu'on sache que « tout allait bien au Palais [22] ». Détail fort important en faveur de l'action exercée par Ahmès-Nofrétari pour le choix du nouveau roi : sur la stèle de Kouban où l'événement est consigné [23], Ahmès-Nofrétari est représentée aux côtés de Thoutmosis Ier et de son épouse Ahmès.

Une nouvelle princesse – Le temps du précepteur

Hatshepsout, tout comme sa petite sœur Néféroubity, devenait alors princesse royale. Il importait que l'aînée de Thoutmosis et de la Grande Epouse royale Ahmès soit maintenant guidée par un précepteur. Thoutmosis le Premier choisit un homme valeureux autant qu'étroitement fidèle à la Couronne, courageux

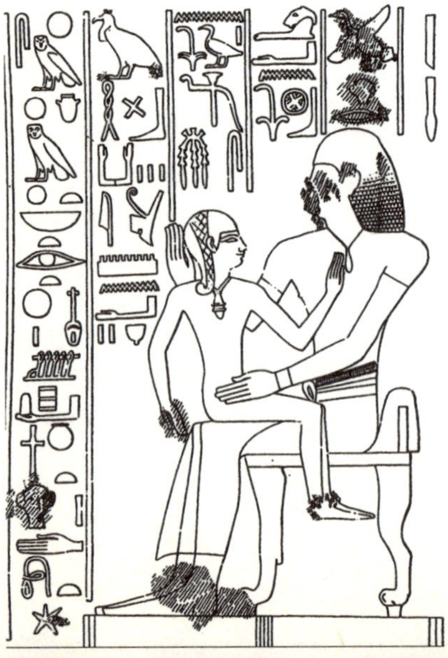

Pahéry, Seigneur d'el Kab, devint un des précepteurs d'Ouadjmès, un des fils du premier Thoutmosis-Âakhéperkarê et de son épouse secondaire Moutnéférèt. On voit, ici, le petit prince, portant la boucle royale de cheveux sur la tête, assis sur les genoux de son précepteur. Sur un autre mur de la tombe, Ouadjmès est représenté en adulte. (Tombe de Pahéry à el Kab)

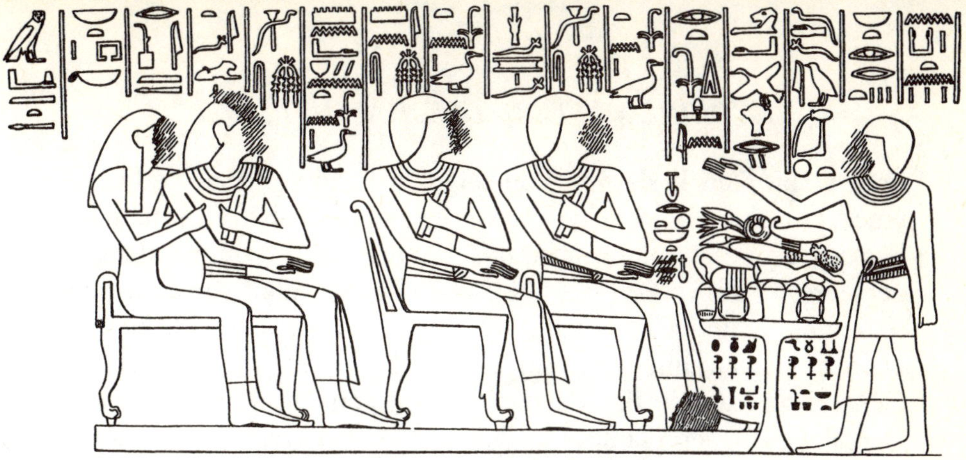

Scène de banquet où figurent le « fils royal » Ouadjmès et son frère le « fils royal ». Imenmès, accompagné d'un autre précepteur d'Ouadjmès nommé Itéfroury, et de son épouse. (Tombe de Pahéry à el Kab)

compagnon du précédent roi : il s'agissait d'Ahmès Pen-Nekhbet [24]. Certainement jeune, Ahmès dit Pen-Nekhbet (c'est-à-dire « Celui de la déesse Nékhabit ») avait déjà participé aux campagnes militaires d'Ahmosis le libérateur et d'Aménophis le Premier, sous le règne duquel il avait reçu « l'or de la vaillance » pour son action au pays de *Koush* [25].

La princesse, à l'intelligence déjà épanouie, allait voir comblée sa curiosité insatiable en écoutant les leçons d'histoire prodiguées par son maître. Ahmès Pen-Nekhbet était né dans la ville de *Nékheb* (l'actuelle el Kab, entre Thèbes et Assouan), face à la très vénérable ville de *Nékhèn* (Hiérakonpolis), aux antiques fortifications de la Ire dynastie. Sur ordre de Thoutmosis, son précepteur allait l'accompagner à *Nékheb*, escortée de Sat-Rê, pendant la période où le pays allait achever le deuil et préparer les cérémonies du couronnement, durant lesquelles le nouveau souverain se verrait affecter son prénom de règne : *Âa-Khéper-Ka-Rê*. Installée dans la famille de son tuteur, Hatshepsout pourrait journellement rendre visite à son demi-frère Ouadjmès, fils du roi et de la simple épouse royale Moutnéférèt, et dont l'état de santé était très précaire. Le petit prince délicat et étrange, qui paraissait toujours suivre un

Les dames au banquet. Devant le serviteur qui lui présente le nectar, la tante de Pahéry lui déclare : « J'ai l'intérieur sec comme de la paille, j'en boirais bien 18 coupes ! » (à gauche) Tombe de Pahéry.

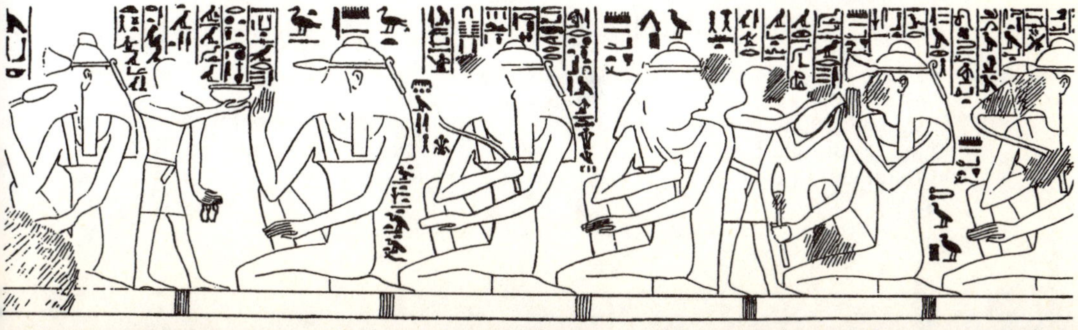

rêve, vivait dans la demeure du seigneur Pahéry, Prince de la province, entouré des soins de deux précepteurs, Pahéry lui-même et le père de ce dernier, Itefroury. Chez Pahéry, comme dans la demeure d'Ahmès Pen-Nekhbet, Hatshepsout allait se sentir heureusement entourée, d'autant que son demi-frère aîné [26], Imenmès, guerrier dans l'âme et ayant déjà reçu le titre honorifique de Général de l'armée de son père, venait souvent visiter le prince Ouadjmès aux déroutantes facultés : il semblait vivre dans le monde à part des esprits saints et passait pour être frappé de visions. Quant au troisième fils de Moutnéférèt, il vivait près de sa mère. D'aspect plus robuste que ses deux frères, il semblait cependant peu éveillé.

Les leçons d'histoire

Dans une chaleureuse atmosphère, Hatshepsout pourrait encore interroger à loisir un autre personnage, le chef rameur Ahmès fils d'Abana, couvert de gloire, également citoyen d'el Kab. C'était réellement la folle aventure, pour cette petite princesse d'à peine dix années. Aussi se plia-t-elle au protocole, nouveau pour elle, au cours duquel, avant même son arrivée à el Kab, elle fut, sur son bateau princier remontant le Nil, pompeusement saluée par le Vice-roi de Nubie Ahmès dit Touri, et par Rénény, Gouverneur de *Nékheb*.

Cet autre légendaire militaire dont elle avait entendu parler s'appelait, lui aussi, Ahmès, comme le libérateur [27]. Il était fils d'Abana : ainsi s'appelait sa mère, alors que son père s'appelait Baba. Assez âgé, il commençait à couler ses vieux jours dans sa ville d'el Kab, non loin du domaine d'Itefroury son fils, et de Pahéry, son petit-fils, tous deux précepteurs du Prince Ouadjmès.

Ahmès fils d'Abana

Depuis longtemps déjà il avait tant d'aventures à conter ! C'étaient d'abord les souvenirs de son père Baba, qui avait été soldat de Sékénenrê (l'époux d'Iâhhotep-la-vaillante), mort sans doute sur le champ de bataille contre les Hyksôs [28]. Le prince, blessé à la tête, avait été achevé à terre par son adversaire, mais son corps avait pu être sauvé et enterré dans le sol de ses ancêtres, la montagne thébaine.

---

27. A cette époque, nombre d'acteurs du moment furent appelés Ahmès comme le roi, que l'on nomme alors, pour suivre les Grecs, Ahmosis, afin de le différencier.

Ahmosis-le-libérateur, vainqueur d'un Hyksôs.
Décor d'une hache votive du « trésor » funéraire de sa mère la reine Iâhhotep.
Or et bronze. (Musée du Caire)

Après ce préambule, le fils d'Abana raconta [29] comment, jeune célibataire, il prit la place de son père sur le bateau « Le taureau sauvage », afin de transporter des troupes vers le Nord, car le roi Ahmosis-Nebpehtirê se dirigeait vers *Avaris* du Delta pour le grand affrontement avec les Hyksôs. Le choc fut si terrible, les hurlements si effroyables que les femmes, dans la ville, n'en pouvaient plus accoucher ! Une fois marié, Ahmès fut engagé sur le bateau « Le nordique », et chargé par le roi de l'accompagner « à pied lorsqu'il sortait sur son char ». Enfin, son orgueil fut de commander le bateau appelé « Celui qui apparaît à Memphis ». En fait, Ahmès était un véritable « marsouin ». Lorsqu'il descendait à terre, il capturait des ennemis et le roi lui avait souvent donné un captif et des femmes prisonnières. A chaque action d'éclat, il avait presque toujours reçu « l'or de la vaillance », ce fut encore le cas lorsqu'au Sud d'*Avaris* il avait ramené un prisonnier à la nage.

Le temps de la reconquête

Et puis, lorsque les Hyksôs exécrés avaient abandonné le sol d'Egypte, Ahmosis-le-libérateur les avait acculés dans la ville de *Sharouhen*, près de Gaza, au Nord-Est du Delta. Le siège avait duré trois ans, à l'issue desquels le fils d'Abana était retourné quelque temps dans ses foyers avec trois captives encore attribuées par le roi, et une nouvelle fois « l'or de la vaillance » pour « une main ».

Hatshepsout n'avait pas compris ce qu'Ahmès voulait dire en parlant des « mains » au sujet desquelles il était récompensé. Son précepteur lui commenta cette coutume égyptienne de dénombrer les ennemis tués au combat par l'ablation d'une de leurs mains… en preuve irréfutable de leur trépas.

Les pays lointains du Sud

Les hauts faits de ces guerriers éveillaient certainement l'intérêt de la princesse, mais le mystère des pays lointains traversés la captivait encore plus : le fils d'Abana, en l'an VIII, avait accompagné Aménophis-Djéserkarê en pays de *Koush*, dans la région de *Khenthennéfer*, au sud de la capitale de Kerma ; avait-il vu ces *Iountyou-Sétyou* [30], c'est-à-dire les « archers de Nubie », comment étaient-ils ? Etaient-ce ceux que les soldats appelaient les « porteurs de mèches », ou bien les *guénou*, ceux dont le visage était marqué de scarifications si caractéristiques de chaque côté du nez ? La bataille n'avait pas eu lieu sur les bords du fleuve ; Hatshepsout voulait alors savoir à quoi ressemblaient les paysages : étaient-ils plus larges que les rives du fleuve à Thèbes ? Les arbres ressemblaient-ils à ceux qu'Inéni avait replantés dans son jardin, près du temple d'Amon ? Avant que le fils d'Abana n'eût décrit ses aventures en pays de *Koush*, le précepteur Ahmès Pen-Nekhbet ne voulut pas manquer d'éclairer sa petite élève sur l'histoire de ses proches ancêtres. Il lui apprit comment les princes de *Koush*, au Sud, en relation avec les occupants hyksôs établis au Nord du pays, adhéraient au projet ennemi de prendre l'Egypte comme dans un étau ; stratagème heureusement déjoué, mais qui avait laissé quelques traces, traduites par des complots locaux contre le roi.

Il lui parla, aussi, de la légendaire Tétishéri, la première de la lignée de ces valeureuses princesses dont faisait partie Iâhhotep, l'épouse du libérateur : la ferveur de cette dernière, son courage, son efficacité auprès du père et des fils combattants furent déterminants au point qu'elle reçut les trois grandes mouches d'or de la vaillance [31].

Alors le fils d'Abana, au retour du pays de *Koush*, évoqua la riche région du Dongola, où les populations, chassées par Aménophis le Premier, s'étaient réfugiées « sur le chemin traversant le pays de *Bayouda* », près du puits appelé « le puits du haut-pays » (ou « le haut-puits ») [32].

Lutte au pays de *Koush*

Le roi avait poursuivi l'armée anéantie, et capturé son chef. Quant au fils d'Abana, il avait ramené une main, fait un prisonnier et capturé deux femmes. Mais son réel exploit avait été de

La reine Tétishéri, l'ancêtre vénérée de la XVIIIe dynastie, grand-mère d'Ahmôsis-le-libérateur et mère de la reine Iâhhotep. (British Museum)

rendre possible le retour du roi vers la vallée du Nil, à la hauteur du Gebel Barkal, en deux jours seulement [33]. Pour cette périlleuse opération, Ahmès fils d'Abana avait été nommé « Combattant du chef ». A la suite d'autres opérations navales, le roi lui accorda des terrains à el Kab même, qui avaient appartenu aux acteurs nubiens d'un complot contre sa royale personne : ainsi se constitua la fortune du valeureux Chef des rameurs.

Le grain est semé

A l'issue de ces édifiants récits, le sage précepteur Ahmès Pen-Nekhbet tint à expliquer à son attentive élève la profonde raison de ces combats incessants : le souverain voulait libérer ces régions de la dangereuse « barrière » qui, en aval de la Quatrième Cataracte [34], séparait l'Egypte du « centre du commerce tropical » de l'Afrique profonde, et pouvoir ainsi établir des contacts directs avec les caravanes… il y a 3 500 ans !

Hatshepsout se prenait alors à rêver, à faire des projets pour plus tard ; comme Aménophis-Djéserkarê, elle érigerait à Kasr-Ibrim [35] une stèle, analogue à celle que le fils d'Abana lui avait décrite, où elle pourrait consigner les énormes quantités d'or rapportées du pays des *Iountyou-Mentyou*. Cela serait possible, puisque les reines voyageaient elles aussi, et que la reine douairière Ahmès-Nofrétari, mère d'Aménophis Ier, était représentée à Kasr-Ibrim, ainsi que la reine Méryt-Amon, aux côtés d'Aménophis Ier.

Le majestueux rocher de Kasr-Ibrim dominant, sur la rive droite, l'ancienne capitale de la Nubie : Miam. (Aniba)

Trouvée à Kasr-Ibrim, la stèle sur laquelle Aménophis 1er, son épouse la première Méryt-Amon et la reine mère Ahmès-Nofrétari, se présentent devant Amon. (Musée du Caire)

Hatshepsout revint à Thèbes pour les festivités du couronnement, dont un chapitre se déroula à Memphis. Son père, qui allait recevoir le prénom *Âa-Khéper-Ka-Rê*, se félicitait de la maturité évidente de sa fille, acquise également auprès des deux pères nourriciers de ses demi-frères Imenmès et Ouadjmès. Le roi préparait sa première grande démonstration militaire en pays de *Koush* ; cette expédition navale dépasserait naturellement la Deuxième Cataracte. Ahmès Pen-Nekhbet devait effectivement y participer, laissant à Sat-Rê l'éducation journalière d'Hatshepsout. En effet, maintenant, Thoutmosis le Premier voulait que, pendant cette période, sa fille puisse être initiée à toutes les étapes de la vie du pays, fondée sur le calendrier régissant principalement les activités agricoles. Plus que jamais, il découvrait les qualités exceptionnelles de cette enfant qu'il fallait préparer à jouer un rôle éminent dans le royaume : « Je la mettrai à ma place », avait-il déclaré un jour [36]. Aussi lui fit-il reprendre le chemin de *Nékheb* (el Kab), mais à cette occasion elle séjournerait dans la famille de Pahéry, ce grand seigneur terrien dont le domaine s'étendait au Nord jusqu'à la région d'Abydos.

La connaissance du pays et le calendrier

Ce fut pour la fillette la découverte de la vie paysanne où, dès le quatrième mois de l'année, après le retrait de l'Inondation qui avait recouvert l'Egypte pendant cette saison *Akhèt*, les paysans préparaient le terrain « sortant » de l'eau au début de la saison *Pérèt*. Il était labouré et recevait les graines que les porcs, lâchés sur les champs, enfonçaient dans le sol en les piétinant. Quatre mois après, la récolte était prête et les paysans s'étaient déjà affairés dans les champs peuplés de travailleurs, à couper les têtes d'épeautre, à tirer les tiges de lin, veillant à ne pas briser les fibres, cependant que les scribes enregistraient les rentrées : l'arpenteur des impôts passait sur le terrain pour mesurer l'ampleur des récoltes. A la fin de cette deuxième saison, les journées chaudes allaient commencer durant les quatre mois de *Shémou*, desséchant les terrains, vidant les canaux, mais faisant gonfler les raisins dont la vendange était annoncée par le chacal venu déguster les premières grappes gorgées de sucre, peu de jours avant l'arrivée de Hâpy (l'Inondation), qui libérait le pays de tous les malaises, les miasmes, les torpeurs.

Ainsi, durant la première saison de l'année, appelée *Akhèt*, l'eau se répandait sur les deux rives jusqu'aux limites du désert ;

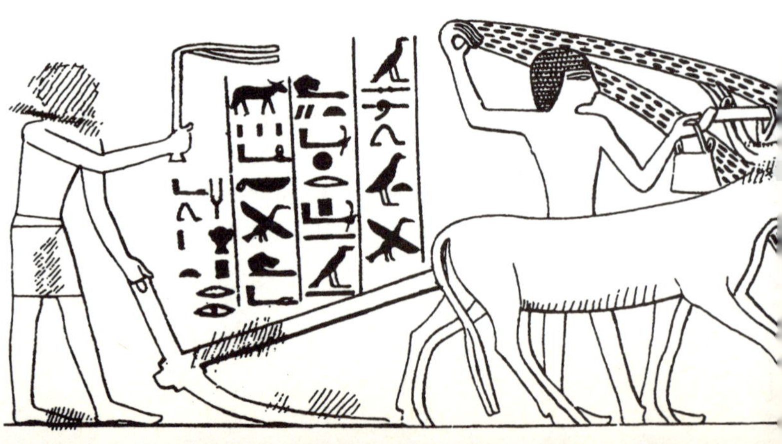

Défilé d'un troupeau de porcs pour le recensement pendant la saison de l'Inondation - *Akhèt*. (Tombe de Pahéry, el Kab)

elle interdisait les activités agricoles, mais permettait à tous de pêcher, de chasser, de préparer les conserves de toutes sortes, de remplir les silos à grain, de réparer les instruments agricoles, de recenser le bétail et de marquer les nouvelles bêtes, de faire rentrer les impôts, et aussi de célébrer de nombreuses fêtes pendant lesquelles la population sillonnait en barque les terrains inondés et « faisait des jours heureux », en famille et avec les amis. C'était aussi la période, pour Pahéry, responsable de la région, de superviser l'arrivée dans sa ville de l'or de Nubie, principalement extrait des mines du Ouadi Allaki. Alors, pesés et contrôlés à nouveau, anneaux et sacs du métal précieux étaient expédiés sous bonne escorte fluviale vers les magasins du Trésor, à Thèbes.

La seconde saison de l'année : *Pérèt* (hiver-printemps) était celle où l'on préparait la terre après le retrait des eaux de l'Inondation. Les charrues étaient tirées par les bovidés : les paysans semaient alors le grain. On lançait parfois dans les champs les troupeaux de porcs qui circulaient plus aisément sur la terre meuble, afin d'enfoncer les semences. (Tombe de Pahéry, el Kab)

B. Les hommes moissonnent, les fillettes glanent, la mère apporte le repas.

B. Le dépiquage des céréales.

B. Transport des épis vides.

B. L'attelage du maître en inspection.

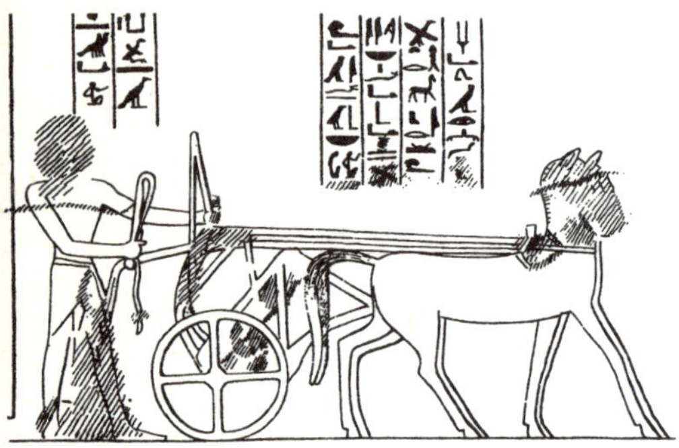

B. Le secrétariat du maître.

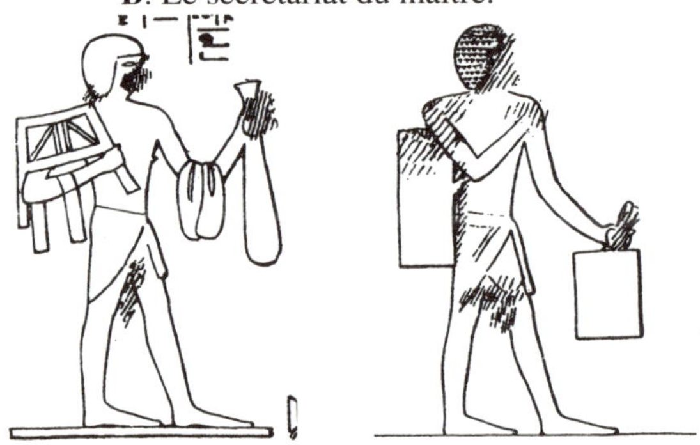

C. Le vannage.

C. Transport des grains.

C. Arrachage, puis traitement des tiges de lin.

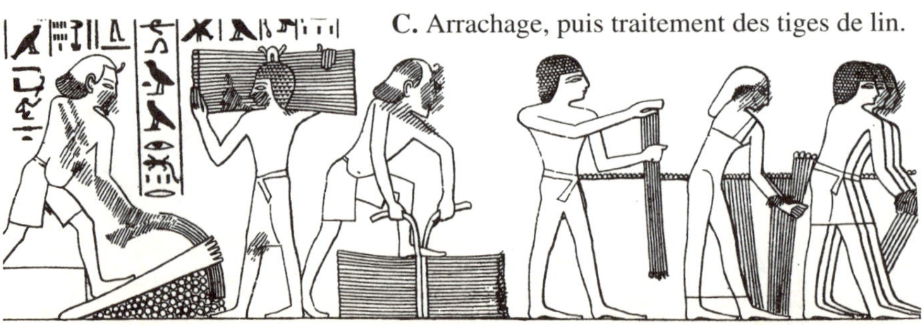

C. Vendanges et scène de pressoir.

A. Pêche et prise au filet des canards sauvages.

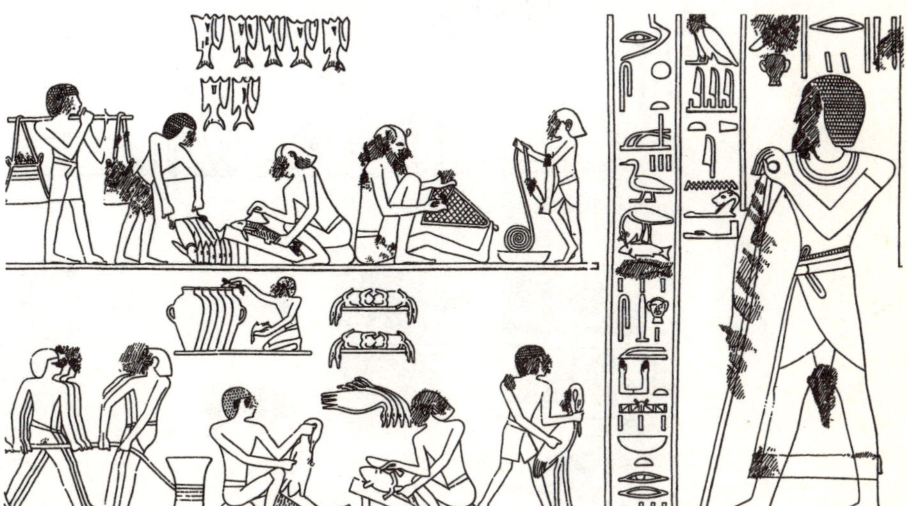

A. Pahéry surveille la fabrication des conserves de poissons et de gibier d'eau.

A. Saison de l'Inondation : *Akhèt* ; B. Saison de l'hiver-printemps : *Pérèt* ; C. Saison de l'été : *Shémou*. (Scènes du Tombeau de Pahéry à el Kab)

A. Recensement du gros bétail.

A. Recensement du petit bétail.

(Scènes du Tombeau de Pahéry à el Kab)

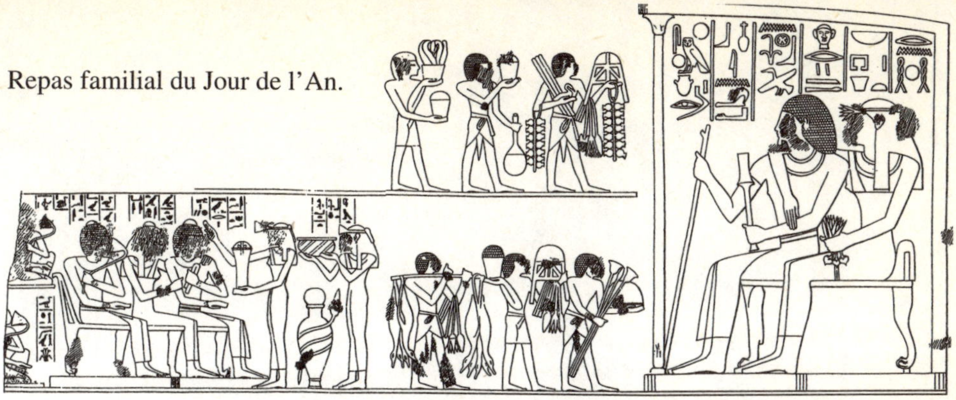

A. Repas familial du Jour de l'An.

A. Rafraîchissement des boissons de fête.

A. Arrivée de l'or de Nubie dans les bureaux du Gouverneur, départ vers la Résidence de Thèbes.

A. La pesée de l'or et le transport des céréales.

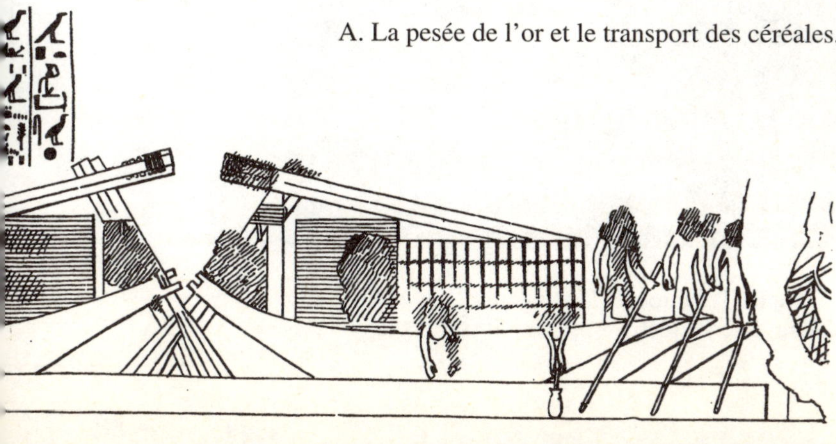

Tête de Thoutmosis II en costume de « Fête Sed »,
découverte à Eléphantine. Granit rose. (D'après Dreyer)

II

L'ORACLE ET SES CONSÉQUENCES UN MARIAGE INATTENDU

L'oracle

Hatshepsout était maintenant revenue au Palais auprès de la reine Ahmès, et de sa famille ; son séjour « éducatif » devait prendre fin – il lui fallait maintenant résider dans la capitale, car le départ de son père pour la nouvelle grande expédition au pays de *Koush* était fixé en cette seconde année du règne, au 15e jour du 2e mois de la saison *Akhèt* [1]. Le roi allait donc remonter le Nil pendant la saison de l'Inondation durant laquelle le passage des cataractes était facilité par les très hautes eaux, bien que la navigation, en remontant le fleuve alourdi par les alluvions qu'il charriait, fût d'autant plus dangereuse.

Quatre mois et quelques jours s'étaient donc écoulés lorsque le « Harem du Sud » (temple de Louxor) fut le théâtre d'un miracle. C'est Hatshepsout qui nous l'apprend, rapportant l'incident, après bien des années, en ces termes :

> *« L'an II, le 2e mois de Pérèt, le 29e jour... fut celui de proclamer mienne les Deux Terres dans la cour large du « Harem du Sud ».*

Voici que Sa Majesté rendit un oracle en présence de ce dieu parfait (nétèr néfèr : le roi).

Et mon père (le dieu) apparut dans sa belle fête « Amon chef des dieux ». Il entraîna Ma Majesté [dans la suite ?] du roi bienfaisant (nésout ménekh), et il multiplia les oracles me concernant à la face de la terre entière » (traduction Cannuyer, d'après VdS) [2].

Il semble peu probable que le roi ait pu, en l'espace des quatre mois qui séparent les deux dates de la même année, entre *Akhèt* et *Pérèt*, accomplir son expédition punitive vers la Quatrième Cataracte et en revenir à temps. Au reste Thoutmosis nous apprend lui-même qu'il revint du pays de *Koush* en l'an III, 7 mois après son départ, le 1er mois de la saison *Shémou* (*cf.* p. 27-28). Il est donc vraisemblable qu'avec l'appui des prêtres d'Amon[3], Thoutmosis avait dû, avant son départ, préparer cette mise en scène, stratagème destiné à soutenir l'ascension de sa fille, née de la Grande Epouse royale Ahmès, alors que ses trois fils étaient les rejetons de sa reine secondaire Moutnéférèt. Ahmès ne déclarait-elle pas, dans les inscriptions de Deir el-Bahari qui la concernaient, être « *la souveraine de toutes les autres épouses* » [4] ? Comprenons aussi, par là, que les fils de Moutnéférèt pourraient avoir moins de droits au trône que l'héritière de la Grande Epouse, d'autant que les rejetons de Moutnéférèt paraissaient moins aptes à régner : Ouadjmès était hors de question, et le petit dernier, Thoutmosis, présentait semble-t-il un faible quotient intellectuel. Restait Imenmès, l'aîné, qui avait reçu le titre honorifique de Général et l'éducation militaire des princes royaux, mais ne possédait pas les qualités exceptionnelles dont le dieu avait doté Hatshepsout.

Thoutmosis le Premier avait-il aussi envisagé son éventuelle disparition au cours de cette périlleuse expédition, et pensé à préparer sa succession ?

Qui serait l'héritier du trône ?

Quoi qu'il en soit, la jeune Hatshepsout semble avoir été assurée de la véracité des faits qu'elle avait vécus mais sans doute devant la statue de son père, dans le temple du Sud (à Louxor), et non pas vus en songe. Après avoir fait consigner, plus tard, l'événement sur une paroi de la chapelle de la barque divine, à Karnak, elle prononça le serment par Amon, justifiant ses dires, car elle avait bien été désignée par l'oracle du dieu, pour gouverner les Deux Rives : « *Il m'a mise en avant plus que celui qui est dans le Palais* », ajoute-t-elle, faisant ainsi allusion à l'un de ses demi-frères. Elle n'ignorait pas à quel point l'événement pourrait paraître surprenant, impossible même, cependant elle admettait qu'elle devait être prédestinée par la grâce d'Amon, et que tout s'était bien passé comme elle le rapportait : « *Il n'y a là nulle exagération mensongère... car c'est trop grand pour que cet événement demeure caché* [5]. »

Seule la nourrice Sat-Rê, qui veillait toujours sur sa jeune princesse, semblait sceptique devant une telle ivresse, et s'ingéniait, jusqu'au retour du roi, à calmer l'exaltation de la princesse.

Le retour du roi

Au pays de *Koush*, Âakhéperkarê avait réduit à néant l'insurrection. Le chef rebelle avait été tué par la flèche même du roi, les adversaires massacrés, la population était capturée. A son retour, le 22e jour du 1er mois de la saison *Shémou*, an III, c'est-à-dire sept mois après son départ, il revenait à Karnak sur le vaisseau amiral « Le faucon » [6], au mât duquel le cadavre du chef vaincu était suspendu, la tête en bas. A mi-chemin de la frontière, à Tombos, en un lieu bien plus fréquenté que Kourgous où s'était arrêtée l'expansion égyptienne (en amont de la Quatrième Cataracte), il avait fait ériger la stèle de sa victoire [7], qui marquait l'extermination définitive de la civilisation de Kerma.

Hatshepsout s'était jointe à la foule qui accueillait le vainqueur, et fut la première à commenter les oracles d'Amon et la sollicitude des prêtres du maître de Karnak, devant un Thoutmosis aucunement surpris... et parfaitement lucide. Il fallut aussi évoquer le départ vers le globe solaire de la petite Néféroubity, décédée peu de temps avant. Hatshepsout demeurait maintenant l'unique héritière du roi et de la Grande Epouse royale.

La tombe préparée pour le roi

Avant toute autre initiative, Thoutmosis-Âakhéperkarê convoqua Inéni, son talentueux Chef de travaux, désireux qu'il était de recevoir un rapport précis sur l'avancement des activités architecturales confiées à ce dernier, avant son expédition koushite. Où en était le choix du site où aménager sa tombe [8] ? Serait-ce dans la montagne thébaine qu'il lui aurait confié la réalisation ? A Karnak, l'édification du mur d'enceinte en pierre entourant le sanctuaire du Moyen Empire, son extension vers l'ouest et l'achèvement de la *Iounit*, entre cinquième et quatrième pylônes ? Toutes ces entreprises formaient un immense chantier en construction.

Deux obélisques de granit rose étaient aussi prévus pour figurer devant le pylône le plus occidental. Pour cet ambitieux projet, Inéni était l'homme de la situation, et avait déjà fait construire une « auguste » péniche de 120 coudées de long et 40 de large, pour transporter les aiguilles de pierre depuis l'île de Séhel jusqu'au port de Karnak [9].

Présentation de la princesse héritière

Aussi, profitant du moment très favorable, Thoutmosis pouvait-il maintenant partir sans tarder vers le nord du pays, le vaste Delta, et se faire accompagner – événement notoire – par la fille de la Grande Epouse royale. Hatshepsout retenait toute l'attention de son père, et recevait maintenant de lui l'éducation de l'héritière au trône : il la présentait comme telle, semble-t-il, auprès de ses hauts fonctionnaires. Leur première visite fut pour la grande ville de Memphis, où le fils aîné de Moutnéférèt, Imenmès, résidait comme tous les princes engagés dans le métier des armes. Il était déjà, à cette époque, investi du titre de Général d'armée ; âgé d'une quinzaine d'années, il venait de recevoir le titre de « Général en chef (Généralissime [10]) de son père, fils royal ».

En arrivant sur le plateau de Guiza, Hatshepsout, toute persuadée qu'elle était de représenter l'espoir de la Couronne, venait de recevoir un choc. Au pied du grand Sphinx, sur les inscriptions qui couvraient le petit naos [11] dédié au dieu Harmakhis par son demi-frère aîné, elle avait bien lu que le nom de celui-ci était inscrit dans le cartouche royal !

Le monument, qui venait d'être inauguré, portait la date de l'an IV du règne. Or, depuis l'an II et la légende certainement entretenue par les prêtres d'Amon, auteurs présumés de l'oracle « aménagé » du dieu, Amon avait désigné la princesse comme promise au trône des pharaons [12] !

Les troubles dans le *Réténou* et le cas du prince Ouadjmès

Un retour assez précipité vers Thèbes se fit lorsque, averti d'urgence par sa police extérieure, Thoutmosis prit la décision d'aller réprimer des troubles dans le *Réténou*. Il se couvrit de gloire dans cette expédition d'Asie, et semble avoir atteint le pays de *Naharina* [13]. Entre la capture et le massacre des ennemis, il paraît même que le souverain aurait pris le temps de se livrer à la chasse aux éléphants.

Les exploits de ses soldats furent honorés, et le plus glorieux de tous, Ahmès Pen-Nekhbet, qui pour l'occasion l'avait accompagné, reçut en récompense des bijoux d'or, six « mouches de la vaillance » et trois lions d'or en décoration, parce que durant cette campagne il avait rapporté 21 mains, un attelage de deux chevaux et un char. Quant au Chef des rameurs Ahmès fils d'Abana, il avait aussi capturé un attelage de deux chevaux et un char.

Pendant cette campagne d'Asie, la santé du petit Ouadjmès, qui était pourtant l'objet de soins exceptionnels, venait de s'aggraver. Un troisième « Père nourricier », Senimès [14], lui avait été affecté, et Imenhotep [15], Vizir, Maire de la ville, était aussi « Père nourricier », responsable des trois autres précepteurs [16]. Désormais Ouadjmès se languissait, et plus que jamais il fallait veiller à l'avenir de la Couronne. Aussi, comme il l'avait promis à sa fille, Thoutmosis se prépara-t-il à retourner pour un séjour plus officiel vers le grand centre religieux d'Héliopolis, siège d'une étape essentielle du couronnement, en Basse Egypte.

Pèlerinage rituel de la princesse héritière

A l'inverse de ses demi-frères nés de Moutnéférèt, la princesse s'était épanouie dès sa treizième année ; elle n'hésita pas, lorsqu'elle relata plus tard elle-même les étapes de sa jeunesse, à s'attarder complaisamment, dans un style dithyrambique, sur son indéniable beauté :

> *« Sa Majesté s'est transformée, elle a grandi beaucoup et c'est beau de la voir plus que toute chose. Son apparence est celle d'une divinité ; son comportement est celui d'une divinité ; sa façon d'accomplir les rites est celle d'une divinité, son éclat est celui d'une divinité,... (elle) est devenue une parfaite jeune fille florissante* [17]. »

Le souverain et sa fille allaient résider à Memphis, antique cité administrative, célèbre aussi pour sa garnison et pour ses merveilleux artisans [18]. Thoutmosis y possédait un palais entouré d'un grand domaine. Il allait maintenant parcourir en un véritable pèlerinage tous les sanctuaires alentour, avec sa fille, comme si elle était assurément destinée à régner. On ne peut pas reconstituer l'ordre suivant lequel les principales villes saintes furent traversées, mais on demeure persuadé que le but était avant tout la visite auprès d'Atoum, à Héliopolis, foyer solaire essentiel où le dieu primordial allait accueillir la princesse par les termes consacrés :

> *« Je te donne la part d'Horus et la part de Seth. » Khnoum allait ajouter : « Je te donne l'héritage de Geb, la fonction d'Atoum, les armes des Deux Seigneurs, dans la joie. Je te donne de guider toutes les plaines et toutes les montagnes. »*

Puis Hatshepsout fut guidée à la suite de son père vers les autres entités divines :

> *« Elle alla vers sa mère Hathor, qui préside à Thèbes, vers Bouto, à Dep, vers Amon, Seigneur des trônes des Deux Terres, vers Atoum, Seigneur d'Héliopolis, vers Monthou, Seigneur de Thèbes, vers Khnoum, Seigneur de la Cataracte. Toutes les émanations divines qui sont dans Thèbes et tous les dieux du Sud et du Nord [19]. »*

Il faut noter que ces formes divines se réfèrent, pour leur majorité, au cycle solaire. L'absence de l'entité osirienne est à remarquer [20].

Il semble que l'accueil réservé à la princesse auprès des sanctuaires ait été connu de la population, vers l'an VI du règne, au point qu'elle fut considérée comme l'unique héritière du roi : agréée par le peuple, Thoutmosis-Âakhéperkarê l'aurait ainsi tenue pour son successeur et l'aurait traitée comme telle, en l'associant à l'exercice de certaines fonctions royales [21].

Cependant, dans l'état actuel de nos connaissances, rien ne peut être assuré et nous permettre, dans les récits officiels de l'impétueuse Hatshepsout, de distinguer le mythe de la réalité. Sans doute aurait-on pu connaître les réactions du prince et Généralissime Imenmès, mais ce dernier disparaît de l'Histoire, sans laisser de traces.

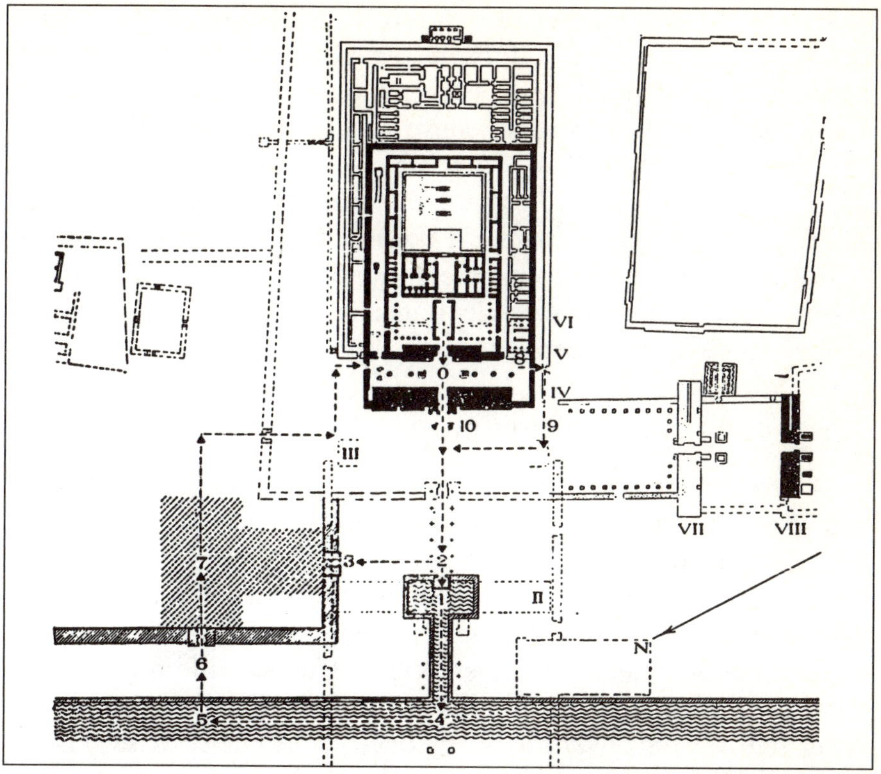

Karnak sous Hatshepsout : le temple, l'emplacement du palais, le débarcadère, le Nil et le VIIIe pylône, à l'extrême-droite. (*Cf.* pp. 82-83) (D'après Gitton)

Un mariage forcé ?

Survient alors un véritable coup de théâtre : au retour à Thèbes, peu de temps s'est écoulé avant qu'Hatshepsout n'épouse – de gré ou de force – le dernier de ses demi-frères, Thoutmosis, fils de Moutnéférèt [22]. Cela semble mal cadrer avec l'oracle de l'an II, et avec l'aval populaire provoqué par le pèlerinage ! Les partisans de Moutnéférèt étaient-ils demeurés si vigilants ? C'était vers l'an VII du roi. Hatshepsout devait avoir dix-huit ans, et son demi-frère aurait atteint sa dix-septième année. Le jeune couple princier était, semble-t-il, installé près du Palais royal. Cependant, la blessure ressentie par Hatshepsout devait être profonde. Aussi arrivait-elle à se demander si Âakhéperkarê n'avait pas utilisé cette tactique pour calmer tout ressentiment du côté du clan de sa seconde épouse, faisant ainsi valoir les droits du dernier enfant mâle de la Couronne, de surcroît bénéficiaire de l'aura d'Ouadjmès, son frère « illuminé » de dieu. Quoi qu'il en soit, l'hymen avec Thoutmosis le Jeune, une fois couronné, ferait déjà d'Hatshepsout une Grande Epouse royale, étape vers la royauté absolue... pour l'avenir. Une stèle conservée au musée de Berlin [23] est parfois citée comme évoquant cette union princière, acceptée par la Grande Epouse royale Ahmès, mère d'Hatshepsout. On y reconnaît le prince Thoutmosis, puis Ahmès, coiffée des hautes plumes de reine, suivie d'Hatshepsout non encore parée de cet ornement.

Les monuments de Thoutmosis

Après la neuvième année du règne de Thoutmosis Ier, il semble que l'activité du roi hors de ses frontières se soit considérablement ralentie.

Il allait maintenant prendre le temps de visiter les travaux confiés à Inéni, à Karnak effectivement, où il ne se lassait pas d'admirer les piliers osiriaques érigés dans sa salle à piliers, la *Iounit*, à l'arrière de son IVe pylône, et les deux obélisques qu'il avait fait dresser devant le Ve pylône, vers l'Ouest. Il se rendait aussi près de la Première Cataracte, dans l'île d'Eléphantine où les obélisques ornant la façade de son temple lui rappelaient sa victoire en pays de *Koush* [24].

Mais le roi tenait surtout à se rendre très discrètement sur la rive gauche, avec Inéni, afin d'inspecter l'achèvement de son caveau funéraire, creusé dans le plus grand secret et envisagé dès son avènement avec le concours de ce même Inéni. Comme son prédécesseur Aménophis Ier, il avait constaté la vulnérabilité des tombes recouvertes par des chapelles funéraires dominées de petites pyramides. Au Nord des cirques de la montagne, face à la plaine thébaine, la tombe de la vaillante Iâhhotep, femme du libérateur, proche des sépultures des rois Antef, avait déjà fait l'objet de tentatives de pillage.

Désormais un temple allait permettre de servir le culte pour le renouvellement de la force royale, durant son existence terrestre, comme après son trépas : la demeure « de millions d'années » venait d'être créée. En revanche le caveau royal devait être profondément enfoui dans les entrailles d'un ouadi thébain [25].

Après avoir passé le Nil, Thoutmosis Ier fut guidé par Inéni vers

Piliers osiriaques de Thoutmosis le Premier, Âakhéperkarê, dans les ruines de la *Iounit* (salle à piliers). Grès du Gebel Silsilé. Karnak. (D'après Donadoni, Thèbes)

le grand lac que ce dernier avait aménagé pour son maître, bordé d'arbres fruitiers suivant sa passion bien connue pour les essences rares. Puis il l'avait entraîné assez profondément vers un ouadi desséché, au Sud du massif rocheux dominé par la « pyramide naturelle » de la montagne, à mi-hauteur d'une falaise escarpée, il avait profité d'une faille de la paroi pour y introduire l'entrée d'un long boyau creusé en profondeur dans le calcaire, conduisant à la chambre funéraire. Le lieu était bien éloigné d'une occupation humaine, ce qui avait fait déclarer par Inéni :

> *« J'inspectai le creusement de la tombe de Sa Majesté, étant seul, personne ne vit, personne n'entendit* [26]. »

Naissance de Néférourê

Vers les années X-XI du règne, et autour de sa dix-neuvième année, Hatshepsout mit au monde une petite fille qu'elle appela Néférourê, nom solaire faisant allusion au pèlerinage effectué au sanctuaire d'Atoum, avec son père. Ce dernier, dès l'apparition de la nouvelle princesse, avait instamment demandé que son très fidèle et sage Ahmès Pen-Nekhbet, l'ancien tuteur de sa fille, devienne le « Père nourricier » de Néférourê.

L'historien Manéthon, sous le second Ptolémée, instruit des plus secrètes archives pharaoniques, attribua au père d'Hatshepsout douze années et neuf mois sur le trône des pharaons. Des indices laissent supposer que le roi associa son fils Thoutmosis Âa-Khéper-en-Rê à une sorte de corégence, et qu'il le fit même couronner avant son propre décès. La date de son trépas ne nous est pas connue.

Le couronnement du deuxième Thoutmosis

Au moment de son couronnement, le deuxième Thoutmosis devait avoir approximativement vingt et un ans, et sa demi-sœur épouse Hatshepsout abordait sa vingt-deuxième année. Thoutmosis le Deuxième allait recevoir au cours des cérémonies rituelles ses cinq noms protocolaires, qui comprenaient en quatrième place le titre de Roi du Sud et du Nord [27], suivi du prénom *Âa-Khéper-en-Rê*. Quant à notre (malheureuse ?) princesse, Epouse du dieu [28], elle devenait alors Grande Epouse royale. Elle gardait, naturellement, son nom de naissance : Hatshepsout.

Les sources à notre disposition sont muettes sur la date du

Ci-dessus : Détail des deux visages du « Père nourricier » et de la fille aînée d'Hatshepsout. Une inscription cryptographique couvre les épaules de Sénènmout. (Musée de Berlin)
Une statue analogue est conservée au Musée du Caire.

Ci-contre :
Statue-cube de Sénènmout enveloppant de ses bras la petite princesse Néférourê. Diorite. (Musée de Berlin)

décès du premier Thoutmosis, et en conséquence celle de l'intronisation de son fils. En revanche, on pourrait identifier les indications gravées sur un rocher proche d'Assouan, comme annonçant les jours durant lesquels, peu après l'intronisation de Thoutmosis II (non encore couronné), une expédition partit pour juguler une rébellion en *Ta-Séti* (pays de *Koush*) : an I, 8e jour du 2e mois d'*Akhèt* [29]. Il ressort des documents que le nouvel intronisé n'y participa pas et se contenta de suivre de loin l'avance de son armée [30], qui exécuta la mission reçue « conformément à tout ce qu'avait ordonné Sa Majesté [31] ». En revanche, il semble que Thoutmosis-Âakhéperkarê ait encore eu la satisfaction, à l'issue de la répression, d'amener « sous les sandales » du jeune prince le fils d'un des chefs insurgés [32].

Deux vases d'albâtre et un godet à kohol ayant appartenu à la reine, ainsi que l'indiquent les inscriptions, lorsqu'elle n'était que « Grande Epouse royale de Thoutmosis II ». (Metropolitan Museum de New York)

III

HATSHEPSOUT GRANDE ÉPOUSE ROYALE ET LE DEUXIÈME THOUTMOSIS

Le règne du petit prince

Le couronnement du deuxième Thoutmosis survint peut-être avant le trépas de son père, dont il avait ainsi continué à demeurer corégent jusqu'au début de son propre règne. Le royal décès fut encore enregistré par Inéni :

> *« Ayant passé sa vie en paix, le roi sortit vers le ciel, ayant terminé ses années dans la douceur du cœur* [1]. »

Thoutmosis II-Âakhéperenrê et Hatshepsout rendirent les devoirs les plus respectueux et traditionnels à leur père, l'un et l'autre associés dans le même rituel, comme le prouvent des objets du culte funéraire qui portent leurs noms jumelés :

> *« Hatshepsout, fille royale, Epouse du dieu, et Thoutmosis-Âakhéperenrê, qui firent ce monument pour leur père* [2]. »

Qui était-il ?

Cependant le cas de Thoutmosis II demeure sujet à de nombreuses interrogations, à l'image de tout ce qui touche à l'histoire des membres de la famille d'Hatshepsout. Pour fixer l'histoire de ce roi, préciser son âge, sa durée de règne, les documents présentent des éléments contradictoires, parfois même fautifs. Certains égyptologues ont attribué à l'époux d'Hatshepsout de nombreuses années de règne [3].

Cependant, en raison du peu de vestiges subsistant, les plus récentes théories lui reconnaîtraient environ trois années de règne [4]. Pourtant les monuments attribués à ce souverain militeraient en faveur d'un règne plus long, à considérer le rythme suivant lequel il aurait engendré les enfants de deux épouses... déclarées ! Par ailleurs, si l'on en croit Inéni, éternel chroniqueur de l'époque, le nouveau roi aurait été « (comme) *celui qui est dans son nid* » :

> *« Le faucon dans le nid... le Roi de Haute et de Basse Egypte Âakhéperenrê régna sur le Pays Noir et régenta la zone du désert, il prit possession des Deux Rives, ayant été justifié. »*

Je pense qu'Inéni voulait sans doute rappeler l'état de jeunesse mentale du prince, inquiétante pour son âge, ce qui recouperait aussi les signes de santé précaire présentés principalement par son frère Ouadjmès.

Naissance du troisième Thoutmosis

Cet état, pourtant, ne l'avait pas fait renoncer à engendrer, avant son couronnement, la première fille d'Hatshepsout, Néférourê, en l'an VIII-IX ? du règne de son père, puis un petit prince, également nommé Thoutmosis (le troisième), que sa concubine Isis mit au monde très vraisemblablement vers l'an X-XI. En l'an III de son propre règne, peu avant son décès, il dut fêter, semble-t-il, la naissance de la seconde fille née d'Hatshepsout, la princesse Mérytrê-Hatshepsout [5].

Mérytrê-Hatshepsout

L'histoire de ce règne présente encore l'énigme attachée à cette dernière princesse : elle ne semble pas être, pour certains, reconnue comme fille d'Hatshepsout. Cependant, les témoignages laissés par ses contemporains semblent indiscutables. C'est d'abord

La « reine » Isis, concubine de Thoutmosis II, qui lui donna le futur Menkhéperrê soit Thoutmosis le Troisième. (Musée du Caire)

Ahmès Pen-Nekhbet, qui fait indirectement allusion à une sœur cadette de Néférourê. En effet, parlant d'Hatshepsout, il déclare :

> *« J'ai élevé sa fille aînée Néférourê (juste de voix) alors qu'elle était encore au sein* [6]. *»*

C'est ensuite Senmèn, « Assistant de Sénènmout, Gouverneur du Palais de la fille royale, Père nourricier et Tuteur de l'Epouse du dieu Néférourê [7] », qui se déclare également « Père nourricier de l'Epouse du dieu (Mérytrê)-Hatshepsout [8] ».

Une brique de la première tombe de Sénènmout portant l'empreinte d'un texte est précieuse à ce propos. Sénènmout déclare :

> *« J'ai occupé un poste auprès de la plus jeune fille Hatshepsout (Mérytrê), aussi bien que pour l'aînée Néférourê* [9]. *»*

Un mystère subsiste cependant : il semble que cette princesse ait été, dans sa jeunesse, systématiquement tenue dans l'ombre.

Sénènmout

Voici maintenant qu'apparaît le nom de Sénènmout, à qui on peut attribuer un rôle essentiel dans l'existence de la reine. On lira plus loin que, jeune militaire pour un temps, il dut accompagner Thoutmosis-Âakhéperkarê dans ses expéditions au pays de *Koush*, mais fut choisi par le roi, peu de temps après la naissance de Néférourê, pour remplacer Ahmès Pen-Nekhbet en tant que Père nourricier et Tuteur. Depuis cet instant, et pour de longues années, Sénènmout sera le fervent le plus fidèle de la reine.

La maigre activité du roi

Après l'expédition au pays de *Koush* à laquelle le deuxième Thoutmosis ne participa certainement pas, le roi s'illustra simplement par une intervention punitive contre les bédouins *Shasous* dans les parages désertiques du Nord-Sinaï, encore faut-il lire Ahmès Pen-Nekhbet pour apprendre cet événement :

> *« J'ai suivi le Roi de Haute et de Basse Egypte ; on ramena pour moi en Shasous : des prisonniers en très grand nombre. Je ne les ai pas comptés* [10]. *»*

Le peu d'événements repérés incite à constater combien ternes furent l'action et le rayonnement de ce souverain, semble-t-il sans personnalité. A ses côtés, la Grande Epouse royale, forte de son

Un autre nouveau type de statuaire montrant le grand intendant d'Amon, Sénènmout, accroupi, un genou relevé, et tenant la petite Néférourê. Diorite. (Musée du Caire)

titre d'Epouse du dieu, devait pouvoir partager les cérémonies religieuses, au cours desquelles la petite princesse Néférourê était même admise [11]. Hatshepsout figure à égalité avec le souverain sur la presque totalité des documents subsistants de l'époque. Elle agit même avec autorité, traitant sa fille aînée, en dépit de son âge encore tendre, comme l'héritière du trône, ignorant la présence du petit prince Thoutmosis, fils du roi et de la concubine Isis, plus jeune d'une année seulement que sa demi-sœur Néférourê.

Peut-on attribuer au roi toutes les constructions qui portent son nom ? A Karnak, où il aurait fait ériger deux obélisques devant ceux de Thoutmosis Ier dans la cour des fêtes, à Esna, à Médinet

Habou, à Eléphantine, à Napata, à Semna, à Koummé, où le cartouche d'Âakhéperenrê a été gravé, mais en surcharge sur celui de la reine, après la disparition de celle-ci. Ces monuments furent-ils seulement projetés [12] du temps où Hatshepsout régna virtuellement aux côtés de son insignifiant époux ? Mais seulement aux temps de la proscription d'Hatshepsout ?

La tombe de la Grande Epouse royale

Il faut probablement attribuer à l'influence déjà marquée de Sénènmout sur la Grande Epouse royale l'audacieux projet d'une tombe [13] que tout souverain devait faire préparer dès son couronnement. Cette tombe semblait présenter un plan dépassant en ampleur celui que son défunt père avait fait préparer pour lui-même par Inéni [14]. De nos jours, sa réalisation nous paraît encore incroyable. Hatshepsout avait choisi une falaise dominant un ouadi enfoncé dans la montagne thébaine, appelé maintenant Sikkat Taquet ez-Zeïd.

La sépulture fut découverte par H. Carter en 1916 [15], au fond d'un ouadi très étroit localisé dans la falaise occidentale, bien en arrière de la future Vallée des Reines. Le caveau avait été creusé dans la falaise rocheuse à 28 mètres de haut [16]. Son entrée, face à l'Ouest, était illuminée par les feux du soleil couchant dont les rayons pénétraient à l'intérieur durant l'équinoxe d'automne. Parce qu'aménagée dans une anfractuosité de la montagne, cette entrée était invisible du sol de la Vallée.

Les locaux, qui ne furent jamais utilisés par la reine, étaient remplis de gravats prélevés par Carter, alors Inspecteur des Antiquités, ce qui permit de découvrir un palier de quelques marches donnant dans un couloir de 17 mètres de long sur 2,20 mètres de haut. Sur la droite, ce couloir conduisait à une petite antichambre d'où partait un couloir en pente de 5,30 mètres de long, aboutissant à la salle funéraire. Cette dernière (5,40 mètres sur 5,30) mesurait 3 mètres de hauteur. Au milieu, à l'opposé de l'entrée, Carter dégagea une galerie à peine amorcée, menant en pente à une petite salle ébauchée. Au départ de cette galerie gisait le sarcophage, en biais et en partie engagé sur la pente, son couvercle à terre. Le travail en était resté là, arrêté pour une raison majeure,

---

12. Ce phénomène sera expliqué dans la dernière partie de ce livre.
14. Cette dernière tombe n'a pas encore été découverte dans la montagne thébaine.

Relief représentant Hatshepsout sans doute peu de temps après le trépas du deuxième Thoutmosis. Vêtue de son costume féminin mais s'étant attribué le nom de couronnement : Maâtkarê, elle accomplit l'offrande royale du vin. Karnak. (Musée de Louxor - photo Desroches Noblecourt)

Piémont du Sahara thébain : entrée de la tombe d'Hatshepsout, Grande Epouse royale de Thoutmosis-Âakhéperenrê le Second. (Cliché M. Kurz)

Coupe de la falaise rocheuse dans laquelle fut creusée la première tombe d'Hatshepsout. (d'après H. Carter)

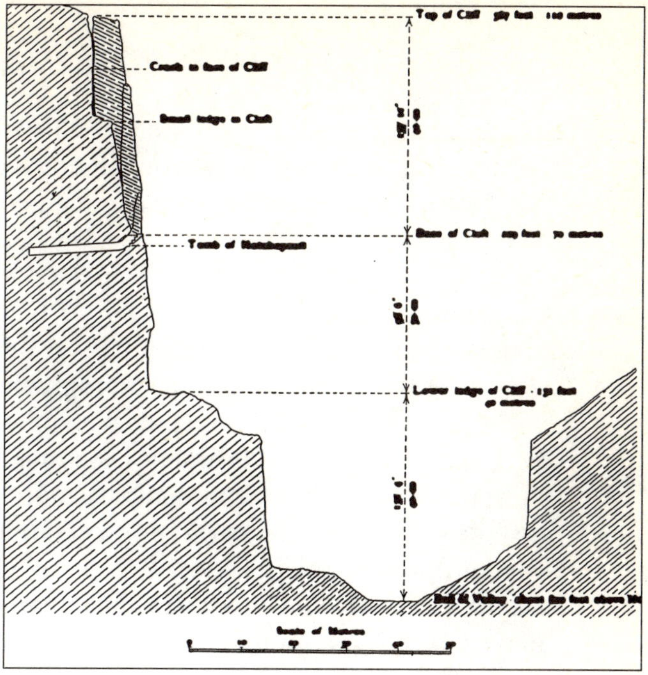

Plan et coupe de la tombe de la « Grande Epouse royale Hatshepsout » creusée dans la falaise du Ouadi Sikkat Taquet ez-Zeid. (D'après H. Carter)

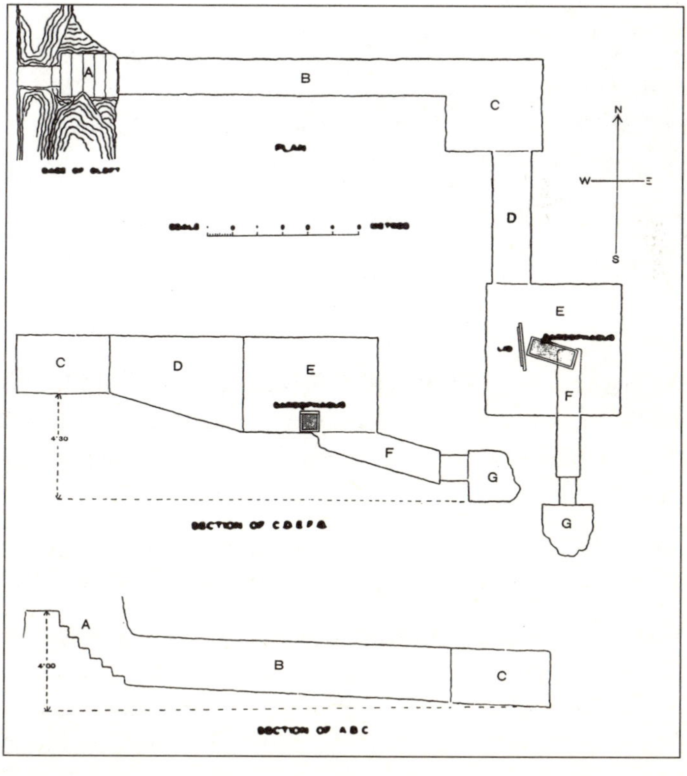

qui ne peut être que la montée d'Hatshepsout sur le trône d'Horus, le jour de son « couronnement » en tant que roi du Sud et du Nord, mais cependant demeurée en corégence partagée avec son neveu.

Le sarcophage préparé pour l'épouse de Thoutmosis-Âakhéperenrê avait été taillé dans un magnifique monolithe de quartzite jaune pâle [17]. Rectangulaire, il portait des bandes verticales de textes funéraires en hiéroglyphes : sur le long côté gauche, les deux yeux mystiques symbolisaient la lune et le soleil, hier et demain, exprimant l'éternité cyclique. Au cœur des inscriptions funéraires figuraient, partout, le nom d'Hatshepsout gravé dans le cartouche royal, et précédé de ses titres officiels de Grande Epouse royale : « *la Princesse héréditaire, grande de faveurs, la favorite, Souveraine du Double Pays* ». C'était aussi l'énoncé des titres qui lui étaient propres : « *Fille royale, sœur du roi, Epouse divine, souveraine de tous les pays* [18]. » Le titre de Roi du Sud et du Nord n'y était naturellement pas mentionné.

Première cuve funéraire de la Grande Epouse royale. (Musée du Caire)

Sur le couvercle (1,99 m sur 0,73 m) était sculpté le cartouche royal, et en dessous figurait l'image de la déesse Nout (la voûte céleste) entourée d'un texte qui depuis le temps des pyramides ne changea pas :

> « *Ô ma mère Nout, étends-toi sur moi, pour que tu me places parmi les étoiles impérissables qui sont en toi, et que je ne meure pas !* [19] »

On restera toujours admiratif devant l'exploit des vieux Egyptiens ayant réussi à creuser, en un court délai incroyable, ces « appartements funéraires » à 28 m de hauteur dans les entrailles de la falaise désertique, et à y introduire un bloc de quartzite de plusieurs milliers de kilos. Leur prouesse créa un sérieux problème à l'architecte du Service des Antiquités E. Baraize, lorsqu'il fut appelé en 1922 à organiser lui-même l'extraction du sarcophage hors de la falaise, et son acheminement jusqu'au Caire [20].

Décès du prince Ouadjmès

Dans la mesure où l'on peut tabler sur d'infimes informations pour reconstituer les trois années au cours desquelles, semble-t-il, Thoutmosis le Deuxième aurait régné [21], il faudrait placer le trépas du petit prince Ouadjmès, son second frère, avant la fin de son règne. Sitôt le décès, Âakhéperenrê lui-même – ou plutôt sa mère Moutnéférèt – aurait demandé qu'on lui érige un petit temple (sans doute achevé sous Thoutmosis III), où le petit inspiré pourrait recevoir les suppliques de ses fervents. Un prêtre funéraire lui fut affecté. Le monument fut érigé à la limite des terres cultivées, là où le désert commence. Le Ramesseum et ses annexes, temple de millions d'années de Ramsès II, furent à la XIXe dynastie construits en jouxtant le flanc Nord de la chapelle de ce « béni de dieu ». De nombreux ex-voto y furent retrouvés par G. Daressy [22] : il déblaya ce lieu saint muni d'un pylône, de deux cours, d'un vestibule et de trois petites pièces de culte. Le rayonnement du Prince fut certainement d'importance, puisque après son décès, des stèles portant les noms de Thoutmosis III son neveu, d'Aménophis II le fils de Thoutmosis III, et plus tard même de Ramsès II, se référant à la statue certainement oraculaire d'Ouadjmès, y furent déposées [23]. On est aussi averti d'un de ses miracles, au bénéfice d'un de ses anciens précepteurs, Senimès, à qui il fit gagner un procès [24]. Mieux encore, un certain Nebnéfer, sous le règne d'Aménophis III, prêtait un tel crédit à l'efficacité du saint qu'il menaça le collège des prêtres d'une condamnation par l'oracle « écrit », au cas où le culte de sa propre statue serait négligé [25].

Mais parmi tous les témoignages contemporains de dévotion envers l'enfant prodige (dont le culte a parfois été associé à celui de son père Thoutmosis Ier), Hatshepsout ne s'est aucunement manifestée. Il a même été judicieusement souligné [26] qu'entre les deux branches de la famille (celle de la Grande Epouse royale Ahmès, et celle de Moutnéférèt), les contacts semblaient inexistants. Ouadjmès représente une énigme. Je pense que la réponse doit être trouvée dans l'aspect et le comportement de l'enfant, ayant nécessité la présence de quatre précepteurs. Il devait vivre, semble-t-il, entre son monde et celui des esprits, et présentait peut-être même des malformations physiques. Le phénomène se retrouve encore de nos jours, principalement en Haute Egypte, où l'on respecte et même vénère de jeunes illuminés, jusqu'à redouter parfois leur juste vindicte, et que l'on appelle des *sheikhs* [27].

Créations artistiques du règne

Parmi les activités de Thoutmosis-Âakhéperenrê, on relève la statue qu'il dédia à sa mère Moutnéférèt, statue déposée dans le cénotaphe de son illustre frère Ouadjmès. En revanche, deux statues de Thoutmosis, trouvées à Eléphantine, furent consacrées par Hatshepsout à « *son frère Âakhéperenrê, aimé de Khnoum Seigneur de la cataracte, doué de vie éternellement* ». La mieux conservée de ces deux statues en granit rose représente Âakhéperenrê en costume jubilaire, serré dans un étroit manteau dégageant les jambes nues [28].

Etait-ce l'expression d'un vœu de l'Epouse Royale, pour une longévité d'éternité de son roi au comportement psychique chancelant ? Dans le même état d'esprit, Thoutmosis II aurait, légèrement plus tard, dédié à son frère aîné Ouadjmès, dans l'enceinte d'Edfou, une statue de basalte gris [29].

Sénènmout et le Gebel Silsilé

Vers la troisième année du roi Âakhéperkarê, il apparaît que Sénènmout, précepteur attitré de la princesse Néférourê, également chargé de la seconde fille du couple royal Mérytrê-Hatshepsout, tenait déjà un rôle éminent auprès de la reine. Cette dernière lui avait affecté un emplacement au Nord de la Première Cataracte, sur la rive gauche du Nil, au Gebel Silsilé, là où l'impétueuse Inondation s'engouffre vers l'Egypte à travers un rétrécissement des berges. Des carrières de grès y avaient été exploitées dès le début de la dynastie, sous Aménophis Ier [30]. Depuis, les souverains successifs du Nouvel Empire y firent extraire des blocs de la belle pierre solaire [31], pour édifier de nombreux monuments. Lieu de prédilection pour la vénération du flot du nouvel an qui amène la vie à l'Egypte, et dont il sera question plus tard, la reine avait ainsi permis à son familier d'y faire creuser un des premiers cénotaphes [32] du règne, où le possesseur de ce petit sanctuaire – théologien à ses heures – suggérait discrètement et avec subtilité son devenir cosmique d'éternité.

Sans doute l'entrée de la grotte [33] fut-elle aménagée au cours des derniers jours durant lesquels Hatshepsout fut la Grande Epouse royale de son époux vivant. Cependant, au-dessus du globe ailé représenté sur le linteau de la porte, de part et d'autre du signe de vie, figurait non pas le protocole du souverain régnant, mais cette inscription :

> *« La fille aînée du roi, Hatshepsout, qu'elle vive, aimée d'Amon Seigneur des trônes des Deux Terres, roi des dieux [34]. »*

Cette entrée du cénotaphe d'un simple mortel, mise sous le label de la fille aînée de Thoutmosis Ier, sans aucun autre titre et sans qu'il soit question du roi régnant, quelle faveur exceptionnelle [35] ! Et quelle incitation vers la voie royale ! L'intérieur du

Ci-contre : Hatshepsout, « Grande Epouse royale », accompagnée d'une noble dame royale, accomplit l'offrande « canonique » du vin. (Karnak)

sanctuaire, terminé et décoré, semble-t-il, après la mort de Thoutmosis II [36], permettra de suivre l'ascension fulgurante du personnage, et de comprendre l'esprit dans lequel il œuvra auprès de la reine. Notons qu'il acquiert ainsi les titres de Prince héréditaire, Comte, Trésorier du roi de Basse Egypte, Ami unique, Grand intendant de l'Epouse royale, Grand intendant de la fille du roi, Chambellan et Directeur de tous les services divins, Grand intendant de l'Epouse du dieu. C'est de ce dernier titre qu'il fait précéder son nom en encadrement de la niche contenant sa statue, dans le fond de son cénotaphe du Gebel Silsilé.

Un homme du Sud

Très vite sans doute, en raison de son attitude exceptionnelle au combat, répétons-le, Sénènmout fut remarqué par le fidèle compagnon du père d'Hatshepsout, Ahmès Pen-Nekhbet. Ses premières armes une fois exercées probablement pendant les derniers temps d'Aménophis Ier, il servit alors Thoutmosis-Âakhéperkarê au pays de *Koush.* Courageux, extrêmement brillant et habile, dominant rapidement la tactique ennemie, il dut inspirer bien des manœuvres destinées à contrer les attaques de l'adversaire. Ahmès Pen-Nekhbet en fit son adjoint auprès de Néférourê et très vite, ainsi qu'on l'a constaté, Sénènmout en vint à occuper pleinement le poste de « Père nourricier » de la petite princesse [37].

Le nom de Sénènmout, inusuel et original, signifie « le frère de la mère ». Il lui fut peut-être donné (ou plutôt se l'attribua-t-il) dès que la charge de Précepteur de la fille d'Hatshepsout lui fut affectée. Il évoque un usage africain (et aussi proche-oriental), suivant lequel l'oncle était le puissant continuateur et responsable de la *gens*, dans une famille privée de son chef.

Ses parents, peut-être originaires de la frontière méridionale de l'Egypte (aux environs de la 1re Cataracte du Nil), s'étaient établis dans la ville d'Hermonthis (*Iounou-shéma*, « l'Héliopolis du Sud »), l'actuelle ville d'Erment, avant de s'installer à Thèbes. Son père Ramosé, de fortune bien modeste semble-t-il [38], avait épousé une dame d'un milieu peut-être plus aisé, nommée Hatnéfer, au charmant surnom de Tioutiou. La famille était passée au service de la reine Ahmès [39], mère d'Hatshepsout où l'éducation de Sénènmout avait été améliorée à l'école du Palais, en raison de ses qualités exceptionnelles. On lui connaît trois frères : Minhotep, « Prêtre *ouâb* », destiné à jouer dans les rites funéraires de Sénènmout le rôle du fils qu'il n'eut jamais. Puis Amenemhat, aussi très proche de Sénènmout, et enfin Païry. Demeuré célibataire, ce qui est exceptionnel pour un Egyptien, Sénènmout possédait encore deux sœurs : Iâhhotep et Néférethèr.

A trois reprises, le jeune militaire s'était rendu dans le pays des *Néhésyou* (« hommes à la peau de cuivre ») : pour ses actions d'éclat il avait été honoré d'un bracelet *Ménéfert*, objet de sa satisfaction et de sa fierté [40].

Le Père nourricier statufié

Dès le couronnement du deuxième Thoutmosis, la confiance royale témoignée au Père nourricier s'était accrue considérablement. Fort expérimenté, il fut chargé de superviser l'organisation de la « maison de Néférourê », œuvrant en compagnie de Senmèn, Gouverneur de cette maison [41]. Puis, à la naissance de Mérytrê-Hatshepsout, la seconde fille du couple royal, il en devint aussi le Précepteur, ce qui lui laissa néanmoins, une troisième et dernière fois, le loisir d'accompagner l'armée au pays de *Koush*.

Sans relâche, il fut investi d'honneurs considérables, exceptionnels, durant le règne si court de Thoutmosis-Âakhépérenrê. On aborde l'époque où il reçut en présent de la Couronne, et parmi les vingt-cinq effigies retrouvées à ce jour (le nombre est absolument surprenant), cinq statues qui le représentent avec l'unique petite princesse aînée. La plus célèbre est celle du musée de Berlin [42], qui porte, gravé en hommage, le « cryptogramme » du nom de la reine. Le corps de Néférourê est tenu entre les jambes de Sénènmout accroupi, et entièrement recouvert d'un manteau sous le visage de son précepteur. Seule la délicieuse et mutine petite tête de la princesse dépasse du bloc, petit crâne orné de la boucle latérale de cheveux de l'enfance princière, le front muni de l'uræus, et portant la barbe symbolique royale : déjà Hatshepsout entendait déclarer la qualité de princesse héritière de sa fille aînée.

Les ateliers de sculpteurs thébains

Quelques mois avant le décès du deuxième Thoutmosis, Sénènmout ne se fit pas figurer avec la seconde fille Mérytrê-Hatshepsout, dont il était pourtant le Précepteur ; en revanche, il continua à bénéficier – par don royal – de son image sculptée, consacrée dans les temples, le représentant en diverses attitudes, tenant la princesse Néférourê sur son giron. Ainsi cette statue du musée du Caire, trouvée à Karnak, réplique de celle de Berlin [43]. Une troisième statue, encore en granit noir [44], évoque Sénènmout assis, portant Néférourê contre un de ses genoux, le petit corps de la princesse enveloppé dans son vêtement. L'inscription qui l'accompagne indique une étape religieuse dans la bien jeune existence : la princesse porte déjà en effet le titre d'« Epouse du dieu ». Une autre effigie, très originale, joyau du Field Museum de Chicago [45], fut encore consacrée pour Sénènmout : elle le représente debout, portant dans ses bras la princesse.

Ces statues témoignent de l'extrême faveur dont jouissait le grand serviteur, déjà favori du Palais [46].

La plus originale statuette est celle qui évoque Sénènmout dans l'attitude de la marche, portant, devant lui, la princesse Néférourê. D'un type à ce moment unique, elle fut certainement inspirée par Sénènmout, comme il le fit, sans doute, pour les autres effigies de lui-même, aux formes si variées du début de la XVIIIe dynastie. Au dos de la statuette, Sénènmout tint à rappeler sa profonde conviction en sa destinée cosmique funéraire. Diorite. (Field Museum of Chicago).

Type différent de statue qui représente Sénènmout en fervent de la déesse primordiale, Hathor, dont Hatshepsout, sa reine, était l'image terrestre. Sénènmout présente devant lui le « sistre hathorique ». De profil on peut voir le torse marqué de trois replis évoquant le corps généreux de Noun, les eaux fécondatrices de l'Inondation. Provient du temple de Nout à Karnak. (Musée du Caire)

Agenouillé, Sénènmout tient devant lui, en hommage à la reine, le « cryptogramme » plastique de son nom de couronnement : *Maât*, rendu par l'image du cobra, *Ka*, signe des deux bras levés sur lesquels le serpent est posé, et *Rê*, le disque entre les cornes placées sur la tête du serpent. (Musée de Brooklyn)

Avec la présence de Sénènmout dans le voisinage immédiat d'Hatshepsout, apparaît ainsi un type nouveau de statuaire, presque révolutionnaire. Les ateliers artistiques avaient de toute évidence somnolé – ou même disparu – pendant l'occupation hyksôs. Le mouvement, la poésie, l'anecdote inspirent maintenant certaines des images jadis statiques et si durablement traditionnelles de la création plastique, car régies par un cadre rigoureux. Nul doute que ce changement fut inspiré par l'action conjuguée de la Grande Epouse royale et de celui à qui elle avait fait don des images de Précepteur princier.

Sénènmout avait su créer des thèmes nouveaux pour la statuaire, aussi touchants que familiers. N'avait-il pas transformé la sévère statue-cube du Moyen Empire en une sorte de socle illuminé par l'apparition du radieux visage d'une petite princesse solaire ? La même imagination créative présidera avant tout à la composition des autres statues du personnage, souvent agenouillé, mais présentant par exemple un sistre [47], les signes du rébus servant à écrire le nom de la reine [48], et mettant au premier plan un immense cobra, ou encore le cordeau des arpenteurs [49], etc.

Une extraordinaire promotion

Avant la fin du règne du deuxième Thoutmosis, on constate ainsi l'éminente place occupée par Sénènmout auprès du roi et de la Grande Epouse royale. Il eut donc l'honneur – ou la liberté – de faire graver sur la statue maintenant conservée à Berlin un texte dans lequel, suivant l'habitude de l'époque, il ne ménage pas sa modestie [50] :

> *« Je suis un noble, aimé de son seigneur, qui entrait dans les merveilleux projets de la Maîtresse des Deux Pays... Il (le roi) me fit Grand en présence des Deux Pays. Il me fit devenir Grand administrateur de sa maison et Juge du pays tout entier... J'ai été au-dessus des plus grands, Directeur des directeurs des travaux. J'ai agi dans ce pays sous ses ordres, jusqu'au moment où la mort arriva devant lui. (Maintenant) je suis vivant sous (la puissance de) la Maîtresse des Deux Pays, le roi de Haute et Basse Egypte Maâtkarê, qu'elle vive, éternellement*[51]. *»*

Officiellement, les faveurs ne venaient pas uniquement de la Grande Epouse royale, mais il apparaît que l'éphémère et jeune roi n'était pas hostile à l'incroyable ascension du « Père nourricier » de sa fille. Tout au moins cette inscription était-elle l'objet d'une rédaction fortement approuvée – ou inspirée – par Hatshepsout. Ainsi, à la veille de la mort de Thoutmosis-Âakhéperenrê, Sénènmout était devenu par une promotion foudroyante la puissance même, agissant auprès de la reine, « Gouverneur de tous les offices de la déesse [52] », un des titres les plus anciens, également rencontré dans le cénotaphe affecté à Sénènmout au Gebel Silsilé. Il pouvait alors, par la liste impressionnante de ses titres civils, déclarer [53] :

« Je suis le Puissant des puissants, au-dessus des Grands... Celui qui connaît toutes les démarches dans le Palais royal. Celui auquel on rapporte toutes choses concernant les Deux Pays... qui conduit les peuples du Pays tout entier, Maître des secrets de la Grande Maison... bénéfique pour le Souverain, en faisant régner Maât pour le dieu, et qui n'a jamais fait de tort au peuple... »

Lui était-il possible de monter plus haut, après cette ascension fulgurante, sauf à prendre ouvertement le trône du Souverain ? Tout semble avoir été mis en place pour favoriser l'action de celui qui était devenu si rapidement le conseiller intime de la Grande Epouse royale. Il avait même reçu du petit Thoutmosis, le fils du roi et de la dame Isis, un bambin de 3 à 4 ans, une donation de terrain : acte d'importance qui n'a pu être effectué sans l'accord et l'aide d'Âakhéperenrê et d'Hatshepsout [54]. Peut-on, dès l'abord, s'efforcer de déceler le mobile réel de cette extraordinaire fortune ?

La mort du deuxième Thoutmosis

La troisième année du règne venait de s'écouler, lorsque après quelques mois Thoutmosis-Âakhéperenrê mourut. Inéni, le savant, ne manqua pas de rapporter l'événement sur un mur de sa chapelle, avec une précision et un réalisme déconcertants :

« Il sortit vers le ciel et s'unit avec les dieux. Son fils se leva à sa place en Roi des Deux Pays. Il gouverna sur le trône de celui qui l'avait engendré. Sa sœur, l'Epouse du dieu Hatshepsout, dirigeait les affaires du pays selon sa propre volonté. On travaillait pour elle, l'Egypte étant tête baissée [55]. »

On ne pourrait être plus clair : Hatshepsout avait le pouvoir, sans la couronne ! Cependant, encore une fois, aucune donnée n'est du domaine de la certitude. Ainsi est-il assez peu probable que la momie attribuée de nos jours à Thoutmosis-Âakhéperenrê [56], qui provient de la « cachette royale », soit celle du jeune souverain [57]. La même incertitude plane encore sur la tombe présumée de Thoutmosis-Âakhéperenrê (n° 42 de la Vallée des Rois), qui aurait plutôt été préparée pour la reine Mérytrê-Hatshepsout, mais non utilisée par elle... et récupérée en définitive par Sennéfer, maire de Thèbes sous Aménophis II.

On sait, en revanche, la date de l'avènement de Thoutmosis III, fils de Thoutmosis II et de sa concubine Isis [58]. C'était « le 4e jour du 1er mois de *Shémou* » [59].

Suivant la tradition, l'avènement du nouveau souverain était déclaré le lendemain du décès de son prédécesseur. Thoutmosis-Âakhéperenrê mourut donc la veille, c'est-à-dire le 3e jour du 1er mois de *Shémou*.

Vers un second destin

Hatshepsout va maintenant commencer à vivre un second destin. Derrière elle se profile encore, certainement, tout ce relent d'intrigues, de subterfuges, de jalousies, de mensonges, que purent seules atténuer l'affection et l'estime d'un père énergique et aimant, la beauté passive, semble-t-il, d'une mère discrète, la tendresse de Sat-Rê la noble nourrice, l'admiration d'Inéni et la vigilance d'Ahmès Pen-Nekhbet, l'homme du devoir. A l'horizon cependant, comme un espoir lumineux incarné par l'habile et talentueux Sénènmout.

Faut-il croire Hatshepsout lorsque bien plus tard, à deux reprises, elle évoquera l'oracle d'Amon, remontant à l'an II du règne d'un père... ayant le don d'ubiquité pour se trouver à la fois dans la cour du temple de Louxor, et affairé à guerroyer pour châtier les insurgés du pays de *Koush* ?

Quelle manœuvre dut-elle déjouer devant les agissements du jeune Général Imenmès, soutenu peut-on penser par le parti de Moutnéférèt, la reine secondaire de son père ? Quel fut le comportement de la princesse vis-à-vis de ses deux autres demi-frères, apparemment peu normaux ? Préparée et encouragée par son royal père à recevoir la souveraineté, la voici brusquement contrainte à devenir l'épouse d'un prince, diminué semble-t-il, mais honoré d'une couronne qui lui échappe, à elle, soudainement.

Où trouvera-t-elle le courage – et les moyens – de surmonter les conséquences d'une position amoindrie ? Le père vénéré l'avait-il trompée, trahie ? N'avait-elle plus les qualités requises pour régner sur le Double Pays ? Avait-elle dû plier devant les exigences des partisans d'une lignée princière parallèle, à laquelle appartenait Moutnéférèt ? Elle savait qu'elle ne pouvait pas s'appuyer sur sa mère Ahmès, la Grande Epouse royale : cette dernière ne s'était-elle pas fait représenter avec sa fille, au moment de l'hymen, en compagnie du jeune époux, comme pour sanctionner ce mariage (stèle de Berlin 15.699) ?

La blessure ressentie par Hatshepsout était profonde. Elle n'avait pu admettre l'attitude de cet époux laissant partir au combat son vieux père et demeurant dans la luxueuse atmosphère de son palais thébain. Celui qu'Ahmès Pen-Nekhbet lui-même appelait péjorativement un « *faucon dans son nid* », un attardé au crâne d'oiseau...

Trois années et plus maintenant venaient de s'écouler. Hatshepsout commençait à comprendre la stratégie de son père. Fidèle à la volonté de préparer sa fille au trône d'Horus, il avait mesuré toutes les difficultés, lourdes de conséquences, concernant sa succession. Après son propre décès, était-il assuré que sa jeune corégente – sans doute contestée – pourrait demeurer « stable » sur le trône d'Horus, alors que le dernier de ses fils, bien que diminué cérébralement semble-t-il, était bien vivant ? S'il l'unissait à sa fille, celle-ci, devenant Grande Epouse royale, saurait certainement user, et même intelligemment abuser de ses droits, et sans négliger de préparer la descendance de la Couronne.

Si, au contraire, il imposait immédiatement sa fille en tant que souverain, elle prendrait les insignes du pouvoir masculin. Pourrait-elle alors contracter une union, ne devrait-elle pas dès lors agir officiellement comme un taureau puissant ? Pourrait-elle jouir d'un régime « mixte » ?

Mieux valait sans doute s'abstenir et accepter une corégence avec un époux qu'elle dominerait assurément, pour lequel apparemment elle n'éprouvait qu'un sentiment de pitié et « n'avait jamais eu la plus légère touche d'amour [60] ».

Hatshepsout pensait, maintenant, avoir compris le mobile de son père. Elle était désormais veuve, chargée de l'avenir d'un petit prince, son neveu et beau-fils, et de deux princesses, ses filles.

Le destin, ou tout simplement son royal père, n'avait-il pas placé Sénènmout sur sa route, dont elle appréciait l'immense valeur et le profond attachement ? Aussi l'énergique, la valeureuse, la brillante Hatshepsout était-elle, maintenant, capable d'affronter l'avenir dont elle ne doutait plus.

Les égyptologues du Metropolitan Museum de New York ont pu reconstituer, avec une admirable patience, trois des statues de la reine assise, évoquant la souveraine très jeune, sans doute durant la troisième année du règne de Thoutmosis Âakhéperenrê. Ils retrouvèrent, pour redonner forme à celle-ci, la taille jusqu'aux chevilles et une partie du siège, le haut de la poitrine, l'épaule gauche, un fragment de la coiffure gauche et le sommet de l'oreille ! Sur la poitrine, on peut voir le collier large (*ousekh*) et, détail très rare, hérité du temps des Sésostris, la coquille bivalve en pendentif. Les pieds foulent royalement les « 9 arcs ».
Ces statues devaient être abritées dans une des niches de la terrasse supérieure, en alternance avec des statues osiriaques, évocations de la souveraine vivante et aussi passée dans le cycle de l'Eternité (soleil et lune).
Diorite noire très polie.
(New York)

IV

HATSHEPSOUT, GRANDE ÉPOUSE ROYALE, COURONNE SON NEVEU

De corégence en corégence

La seule date exacte conservée du règne de Thoutmosis-Âakhéperenrê est *l'an I, 8e jour du 2e mois de la saison Akhèt*. L'inscription fait référence, semble-t-il, à l'avènement (*khâï*) du jeune prince, et précise qu'il s'agit du jour où part une nouvelle expédition au pays de *Koush*, à laquelle Thoutmosis-Âakhéperkarê son père a encore participé [1]. Ce serait une preuve de la courte corégence du père et du fils, lequel ne partagea même pas cet exploit, rappelé par ce texte gravé sur une stèle rupestre située entre Assouan et Philae.

Lorsque trois années après environ, Thoutmosis-Âakhéperenrê à son tour trépassa, il laissait derrière lui son fils – encore un Thoutmosis ! – né de la dame Isis, âgé d'environ 4 à 5 ans et peut-être même moins. Les conseillers de la Couronne, les prêtres d'Amon [2], et la Grande Epouse royale avaient-ils incité le faible

2. Hapouséneb, connu comme Grand-prêtre d'Amon (Premier prophète), était-il déjà puissant ?

roi, peu de temps avant sa mort, à désigner en tant que corégent son bien jeune héritier, afin que ce dernier soit « affirmé sur le trône d'Horus » ?

Voici encore une interrogation à laquelle il est difficile de répondre, néanmoins un premier élément inciterait à le supposer : une statue provenant d'Edfou présente dans ses inscriptions les noms associés de Thoutmosis III et de Thoutmosis II :

> « *Le roi de Haute et de Basse Egypte Menkhéperrê, et le seigneur qui exécute les rites Âakhéperenrê.* »

Par ailleurs, bien plus tard, et après la disparition d'Hatshepsout, Menkhéperrê-Thoutmosis le Troisième prit soin de faire allusion à cette succession dont il avait été bénéficiaire au détriment d'Hatshepsout. Il rappelait l'action de l'oracle d'Amon pour le légitimer davantage, bien que sa mère Isis n'ait pas été princesse.

Une prédiction

Cette désignation au trône avait-elle encore été préparée avec le complet agrément d'Hatshepsout, désireuse d'attendre quelques années avant d'affirmer publiquement son indiscutable autorité ? Car dans ce texte, Thoutmosis-Âakhéperenrê est mentionné comme étant vivant. En voici les termes, reproduits sur la porte de granit du VIIe pylône [3] de Karnak. Thoutmosis III relate, à l'occasion de sa huitième campagne guerrière, 33 années après la mort de son père, les faits suivants :

> « *L'an I, le 1er mois de Shémou, le 4e jour, survint l'apparition du fils royal, qu'il vive éternellement !... Mon père Amon-Rê-Horakhty* [4] *a fait que je puisse me lever sur le trône d'Horus des vivants... J'ai été intronisé devant lui à l'intérieur du temple, il me fut annoncé (*sèr*) le gouvernement des Deux Pays, les trônes de Geb, la fonction de Khépri à côté de mon père, le dieu parfait, le roi de Haute et Basse Egypte Âakhéperenrê, doué de vie éternellement* [5]. »

L'enfance de Thoutmosis III

En l'an XLII, Thoutmosis reprend son récit, désireux d'évoquer ses premières années de petit écolier dans le temple de Karnak où la meilleure, la plus savante et stricte éducation lui avait été donnée. Il semble même qu'à cette époque, il n'avait pas

3. Côté Ouest.

Toute autre symbolique de défense pouvait se traduire par le maniement des armes : enseignement que, durant sa jeunesse, le troisième Thoutmosis reçut de ses mentors, ici évoqués par les divins Seth et Horus, protecteurs du Sud et du Nord de l'Egypte. (Temple de Karnak)

encore été désigné comme héritier au trône. Contre qui défendait-il maintenant, *a posteriori*, sa position ?

L'Histoire, c'est évident, recommençait ! De même que Thoutmosis II avait été reconnu comme l'héritier au trône, bien que fils de la reine secondaire Moutnéférèt, et ceci au détriment d'Hatshepsout, fille d'Ahmès la Grande Epouse royale, le troisième Thoutmosis ressentait encore le besoin de se déclarer successeur (légal ?) de Thoutmosis II, alors que fils de la concubine Isis, reléguant ainsi Néférourê sa demi-sœur, héritière directe de la Couronne.

Il est donc assez vraisemblable que le petit prince, élevé dans le temple, avait été destiné primitivement à la prêtrise. L'utilisation de l'oracle d'Amon était bienvenue pour changer sa destinée, et ne faisait que renouveler l'Histoire au bénéfice d'un « bâtard ».

L'oracle de Karnak

Voici ce que Thoutmosis III nous relate [6], lorsque la barque oraculaire d'Amon fut véhiculée par les prêtres à la fin du règne éphémère d'Âakhéperenrê. Ceci se passait dans la Salle du couronnement édifiée par Thoutmosis Ier :

« Lorsque Ma Majesté était un enfant royal, tandis que j'étais jeune prince dans son temple, je n'avais pas encore été intronisé comme prêtre. Je faisais (seulement) fonction de Iounmoutef [7] *comme le jeune Horus dans Khemmis. »*

C'est le moment où le petit prince se trouvait placé du côté des dix piliers Nord de la salle, en attendant l'arrivée de la procession.

« J'étais là, debout, dans la partie Nord de la salle Ouadjit [8] *(sur le chemin du dieu vers) son horizon. Le ciel et la terre se réjouissaient de sa splendeur. Il recevait de grandes merveilles et son rayonnement était dans les yeux des nobles (*pât*), comme pour la sortie de Horakhty. Le peuple lui donnait des louanges... Sa Majesté (Thoutmosis II) plaça pour lui l'encens sur la flamme et lui consacra la grande offrande de bœufs, de veaux et de petit gibier du désert... (La statue du dieu) circulait des deux côtés de la* Ouadjit *; le cœur des spectateurs ne comprenait pas ce qu'il faisait, (alors qu') il cherchait Ma Majesté dans toute la place. Soudain il me reconnut. Il s'arrêta... Je me suis mis à plat ventre devant lui, me prosternant ainsi sur le sol. Il me redressa devant lui, il me mit près de Sa Majesté, debout près de ceux qui entouraient mon seigneur, qui fut émerveillé de ce qui m'arrivait... Ce n'est pas un mensonge.*

Alors furent révélés à la face des hommes les secrets qui étaient dans le cœur des dieux... Ce qui n'était pas connu, ce qui n'avait pas été dévoilé... Il écarta pour moi les vantaux du firmament, il ouvrit pour moi les portes de son horizon. Je pris mon envol vers le ciel, comme le faucon divin, je contemplai son aspect qui est dans le ciel. J'adorai Sa Majesté... Je pus voir les transformations du dieu de l'Horizon, sur ses mystérieux chemins du ciel. Rê lui-même m'établit.

Je fus sanctifié au moyen des couronnes qui étaient sur sa tête. Son uræus fut établi sur mon front... C'est ainsi qu'il me fit apparaître dans Thèbes [9]... »

Ces événements éventuellement vécus évoquent le couronnement du petit prince, et permettent aussi de pressentir la savante initiation au mystère de la force solaire, réservée dans le plus grand secret du temple au futur maître de l'Egypte, mystère qu'il était appelé à découvrir. Hatshepsout aurait-elle, un jour, la possibilité d'accéder à cette suprême révélation divine ?

Le palais de la Grande Epouse royale, régente

Il est assez probable que dès le décès d'Âakhéperenrê, l'intronisation puis le couronnement du petit Thoutmosis – événements auxquels il paraît bien certain, maintenant, qu'Hatshepsout ne s'opposa pas – la Grande Epouse royale, devenue de droit régente, quitta le palais où elle avait passé de bien étranges années aux côtés de son faible époux.

Elle possédait plusieurs demeures dont le nombre augmenta au cours de son règne [10] : sur la rive gauche, la plus proche se trouvait à la limite des cultures, près du temple de Monthouhotep le grand [11].

Mais c'est sur la rive droite – la rive des vivants – qu'elle avait élu son lieu de prédilection, le plus près possible du temple d'Amon, appelé « la Place du cœur d'Amon [12] ».

Pour s'y installer, elle avait très probablement choisi une des résidences de son père, édifiée sur un terrain situé au Nord-Ouest des actuels IIe et IIIe pylônes, et qui s'étendait vers le Nord jusqu'au Nil : une porte arrière avait ainsi établi la communication avec le mur d'enceinte du temple. Ce palais [13] devait être situé face à l'allée conduisant au temple [14], appelée « Route des offrandes », qui prenait naissance dans le bassin en forme de T, où accostaient les bateaux venant du Nil (ou du canal parallèle au Nil). (*cf*. p. 51)

Le nom de ce quai était « Tête du fleuve (ou du canal) ». L'entrée principale du palais, tournée vers cette allée, s'appelait « la Double grande porte du Maître du Double Pays ».

Lorsque la Grande Epouse royale voulait partir directement par le Nil, elle sortait à l'arrière du palais par la « Double porte occidentale » et, pour y accéder, elle traversait son magnifique jardin, au sujet duquel Inéni avait dû être maintes fois consulté.

Hatshepsout avait donné à sa demeure de prédilection le nom-programme suivant : « *Je ne m'éloignerai pas de lui* ». Aucune autre allusion à ce palais [15] ne subsiste, à l'exception de deux autres citations du bâtiment, dans le même texte, mais il convient de retenir avant tout que son nom seul indique l'intention de la reine de ne pas s'écarter de ces lieux où son père vénéré avait vécu.

Elle désirait aussi certainement vivre dans le proche voisinage d'Amon, ne pouvant oublier ce qu'elle devait à son oracle et à sa protection.

Les obélisques de Thoutmosis-Âakhéperenrê

Au lendemain du deuil de son époux, Hatshepsout se devait de mener à bien le projet officiel élaboré par Thoutmosis-Âakhéperenrê et son entourage, à l'exemple de son père : ériger une nouvelle paire d'obélisques à la gloire d'Amon.

Déjà très puissante et fortement appuyée par Sénènmout, ayant bien sûr très fermement l'intention de monter définitivement sur le trône de son père, Hatshepsout allait poursuivre ce projet ébauché. N'étant pas la souveraine en titre, il ne lui était pas encore possible de dédier elle-même, seule, un acte comptant parmi les plus essentiels d'un règne, ces aiguilles solaires, formes divines [16], étant les emblèmes de la fécondité du créateur.

Quoi qu'il en soit, elle tenait à faire figurer son nom et une dédicace sur les flancs des monolithes, aux côtés de ceux de son neveu (et beau-fils), et désirait aussi rappeler, sur les deux monuments, les noms de son vénéré père. Elle ferait ériger ces deux nouveaux monolithes en avant de ceux de Thoutmosis-Âakhéperkarê, devant la grande salle à piliers de Karnak, la *Iounit*, située entre les IVe et Ve pylônes.

Hatshepsout voyait encore plus loin. Bientôt, c'est certain, elle aurait atteint le moment où elle pourrait faire consacrer, à son tour et en son nom royal, deux nouveaux rayons solaires pétrifiés, plus élevés que tous les autres, devant un sanctuaire qui serait son œuvre propre, à elle, suivant une véritable orientation du soleil levant et qui serait pour Amon et aussi dédié au soleil. Dès l'époque où Sénènmout avait connu l'honneur de posséder un cénotaphe au Gebel Silsilé, elle avait retiré des enseignements du précepteur de Néférourê la certitude qu'Amon et Rê, pour les initiés, n'étaient véritablement qu'une seule et même incommensurable force, traduite pour le commun des mortels par le vocable Amon-Rê.

Sénènmout, responsable de l'opération

Aussi avait-elle chargé Sénènmout, plus que jamais son homme de confiance, de prendre en charge toute l'opération, sûre de pouvoir ainsi se glorifier du succès attendu.

Un graffito tracé sur un bloc de granit d'El-Mahatta d'Assouan [17] nous a conservé miraculeusement le souvenir illustrant la responsabilité de Sénènmout pour cet événement, et ce qu'aucun document officiel n'aurait pu nous révéler. A droite de la scène, Hatshepsout est figurée debout. Portant encore un vêtement féminin, elle est habillée d'une longue robe moulante, et tient dans une main une sorte de bâton de commandement. Sur sa tête sont placées les deux hautes plumes des Epouses du dieu.

On peut voir Sénènmout « Trésorier du Roi de Basse Egypte », « Grand Intendant » de la Fille Royale Néférourê, annonçant qu'il a entrepris le travail concernant les deux obélisques, suivant les ordres de la Puissante Majesté. Devant celle-ci, qui n'est encore que Grande Epouse royale, ce Serviteur « très aimé » a osé se faire représenter sur un plan d'égalité avec elle. (Graffito d'el Mahatta, près d'Assouan)

Son image est qualifiée par les titres qu'elle possédait à l'époque où elle était encore veuve royale et régente, mais non couronnée :

> *« la princesse grande de louanges, grande de faveur et très aimée, celle à qui Rê a donné la réelle royauté parmi l'ennéade, la fille royale, la sœur royale, l'Epouse du dieu, la Grande Epouse royale, roi de Haute (et Basse) Egypte Hatshepsout, puisse-t-elle vivre aimée de Satèt maîtresse d'Eléphantine, et aimée de Khnoum maître de la cataracte. »*

Sur ce document, presque confidentiel, gravé dans un véritable éboulis de granit, loin de toute agglomération, Hatshepsout, revendicatrice, a osé déclarer avoir reçu la royauté de Rê lui-même, et se donner déjà le titre de roi de Haute Egypte, mais elle n'a pas encore reçu son prénom de couronnement.

Quant à Sénènmout, son importance a pris un tel poids qu'il a osé se faire représenter d'une taille égale à celle de la reine ; il lui témoigne son respect par une main posée sur son cœur.

Le texte placé devant lui annonce le rapport fait par « le Trésorier du roi de Basse Egypte, le Grand ami objet d'amour [18], l'Intendant Sénènmout » :

> *« Arrivée du Prince, Gouverneur, le Grand ami qui remplit le cœur de l'Epouse du dieu, qui apaise la Maîtresse des Deux Terres... Le Trésorier du roi de Basse Egypte, le Grand intendant de la fille royale Néférourê (puisse-t-elle vivre !), Sénènmout. Dans le but d'ouvrir le travail (concernant) les deux grands obélisques de "millions d'années". Cela s'est produit conformément à ce qui a été ordonné... C'est arrivé en raison de la puissance de Sa Majesté. »*

Sur ce document « privé », il faut remarquer le souci de chacun des deux personnages de se déclarer très aimé (à juste titre). On pourrait également déduire de l'évocation des formes divines locales, dont la reine est chérie, qu'Hatshepsout s'est rendue sur place, à Eléphantine, une fois l'expédition prête à prendre la direction de Thèbes.

Tout demeure dans la plus grande discrétion voulue, et Sénènmout n'apparaît même pas dans les scènes officielles qui sont décrites, ni dans l'heureuse conclusion de l'entreprise.

L'extraction des obélisques

Pour extraire de la carrière de granit rose les deux aiguilles solaires, il avait d'abord fallu faire procéder par les spécialistes à la recherche d'immenses surfaces de pierre strictement sans faille aucune.

Alors, les ouvriers avaient commencé leur patient et minutieux travail afin de détacher les blocs de leur racine. Pour les dégager, et suivant les lignes tracées par les architectes, ils avaient creusé régulièrement, par frottement, des séries de trous, avec des boules de dolérite pivotant sur des abrasifs. Ils avaient ensuite comblé les cavités, ainsi profondément ménagées, avec de grosses chevilles de bois.

Pour isoler chaque paroi, ils avaient alors mouillé les chevilles. Le bois une fois gonflé, il suffisait de heurter la surface du granit pour que le bloc se détache sur toute la ligne. Les blocs extraits étaient taillés et polis suivant le profil voulu.

Ensuite, les scribes étaient venus tracer à l'encre rouge, sur les quatre faces des deux obélisques, les dédicaces composées sur ordre d'Hatshepsout par les prêtres, et que les sculpteurs avaient ciselées dans le granit. Pour finir, solidement attachés sur leurs traîneaux de bois, ils avaient été hissés sur le pont de la vaste péniche de transport. Le travail avait été organisé de telle sorte que cette péniche soit fabriquée dans les arsenaux locaux, au moyen des sycomores fournis par les Nubiens, travail exécuté sur place par la très habile main-d'œuvre des habitants de *Ouaouat*.

Le transport des obélisques

Lorsque Hatshepsout deviendra souveraine, elle prendra le soin de faire représenter le transport de deux des six obélisques consacrés par elle à Karnak, et sans doute aussi ceux du temple de l'Est. En fait la scène [19] relative à cette opération, illustrée dans son temple de Deir el-Bahari, devait se renouveler lors du déplacement de chacun de ces monuments jumelés, et trouve ici sa place pour évoquer le voyage des obélisques du roi Thoutmosis-Âakhéperenrê.

La péniche

Pendant toute la durée de l'extraction des blocs de granit et même avant, il avait été procédé à la construction de la grande péniche nécessaire à leur transport. Pour des obélisques ne dépassant pas 30 mètres de haut, ainsi que cela pouvait être le cas, le vaisseau devait mesurer 120 coudées[20] de long sur 40 de large, soit 63 mètres sur 21. La coque était renforcée par 24 triples rangées superposées de solides poutres de section rectangulaire aux extrémités apparentes. Proue et poupe étaient aussi maintenues renforcées entre elles, par des ligatures de cordages.

A première vue, sur le relief du temple de Deir el-Bahari, les deux obélisques qui devaient être érigés par paire devant le temple (de Karnak) semblent avoir été disposés tête-bêche, opposés par leur base, au centre du bateau [21] et sur toute sa longueur. Ou encore, peut-être, si l'on tient compte du dessin égyptien, figurés perpendiculairement à la largeur du bateau, auquel cas seules leurs bases carrées auraient été visibles du rivage. Ils auraient alors été arbitrairement montrés de profil.

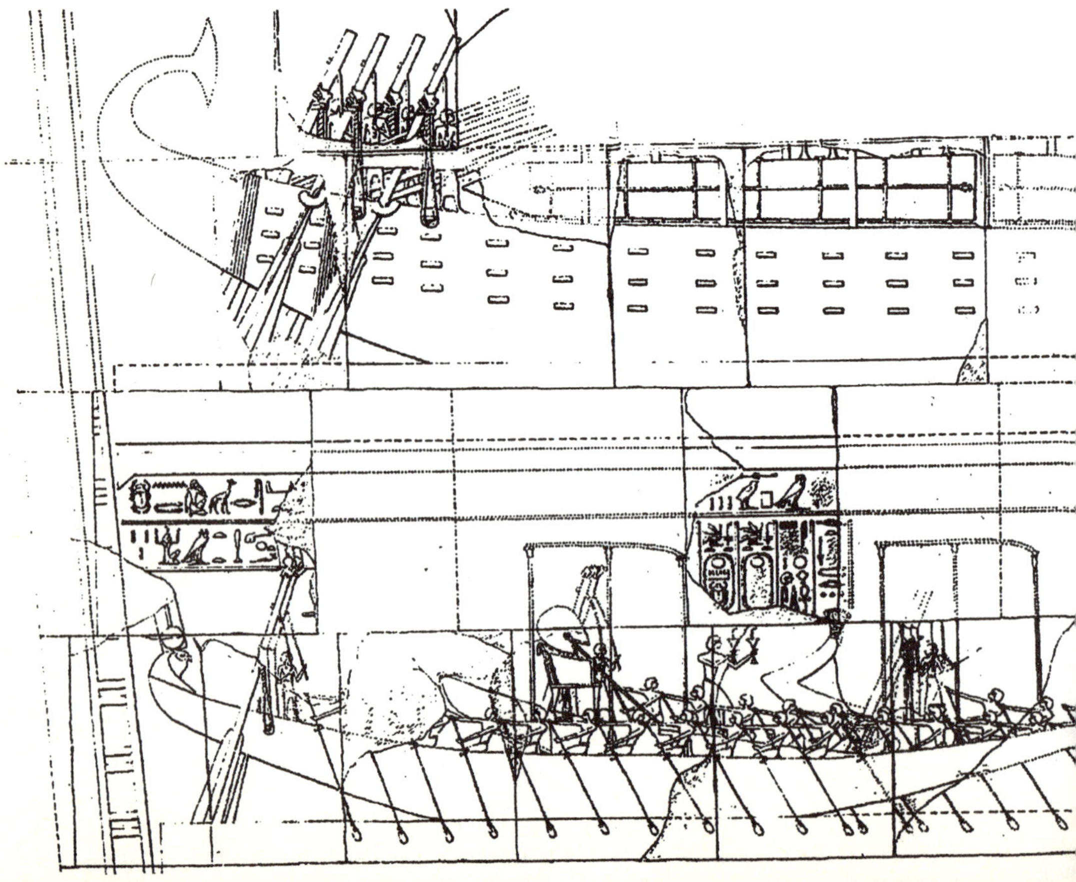

Les obélisques étaient solidement arrimés, à leurs deux extrémités, sur les traîneaux grâce auxquels on les avait hissés vers la péniche destinée à les transporter depuis Eléphantine jusqu'à Thèbes. En prévoyant le poids considérable à remorquer (environ 700 tonnes), et aussi à freiner, la péniche avait été munie à la poupe de quatre avirons-gouvernails [22].

Toujours sous la surveillance de Sénènmout, les deux obélisques extraits des carrières de granit rose, à Séhel (près d'Assouan) ont été chargés sur une imposante péniche capable de véhiculer une charge pesant approximativement 700 tonnes. Devant cette péniche, on aperçoit (à droite) l'amorce des trois rangées de remorqueurs. Au premier plan, c'est une petite vedette de liaison. Sur les bateaux accompagnateurs, les prêtres assurent le culte de ces deux monuments solaires.

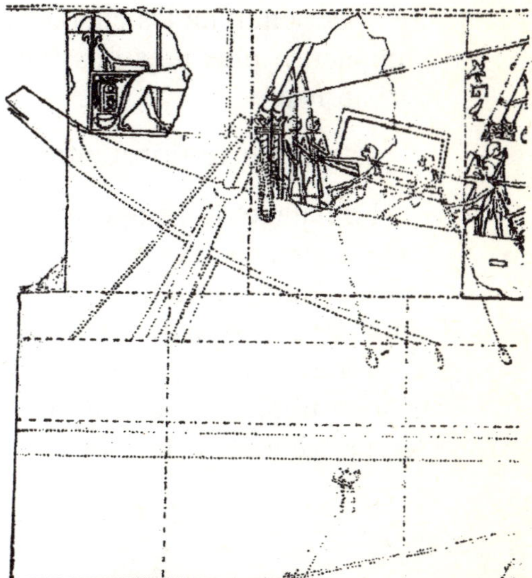

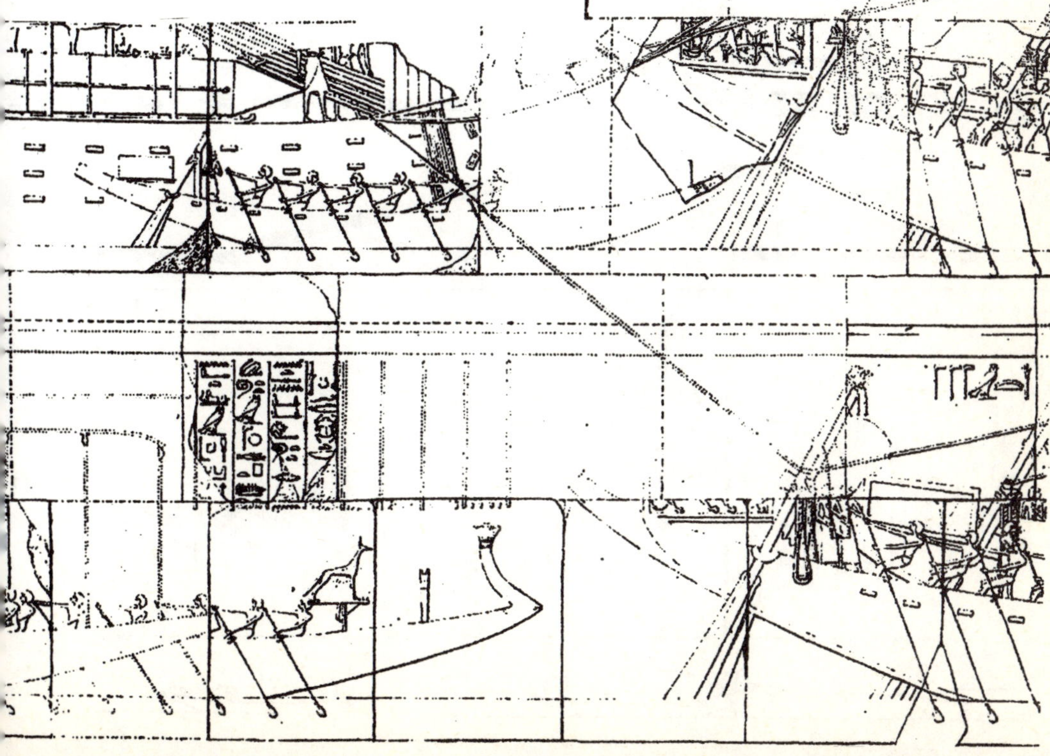

L'extraordinaire spectacle

Ainsi, l'Epouse du dieu, Grande Epouse royale, régente de Thoutmosis-Menkhéperrê, a légué à la postérité le spectacle unique à ce jour du transport d'une paire d'obélisques par une véritable flottille fluviale. Tout avait été prévu pour que les manœuvres aient lieu pendant la saison de l'Inondation. Les remorqueurs devaient être seulement munis de rames, puisqu'ils devaient suivre le courant pendant la période des hautes eaux, ce qui permettait de les charger plus facilement et, à l'arrivée, de les échouer le plus près possible du lieu où la cargaison devait être débarquée.

Traction par remorqueurs

Le halage de l'imposante péniche avait été organisé pour que trois trains de dix remorqueurs chacun puissent la tirer simultanément. Neuf remorqueurs de chaque rangée étaient reliés entre eux par un cordage attaché à chacun de leur mât, et dont l'autre extrémité était fixée à la proue du remorqueur voisin, laissant sa poupe libre. Un second cordage partant du même mât servait à contrebalancer la tension.

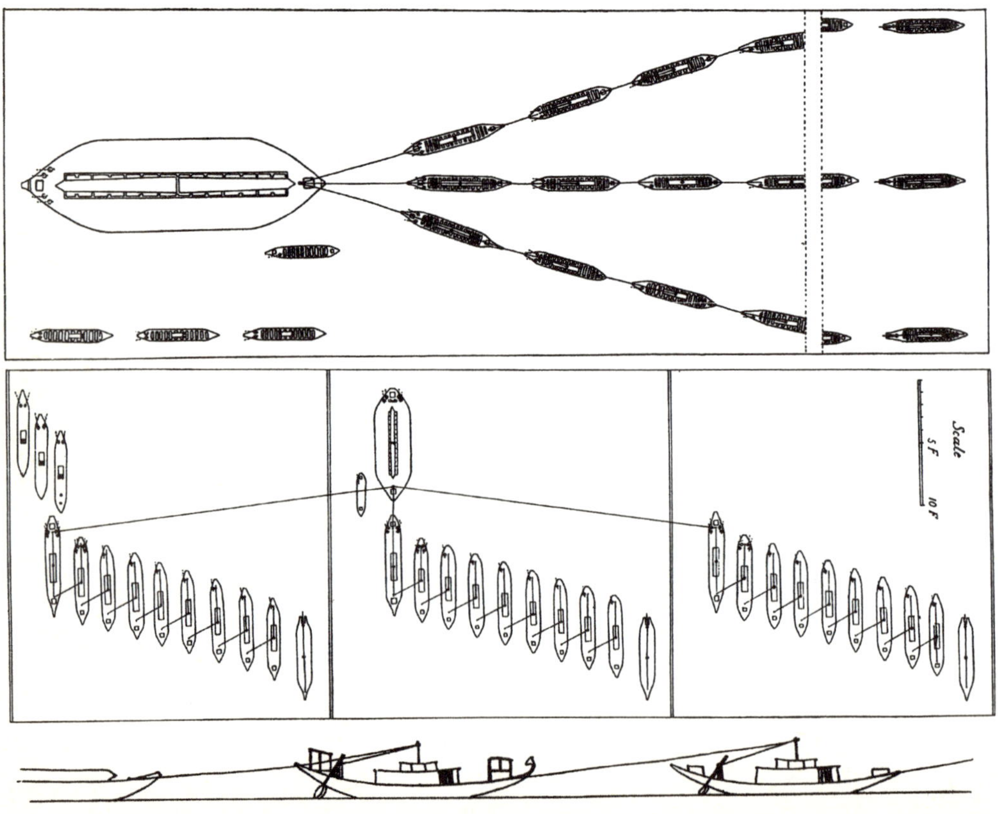

a

b

c

Les trois remorqueurs les plus proches de la péniche, au départ des trois rangées de ces tracteurs, présentaient des dimensions plus importantes que les autres, car ils assumaient la traction la plus forte. Ces bâtiments étaient aussi plus luxueux que les autres, possédant une cabine sur le pont supérieur pour les personnalités, ingénieurs et officiers, alors qu'à la proue et à la poupe, deux pavillons étaient décorés des emblèmes royaux : le lion, le sphinx et le taureau, piétinant les images du mal par prophylaxie. La reine et le petit roi n'étaient pas, naturellement, physiquement du voyage, cependant, sur le bateau figuré au registre supérieur, on voit sous un pavillon l'image du trône sur lequel est posé le grand flabellum illustrant le *ka* (potentiel divin) de la reine. Un autre symbole avait certainement été employé afin d'évoquer Thoutmosis, sur la paroi endommagée. De toute façon, les deux noms Hatshepsout et Menkhéperrê sont mentionnés, et comme d'habitude celui de la reine figure d'abord !

Seul le bateau-guide de chacune des trois lignes, non relié à celui qui le suivait, était plus long que les autres, et son pilote avait pour charge de sonder le fleuve, et de communiquer les informations aux autres pilotes de sa ligne. A l'avant de ces remorqueurs de tête, on peut voir une escorte de trois soldats, rappelant que ce bâtiment devait contenir une protection militaire.

Ainsi les trois files devaient avancer de front, les remorqueurs l'un derrière l'autre, chacun relié à son voisin par la proue, sa poupe demeurant libre, dirigées chacune par un bateau-pilote indépendant.

E. Naville, qui a publié au début du siècle cet extraordinaire et réel spectacle, a rendu possible par des croquis une meilleure compréhension des bas-reliefs, sur lesquels l'artiste ne pouvait sculpter dans un espace suffisant les longues files de bateaux, les uns à la suite des autres. Il les a fait chevaucher les uns sur les autres.

Il devait y avoir, naturellement, des rameurs des deux côtés des remorqueurs, entre 30 et 32 pour chacun d'eux : ce qui donne un total de 300 matelots pour chaque ligne. On atteint finalement le nombre d'un millier de passagers, si l'on ajoute les contremaîtres, les pilotes, les officiers et les soldats.

a. La péniche tirée par les remorqueurs, et son escorte. - b. Reconstitution de la manœuvre rendue par le relief égyptien. - c. L'attache de chacune des péniches entre elles.

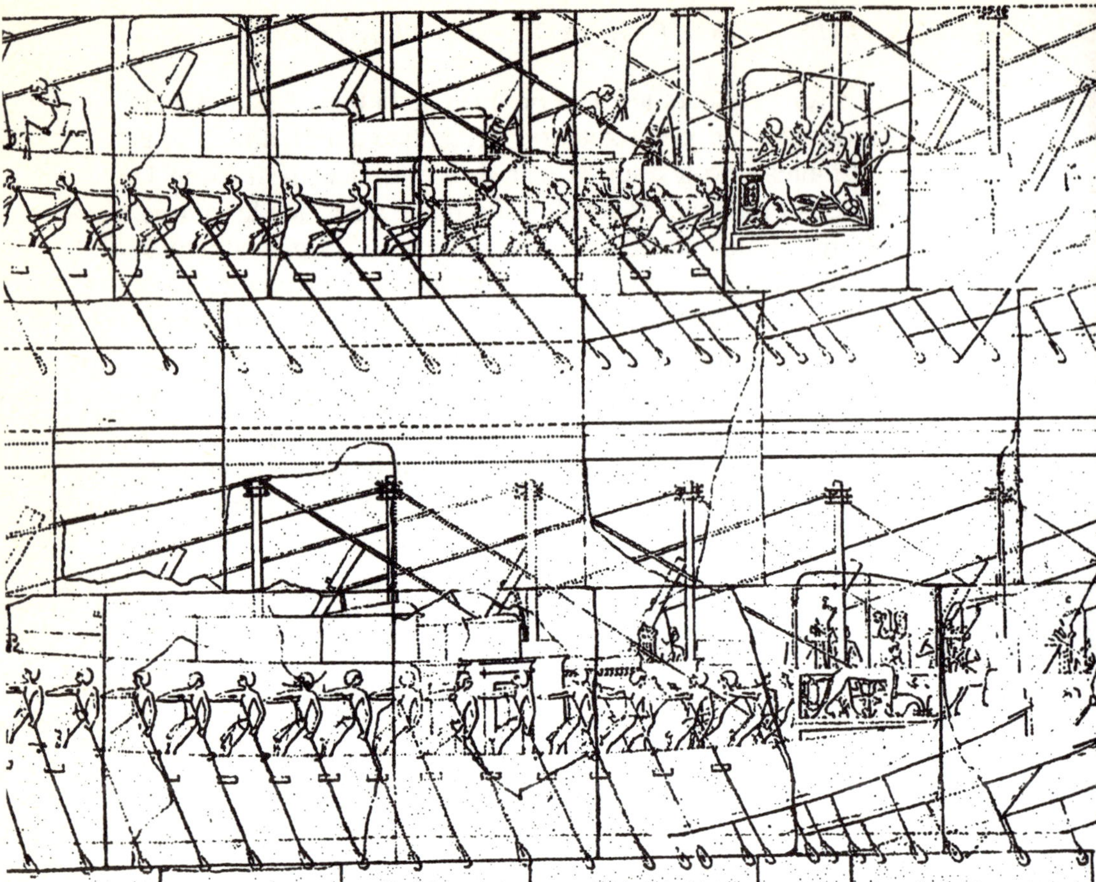

Les trois trains de remorqueurs avançant de front. A l'avant de chacun d'eux, le bateau-pilote est indépendant (*cf.* fig. page 90 b). La cabine des trois importants remorqueurs, proches de la péniche, est illustrée par le symbole animal du souverain :

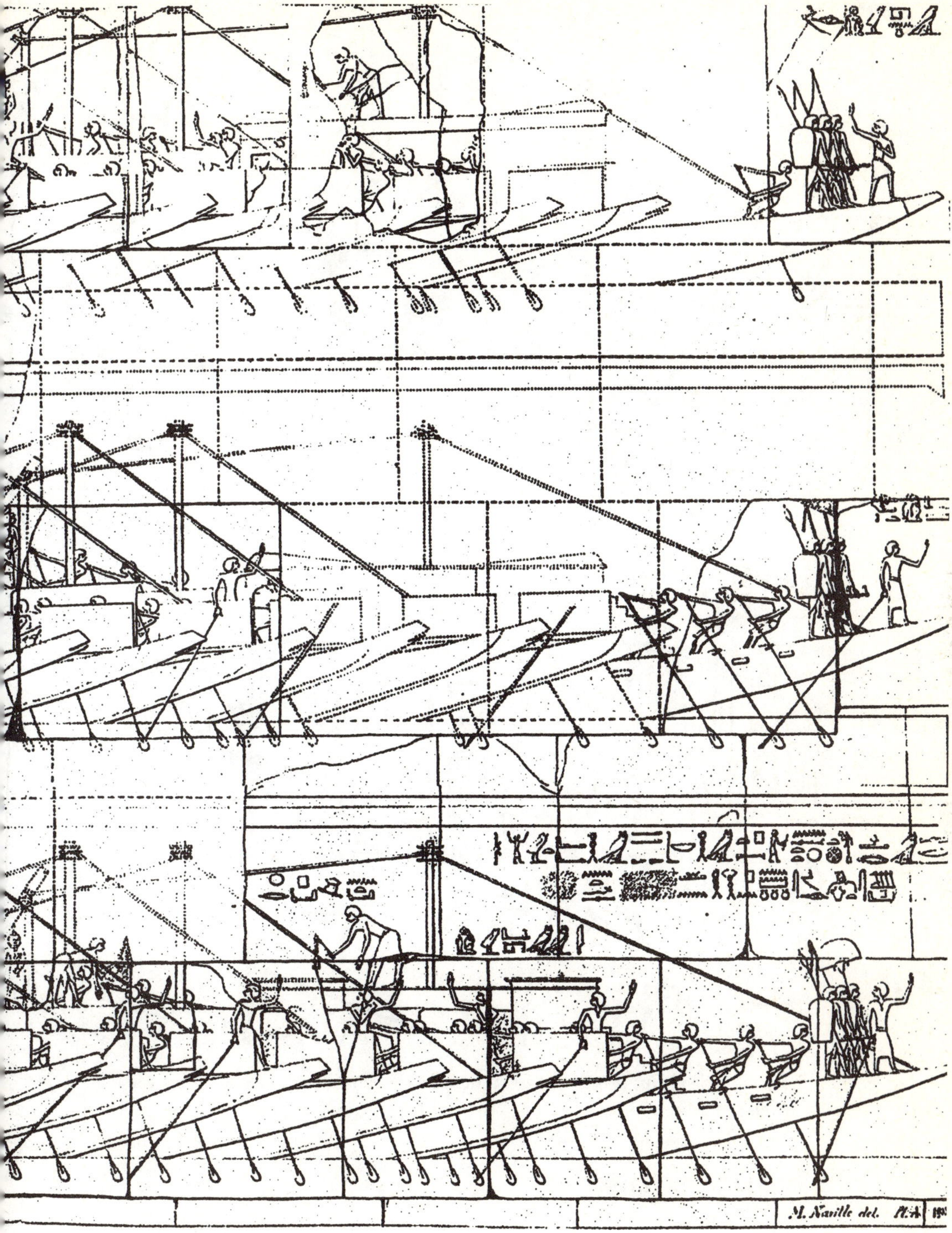

Rangée supérieure : le taureau.
Rangée médiane : le sphinx sur ses pattes.
Rangée inférieure : le lion dressé. (D'après Naville)

Détail du taureau foulant les ennemis

Détail du sphinx dominant le signe de la « réunion des Deux Terres » (*Séma-Taouy*).

La vedette de liaison et les accompagnateurs

Sur ce précieux relief de Deir el-Bahari, qui n'omet aucun détail, on remarque tout près de la péniche un petit bateau affecté aux liaisons entre les embarcations, la péniche et les stations du rivage. On voit encore, non loin de la berge à droite de la péniche,

Détail du lion passant, majestueux.

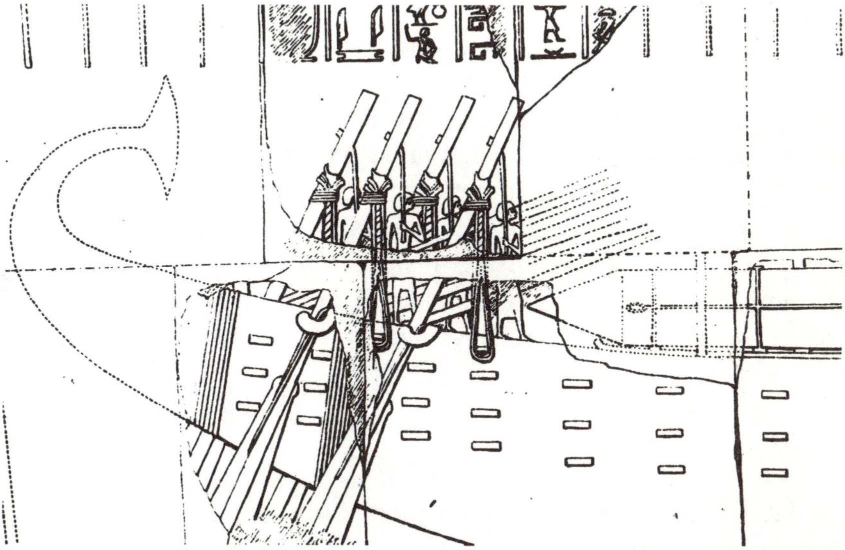

En raison de sa masse, il semble que la péniche avait été munie de quatre avirons-gouvernails.

trois autres embarcations à rames, à bord desquelles avaient dû monter les officiants et leur matériel, chargés d'exécuter les cérémonies religieuses du convoiement de ces rayons solaires pétrifiés qu'étaient les obélisques, et auxquels, régulièrement depuis leur extraction, un culte était rendu. Enfin, au-dessus de la péniche, les louanges de la reine étaient chantées :

L'arrivée à Thèbes de la flottille, transportant les deux obélisques sacrés, fut l'occasion de l'accueil joyeux mais ordonné, des « recrues » militaires et des jeunes matelots « danseurs du bateau royal ».

« … L'héritière de son père, dont les rayons brillent comme le dieu de l'horizon. Elle est le soleil féminin, elle brille comme l'horizon du Levant, lumineuse comme le globe solaire, vivifiant le cœur de l'humanité. La hauteur de son nom atteint le firmament et son autorité encercle le "Grand Vert" [23] *(le Nil en crue). »*

Le voyage et l'arrivée à Thèbes

L'imposant cortège fluvial partit d'Eléphantine. Sur tout le trajet, en descendant le Nil, il fut salué par les riverains impressionnés et admiratifs. Les souverains l'attendaient, escortés par la foule qui s'était mêlée aux « danseurs du bateau royal », corporation qui prenait place dans les festivités religieuses. Ils défilaient, portant des haches, des bois de jet et des étendards. A la tête du défilé, on remarque le joueur de trompette. Le texte précise :

« Il y a réjouissance (avec) les jeunes hommes de tout le pays, la jeunesse de Thèbes et les soldats les plus sélectionnés de Nubie » (ces derniers équipés de leurs célèbres arcs).

Au moment d'approcher du quai, ordre fut donné, partant du bateau de commandement, de « *cesser de ramer* ». Ce fut alors

« l'arrivée en paix à Thèbes-la-Puissante. Il y eut une fête dans le ciel, l'Egypte se réjouit de voir ce monument impérissable (que la reine) va ériger pour son père ».

Puis Hatshepsout saisit rituellement le câble avant de la péniche. Enfin, précédant les actions de grâce pour l'heureuse arrivée d'une telle expédition, les deux souverains félicitèrent en premier les trois officiers en charge de l'expédition, choisis parmi les fidèles de la reine. C'étaient Tétiemrê, Chef du Domaine de la

reine, Minmès, Chef des greniers, et Satepkaou, Prince de This et Intendant des prophètes.

Dans les jours suivants, les obélisques, toujours placés sur leurs traîneaux respectifs, furent glissés sur des chemins de boue du Nil régulièrement humectés, puis hissés sur des rampes inclinées jusqu'à ce que leur base soit amenée à la verticale du socle qui leur était préparé [24]. Ils furent alors progressivement amenés, par leur base, vers le sol, au fur et à mesure de l'écoulement du sable qui les soutenait [25]. Cette opération nécessitant une précision et une dextérité sans faille était ainsi répétée pour la pose de tous les obélisques en Egypte.

L'obélisque de Ramsès II que l'ingénieur Lebas a dressé place de la Concorde à Paris, en 1836, fut érigé de la même façon et encordé d'une manière analogue. Seul le sable égyptien fut remplacé par une machinerie qui n'était pas encore à la disposition des architectes de Pharaon !

A l'issue du fastueux défilé, l'événement fut sanctionné par le sacrifice rituel de bovidés, suivi par le banquet de fête.

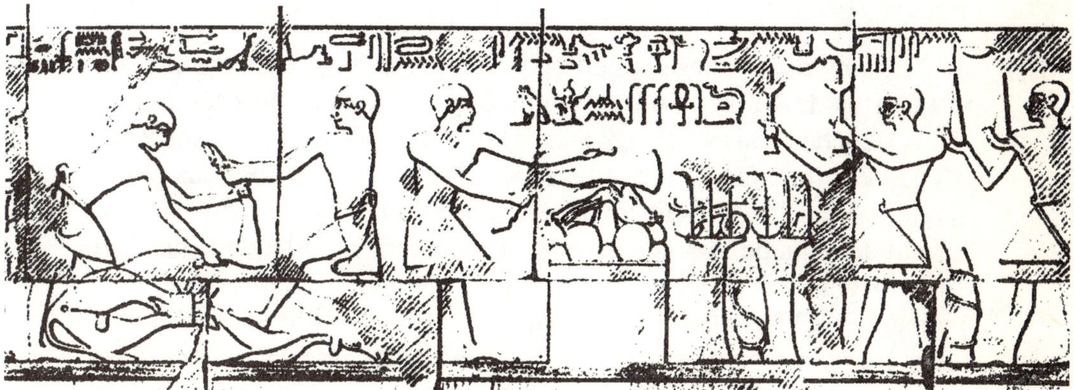

V

LA GESTION D'HATSHEPSOUT JUSQU'À SON COURONNEMENT

Les temples de la frontière nubienne

Dès l'an II de l'enfant roi Menkhéperrê, et après l'extraction et l'érection des deux obélisques des carrières d'Assouan, Hatshepsout allait porter toute son attention aux provinces du Sud, objets de tant d'efforts poursuivis par son père.

Kasr-Ibrim

L'immense rocher-citadelle de Kasr-Ibrim face à la capitale des vice-rois de Nubie, Aniba, l'antique *Miam*, tant de fois témoin du passage des vaisseaux royaux, allait être sanctifié. Hatshepsout voulait faire creuser au pied du roc, juste au niveau des eaux généreuses de l'Inondation annuelle, une petite chapelle rupestre au fond de laquelle sa statue et celle de son petit roi allaient figurer en compagnie de l'Horus de Nubie et de Satèt, maîtresse d'Eléphantine [1]. Elle avait d'abord chargé son Vice-roi Sény, successeur de Touri, d'y veiller, car elle n'oubliait pas que la majorité des expéditions vers les mines du sud avaient eu – et auraient toujours –

pour résultat d'assurer la meilleure production d'or de Nubie alimentant le Trésor de la Couronne.

L'île de Saï

Entre Deuxième et Troisième Cataracte, dans l'île de Saï, l'édification d'un temple avait été projetée au cours du règne éphémère de Thoutmosis le Deuxième, Âakhéperenrê, afin de compléter la série de fondations, témoins de la présence égyptienne, déjà érigées depuis Ahmosis-le-libérateur [2]. La Grande Epouse royale avait projeté d'y faire continuer les travaux et même d'y consacrer sa propre statue [3].

Le temple de Bouhen

La plus urgente des interventions concernait les anciens sanctuaires érigés par les Sésostris dans l'enceinte des citadelles au Sud de la Deuxième Cataracte, destinées à défendre la Nubie contre les éternels agresseurs du pays de *Koush*. La puissante place-forte de Bouhen, en tout premier lieu, contenait les immenses entrepôts destinés à recevoir les apports du Sud, et possédait une importante garnison. Dans son enceinte, le sanctuaire dédié à l'Horus de Bouhen par Sésostris Ier avait gravement souffert du temps de l'invasion hyksôs. Vers les années II et III de Menkhéperrê, la régente le faisait réédifier en pierre, et sur un plan préfigurant celui d'un bâtiment périptère, c'est-à-dire entouré de colonnes. Ainsi conçu, très différent des autres, il présentait l'aspect d'un bâtiment formé d'une cour bordée de supports « protodoriques », ceux-là même

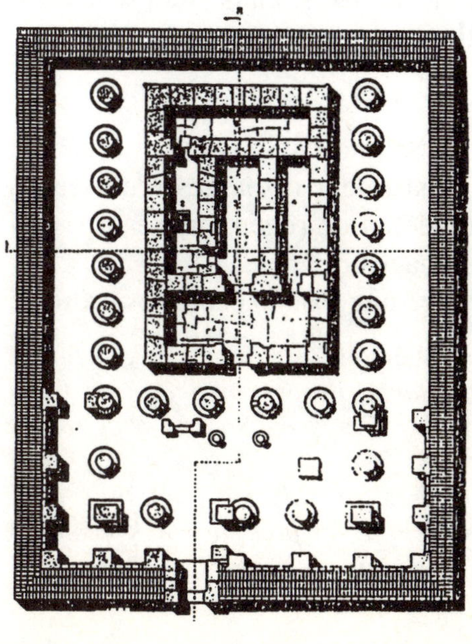

Plan du temple érigé à Bouhen (Ouadi-Halfa) par Hatshepsout. Avec les deux temples de l'île d'Eléphantine (remontant à la même époque), il présente la première apparition en Egypte de colonnades entourant un édifice religieux (*cf.* illustration p.115). (D'après W. Emery)

qui feront plus tard la gloire de Deir el-Bahari. Puis un vestibule ouvrait sur trois chapelles, dont une communiquait avec une chambre, au fond [4].

Ce style et cette harmonie laissent supposer l'intervention de Sénènmout, le futur concepteur du temple jubilaire de la reine, à qui certainement la responsabilité de la construction fut confiée. Hatshepsout avait fait édifier ce monument au nom de Menkhéperrê, Thoutmosis le Troisième, cependant qu'elle faisait représenter sa propre image, accomplissant la course du couronnement en souverain vêtu du pagne court, préfiguration des cérémonies qu'elle souhaitait ardemment connaître un jour.

Ailleurs, cependant, elle avait fait figurer sa silhouette très féminine de jeune régente, habillée d'une longue robe fourreau : plus tard, après la disparition de nos héros, ces images furent quasiment recouvertes par celles de Thoutmosis II et III.

Semna-Ouest [5]

Gardant, de chaque côté, le passage de la Deuxième Cataracte, les petits temples de Semna-Ouest et de Semna-Est (ou Koummé), édifiés par Sésostris III, furent en partie réparés aux noms de Thoutmosis-Âakhéperkarê en l'honneur du dieu nubien Dédoun et de Sésostris-Khâkaourê divinisé. En les faisant reconstruire pour son neveu, Hatshepsout ne manqua pas de rappeler le passage de son époux et demi-frère sur le trône, mais elle prêta à son petit roi et neveu, la responsabilité de cette action.

Semna-Est (ou Koummé) [6]

De même, dans le sanctuaire de Semna-Est, on peut voir encore à côté des images de la reine, quasiment disparues, des scènes consacrées par le jeune roi en ce début de règne, où Sésostris III divinisé est représenté parmi les images divines.

Hatshepsout avait bien veillé à ce que l'on exécute ses ordres[7] :

> « *An II, 2e mois de la saison* Shémou, *le 7e jour : ce qui fut dit dans la Majesté du Palais (Vie, Santé, Force), au Trésorier, l'ami unique, le fils royal, Intendant des Terres du Sud (= Vice-roi de Nubie)...*
>
> *"Le dieu incarné, Menkhéperrê, a fait sa fondation pour Dédoun qui est à la tête de la Nubie, et pour le roi Khâkaourê (Sésostris III)... un temple en belle pierre blanche de Nubie – alors qu'il l'avait trouvé (construit) en briques – pour qu'il soit durable.*

Lorsque la reine fit réédifier au nom de son neveu le temple de Semna-Est, remontant au Moyen Empire, en l'an II le 2e mois de l'été, le 7e jour, le jeune Thoutmosis était encore à l'école du temple de Karnak. On le voit cependant représenté sur ordre d'Hatshepsout en adulte, assis entre Khnoum, seigneur des Cataractes, et le défunt Sésostris III, divinisé, lui confirmant ses droits au trône, suivant ce que ce dernier avait promis à tous ceux qui viendraient protéger ses frontières contre les envahisseurs du sud.

Ainsi fait le fils aimant pour son père qui commande les Deux Terres, (lui) qui est élevé [8] *pour devenir l'Horus, maître de ce pays."* »

Il est donc bien admis qu'Hatshepsout, qui a fait effectivement reconstruire le temple [9], travaillait pour préparer le règne de son neveu – mais en son temps ! Mieux encore : sur un relief de l'édifice, elle a fait représenter Thoutmosis-Menkhéperrê, toujours traité en adulte, coiffé du *pschent* royal, assis entre Khnoum, patron des Cataractes, et Sésostris divinisé parce que grand défenseur de l'Egypte et de la Nubie. Ce dernier fait face à Thoutmosis et lui confirme sa fonction royale : nouvelle preuve des bonnes intentions de la Grande Epouse royale et régente, trop longtemps accusée d'être une marâtre et une usurpatrice.

En conclusion il convenait de renouveler les offrandes devant la précieuse relique, la statue de Sésostris III divinisé, garant de ses successeurs sur le trône, seigneur et protecteur de la Nubie :

« Que soient faites les offrandes divines pour le roi de Haute et Basse Egypte, seigneur des Deux Terres, le maître du rituel, Khâkaourê, l'Horus divin de naissance, et pour tous les dieux de Ta-Séti. »

Le prénom de Maâtkarê apparaît

L'existence d'Hatshepsout est entrée dans une période étrange. On constate effectivement son réel respect pour la personne royale reconnue de son neveu, au point que dans les temples des citadelles nubiennes elle réserve au petit Thoutmosis la place de fondateur. Cependant plusieurs indices montrent clairement la ferme position de la régente, affirmant le poids de son incontournable autorité. Très vite, elle se fait appeler *Maâtkarê, roi de Haute et de Basse Egypte*, comme si elle avait déjà été reconnue souveraine, réservant au petit roi le dernier titre du protocole, c'est-à-dire *Sa-Rê : fils du soleil.* C'est en quelque sorte déjà le « tandem » de la corégence, avant ce couronnement qu'elle prépare.

Elle se fait également représenter en femme tout en accomplissant le rite essentiel et royal de l'offrande du vin pour Amon [10] (cf. illustrations pages 63 et 68. Une certaine ambiguïté paraît évidemment planer autour de son véritable statut, d'où il ressort néanmoins que la régente assure véritablement le pouvoir, mais en compagnie de son neveu. Il n'est qu'à se reporter à des inscriptions comme ce graffito de l'an V retrouvé à Sérabit el-Khadim, au Sinaï, où figurent en parallèle les noms des deux princes : Le roi de Haute et Basse Egypte Maâtkarê, et le fils du soleil Thoutmosis [11].

Hatshepsout n'a donc pas attendu d'être officiellement couronnée pour choisir son prénom de souveraine, obligatoirement affecté par les prêtres : elle l'a composé et se l'est donné elle-même en respectant la coutume, adoptée depuis le règne de Thoutmosis-Âakhéperkarê, de terminer par *Rê* (le soleil) le nom de couronnement du roi. *Maâtkarê* peut se traduire par : *Maât* (l'équilibre cosmique) est le *ka* (la force vitale ou encore « l'énergie créatrice ») de *Rê* [12].

Décès de la reine mère

Néanmoins, tout en utilisant indûment un nom de couronnement, la régente continua à porter son titre légal de Grande Epouse royale et d'Epouse du dieu, dont elle n'était pas encore habilitée à se séparer. C'est au reste grâce à ce titre, qu'elle ne voulait pas quitter, que l'on tente de fixer approximativement le décès de la Grande Epouse royale douairière, Ahmès, sa mère. En effet, un vase d'offrande heureusement retrouvé, et destiné à la grande reine Ahmès *justifiée devant Osiris*, c'est-à-dire décédée, fut bien dédié par Hatshepsout « Grande Epouse royale » à sa mère, ainsi que l'inscription portée sur le récipient nous l'apprend [13].

Une donation de Sénènmout

« La 4e année de Thoutmosis III, le 16e jour du 1er mois de *Shémou* », Sénènmout aurait fait ériger une stèle dans le domaine de Monthou, au Nord du temple de Karnak. Stèle de granit rose, donc de matière royale, ses inscriptions portent encore, bien que très détériorées, les noms jumelés de Maâtkarê, roi de Haute et Basse Egypte, et de Menkhéperrê. Il y est question du transfert de biens, terres labourées, champs, jardins et offrandes, et même deux serviteurs, que Sénènmout fait pour Thoutmosis III au bénéfice du temple d'Amon – sorte de retour de ce que « Ta Majesté (déclare Sénènmout) me donna lorsque tu étais un jeune enfant (*Inpou*) » [14].

Ailleurs, sur la même stèle, Sénènmout fait allusion aux « ateliers que le roi de Haute et Basse Egypte Maâtkarê a établis pour son père Amon dans le *Djéser-djésérou* » [15].

Voici donc que pourrait, très tôt dans l'histoire d'Hatshepsout, apparaître le nom de son fameux temple jubilaire édifié à Deir el-Bahari, au pied d'un imposant cirque montagneux près de l'endroit où le puissant Monthouhotep de la XIe dynastie avait fondé un original prototype architectural [16].

Ce temple de la reine, conçu avec l'aide de Sénènmout et réalisé sous sa haute direction, passait pour avoir été fondé seulement après l'an VII de Thoutmosis-Menkhéperrê. Certains indices en font même remonter la première étape dès le règne de Thoutmosis II.

Qu'elle porte réellement la marque de l'an IV ou même, en raison de la difficulté de sa lecture, qu'elle livre une date moins ancienne [17], cette stèle demeure un témoin important pour éclairer la personnalité si mystérieuse de Sénènmout, déjà – et volontairement – écrasé sous les titres et pourtant si apparemment discret dans son action, où tout semble suggéré plutôt qu'affiché avec ostentation ! De surcroît, pourquoi ce don ? Ce retour de biens effectué par Sénènmout au bénéfice d'Amon devait sans doute correspondre à un mobile qui nous échappe encore, mais dénote, en tout cas, le soin pris par Sénènmout pour respecter les droits régaliens du jeune Menkhéperrê.

---

16. Deir el-Bahari (*Djéser-djésérou*) est également cité à la ligne 16 du même texte.

Une suggestion peut être avancée pourtant : Sénènmout était devenu l'Intendant, le Grand Intendant même (des domaines) de la reine. En revanche, une autre puissance très considérable était responsable des richesses d'Amon. Il lui fallait donc se la concilier puis en arriver à la gérer. Ce don de Sénènmout, qui ne pouvait être « gratuit », devait sans doute faire partie des habiles manœuvres de celui qui, peu de temps après, avant même le couronnement de la reine, allait atteindre son but en étant investi de la charge de Grand Intendant d'Amon [18].

Un événement : la nomination d'un nouveau vizir

En l'an V, le 1er mois de la saison *Akhèt* [19], le 1er jour, sous le règne de Thoutmosis-Menkhéperrê, ce dernier devait avoir environ neuf ans, alors que sa tante et marâtre terminait sa trentième année. C'était le jour où le vizir (*tchati*) en poste, l'homme du royaume le plus important officiellement après le souverain, Ahmosis dit Amétou, allait laisser la place à son successeur.

Choisi parmi les nobles les plus titrés du pays, le nouveau vizir, en un mot le « Premier ministre », appartenait à la famille de son prédécesseur dont il était le propre fils. Il s'appelait Ousèramon, dit Ousèr. Le petit Menkhéperrê allait ainsi introniser ce personnage imposant, véritable roi sans couronne. Le vizir se différenciait des autres hauts fonctionnaires, dans son aspect extérieur, par le port d'une très longue jupe montant jusque sous les bras, gonflée au niveau de l'abdomen et retenue par un collier fixé sur la nuque au moyen d'un fermoir précieux en forme de cartouche royal. Ce collier unique était appelé le *shenpou* [20].

L'intronisation d'Ousèramon

Le roi devait lui-même donner audience au nouveau vizir, dans la salle royale où il allait trôner, mais après l'hommage rendu par Ousèr (amon), il revenait à sa tante de se substituer à lui pour prononcer les paroles rituelles traçant les grandes lignes de l'écrasante charge de celui qui devait contrôler toutes les activités de l'Etat : aucune fonction de responsabilité ne pouvait exister sans passer par lui. C'est dire qu'il assumerait le contrôle d'une trentaine de grandes administrations, dont celles de la Justice, de la Police, de l'Intérieur, de l'Armée de terre et de la Marine, de l'Agriculture, sans oublier les bureaux du Trésor et la gestion des relations avec le clergé, à commencer par le plus imposant de

A gauche : Le vizir Rekhmara, successeur d'Ousèr Amon (Hatshepsout-Thoutmosis III).

A droite : Le vizir Ramosé (du temps d'Aménophis III).
La longue robe suspendue par un collier voile le torse peut-être rituellement volumineux du plus haut fonctionnaire du Pays. (Dessin de N. de Garis Davis)

l'époque, celui d'Amon. Le seul haut fonctionnaire à qui il devait témoigner certains égards était le Chef Trésorier.

Le discours

Aussi la régente Hatshepsout, dans la salle du trône, prit-elle la parole pour prononcer les recommandations d'usage, jadis adressées aux précédents vizirs, et dont plus tard Rekhmara, successeur et neveu d'Ousèr, fut également gratifié. Ces « instructions » remarquablement humaines témoignent d'une haute et surprenante appréciation de la justice [21], révélant une très grande psychologie au service du Pouvoir.

Après avoir prévenu Ousèr que la charge de ce « pilier du pays » était amère et périlleuse, qu'il devait être à la fois le protecteur de la Couronne (« le cuivre qui préserve l'or de la maison de son maître »), et l'objet de toutes les critiques, elle lui rappela que :

« Le magistrat qui juge en public, le vent et l'eau rapportent tout ce qu'il fait, il n'existe personne qui ignore ses actions. »

Elle lui exposa alors son véritable code d'équitable logique et subtile gestion :

« Tu devras veiller à ce que chaque chose soit faite en accord avec ce qui est dans la loi. C'est une abomination pour dieu de montrer de la partialité... Considère celui qui sait, comme celui qui ne sait pas... celui qui est près de toi, comme celui qui est loin de toi... ne te débarrasse pas d'un plaignant avant que tu n'aies considéré ses paroles... Un plaignant désire que sa plainte soit considérée, bien plus (encore) que son cas soit adjugé ! N'évite pas un pétitionnaire et ne hoche pas la tête lorsqu'il parle. Tu le puniras seulement après lui avoir expliqué pourquoi tu le punis.

Le seigneur préfère le timide à l'arrogant. Ne te mets pas en colère injustement envers un homme, mais sois (seulement) en colère concernant ce pourquoi on doit être en colère...

Inspire le respect pour toi-même, de façon que les gens te respectent. Le magistrat qui est respecté est un vrai magistrat. Cependant si un homme inspire un respect excessif, un sentiment de faux à son propos apparaît à l'opinion des gens. Ils ne (pourraient) pas dire de lui alors : "C'est un homme."

La valeur d'un magistrat est qu'il agit selon le droit [22]. »

L'installation du vizir

Chapitré de la sorte, le nouveau vizir allait être installé dans sa fonction en présence des Grands et des scribes. Le protocole était très strict, il n'y avait qu'à suivre son ordonnance. La cérémonie quasiment rituelle concernait la première des fonctions, celle de juge, donc celle de prêtre de Maât, et ne pouvait en rien porter atteinte à l'équilibre :

« Le vizir doit se tenir assis sur le siège pehdou, *avec un tapis sur le sol et un dais au-dessus ; un coussin sous son dos, et un coussin sous ses pieds... un bâton dans la main... les quarante (rouleaux de peau) ouverts devant lui [23]. Alors les Grands du Sud doivent se tenir dans les deux rangées devant lui [24], pendant que le Maître de la Chambre est sur sa droite et que le Receveur des impôts (se tient) sur sa gauche. Le scribe du vizir (est) près de (sa main). On doit (alors) écouter l'un après l'autre (les intervenants) sans permettre que celui qui est derrière soit entendu avant celui qui est devant. »*

Les tâches du vizir et la gestion royale

Le protocole était remarquablement réglé pour que le vizir, chaque matin, fasse son rapport au roi. Seul après lui, le Trésorier se voyait réserver une place (la seconde naturellement) dans la cérémonie. Ainsi chaque matin, alors que Thoutmosis-Menkhéperrê avait regagné l'école du temple, Hatshepsout recevait-elle ses deux plus hauts fonctionnaires.

Ousèramon se présentait d'abord devant la régente. Le Trésorier en chef devait attendre près du mât à oriflamme Nord, devant le bâtiment, cependant que le vizir était arrivé par la « Double Grande Façade ». Les deux hauts fonctionnaires exposaient alors leurs rapports mutuels :

> *« Le Chef Trésorier arrive pour rencontrer le vizir et lui dit : "Toutes les affaires sont saines et prospères, la Maison royale est saine et prospère." Alors le vizir fait rapport au Chef Trésorier, disant : "Toutes les affaires sont saines et prospères, chaque siège de la Cour est sain et prospère. Il m'a été rapporté le scellement des chambres scellées à cette heure, et leur ouverture à (cette) heure, par chaque responsable." »*

Ainsi, quotidiennement, l'ouverture solennelle de la Maison royale était-elle assurée. Après que les deux plus hauts fonctionnaires se fussent transmis un mutuel rapport, le vizir donnait alors ordre d'ouvrir toutes les portes de la Maison royale :

> *« pour permettre d'entrer à tous ceux qui voulaient entrer, et pour la sortie également : (mais) ceci devait être enregistré ».*

Ce rituel était observé scrupuleusement, pour ne pas se trouver en contradiction avec la *Maât*, dont la signification n'implique pas seulement la notion d'équité tant recommandée pour l'exercice de la fonction royale – et aussi celle du vizir qui en portait l'image en pendentif – mais évoque le domaine de l'équilibre cosmique à maintenir par le roi, garant de la totale existence du pays, et que le souverain, suivant la formule, devait « faire remonter au visage de son maître [25] ».

Le devoir journalier

Le vizir se mettait au travail en commençant à prendre connaissance de l'ensemble des rapports des responsables de tous les services, dépouillés et résumés pour lui par le Gardien de la

Salle du jugement. Ce même Gardien, sorte de greffier en chef, avait aussi pour charge de faire rapport sur l'action du vizir lorsqu'il tenait audience (on sait que la bureaucratie était déjà solidement née, en Egypte, dès l'aube de l'Ancien Empire).

Ces rapports sur l'activité, sur la marche du pays, étaient innombrables [26]. Ils concernaient, bien sûr, les revenus royaux et religieux et c'est assurément le vizir qui, après les avoir inspectés, répartissait la rentrée des impôts [27], et distribuait les tributs. Avec le Chef Trésorier il ouvrait la Maison de l'or (et de l'argent). Il étudiait le rapport sur les forteresses du Sud et veillait au bon fonctionnement de la garnison de la Ville Résidentielle (Thèbes). Il donnait les ordres au Général de l'armée, vérifiait l'administration de la Marine, exigeait même que les officiers de marine lui fassent rapport, du plus haut placé au moins gradé, du Nord au Sud du pays.

Rapport lui était également fait sur l'organisation et l'activité de chaque province, à commencer par la distribution régulière de l'eau, l'état des arbres.

Il restait en contact avec les fonctionnaires chargés du règlement des labours et des paysans affectés aux champs, du cadastre et des limites des propriétés, et avec ceux qui devaient établir la liste des taureaux fécondateurs. Un des sujets essentiels était l'inspection des canaux, le premier jour de chaque décade [28], commandant la bonne irrigation du pays, entre deux périodes d'Inondation.

Enfin le vizir veillait à l'observation du lever de l'étoile Sothis (Sirius), annonçant le réveil de l'année et le renouveau du pays par l'arrivée de la bénéfique crue du Nil, qui devait être vérifiée dans les nilomètres, et dont les prémices devaient lui être, sans aucun retard, annoncés [29].

L'autorité d'Hatshepsout et ses fidèles

Ce gouvernement très hiérarchiquement organisé était ainsi « tenu en main » par le très puissant vizir près de qui le Chef Trésorier jouait également un rôle considérable. Au sommet, Hatshepsout encore régente, mais ayant pris nom de Maâtkarê sans encore de couronne, exerçait avec fermeté la direction de

28. Chaque mois de trente jours était divisé en trois décades de dix jours.

Kémèt [30], dominant de sa personnalité déjà si affirmée un vizir issu des plus nobles princes thébains, dévoués à la famille royale depuis Ahmès-Nofrétari la grande douairière, laquelle, c'était bien connu, avait réorganisé l'administration.

Aussi Ousèramon, de même que son père Ahmosis-Amétou, avait-il reçu par faveur spéciale le droit de se faire creuser un cénotaphe dans la falaise gréseuse du Gebel Silsilé, non loin de celui d'autres grands serviteurs de la reine, et naturellement d'un des premiers du règne, celui de Sénènmout.

En fait, si le vizir devait assurer le plus étroit contact du pouvoir avec la reine, le Chef Trésorier était certainement passé sous le contrôle très officieux de celui qui portait le très ancien titre de Trésorier du roi du Nord (*Sédjaouti bity*), Sénènmout.

Pour tout dire, les deux plus hauts fonctionnaires de l'Etat devaient très probablement, dès cette nouvelle intronisation, être entièrement dominés par l'exceptionnelle autorité constituée par l'association de la régente et du Trésorier du roi de Basse Egypte, Grand Intendant de la reine (et de la princesse héritière Néférourê) ; ce dernier paraît même, tout au long du règne, avoir officieusement emprunté l'autorité du vizir pour intervenir – le cas échéant – dans le fonctionnement de nombre de charges.

Le Sinaï

En cette même année V, Hatshepsout désira marquer à nouveau la présence royale au Sinaï, dont la richesse en cuivre et en turquoise constituait un des fleurons de la Couronne, mais qui, loin de la métropole, était sillonné parfois par des bédouins restés favorables aux anciens occupants hyksôs. La reine avait fait procéder à la réouverture des mines et des carrières au centre du massif montagneux. Les mines de turquoise étaient à nouveau exploitées et les ingénieurs des mines n'oubliaient pas qu'on ne pouvait se procurer la lumineuse pierre verte qu'à la saison d'hiver, pour qu'elle ne meure pas.

A Sérabit el-Khadim, une stèle au nom du « Fils du soleil Menkhéperrê » (il devait avoir 9 ans), complété par les titres et nom d'Hatshepsout, « roi du Sud et du Nord Maâtkarê », témoigne de cette préoccupation royale [31]. Ailleurs, dans ce même ouadi, la reine est représentée par un graffito qui la montre encore vêtue d'une longue robe féminine, la perruque recouverte des ailes du vautour royal, et dominée des deux hautes plumes de l'Epouse du dieu. Il s'agit là d'une figure bien contemporaine [32] de l'an V, avant que la régente ne porte la couronne.

Une intervention militaire de la reine, en Nubie

La région de la Moyenne Egypte, loin de la métropole, semblait ne pas avoir retrouvé si vite le calme d'avant l'occupation hyksôs. La splendide région, illustrée au Moyen Empire par le Gouverneur Hâpidjéfaÿ et les si magnifiques chapelles décorées de Béni Hassan, connaissait encore certains troubles, comme Hatshepsout le rappellera plus tard dans sa célèbre inscription du Spéos Artémidos [33].

Il ne suffisait pas à la fougueuse Hatshepsout qu'elle ait pu les réprimer habilement, il lui fallait opposer une réponse éclatante à cet état de fait dangereux pour l'avenir, et pour sa propre position. Il fallait payer de sa personne, et donner réplique à ceux qui pourraient reprocher cette régence féminine prolongée, encore assez peu familière au régime de la Couronne. Elle voulait, par une action en Nubie, dont la nécessité s'annonçait à l'horizon, prouver qu'elle était parfaitement digne de monter sur le trône de ceux qu'elle considérait comme ses ancêtres, et qu'elle s'inscrivait assurément dans la lignée de son auguste père Âakhéperkarê-Thoutmosis le Premier.

Ainsi peut-on suivre le Prince héréditaire et Gouverneur, Trésorier du roi de Basse Egypte, « celui qui s'occupe du butin (de guerre) », Tiy ou Tiya, lorsqu'il fit graver une scène sur un rocher de l'île de Séhel, tout près de l'inscription de Sésostris III concernant les travaux du canal creusé pour éviter les rapides de la Première Cataracte [34]. Le haut fonctionnaire s'est fait représenter debout, sceptre à la main, et pagne long, devant huit colonnes verticales de hiéroglyphes. On peut lire :

> *« Le Prince héréditaire, Gouverneur, Trésorier du roi de Basse Egypte, Ami Unique, Celui qui s'occupe du butin, il dit : "J'ai suivi le dieu vivant (ou incarné), le roi de Haute et Basse Egypte [Maât] karê, qu'il vive ! Je l'ai vu renverser les nomades* [35]*. Leurs chefs lui ont été amenés prisonniers. Je l'ai vu détruisant le pays des*

35. Les *Iountyou.*

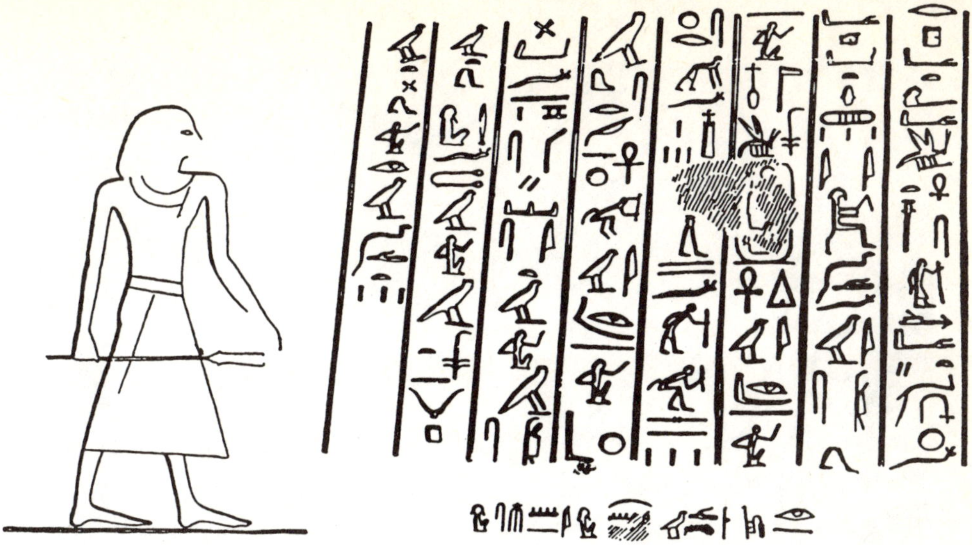

Le Prince héréditaire Tiya, responsable du « butin de guerre », témoin de l'action guerrière personnelle de la reine, dans les pays du Sud. (Graffito de Séhel)

Néhésyou[36], *tandis que j'étais dans la suite de Sa Majesté. Voyez ! Je suis un messager du roi faisant ce qui est dit."*[37] »

Ce texte très surprenant semble être confirmé par une autre inscription, très détériorée comme d'habitude, gravée dans le temple de Deir el-Bahari[38], faisant allusion à une campagne militaire exécutée dans le Sud, dans le pays de *Koush*, et comparable à l'intervention de son père Âakhéperkarê, dans ce même pays[39] :

« *Un massacre fut fait parmi eux, le nombre des morts étant inconnu, leurs mains furent coupées... Tous les pays étrangers parlèrent (alors) la rage au cœur... Les ennemis complotaient dans leurs vallées... Les chevaux sur les montagnes... (leur) nombre ne fut pas connu... Elle a détruit les pays du Sud, tous les pays sont sous ses sandales... comme cela fut fait par son père le roi de Haute et Basse Egypte Âakhéperkarê...* »

La glorification de l'action guerrière

En dépit de certaines hésitations, on est bien obligé de se rendre à l'évidence, puisque deux textes au moins nous enseignent la « saga » guerrière d'Hatshepsout. Plus que jamais sur le chemin de la totale puissance, mi-reine, mi-roi, dirigeant d'une poigne ferme la marche du pays sur lequel elle s'efforçait de faire régner l'ordre parfois encore contesté dans les provinces éloignées de la capitale méridionale, la Grande Epouse royale, Epouse du dieu, la régente venait d'agir en souveraine, protectrice de *Kémèt*.

Le second Aménophis, figuré en protecteur contre les agressions ennemies. Relief inspiré probablement par une précédente image, celle d'Hatshepsout, coiffée d'une perruque et ne portant pas de couronne. Le VIIIe pylône de Karnak érigé pour Hatshepsout par le Premier Prophète d'Amon, Hapouséneb, fut « usurpé » par le second Aménophis. (Photo A. Ware)

Les fonctionnaires qui l'ont accompagnée l'ont vue à la tête de l'expédition punitive, et à l'issue du combat elle a devant eux accompli le geste rituel de la destruction de l'adversaire menaçant le pays.

Il faut imaginer la belle et fine silhouette de Maâtkarê, portant le pagne court du roi, coiffée de la petite perruque à trois rangées de bouclettes, un bras magistralement levé, tenant en main l'arme dont elle menace l'adversaire vaincu, genou à terre devant elle. On croit la reconnaître ainsi figurée sur la tour occidentale du VIIIe pylône de Karnak, érigé pour elle par Hapouséneb, et sur lequel maintenant, en surimpression, dans la même attitude à l'allure exceptionnellement gracieuse, figure celui qui fut très certainement son petit-fils, Aménophis le Deuxième.

Même composition portant l'image de Thoutmosis III, qui est coiffé de la couronne royale.
Karnak, VIIe pylône
(Photo Ch. Desroches Noblecourt)

Ce geste rituel et magique de l'anéantissement du mal, de quelque nature qu'il soit, réservé au défenseur suprême de l'Egypte, renouvelle l'attitude millénaire de Narmer, premier roi de l'Egypte [40], et préfiguration du geste héroïque prêté à Thoutmosis-Menkhéperrê sur la tour occidentale du VIIe pylône de Karnak.

Dès lors cette scène illustrant l'action bienfaisante de Pharaon réapparaîtra sur tous les pylônes des temples jusqu'aux temps de l'occupation romaine.

En conclusion, le rôle joué par la régente avait été très efficace en Nubie, non seulement en raison du soin qu'elle avait porté à la réfection des temples des citadelles, à la Deuxième Cataracte, mais aussi par son efficacité personnelle en prenant part à des expéditions punitives. On comprend alors pourquoi, lorsqu'elle fera défiler les trésors rapportés du mystérieux pays de *Pount*, elle fera aussi reproduire la figuration des porteurs de tribut du pays de *Koush* qu'elle avait châtié, flanqués de l'image de Dédoun, vénéré dans ces régions.

Les travaux dans l'île d'Eléphantine

Au retour de cette expédition, qui demeurerait absolument ignorée si Tiy (ou Tiya) ne s'était pas fait inscrire un graffito sur le granit, près de l'endroit où l'expédition était revenue, Hatshepsout voulut exprimer sa reconnaissance aux grands génies protecteurs de toute la région de la Première Cataracte, province d'exception vers laquelle affluaient les apports de la profonde Afrique. Elle désirait aussi solliciter leur protection pour la Nubie, « banque de l'or » comme on le sait, et le plus important couloir commercial de l'époque, objet de sérieuses convoitises du pays de *Koush*. Elle se gardait d'oublier un troisième objectif, celui d'offrir des sanctuaires appropriés pour célébrer l'arrivée annuelle de la miraculeuse Inondation.

Ainsi la reine chargea-t-elle le Directeur des travaux Amenhotep, qui pour l'occasion fut investi des fonctions de Prêtre de Khnoum, de Satèt et d'Anoukèt. Il devait leur édifier deux temples (et aussi deux obélisques) [41]. Les travaux se déroulèrent en partie entre

> *« le 1er jour du 2e mois de* Pérèt, *an V, et le 1er jour du 4e mois de* Shémou, *an VI ».*

Ces réalisations architecturales furent les plus importantes connues de la reine, en dehors de celles de la région thébaine et du temple de Thot à *Khéménou* : c'étaient le sanctuaire dédié à Satèt, maîtresse d'Eléphantine, et celui consacré à Khnoum, patron de la cataracte.

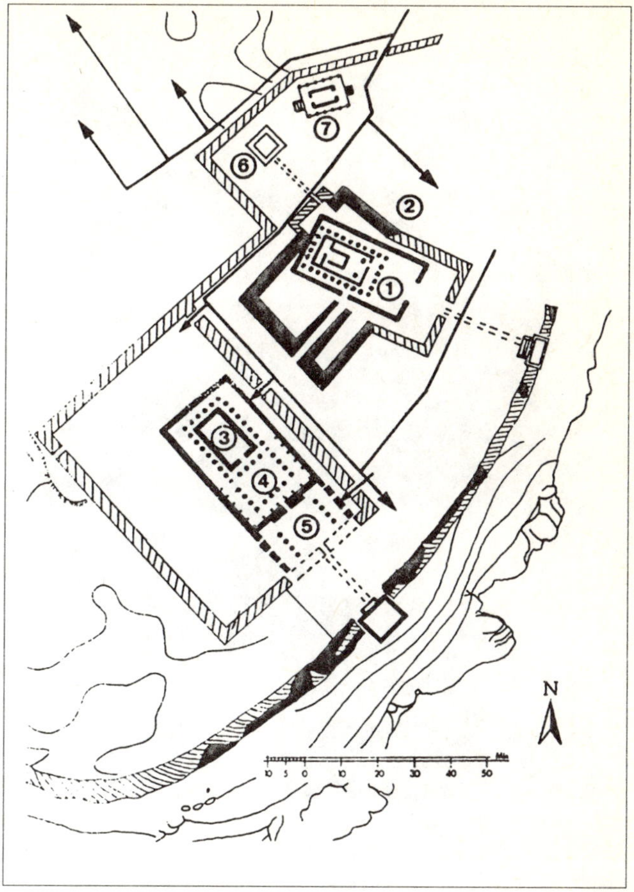

Plan des deux Temples érigés dans l'île d'Eléphantine pour la déesse locale Satèt (escortée de Khnoum et d'Anoukèt) par Hatshepsout et Thoutmosis-Menkhéperrê. On remarquera l'harmonieuse utilisation de colonnades qui entourent les deux bâtiments. Leurs magnifiques reliefs sont comparables à ceux qui illustraient les murs du Temple de Dakké en Nubie, qui remontent à la même époque. (D'après Kaiser)

Temple de Satèt

Lorsque Hatshepsout fit entreprendre les travaux à Eléphantine, il existait encore près de la rive Sud de l'île un petit temple pour Satèt, remontant au Moyen Empire et exceptionnellement, pour l'époque, bâti en pierre. Amenhotep fit entièrement démonter les diverses assises du monument, qui servirent alors à constituer les fondations du nouveau sanctuaire projeté.

L'originalité du bâtiment consistait surtout en ce que sa structure rectangulaire était entourée d'une rangée de piliers sur ses quatre côtés, et préfigurait la composition d'un temple périptère évoquant ainsi, avec mille années d'avance, un édifice de la Grèce antique !

Il n'était pas nécessaire de chercher si loin. A la Deuxième Cataracte, on se souvient que la reine avait fait édifier à nouveau le petit temple de la citadelle de Bouhen : le prototype périptère y était déjà utilisé, et sans doute suivant le modèle de son concepteur Sénènmout, vraisemblablement inspiré par la reine. Pour le temple

Chapiteau hathorique du temple d'Eléphantine dédié à une forme féminine de la divinité. Réapparition de la perruque à volutes. (D'après Kaiser)

de Satèt, un mur très proche du bâtiment protégeait l'intimité du sanctuaire, et l'environnement était aménagé de façon qu'aux époques des festivités du Nouvel An, une allée d'honneur conduisait au quai aménagé sur la rive pour l'accostage de la barque sacrée. Le dispositif le plus original à l'intérieur était composé de deux piliers dominés par le chapiteau à tête d'Hathor en l'honneur de la déesse Satèt, vénérée en ce lieu.

Toute la partie antérieure du temple était décorée au nom d'Hatshepsout, alors que la partie postérieure du temple avait surtout reçu les cartouches de Thoutmosis III. Cependant, à certains endroits déterminés, les deux noms d'Hatshepsout et de Thoutmosis III figuraient parallèlement. Le décor des murs faisait principalement allusion aux cérémonies locales, dont les plus importantes étaient celles des fêtes du Nil, et aussi celle du départ en barque pour l'île de Séhel.

Temple de Khnoum

Sur la même rive, un peu plus au Sud, Hatshepsout avait ensuite fait honorer Khnoum, le potier créateur de la Cataracte, en lui dédiant un sanctuaire d'une importance analogue à celui de Satèt.

Les vestiges qui en subsistent ont permis de retrouver un plan approximativement semblable à celui du temple périptère voisin, mais les piliers furent ici remplacés par de plus élégantes colonnes fasciculées, dominées par un abaque sous l'architrave. Le mur d'enceinte réservé autour du temple présentait des propylées analogues à ceux du sanctuaire du Nord, et un même dispositif menait, à travers une terrasse, au quai donnant sur le Nil [42].

Les très hauts personnages autour de la régente

Hatshepsout continuait à s'entourer des personnalités les plus éminentes, de techniciens aussi, dont le dévouement paraissait total. Hapouséneb [43], le Premier Prophète d'Amon, très haut personnage de la régence, le second sans doute après Sénènmout. Il était aussi Supérieur de tous les Prophètes du Sud et du Nord, investi de nombreux autres titres sacerdotaux. Intime de la reine, un de ses parents éloignés, Imhotep, semble avoir été vizir de Thoutmosis Ier. Il ne se contentait pas seulement d'« approcher les chairs divines [44] » et de « connaître le mystère et les secrets des Deux Déesses », ni de gérer les richesses d'Amon : « L'or était sous mon sceau [45]. » Parmi ses charges civiles, il fut Gouverneur des provinces du Sud, Bouche du roi du Sud et Oreille du roi du Nord [46]. En sa qualité de Premier Prophète, il enrichit le sanctuaire d'Amon et surveilla des fondations diverses, ainsi le temple nommé « *Maâtkarê est divine de monuments* [47] », édifié en calcaire de Toura, près de Memphis, des portes monumentales et des naos précieux d'ébène, du fameux bois *mérou*, incrustés d'or et de cuivre [48], et l'une des barques fluviales pour Amon également [49], sans oublier l'édification d'un pylône qui pourrait être le VIIIe de Karnak, inaugurant ainsi l'allée processionnelle en direction du Sud, vers le temple de Mout et, plus loin, celui de Louxor.

Une des prérogatives les plus enviées, qu'il partageait avec les plus importants personnages du règne, était de posséder, dans l'aire des carrières du Gebel Silsilé, un cénotaphe [50], non loin de celui de Sénènmout [51]. Autour de ces deux pôles avaient successivement été réunies les autres concessions accordées par Maâtkarê aux très hauts fonctionnaires de la Couronne, tel le vizir Ousèramon [52], Sennéfer le Prince et Héraut du roi, Gouverneur de sa Maison et Gouverneur des mines d'or d'Amon et des champs d'Amon [53], Nakhtmin l'Intendant des greniers [54], Min le Prince, Comte, Scribe royal, Surintendant du Trésor et Intendant des serfs d'Amon [55], Néhésy le Trésorier du Nord, Prince et Comte, celui qui allait conduire l'expédition au pays de *Pount* [56], Ménekh, un officier déjà fidèle à Thoutmosis le Premier [57], et peut-être aussi Touri, le Vice-roi de Nubie.

En ces lieux, cette sélection des plus hautes personnalités, entourant l'homme de confiance d'Hatshepsout, n'était sans doute pas en rapport direct, comme on a pu le suggérer, avec les activités minières des carrières de grès de cette région. Il s'agit bien plutôt du site de prédilection auquel Sénènmout attribuait la plus grande signification, comme cela apparaîtra par la suite.

Sénènmout bâtisseur

Au-dessus de tous les titrés du pays régnait, c'était évident, le Grand Majordome de la reine, réunissant en sa personne comme jamais cela n'avait pu se produire, l'autorité exceptionnelle lui permettant de dominer officieusement tous les corps constitués du pays, ressortissant aussi bien du domaine civil que du sacerdotal. L'énoncé de cette incroyable liste de 66 charges différentes [58] en avance la stupéfiante étendue, dès cette époque.

Le domaine de prédilection du fervent majordome, révélé à la simple vue du temple de Deir el-Bahari dont on lui attribue la fondamentale paternité, étaient la création architecturale et la profonde symbolique exprimée par les divers éléments constitutifs de l'œuvre. Il avait été aux côtés d'Hatshepsout lorsqu'elle avait désiré créer sa sépulture de Grande Epouse royale. Il lui avait conseillé de séparer le caveau funéraire de la chapelle de culte, lesquels éléments réunis au même endroit constituaient jusqu'à cette époque l'ensemble funéraire classique. Aussi, puisque le flanc rocheux de la montagne de l'Ouest avait été choisi pour protéger la sépulture de l'Epouse royale, l'avait-il incitée à faire élever un édifice indépendant à la limite des cultures, sur la même rive gauche du Nil où son culte serait célébré pour son éternité. C'était donc dans le voisinage mortuaire du grand ancêtre Monthouhotep, et au Nord de cet impressionnant temple jubilaire construit partiellement en gradins contre la falaise thébaine, que le site avait été choisi, frôlant une petite chapelle de briques au nom d'Aménophis Ier [59]. En des proportions encore réduites, le temple projeté jouxtait presque, au sol, celui de Monthouhotep. Il constituait en quelque sorte la première étape de celui qui allait, quelques années plus tard, en cet emplacement même de Deir el-Bahari [60], apparaître dans sa majestueuse harmonie.

Ainsi donc, il semble que le premier temple d'Hatshepsout, sans doute commencé sous Thoutmosis II, ait bien pris naissance, répétons-le, avant l'an VI du troisième Thoutmosis. Il avait déjà reçu le nom de *Djéser-djésérou*, « Le sublime des sublimes », le bien nommé [61].

La sixième année du règne

La sixième année du règne de Menkhéperrê venait de commencer. Six ans de « régence » pour la Grande Epouse royale, Epouse du dieu, auxquelles les trois années du règne d'Âakhéperenrê pouvaient logiquement être ajoutées. La volonté déjà si affirmée de l'Epouse divine avait achevé de consolider le caractère de la dynamique jeune femme au courage indiscutable qu'elle était, et lui avait donné la détermination voulue pour réclamer ses droits à la Couronne. Près d'elle, le Grand Majordome à l'impénétrable puissance appuyait, sinon préparait cette ultime ascension. Autour d'elle, Hatshepsout rencontrait un consensus très approbateur, conforté par la totale adhésion du vizir comme par celle du Premier Prophète d'Amon. Elle jouissait aussi de l'admiration de ceux qui avaient servi, avec talent, son père Âakhéperkarê, témoins de la princesse depuis sa plus tendre enfance.

Le grand Inéni n'avait-il pas fait graver sur un mur de sa chapelle, peu de temps avant sa mort, cet éloge d'une poétique évocation, à propos d'une régente qu'il considérait déjà comme une autorité solide et un guide indiscutable :

> *« Glorieuse semence du dieu, issue de lui, câble d'avant des provinces du Sud, poteau d'amarrage des méridionaux, elle est aussi l'excellente corde arrière des pays du Nord et du Sud, la Dame des commandements verbaux, dont les plans sont excellents et contentent les Deux Rives lorsqu'elle parle* [62]*... »*

Ce satisfecit d'un sage et vieil admirateur utilise le langage cher au cœur des marins du Nil : Hatshepsout sait bien « mener la barque de l'Etat », et sait se faire comprendre. On sent même, à travers ce texte, quel orgueil cet homme du Sud (de nos jours on dirait un « Saïdien », un homme du Saïd, de Haute Egypte) porte à l'œuvre de celle qui, comme lui, est issue de la province méridionale.

Cependant Hatshepsout sentait confusément la nécessité d'appuyer encore davantage sa position. Ses informateurs privés l'avaient alertée à plusieurs reprises à propos de désordres survenus dans la province de Cusae, plus au Nord, où quelques Asiatiques de l'invasion avaient fait souche. Il fallait aussi que, dans le Delta, au-delà de la « Balance des Deux Pays » (*Itèt-Taouy*), loin de la capitale, la confirmation de son autorité soit officiellement proclamée. Aussi la reine avait-elle décidé d'organiser prochainement les cérémonies qui justifieraient sa visible prise du pouvoir, tout en respectant l'ère, le calendrier du couronnement du bien jeune roi qu'elle représentera toujours à ses côtés, dans les cérémonies communes à ce que l'on pourrait appeler leur éternelle corégence.

Enfants royaux et enfants du Kep

Le jeune Thoutmosis continuait à recevoir, auprès des clercs du temple, un enseignement intensif comprenant aussi la meilleure initiation aux armes, dont l'exercice de prédilection était le tir à l'arc devant plusieurs cibles qu'il fallait transpercer successivement. Depuis la récente introduction du cheval en Egypte, l'entraînement se faisait sur le char tiré par deux coursiers au galop. Un relief du temple de Karnak évoque l'éducation de Menkhéperrê, entouré à terre des formes divines, dont Seth affairé à guider son tir (*cf.* illustration page 81).

Il semble alors que l'enfant-roi, âgé de 10 ans en cette fin de sixième année de son règne, ait accompagné les officiers de la régente dans une expédition militaire, au-delà de la frontière orientale, au pays de *Réténou*, et qu'il en revint à la veille de l'an VII, le 16e jour du 1er mois de l'Inondation, qui allait sanctionner le « couronnement » de la régente [63].

Ce jour-là, en consacrant ses rares instants de loisir aux jeunes membres de sa famille, la régente, âgée alors de 31 à 32 ans, ne rencontra naturellement pas son neveu dans les locaux qui lui étaient réservés, puisqu'on attendait encore son prochain retour des pays d'Asie. En revanche, dans les maisons des princesses, Néférourê – une déjà tendre jeune fille de 11 ans – pouvait montrer à sa mère son talent de harpiste, dont ses mères nourricières lui avaient enseigné tous les secrets. Hatshepsout avait-elle déjà envisagé l'union de sa fille aînée avec Menkhéperrê, déjà si valeureux et doté de qualités d'intelligence et de cœur appréciables ? La question ne paraît pas improbable si l'on se réfère aux coutumes des familles royales… depuis l'époque des pyramides. Sénènmout veillait encore à la bonne marche des maisons princières, et Senmèn – un « enfant du *Kep* » – continuait encore auprès de Néférourê à exercer son rôle de précepteur déférent.

Ce dernier, ainsi que son titre l'indiquait, était très certainement d'origine étrangère, choisi parmi ces fils de princes vaincus et amenés à la Cour du roi afin de recevoir la meilleure éducation de la terre de *Kémèt* [64]. Ils gardaient ce titre toute leur vie, et demeuraient très souvent au service du roi. Parfois ils retournaient dans leur pays natal afin de mieux savoir l'administrer, et demeuraient les meilleurs alliés de l'Egypte.

Hatshepsout veillait aussi à l'éducation de sa seconde fille, Mérytrê-Hatshepsout, dont Sénènmout avait été également le Père nourricier, de même que le très sérieux Ahmès Pen-Nekhbet. Un silence, cependant, règne encore sur cette princesse, les documents demeurant, à ce jour, muets.

La régente se plaisait aussi à inspecter le *Kep* du palais, où fils de chefs étrangers et princes royaux apprenaient à se connaître en partageant des études et des jeux communs. Elle portait un intérêt tout particulier à un jeune Nubien, entouré d'un certain mystère, dont on ignorait réellement la région précise d'origine, non mentionnée sur les registres d'entrée de l'institution. On n'était pas davantage informé sur l'identité de ses parents, chose étrange, mais on savait qu'il devait descendre d'une noble famille du pays de *Ouaouat*.

Il était temps qu'elle affecte un poste à la Cour à cet adolescent qui ne semblait pas être revendiqué par les siens, et qui venait d'atteindre sa 14e année. Sa fière allure, sa beauté, son intelligence le destinaient naturellement à devenir une sorte de « Page » – « Porte-flabellum à la droite du roi » –, office auquel la régente le promettait effectivement. Il allait débuter sa carrière durant la cérémonie du couronnement qui se préparait, en occupant ce poste qu'il espérait pouvoir remplir pendant de longues années : il portait le nom étrange de Maïherpéra.

VI

LES ÉVÉNEMENTS DÉTERMINANTS DE L'AN VII

Le « couronnement » d'Hatshepsout

C'était le 16e jour du 1er mois d'*Akhèt*, peu de jours avant que, comme chaque année, toute la terre d'Egypte soit en fête. A son retour de *Réténou*, Thoutmosis-Menkhéperrê, l'adolescent royal, venait semble-t-il de faire consacrer, à l'Amon de Karnak, une action de grâce [1] consistant en 1 000 pains variés, 10 gâteaux, 3 mesures de vin, 30 mesures de bière, des légumes… Cette date était très proche, disait-on au Palais, du jour rituel reconnu jadis et désigné par Thoutmosis Ier lui-même pour célébrer le couronnement, comme étant

> *« de bon augure pour le commencement d'années de paix et l'écoulement de myriades d'années de très nombreux jubilés [2] »,*

c'est-à-dire le 1er jour du mois de Thot, qui correspond à l'arrivée de l'Inondation [3], qui se répand sur toute l'Egypte et, ainsi, constitue le *Séma-Taouy*, c'est-à-dire la « réunion des Deux Terres ».

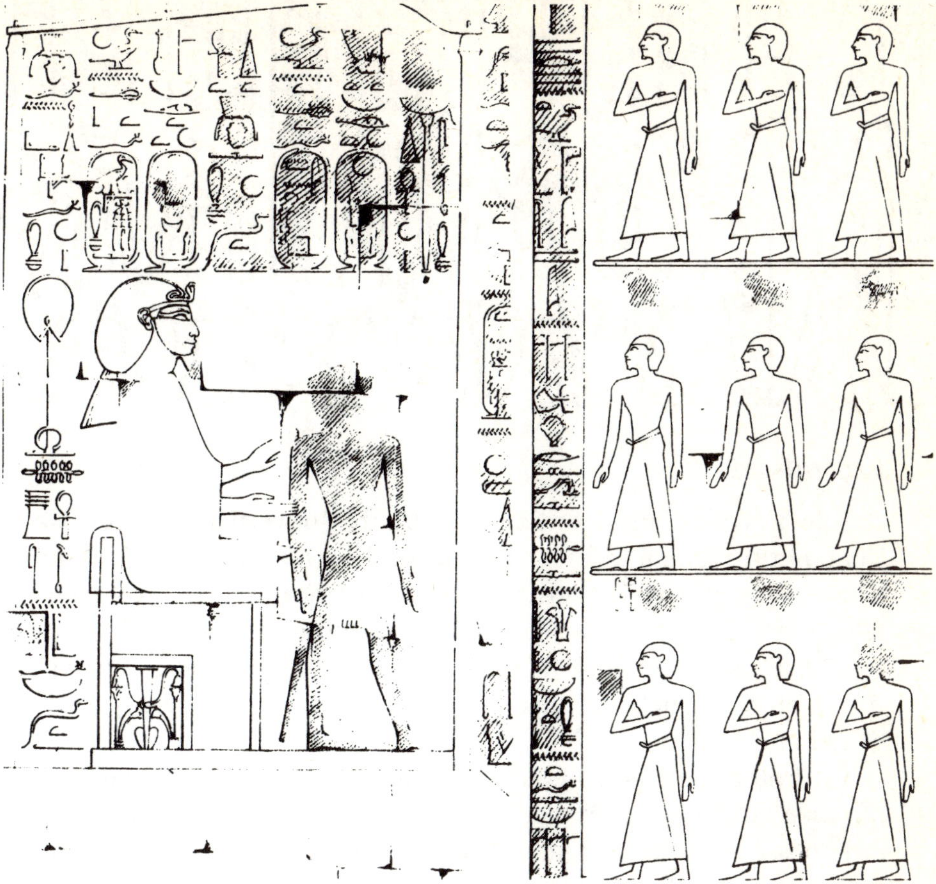

Images archaïsantes de Thoutmosis (Ier)-Âakhéperkarê présentant sa fille héritière Hatshepsout aux Grands du royaume.
(Deir el-Bahari, d'après Naville)

La date

Aussi Hatshepsout avait-elle choisi cette période pour transformer son état de Grande Epouse royale, Epouse du dieu, régente du jeune roi dûment sacré, en celui de souveraine d'une corégence partagée avec lui, à la tête du pays. Il y avait une raison impérative au choix de cette date. En effet, il ne semble pas que la régente ait jamais consigné la date exacte, cependant si importante pour tout souverain, de son avènement puis de son couronnement. Et pour cause ! Puisqu'elle ne pouvait pas monter sur le trône le lendemain du trépas de son prédécesseur, suivant l'antique coutume : Menkhéperrê était bien vivant ! Cette cérémonie prenait donc une allure toute particulière, et la reine s'en était tirée, alors, par un artifice, en faisant allusion au conseil judicieux de son défunt père.

Les raisons

Elle ne voulait plus continuer à paraître gouverner à l'ombre de l'enfant roi régnant, si discret qu'il fût. Elle ressentait la nécessité d'obtenir confirmation officielle de ce pouvoir, à la face du pays. C'était aussi, répétons-le, consolider définitivement sa position au regard d'une éventuelle faction d'opposants politiques, émanant d'une autre branche princière, ou de ceux qui auraient pactisé avec l'ancien occupant [4].

Ce droit au partage du pouvoir devait lui être clairement confirmé afin que ne puisse lui être contestées la liberté de célébrer les rites, et la possession des insignes ancestraux de la royauté. Il importait, en un mot, qu'elle apparaisse maintenant investie des emblèmes du roi, et ceci avec l'appui total du clergé d'Amon. Pourtant, elle gardait sagement à l'esprit l'obligation d'accepter la présence inexorablement grandissante de son neveu, investi par son sacre, de l'initiation divine qu'elle ne voulait pas lui contester, et dont elle ne pouvait se glorifier elle-même.

Les oracles

Elle allait maintenant donner le signal pour qu'une série d'oracles – rappelant ceux qui seraient survenus en l'an II du règne de son père – se répandent au cours de processions dans le domaine d'Amon de Karnak [5].

La barque du dieu, portée par les prêtres et accompagnée de son ennéade, allait impressionner les « *Nobles royaux et les Grands du palais, et les gens apeurés ignorant ce qu'Amon allait faire* », car la barque sacrée « *allait se rendre par devant les stations du maître du roi* », comme on pouvait s'y attendre.

En fait, en ce début de l'an VII [6], la barque sacrée se présenta, toujours portée par ses prêtres, à la tête du grand canal (en forme de T),

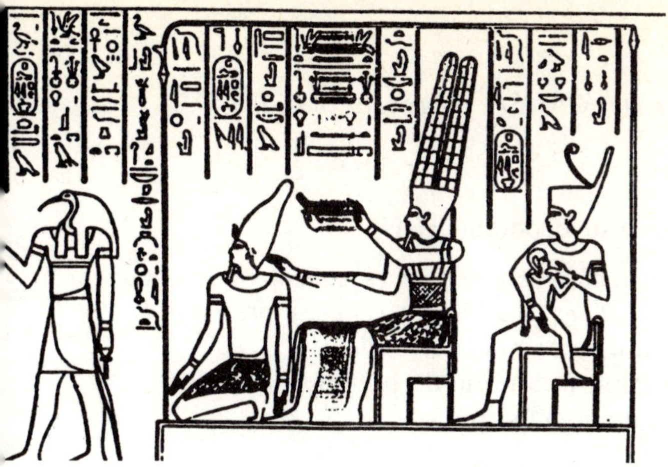

Résumé des scènes classiques du couronnement sur un mur de la plus récente chapelle de la barque divine, au début de l'époque ptolémaïque.
(Naos érigé par Philippe Arrhidée - Karnak)

et rendit un grand oracle à la porte du palais. Puis elle se dirigea au Nord, afin de donner un autre oracle à la Double Porte occidentale du palais, sur le bord du fleuve. Ce fut le moment pour Hatshepsout de sortir de son palais et de se prosterner [7] en disant :

« Mon maître, que désires-tu voir se réaliser ? J'agirai conformément à ce que tu auras ordonné. »

Puis, après les purifications pour son entrée dans le temple, l'action allait se dérouler dans le sanctuaire :

« Alors la Majesté de ce dieu fit de grands oracles et plaça la reine devant lui, dans le Grand Château de Maât [8]. Elle mit (alors) les insignes de sa fonction et revêtit sa parure de Grande Epouse royale qu'elle détenait jusqu'à présent. »

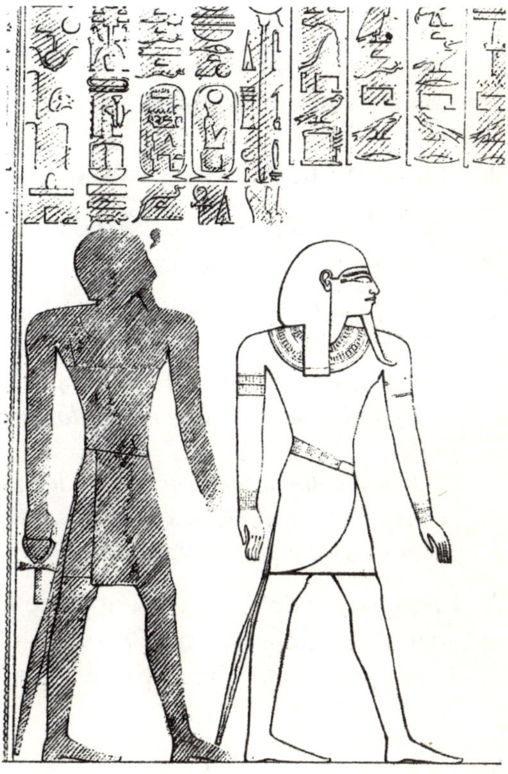

La « montée royale » d'Hatshepsout (image martelée) dans l'évocation de son « couronnement ». (Deir el-Bahari)

7. Mot à mot : « se mettre à plat ventre ».

L'action d'Hathor

A nouveau les oracles se succédèrent, mais :

*« en présence d'Hathor, maîtresse de Thèbes, celle qui a créé ses beautés, maîtresse du ciel et des Deux Terres, celle-qui-préside-à-la-salle-*Ouadjit [9], *celle qui l'a nourrie dans son sein ».*

Un retour au Palais permit à la reine de prendre place dans le « Grand Siège, l'Escalier du dieu unique ».

« Le dieu étendit son bras sur son œuf »,

et le geste d'allaitement d'Hatshepsout par sa mère la divine Hathor fut simulé.

Dans le *Per-our*

Revenue vers le temple, la Divine Epouse, conduite par Horus et Thot, gagna la salle à colonnes de son père pour de multiples rites. Puis Amon et Atoum conduisirent Hatshepsout dans le *Per-our* [10] afin de recevoir, après les purifications d'usage, l'investiture suprême de la déesse Uræus. L'Epouse divine allait connaître une transformation capitale.

L'action de la déesse Uræus

C'est l'instant où le serpent sacré apparut sur le front d'Hatshepsout, et déclara :

« Je me lève sur ton front, je grandis sur ton front, je me joins à elle, de même que j'ai décoré son père...

Je place la crainte (qu'elle inspire) sur toutes les terres...

J'établis sa puissance, je dompte pour elle ce qu'entoure le globe...

Je l'installe fermement comme le piquet d'amarrage de l'Humanité. Je décompte pour elle les étoiles indestructibles. Je dénombre pour elle les étoiles infatigables. Je prends place dans son protocole. »

En présence de l'Uræus [11], appelée aussi *Ourèt-hékaou* (« grande de magie »), maîtresse du *Per-our* (« la grande maison »), Amon, assis sur son trône, ayant placé devant lui Hatshepsout à genoux

---

9. Titre d'Hathor, et non pas encore allusion à la salle *Ouadjit* de Karnak, qui remplacera, plus tard, la *Iounit*, *cf.* chapitre XX.

A l'occasion de chacun des actes officiels de la royauté, Hatshepsout s'est presque régulièrement fait représenter suivie de son neveu en souverain adulte ; ils sont uniquement différenciés par leurs noms respectifs. Chapelle rouge de Karnak.

et lui tournant le dos [12], allait poser successivement sur la perruque ronde de la reine les neuf couronnes [13].

C'est d'abord la couronne *némès*. C'est ensuite la couronne *khépérèsh*, puis la couronne *ibès*. Vient ensuite la couronne *nèt* [14] avec son crochet (*khabèt*) et sa tige (*misèt*), suivie de la coiffure *atef*. Puis vient la couronne *hénou* aux deux hautes plumes, de la « Maison du matin », suivie de la « Couronne de Rê », toujours en présence d'*Ourèt-hékaou* et des paroles sanctifiantes d'Amon.

Sept couronnes auxquelles il faut encore ajouter la couronne *hédjèt*, « la blanche » de Haute Egypte, et celle qui réunit la rouge et la blanche, la *pasékhemty*, devenue, sous les Grecs, le *pschent* [15].

Les insignes de la royauté

Après ces impositions, Hatshepsout

> *« quitta les parures d'Epouse divine et arbora les ornements de Rê... La couronne du Sud et la couronne du Nord étant mêlées sur sa tête* [16] *».*

Dans l'émotion générale, les courtisans furent frappés d'étonnement à constater :

> *« ce qu'avait fait le seigneur universel. (Alors) la Majesté du seigneur établit le protocole de Sa Majesté (Hatshepsout) en tant que roi parfait au sein de l'Egypte, s'emparant des Terres et fixant leurs tribus ».*

Le protocole

C'est le moment où l'on fit entrer le prêtre ritualiste (le *Khéry-hébet*) pour « proclamer son Grand Nom [17] », composé de cinq éléments.

On entendit alors prononcer solennellement :

– Le Grand Nom d'Horus : *Ousérèt-Kaou*, « la puissante de *kas* » ;

– Le Grand Nom, Aimée des Deux Déesses : *Ouadjet-rènpout*, « la florissante en années » ;

– Le Grand Nom d'Horus d'or : *Nétérèt-khâou*, « la divine d'apparitions » ;

– Le Grand Nom, Roi de Haute et de Basse Egypte : *Maât-ka-Rê vivante pour toujours* ;

– Le Grand Nom de Fille du Soleil : Hatshepsout [18].

Les instructions d'Amon

De même que le roi devait prescrire à son vizir la ligne de conduite à suivre, Amon allait maintenant dispenser, en une sorte de dialogue, ses instructions à celle qui venait de recevoir les couronnes du pouvoir.

> *« Tu seras pour moi destinée à créer des fondations, remplir les greniers, approvisionner les autels, introduire les prêtres dans leurs*

15. Ces deux dernières couronnes ne sont pas mentionnées dans le texte de la Chapelle rouge d'Hatshepsout.

Quelques-unes des coiffures de la reine au moment du couronnement
« Chapelle rouge » de Karnak. (Photos CFEK communiquées par François Larché

offices, rendre efficaces les lois et établir les règlements, agrandir les tables d'offrandes et accroître les pains (d'offrande), ajouter à ce qui existait auparavant et élargir les places de mon trésor qui contient les richesses des Deux Rives, faire construire sans épargner ni le grès ni le granit noir, et quant à mon temple, renouveler pour lui les statues en belle pierre blanche de calcaire neuf, embellir l'avenir par ce travail et surpasser pour moi les rois anciens de Basse Egypte. (Voici) ce que j'ai ordonné. »

« Est-ce que je ruinerai les lois qui viennent de moi ? (répond la reine) Est-ce que je rendrai caduques les prophéties ? Est-ce que je bouleverserai la règle que tu as instituée ? Est-ce que je permettrai que tu t'éloignes de mon siège ? »

« Organise des fondations dans les temples. Installe dieu selon son règlement, chacun étant exact en ce qui concerne ses affaires. Améliore son état primordial qui vient de (?) lui, car c'est la joie de dieu qu'on améliore ses lois... Un roi c'est une digue de pierre [19]. *Il doit s'opposer à la crue et collecter l'eau de sorte qu'elle s'écoule (après) entièrement vers l'embouchure* [20]. *C'est l'unique qui prend soin de ses pères. »*

Après avoir été comparée à Rê lui-même :

« Les Deux Terres sont inondées de l'or de ses rayons, quand elle point à l'instar du globe.

...

On (la reine) prit place sur le trône d'or fin [21]. *L'ennéade de Karnak jubilait à l'approche de Sa Majesté (la reine). On fit l'encensement, on consacra l'offrande à l'Amon dans Karnak... On récita des prières d'action de grâce... »*

En conclusion, la reine prit soin de rappeler que son propre père, en l'an II de son règne, l'avait grâce aux premiers oracles d'Amon désignée comme son héritière :

« à la face de la terre entière ; il m'avait mise en avant plus que celui qui est dans le palais [22]. *Il m'avait couronnée de ses propres mains, alors que j'avais été élevée comme un Horus au bras fort. Il m'a fait asseoir sur le support (de la couronne) d'Horus, en présence des nobles royaux dans leur ensemble.*

Rien de tel ne s'est produit pour les rois de Haute et Basse Egypte, depuis le commencement sous la première génération... Rien de tel n'existe dans les annales des ancêtres, ni non plus dans la tradition (?) orale, si ce n'est en ce qui me concerne, (moi qui suis) aimée de mon créateur, car il a agi pour moi dès le nid de Khemmis [23]. »

23. C'est-à-dire, « dès que j'ai été conçue ».

Par ces dernières paroles, ainsi que le fait remarquer P. Lacau, « loin de rattacher son cas à une tradition, la reine met en lumière ce qu'il a d'exceptionnel et de miraculeux ». Ce texte, une fois de plus, tranche complètement avec les autres récits d'investiture !

L'intronisation à la corégence

Suivant un état d'esprit un peu critique, il serait possible d'avancer que l'on vient d'assister à une habile construction élaborée par la reine et son intime conseiller Sénènmout, certainement avec l'appui du Grand Prêtre Hapouséneb. Hatshepsout prend le soin de préciser qu'un tel événement ne s'était jamais produit en pareille circonstance. Le rituel du couronnement, qui contenait toujours en son long et mystérieux déroulement bien des chapitres du plus haut symbolisme [24], en est totalement dépourvu [25]. Tout ou presque dépend d'Amon et de ses oracles dispensés avec générosité. Certes, un couronnement limité à des processions, des bénédictions, des remises de couronnes, tend à l'attribution du droit à la souveraineté, mais n'est pas suffisant. En conséquence, Hatshepsout y a introduit la présence du père dont elle détient l'héritage dispensé dès sa tendre enfance, de surcroît un père qui lui indique sa date de couronnement : le Jour de l'an [26] !

Cela n'aurait évidemment pu se produire sans l'appui total du clergé d'Amon, au bénéfice de qui, en retour, aboutissent bien des largesses royales. Durant les cérémonies indiquées on ne relève aucune allusion au roi vivant et réellement couronné, lequel a reçu effectivement l'initiation aux secrets des horizons divins.

Les droits acquis

Au reste, on en vient par moments à se demander si les cérémonies évoquées sur les murs de Karnak (VIIIe pylône), de Deir el-Bahari et de la Chapelle rouge, ont réellement eu lieu. En vérité, les cérémonies par lesquelles Hatshepsout vient de passer auraient avant tout eu pour but de la confirmer dans ses droits à l'autorité progressivement acquise depuis sa régence. Elle a gagné le port des couronnes ; certaines lui donneront le droit d'arborer la longue barbe divine factice [27], dont seul le roi peut orner rituellement son visage afin d'agir en pontife. Elle pourra désormais célébrer « légalement » les rites (*ir khèt*). Elle a reçu le protocole qui doit affirmer son identité en tant qu'héritière de la *gens* divine, mais elle continuera à porter, en dépit de tant de prétentions, la marque de son origine patricienne, car son nom de naissance, Hatshepsout, la trahira toujours : il ne contient aucune mention de divinité, car elle n'était pas fille de roi le jour de sa naissance ! Pour corriger cette absence, elle fera désormais suivre ce nom, dans le cartouche royal, par l'épithète *Khénémèt-Imèn*, « unie avec Amon ». Plus encore, elle ira rechercher dans les antiques rouleaux de papyrus, conservés au plus profond des « maisons de vie », la légende suivant laquelle les rois de la Ve dynastie étaient nés des amours de Rédjeddèt, prêtresse de Rê seigneur de *Sakhébou*, et de son divin seigneur [28].

Un trône partagé

Le résultat de toute cette mise en scène est que la reine pourra s'affirmer en toute circonstance, en possession de l'ensemble des prérogatives visibles d'un souverain régnant, mais placée sur un trône double, trône qu'elle va occuper avec son jeune titulaire, dont elle ne conteste pas l'état et dont elle assure l'avenir.

Pour officialiser cette position, elle devra dorénavant, au cours des cérémonies officielles, revêtir le costume masculin de la royauté, et réserver pour les actes civils de son existence ses atours féminins. Pourtant, lorsqu'elle est mentionnée dans les textes religieux, c'est la plupart du temps le genre féminin qui lui est attribué.

Sous l'ère de Menkhéperrê

Dès lors, les actes de la royauté seront dans la majorité des cas signés des deux souverains, ressortissant ainsi de la corégence. Néanmoins, le dernier pas à franchir avait été impossible : elle ne pouvait pas, en vue de créer son cycle de règne personnel, passer sous silence la réelle investiture de son neveu, qui avait marqué d'un sceau indélébile l'ère du nouveau règne, commencée depuis sept années. Le plus fidèle de ses fidèles, Hapouséneb, et surtout le prudent Sénènmout, ne pouvaient l'inciter à brusquer si catégoriquement l'ordre des choses, sans risquer de provoquer un coup d'Etat. Mieux valait innover dans le registre du possible et trouver un compromis. Elle ferait donc siennes les premières années de règne du petit roi, tout en jumelant cette royauté, qui en apparence devenait bicéphale, mais en réalité répondait à une seule autorité.

La « course royale » d'Hatshepsout. Le prototype de cette figuration existait déjà dans les « chambres bleues » de la pyramide à degrés du roi Djéser à Sakkara. Deir el-Bahari, chapelle supérieure sud. (D'après Naville)

Naissance du mot Pharaon

Ainsi, pour toutes les manifestations publiques, la tante et le neveu allaient depuis ces cérémonies figurer ensemble, et devaient se partager les deux derniers titres du protocole. Dans ce « tandem », à la suite de la mention « Roi de Haute et Basse Egypte » allait figurer de préférence le prénom de Maâtkarê, comme elle en avait déjà pris la liberté depuis plusieurs années. En revanche, la plupart du temps le prénom de Menkhéperrê (ou parfois Menkhéper-ka-rê) suivrait l'épithète du cinquième nom du protocole, « Fils du Soleil ». Mais l'inverse pourrait aussi, moins fréquemment, se trouver. Parfois même, les deux prénoms de couronnement pourront figurer à la suite du seul titre « Rois de Haute et de Basse Egypte ».

Cette association des deux corégents répétée à satiété sur les monuments édifiés par Hatshepsout, manifestation unique dans l'histoire de l'Egypte pharaonique, alourdissait les textes accompagnant les reliefs qui illustraient les actes officiels, et allait aboutir à une simplification inattendue.

Prenons un exemple : à l'occasion des festivités du Nouvel An, au cours desquelles les corégents traversaient le Nil ensemble sur le même bateau, pour se rendre vers la chapelle d'Hathor, le scribe avait fait graver chaque fois, près des figurations royales qu'il devait indiquer, les deux lignes du texte [29] :

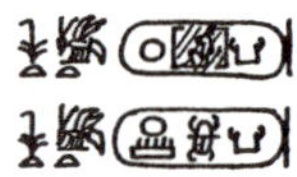

Le roi de Haute et de Basse Egypte Maâtkarê ;
Le roi de Haute et de Basse Egypte Menkhéperkarê.

Lassé de cette fastidieuse répétition, il prit la liberté de remplacer les obligatoires titres et prénoms par un terme [30] évoquant simplement la Résidence, le Palais où trônaient les deux princes :  *Per-âa*, « la Haute Demeure [31] » (à comparer avec la *Sublime Porte* de l'époque ottomane).

Per-âa > Pharaa > Pharaon, le mot venait de naître, à l'époque de cette étonnante et unique corégence. Il connut, dès lors, la fortune que l'on sait, et devint régulièrement le titre du souverain dès l'époque de Thoutmosis III.

30. *Per-âa* peut aussi être écrit, à cette époque, avec les deux hiéroglyphes du plan de la maison.

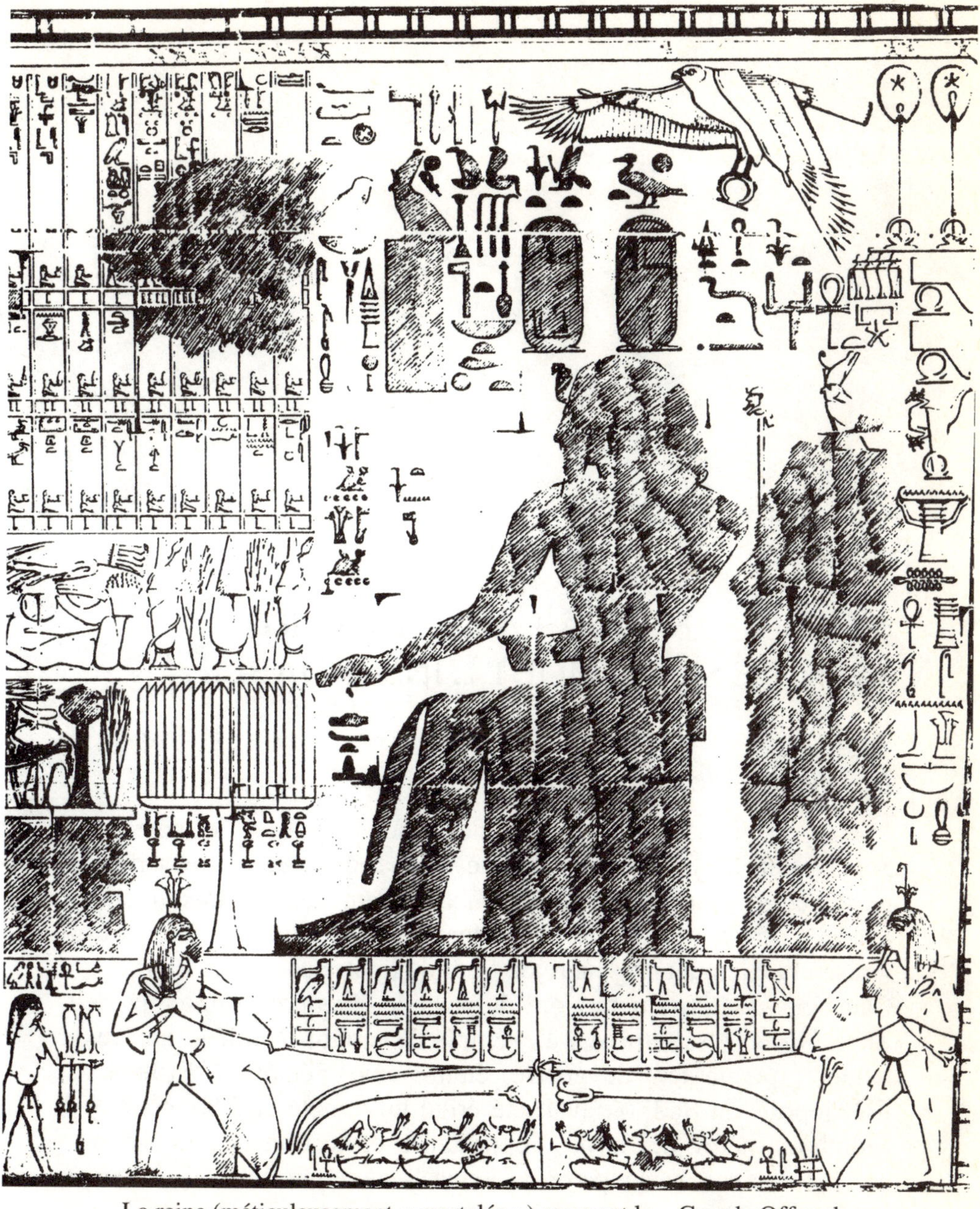

La reine (méticuleusement « martelée ») recevant la « Grande Offrande funéraire » au jour de l'an. Deir el-Bahari, chapelle supérieure sud. (D'après Naville)

VII

L'AN VII, À LA DÉCOUVERTE DE SÉNÈNMOUT L'INSONDABLE

Les parents de Sénènmout

Il y avait déjà plusieurs années que Ramosé, le père de Sénènmout, était décédé : l'étude de sa momie, heureusement retrouvée, révéla qu'il mourut probablement vers sa soixantième année. Comme son épouse Hatnéfer – dite Tioutiou – il était très vraisemblablement originaire du Sud, de l'autre côté de la Première Cataracte, de la frontière Nord du pays de *Ouaouat* [1]. Du temps de Thoutmosis Ier, sa famille, à l'exemple de certains Nubiens, anciens notables prisonniers de guerre, était venue s'établir à Erment [2], l'Héliopolis du Sud, où avait été érigé un temple en l'honneur de Monthou, maître des armes apportant la protection victorieuse au combat. C'était du temps où le jeune Sénènmout était allé à trois reprises guerroyer chez les *Néhésyou* [3]. Comme on le sait, il en avait été récompensé par la remise du bracelet *ménéfert* (« celui qui embellit »), dont il faisait grand cas.

1. La Nubie égyptienne.
2. A 30 km au sud de Louxor.

Ramosé, à qui était reconnu le simple titre de « dignitaire » (*sab*), avait été enterré très probablement dans la nécropole de sa ville, sur la rive gauche du fleuve. Voici maintenant que, peu de jours après le « couronnement », Hatnéfer venait à mourir. Depuis que son fils, installé à Thèbes, connaissait auprès de la famille royale une fulgurante promotion, elle avait mené le train de vie très aisée d'une opulente « maîtresse de maison [4] ». Aussi le Grand Intendant allait-il réserver à sa mère la sépulture à laquelle son rang, maintenant, lui donnait droit. Il profita en tout cas des circonstances pour procéder au réenterrement à Thèbes de son père, qu'il fit transporter auprès de son épouse, dans le caveau assez discret qu'il avait fait creuser pour Hatnéfer, au flanc de la colline de Sheikh Abdel Gourna, face à Thèbes, de l'autre côté du fleuve [5].

La princesse Néférourê, devenue Epouse divine, connaissait bien la dame Hatnéfer, qui l'avait aussi choyée dès que son fils était devenu le Majordome de sa maison : elle fit présent de bandelettes de lin, marquées de son nom contenu dans le cartouche royal, pour voiler à nouveau la momie de Ramosé. Autour du corps, placé dans un sarcophage anthropoïde, avaient été déposés quelques objets et des linges au nom d'Hatshepsout encore Grande Epouse royale, mais aussi comme reine devenue corégente.

Façade de la chapelle de Sénènmout dominant l'entrée de la tombe de ses parents. (D'après P. Dorman)

Quant à Hatnéfer, morte assez âgée, elle venait d'être momifiée avec des lins provenant du Palais. Son visage avait été recouvert d'un masque doré, et le magnifique scarabée de cœur [6] placé sur sa poitrine avait été taillé dans une pierre de serpentine enchâssée dans un cadre d'or. Parmi les trois rouleaux de papyrus et de cuir, l'un d'eux, trouvé sous les bandages de la momie, portait des textes du Livre des Morts. Il livrait aussi un des rares renseignements concernant la famille du Grand Intendant d'Amon : sa grand-mère maternelle était citée dans la biographie, elle s'appelait Satdjéhouty.

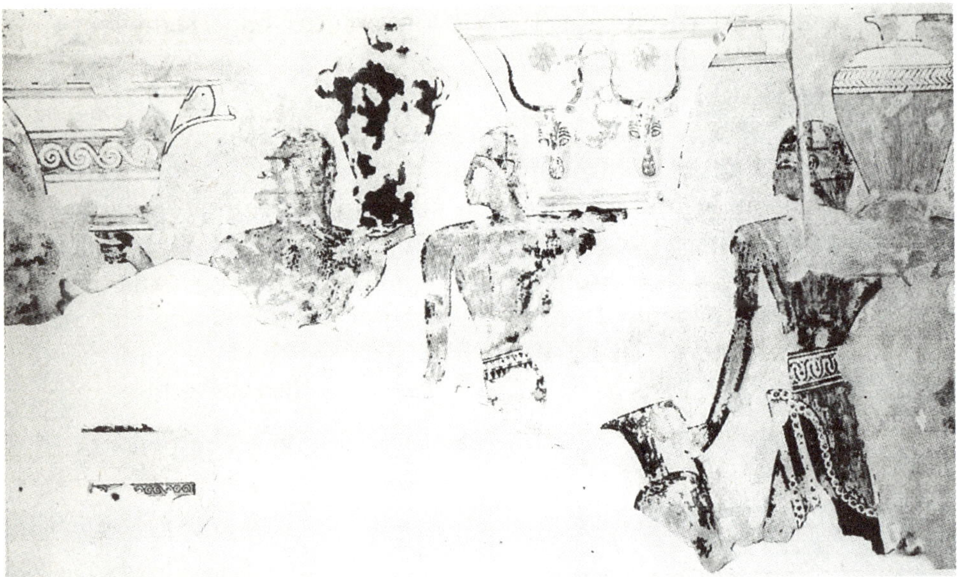

Porteurs de présents crétois. Chapelle de Sénènmout à Gourna.
(D'après P. Dorman)

La momie de Hatnéfer, déposée dans un sarcophage anthropoïde de bois verni noir, était entourée d'objets du mobilier funéraire, dont l'équipement de canopes [7], et de pièces de lin fin dans des paniers. Sénènmout avait placé près de sa mère deux pichets et un bol d'argent, à cette époque métal encore plus rare que l'or. Cadeau princier pour celle dont certains pensaient qu'elle avait été une protégée de la reine douairière Ahmès.

---

7. Les viscères de la momie étaient traités à part et déposés dans des vases appelés « canopes ».

Sénènmout offrant le lotus de la renaissance à ses parents.
Caveau de Sénènmout. Gourna. (D'après P. Dorman)

L'enterrement avait bien eu lieu au cours de cette période de transition, située autour du « couronnement », au début de l'an VII. Au reste, un bouchon de jarre [8] trouvé sur place portait la date du jour où la tombe avait été scellée : « année VII, le 2e mois de la saison *Pérèt*, le 8e jour [9] ».

La chapelle de Sénènmout

Le dégagement de la tombe des parents de Sénènmout venait enfin de lever une légère partie du voile – bien peu transparent – jeté sur les origines et le personnage de Sénènmout. Il n'était pas issu d'une famille de seigneurs thébains, apparentée de loin ou de près aux libérateurs du pays. Il ne devait son extraordinaire ascension qu'à ses exceptionnelles qualités personnelles.

Durant cette même période de découvertes, les archéologues du Metropolitan Museum de New York allaient dégager au-dessus de la petite sépulture de Ramosé et de Hatnéfer, la magnifique chapelle funéraire dont Sénènmout venait d'entreprendre le creusement [10]. Une inscription tracée sur un ostracon, retrouvé sur place, indiquait la date du « commencement des travaux : l'an VII, le 4e mois de *Pérèt*, le 2e jour ». Deux mois, à peine, après l'achèvement de la sépulture de ses parents.

Sénènmout tenant dans son giron la petite princesse Néféroure. Rocher régularisé dominant la chapelle de Sénènmout. Gourna. (D'après P. Dorman)

Des « jeux de la nature » prémonitoires

Au sommet de la colline de Sheikh Abdel Gourna, Sénènmout, sensible aux messages exprimés par les formes de la nature, avait remarqué une saillie dans une dépression de la pierre, évoquant l'aspect d'une de ses « statues-cubes [11] » dédiée dans le temple de Karnak, et le représentant avec la petite Néféroure blottie dans son giron : il ne manqua pas de faire égaliser, suivant le modèle, les contours de ce « jeu de la nature », interprété comme un signe bénéfique du destin [12], qui sanctifiait ainsi sa fonction auprès de la princesse.

Des parallèles magnifiques

Il reconnaissait même un parallèle subtil à établir entre cette zone de la falaise rocheuse de Sheikh Abdel Gourna, où il avait décidé d'aménager sa chapelle funéraire, et le fronton rocheux dominant le *Djéser-djésérou* qu'il avait reçu ordre de magnifier. En effet, dans l'axe des rampes d'accès qu'il avait projetées, un autre « jeu de la nature » en saillie, mais relativement discret, épousait la forme d'une « statue-cube » vue de profil. Ainsi allait-il faire dominer par l'éternelle image des débuts de sa carrière les deux sanctuaires aménagés pour leur commune éternité. Ce parallélisme aussi audacieux que secret ajoute encore au message poursuivi par Sénènmout et porte indéniablement sa signature. Son déchiffrement permettra sans doute de mieux saisir la nature des liens qui l'unissaient à la corégente.

Le personnage

Un autre lointain point commun peut être établi dans la conception de ces deux monuments, si peu comparables en importance mais répondant, chapelle ou temple, à la même préoccupation d'éternité. Il s'agit de la composition des murs d'enceinte respectifs des deux monuments. Dans les deux cas, des pierres et des briques inscrites avaient été incorporées dans les murs de protection. En ce qui concerne la chapelle de Sénènmout, le mur clôturant la cour – et même le revêtement de son sol ! – ont livré plus de 90 pierres (ostraca) et briques cachées parmi les centaines non inscrites. Le but indéniable [13] de ces pierres maintenues invisibles était certainement « d'établir un lien magique entre les murs et leur propriétaire ». Les inscriptions de ces ostraca portaient parfois à l'encre rouge et noire le nom de Sénènmout, et les titres suivants :

Responsable de la Double Maison de l'or ;
Responsable du jardin d'Amon ;
Responsable des champs d'Amon ;
Prêtre de la barque d'Amon, *Ousèrhat* ;
Intendant d'Amon ;
Intendant de la fille royale Néférourê [14] ;
Responsable des troupeaux d'Amon…

Voici les titres effectivement les plus importants, définissant les prérogatives accumulées dont bénéficiait Sénènmout, et auxquelles il était le plus attaché, arrivé au faîte de sa carrière en l'an VII de Thoutmosis III. Il venait de se consacrer presque exclusivement aux biens d'Amon et à ceux de sa chère pupille Néférourê. On ne retrouve plus le « parvenu », attaché à l'accumulation de titres dont il s'évertuait à souligner, je le répète, l'apparente importance, comme il se plaisait encore à le faire remarquer au décès de Thoutmosis le Deuxième, Âakhéperenrê, lorsque Hatshepsout était devenue régente :

> « *Je suis un noble, aimé de son seigneur, et je suis entré dans les vues du Maître des Deux Pays. Il m'a fait devenir Grand Administrateur de sa Maison et Juge du pays tout entier. J'ai été*

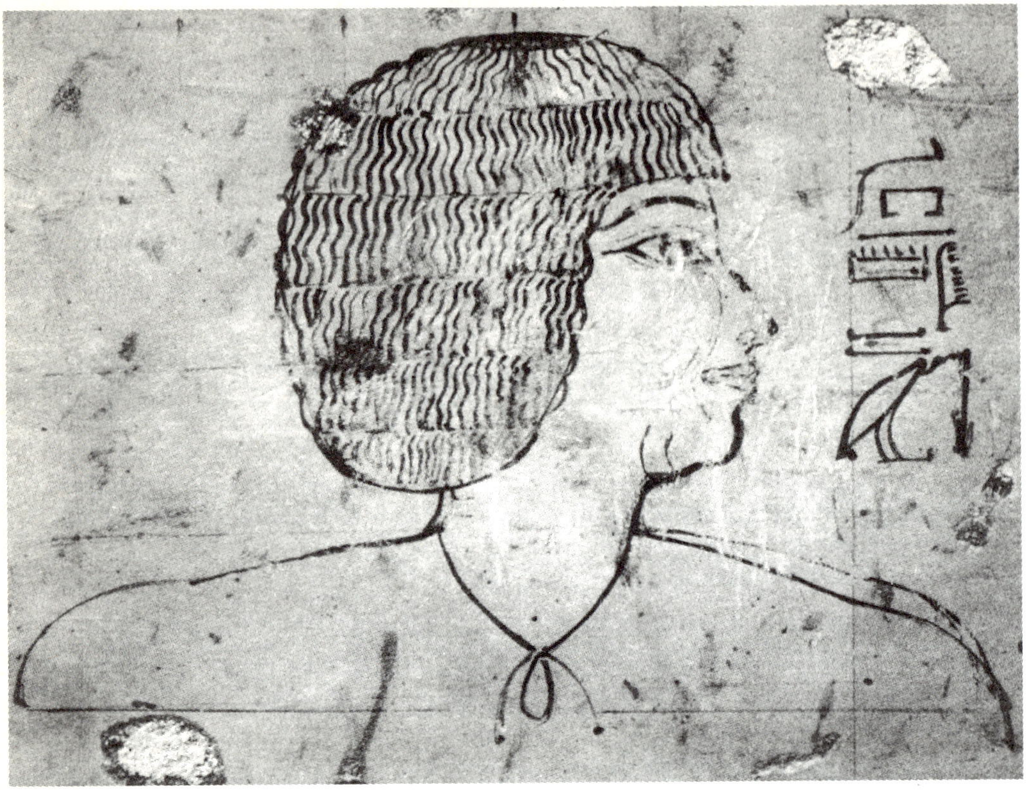

Portrait de Sénènmout, sans doute exécuté de sa main, dans le couloir de son caveau. (Deir el-Bahari)

au-dessus des plus grands, Directeur des directeurs des travaux. J'ai agi, dans ce pays, sous son ordre, jusqu'au moment où la mort arriva devant lui. (Maintenant) je vis sous l'autorité de la Maîtresse des Deux Pays Maâtkarê, qu'elle vive éternellement ! [15] »

Ce que nous enseigne la chapelle

La chapelle, creusée sur une hauteur de plus de quatre mètres, domine la vue admirable en direction de la rive droite, qui englobe, au-delà du Nil, les temples de Karnak et celui de Louxor. Sa façade présente une porte flanquée au Sud et au Nord de quatre niches-fenêtres, laissant ainsi pénétrer la lumière par huit ouvertures. Sa forme est celle d'un T renversé. Son hall de 24 mètres [16] est orné de huit colonnes. Une niche, ayant contenu l'une des plus

16. Son aile Nord possède un plafond plat, l'aile Sud est couverte d'une voûte.

belles statues de Sénènmout [17], était décorée de scènes d'offrandes et de banquet, où l'on peut voir encore d'un côté la « sœur bien-aimée » Iâhhotep, à côté de sa mère, et de l'autre côté Sénènmout avec son père, et Iâhhotep à nouveau.

La chapelle, dont on pressent qu'elle devait être, en son temps, splendidement décorée, ne livrait cependant pas de détails supplémentaires sur la famille de son propriétaire : notre connaissance sur ce personnage secret se limite à l'existence de ses deux sœurs Iâhhotep et Néférethèr, et sur les métiers de ses trois frères. L'un, Minhotep, était un simple prêtre-*ouâb*, officiant d'Amon ; un autre, Amenemhat, était prêtre de la barque d'Amon, et le troisième, Païry était un simple surveillant du bétail : aucun n'avait bénéficié d'une quelconque prérogative !

Fait exceptionnel pour un Egyptien, Sénènmout semble n'avoir jamais été marié. Ce célibataire était destiné à mourir sans progéniture, puisque dans sa chapelle, on a pu constater que le culte funéraire, toujours réservé au fils aîné, était prévu pour être assuré par un de ses frères, sans doute l'aîné Minhotep, le prêtre-*ouâb*, alors qu'un autre frère, Amenemhat, devait exécuter l'offrande funéraire dans le caveau qu'il allait faire creuser à Deir el-Bahari [18].

Façade et cour de la chapelle funéraire de Sénènmout à Gourna. Ce local a longtemps été interprété comme une tombe préparée pour Sénènmout, surtout en raison de la cuve funéraire du Grand Intendant qui y avait été déposée en attente et qui avait été brisée en de multiples fragments. Le tombeau des parents de Sénènmout avait été aménagé sous la cour-terrasse.
(D'après P. Dorman)

Restitution axonométrique de la chapelle de Sénènmout, dont le plan en forme de T est conforme à celui des chapelles des nobles thébains de la colline de Gourna. (D'après P. Dorman)

Séniséneb, mère de Thoutmosis Ier.
Deir el-Bahari. (Relevé de H. Carter)

Thoutmosis Ier, père d'Hatshepsout.
Deir el-Bahari. (Relevé de H. Carter)

A droite : La maison et le jardin d'Inéni à Thèbes, figurés dans sa tombe (rive gauche de Thèbes).

A gauche : La princesse royale Néférourê. Deir el-Bahari.

Ci-dessous : La princesse Néféroubity. Deir el-Bahari.
(Relevés du temps de Champollion et de Rosellini)

Ci-dessus :
Les Sept Fées Hathor.
(Godet à onguents - Musée du Louvre)

La reine Ahmès-Nofrétari divinisée, donc passée dans les ténèbres.
(Peinture thébaine)

Hatshepsout vers sa seizième année. (Musée de Boston, photo A. Ware)

Ci-dessus : Le temple de Deir el-Bahari. (Aquarelle de W. Prall en 1901. Coll. A. Ware)

Ci-dessous : Jardin thébain. (Tombe de Neb-Amon ?)

A

B

C

D

A gauche : Karnak. Deux des obélisques de Thoutmosis Ier et d'Hatshepsout.

Ci-dessus et ci-contre :
A, B : Eléments des dépôts de fondation de la tombe royale d'Hatshepsout. (Musée du Louvre)

C : Pion de jeu ayant la forme d'une tête de guépard aux noms d'Hatshepsout.(Musée de Bâle)

D : Fragments de la frise hathorique de la chapelle de Sénènmout.

La reine Ahmès va mettre au monde la fille d'Amon, Hatshepsout. Deir el-Bahari.

Deux habitants de Pount transportent l'oliban. Deir el-Bahari.

Néhésy, délégué de la reine, accompagné de sa troupe, offre aux souverains de Pount les présents d'Hatshepsout.

Ci-dessous :
Les arbres à oliban du pays de Pount.

Huttes à pilotis (?) dans un paysage pountite.

Fragments provenant des scènes du pays de Pount à Deir el-Bahari.

Mesure de l'oliban de Pount, sous la surveillance de Thoutiy (?).

Ci-dessus : Papyrus funéraire de Maïherpera. Les sept vaches de l'Inondation et le taureau fécondateur (Caire).

Coupe du trésor funéraire de Maïherpera. (Caire)

Les magnifiques peintures des murs, très dégradées, laissent encore subsister les traces de six porteurs d'offrandes – des Egéens, semble-t-il. Trois sont suffisamment visibles pour permettre de distinguer les personnages si caractéristiques, rappelant les décors de Cnossos, à la taille élancée très mince, serrée dans une large ceinture peut-être métallique, maintenant un pagne ouvragé et coloré. Les porteurs sont chargés de grands récipients de formes étrangères à l'Egypte, vraisemblablement égéennes, dont un grand cratère orné de deux têtes de bovidés aux cornes bleues. Le défilé des mêmes « Egéens » se retrouvera sous Thoutmosis III, dans la tombe de Pouyemrê, celui qui fut successivement au service de la reine puis de son neveu. L'« exotisme » avait pénétré les ateliers artistiques, Sénènmout en était le premier amateur. A contempler ce qui subsiste encore de cette seule vision, on peut imaginer l'originalité et la splendeur chatoyante du décor peint aux murs du palais de la reine, où devaient se retrouver les mêmes frises de têtes de la déesse Hathor, apparaissant ici pour la première fois, mais aussi les peintures des plafonds à l'image des tissus colorés au décor géométrique et extrêmement varié, héritage renouvelé des anciens temps.

Le sarcophage-cuve

Dans la chapelle de Gourna, victime de nombreuses destructions, subsistaient les vestiges de ce qui fut un magnifique sarcophage de quartzite rouge foncé, pierre royale par excellence. Plus de 1 240 fragments furent trouvés sur place [19], et étudiés par la mission du Metropolitan Museum de New York. L'assemblage des éléments permit de reconstituer en partie une cuve-sarcophage analogue à celle de la reine, à ceci près qu'elle n'empruntait pas la forme complète du cartouche royal : elle était uniquement arrondie à ses deux extrémités.

Ornée des images des divinités funéraires, flanquée d'Isis et de Nephthys, dotée des deux yeux des astres lunaire et solaire, elle était recouverte de certains chapitres du Livre des Morts [20]. Le chapitre 125, celui du jugement des morts devant le tribunal d'Osiris, y apparaît en entier.

Ce cadeau royal fut exécuté sans doute à l'époque où Hatshepsout faisait escaver son second sarcophage, destiné à sa tombe de corégente. Il devait attendre dans la chapelle, en partie achevée

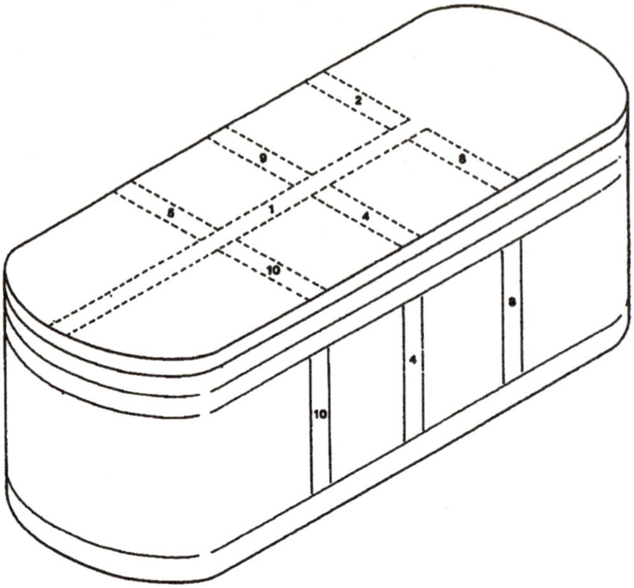

Reconstitution de la cuve funéraire de Sénènmout épousant exceptionnellement sur ses deux extrémités la courbe du cartouche royal. (d'après Dorman)

en l'an XI [21], pour être transporté dans le caveau souterrain préparé par Sénènmout, près du *Djéser-djésérou*. Il n'y fut jamais déposé, ce qui constitue l'une des nombreuses énigmes qui entourent l'histoire du plus intime des fidèles de la reine.

Les proches de Sénènmout

Les entours de la chapelle (n° 71) de Sénènmout, comblés par les déblais d'extraction, formaient une terrasse artificielle derrière laquelle furent ensevelis des parents du Grand Majordome, membres de sa famille et de sa maisonnée. Ces vestiges militaient en faveur de l'extrême simplicité de son environnement. A côté du sarcophage de sa sœur Iâhhotep avait été déposée dans un autre coffre momiforme, peint en blanc, la momie de Hormès, son chanteur, près du luth qui lui avait servi à rythmer ses mélodies, puis un autre sarcophage anonyme, ainsi que des linges ayant enveloppé des momies aux noms d'Amenmès et de Ouâbet-Amon. Il y avait aussi les vestiges d'une vieille femme déposée dans une humble caisse rectangulaire : elle portait à l'un de ses doigts un très beau scarabée inscrit au nom de l'Epouse divine Néférourê [22]. Il s'agit bien de personnages qui avaient entouré le Père nourricier de la princesse, et sans doute la princesse elle-même. Ajoutez à ces témoignages, qu'un des amis du Grand Intendant, un certain Tousy, Majordome des fleurs d'Amon [23], avait, suivant la coutume, déposé en hommage un bâton gravé aux noms de Sénènmout et de lui-même !

Les plus émouvants témoignages de cette intimité dévoilée restaient à découvrir : il s'agissait d'une petite jument, à peine haute de 1,20 m, et d'un cynocéphale, tous deux enroulés dans des bandages. Le singe était déposé dans une boîte rectangulaire, et entouré de nourriture placée dans des bols de poterie. Tout près encore gisait un dépôt d'armes… car il ne faut rien négliger et penser aux mauvais esprits !

Ainsi, le personnage « le plus grand des grands, le plus puissant des puissants [24] » du pays après la souveraine avait accepté que la cour de sa fastueuse chapelle funéraire soit utilisée pour recevoir d'humbles sépultures, émouvantes par les liens qu'elles révélaient.

Loin des fastes du Palais, ces témoignages projettent brusquement devant nous l'image inattendue d'un être demeuré profondément simple, fidèle et sensible envers ses frères les hommes et ses amis les animaux familiers.

La cime thébaine, pyramide naturelle qui domine toute la région (rive droite et rive gauche du Nil). Au pied de ce versant Est, on distingue le chemin qui menait de la bourgade des ouvriers affectés aux tombes royales (Deir el-Médineh), à la Vallée des Rois. Au premier plan, à gauche, on voit les ruines des abris où les artisans pouvaient également stationner sur leur chemin. (Photo Desroches Noblecourt)

VIII

DES TOMBES ET DES CHAPELLES

La création de la « Vallée des Rois »

Hatshepsout, organisatrice dans l'âme, voulait maintenant faire réaliser tous les projets qu'elle avait mûrement envisagés depuis le couronnement du petit Thoutmosis.

Avant tout, elle devait affirmer son état de souveraine sur la terre de *Kémèt*, et prévoir autour de sa future demeure royale d'éternité le regroupement des tombes de ceux qui lui succéderaient sur le trône d'Egypte. C'était, en un mot, abandonner désormais la coutume de disperser les sépultures royales, assez vulnérables, comme cela s'était fait depuis les Antef et surtout depuis la libération, et recréer une grande nécropole des rois régnants, où la surveillance serait organisée.

Il fallait donc décider de l'endroit idéal, loin de celui, trop isolé, où avait été creusé son caveau de Grande Epouse royale, du temps où elle était la reine du deuxième Thoutmosis, Âakhépérenrê, et qui de toute façon ne pouvait plus convenir à son nouvel état. Les rois défunts n'avaient pas avantage à se cacher pour éviter le pillage de leur mobilier funéraire : les pyramides de leurs prédécesseurs de l'Ancien et du Moyen Empire étaient la démonstration de leur visibilité. En définitive, elle allait demeurer fidèle à la forme essentielle, sacrée, de la pyramide, mais pour cette région montagneuse, elle allait adopter la plus fantastique des propositions, suggérée très vraisemblablement par le Grand prêtre Hapouséneb et le Grand Majordome Sénènmout. En effet, sur la rive gauche du Nil, face à Thèbes, le point culminant du massif montagneux [1] présentait la forme d'une pyramide naturelle, la « Sainte cime » (*Ta déhénèt*), vénérée, car habitée par la Grande Déesse. Ce gigantesque jeu de la nature allait donc devenir la partie visible du monument funéraire commun, utilisée pour protéger le sauvage et mystérieux ouadi desséché aux diverses branches, qu'il dominait à l'Ouest, et dans les flancs duquel Hatshepsout ferait aménager son caveau royal, le premier de la nécropole.

La symbolique

Ainsi, on devait définitivement abandonner le creusement de tombes royales au pied de la falaise, face à la plaine. Finie l'époque où le savant Inéni cachait dans les failles rocheuses d'un lointain ouadi le refuge secret du père de la reine [2]. Sous la cime sainte, dans les entrailles de la montagne – racine du monde où réside la grande Hathor – Hatshepsout savait que l'identité immatérielle des rois défunts, préservés de l'anéantissement par la momification de leur dépouille, pourrait se reconstituer dans le sein de la déesse. Ce giron universel symbolise donc l'océan primordial en quoi tout germe avait pris forme – ce liquide amniotique entourant le fœtus et souvent évoqué par le fourré de papyrus – dans lequel le candidat à l'immortalité allait se transformer [3]. Il y serait nourri par le placenta, qui dans le chaste et poétique langage symbolique de l'Egyptien est évoqué par le lait de l'animal sacré d'Hathor.

On ne devra donc pas être surpris devant cette figuration assez étonnante, qui allait désormais apparaître dans le décor funéraire, constituée par l'image de la vache Hathor surgissant de la montagne thébaine, auréolée d'un buisson de papyrus [4]. On ne le sera pas davantage en contemplant la magnifique statue de ce même bovidé, placée dans une niche aménagée au pied dc Deir el-Bahari, où le troisième Thoutmosis [5] fera plus tard représenter son fils, le

1. Autrement dit le piémont du Sahara thébain.

deuxième Aménophis, agenouillé sous l'animal et se nourrissant au pis de la vache sortant d'un fourré de papyrus.

Aussi les ouvriers de la corporation royale de Deir el-Médineh, affectés au creusement des tombeaux royaux, suivaient-ils aisément la stricte logique du symbolisme commenté par les prêtres, et avaient-ils fini par nommer ce lieu hautement vénérable et sacré, autant que parfaitement désertique, « la grande prairie (de papyrus) [6] », lieu que nous définissons de nos jours, après Champollion, comme la « Vallée des Rois ».

Le complexe funéraire de la Grande Epouse royale

Le caveau

Pour son devenir *post mortem*, Hatshepsout rêvait d'un cheminement à travers les entrailles de la déesse (la déesse-mère de tous les temps), qui aboutirait à la grande salle du sarcophage, le giron où devaient s'opérer les transformations, et propre à recevoir sa dépouille encore sanctifiée par celle de son père, qu'elle s'était promis de faire extraire de sa cache secrète. Cette présence allait, à l'évidence, confirmer davantage encore ses légitimes droits au trône. Son caveau serait donc le premier à inaugurer la nécropole, et lorsque le creusement serait achevé, elle ferait solennellement réensevelir son père à ses côtés dans une cuve de quartzite en forme de cartouche analogue à la sienne. Hathor, la divine, à la fois terrifiante et séduisante – la mort et la vie – qui recevait dans son embrassement tous les défunts pour les remettre à la vie, allait devenir la grande maîtresse des lieux. Dorénavant, elle pourrait apparaître auprès des souverains défunts, sous la forme du bovidé naviguant sur sa nacelle afin de traverser le marécage de la survie, entourée de papyrus [7]. Hatshepsout pensait déjà à la chapelle qu'elle dédierait spécialement à cette force universelle qui lui avait témoigné la suprême sollicitude en lui dispensant son lait prénatal, « l'eau de la vie ».

L'entrée de la tombe

Hatshepsout avait donné ordre pour que les parages de l'entrée désignée afin d'y aménager son caveau [8] soient méticuleusement déblayés. Après les visées astronomiques effectuées en vue de la propice orientation, elle fit aménager les petits puits destinés à recevoir les premiers « dépôts de fondation ».

Vallée des Rois : la flèche indique l'emplacement où fut creusée la tombe d'Hatshepsout. De l'autre côté de la falaise fut édifié le temple de la Reine à Deir el-Bahari. (Photo J.G.N, M. Kurz)

Ce fut certainement une des premières émotions ressenties par Champollion dans la Vallée des Rois, celle de découvrir des dépôts encore en place, lorsqu'il parcourut le ouadi abandonné et lorsqu'il put déchiffrer, sur les premiers objets dégagés, le pré-nom de couronnement de la reine [9] : *Maâtkarê*.

Ce qui subsistait contenait encore des vestiges de fruits, de légumes, des simulacres d'offrandes animales, des matières minérales variées, des plaquettes de terre vernissée, toujours au nom de couronnement d'Hatshepsout, des paniers de vannerie remplis d'offrandes, des modèles réduits de haches, de scies, d'herminettes ayant servi aux travaux : bref un résumé de tout ce qui avait servi à la fabrication de la sépulture.

Parmi ces modèles et instruments de magie, ces échantillons de diverses substances, se trouvait une sorte de bâti hémisphérique à claire-voie, fait de tiges de bois assemblées, jadis interprété comme l'image d'un « ascenseur oscillant », supposé avoir servi à l'élévation d'une masse d'un niveau à l'autre [10]. Je pense qu'il s'agit tout bonnement de la « forme » d'une voûte en anse de panier, utilisée pour mettre en place un ouvrage de briques épousant cette même courbe [11].

L'extension du *Djéser-djésérou*

Tout caveau devait être invariablement complété par une chapelle, nécessaire au culte célébré par les vivants pour l'« éternel retour » du défunt. La « grande prairie », en sa conformation, ne permettait pas l'implantation d'une quelconque construction : il fallait donc compter avec l'autre versant de la montagne, dominant la plaine thébaine.

Au moment du creusement de son premier caveau de Grande Epouse royale, dans le Ouadi Sikkat Taquet ez-Zeïd, afin de demeurer plus proche du massif montagneux, Hatshepsout avait ainsi déjà prévu l'édification d'une chapelle de culte dans l'Assassif, face à la plaine thébaine, à l'emplacement du futur Deir el-Bahari, et masquant même certaines tombes princières anciennes. Elle allait maintenant l'amplifier et le sublimer, à la mesure de la charge qu'elle voulait maintenant glorieusement assumer. Le *Djéser-djésérou*, la « Merveille des merveilles », devrait certes dépasser en réalisation harmonieuse, dans l'optique de l'équilibre et de la divine mesure, les autres créations architecturales.

De surcroît, Hatshepsout allait charger le Premier prophète Hapouséneb de demander à ses architectes et à ses carriers de tenter une impossible gageure : faire traverser la montagne, après avoir choisi l'axe de l'entrée du caveau, en le suivant pendant toute l'extraction de la pierre, jusqu'à atteindre l'arrière des chapelles funéraires du *Djéser-djésérou*, afin d'établir une complète jonction entre les deux parties constitutives de son complexe funéraire : c'était provoquer la montagne !

---

10. Ces objets sont publiés dans Naville, *DelB* VI, pl. CLVIII.

Le grand responsable : Sénènmout

Par ailleurs, la souveraine confiait au Grand intendant Sénènmout la haute main, souhaitée pour initier et coordonner les travaux de son temple jubilaire. Ainsi donc le cirque rocheux, au pied duquel Monthouhotep-le-grand avait fait édifier son ensemble funéraire, allait être définitivement coupé, dans sa partie Nord, par l'amplification, sur trois niveaux, de terrasses horizontales superposées, formées de portiques à piliers et à colonnes. Deux rampes d'accès, l'une après l'autre, couperaient en leur centre chacun de ces gradins horizontaux aménagés dans l'axe de l'image ébauchée par le jeu de la nature (déjà signalé), évoquant un personnage sous l'aspect familier de la statue-cube [12].

Le sanctuaire et la famille royale

Le sommet de la fondation serait définitivement consacré aux appartements des cultes réservés au majestueux Amon, souverain et omniprésent, à qui la reine rend tous les hommages, à la souveraine, mais aussi à sa famille, c'est-à-dire grands-parents, parents et enfants en ligne directe. La liste devait commencer par l'image de Séniséneb [13], la mère du premier Thoutmosis. Puis ce seraient les représentations du père et de la mère de la souveraine. Le grand roi et la reine Ahmès, dans l'harmonie de leur couple, seraient accompagnés de la petite Néféroubity, morte en bas âge. On verrait, naturellement, Hatshepsout corégente et le roi Menkhéperrê, rendant hommage à leur commun père et grand-père. Détail fort important, Néférourê enfant y figurerait nue et parée de bijoux comme sa sœur Néféroubity ; mais plus loin, on pourrait la retrouver sous les traits d'une svelte jeune fille adulte, derrière Hatshepsout et Menkhéperrê, son demi-frère et cousin [14], durant la présentation des offrandes à la barque d'Amon.

Il ne serait, en tout cas, pas question des deux demi-frères d'Hatshepsout, déjà morts sous le règne éphémère du deuxième

Le *Djéser-Djésérou*, vue prise du Nord. Au premier plan : le Temple jubilaire de la reine Hatshepsout. A l'arrière-plan : le Temple jubilaire du Grand Monthouhotep de la XIe dynastie. Au sommet, à gauche du long mur de protection contre les éboulis (mur blanchâtre), on peut distinguer les vestiges du dernier temple de la reine, le *Khâ-Akhèt*, devenu sous Thoutmosis III le *Djéser-Akhèt*. (Photo J. L. Clouard)

Le « roi » Hatshepsout, suivi de la petite Néférourê, fait offrande à la barque sacrée d'Amon. (D'après Naville)

Thoutmosis, et nés de Moutnéférèt, absente du tableau de famille bien que mère du deuxième Thoutmosis. Le défunt époux de la reine bénéficierait aussi d'un culte rendu à son image par son fils Thoutmosis III. Enfin Hatshepsout, seule ou aux côtés de son corégent, devrait apparaître en majesté, rendant hommage à la barque d'Amon durant sa visite au temple à l'occasion de la « merveilleuse fête de ce dieu ». En disposant tous les bénéficiaires du culte sur les murs des chapelles, Sénènmout, si proche de sa souveraine, rêvait à la folle ambition de pouvoir, un jour, se faire représenter en adoration devant elle, dont les statues assises en majesté occuperaient les huit hautes niches creusées dans le mur occidental de la montagne. Il faudrait que l'immense monument soit pour cela achevé, et que les portes puissent être fixées devant les diverses chapelles. C'est dans l'aire prévue pour recevoir ces statues que la reine pensait faire déposer l'effigie de son ancienne nourrice Sat-Rê... cependant, elle n'appartenait pas à la famille royale. Sculptée au lendemain de son « couronnement », la statue présente l'image de la princesse enfant, sur les genoux de celle qui lui prodigua tant de soins. Mais pour se mettre en accord avec la légende qu'elle a tissée, les pieds du nourrisson reposent déjà sur l'image des ennemis maîtrisés de l'Egypte : les neuf arcs [15].

Les bâtiments au Sud du niveau supérieur seraient donc consacrés en grande partie au culte de la famille royale. Au Nord, sur le chemin de l'orient, Hatshepsout pensait faire édifier un autel au soleil, en plein air, assorti peut-être d'un petit local réservé au culte d'Anubis, dernière transformation de la reine avant sa réapparition cyclique et jubilaire. La même disposition géographique serait alors attribuée aux forces essentielles du renouvellement jubilaire, aux extrémités du deuxième portique : Hathor et Anubis. Hathor, pour que s'opère le passage après le trépas, Anubis afin de connaître le chemin de la réapparition.

Ainsi, la chapelle réservée à la belle et dangereuse déesse pourrait être localisée au Sud (Sud-Ouest) du portique intermédiaire. Anubis devrait alors avoir son habitat au Nord.

Hatshepsout-Maâtkarê et Thoutmosis-Menkhéperrê accompagnés de l'Epouse divine Néférourê, font offrande à la barque sacrée d'Amon. Deir el-Bahari : Chapelle supérieure d'Amon. (D'après Naville)

Les lignes générales du temple « de millions d'années » prendraient rapidement forme ; les éléments du décor architectural seraient pour Hatshepsout l'objet d'études ultérieures sur le terrain, avec son maître d'œuvre. La reine voulait suivre tout le déroulement des étapes de construction, et désirait analyser de très près le message symbolique de chaque détail : l'attention se porterait avant tout sur les piliers dits osiriaques, devant lesquels figurerait son image dans l'attitude d'Osiris, enveloppée dans son linceul, les bras croisés sur la poitrine. Les statues ne devraient plus traduire seulement l'état léthargique du défunt assimilé au dieu martyr, évoquant le côté passif de la mort. La vie devrait poindre vers le dynamisme de l'énergie retrouvée.

Distribution générale du plan

Le problème avait été posé, la solution était attendue.

Naturellement, les deux premiers portiques du temple, coupés chacun en leur centre par une rampe d'accès, présenteraient les façades les plus harmonieuses de piliers et de colonnes, en des lignes ascensionnelles derrière lesquelles les murs devraient éterniser, par la force magique de leur décor, les instants les plus exceptionnels du règne, chers au cœur de la souveraine, chacun ayant pour rôle de bien situer Hatshepsout et son œuvre tout en assurant leur perpétuité.

Les thèmes traités sur les murs

Trois thèmes devraient être traités. Le plus important était indiscutablement l'affirmation des droits au trône : le déroulement des tableaux entourant la mystérieuse théogamie [16] en serait la plus éclatante démonstration.

Toutes les scènes honoreraient la partie Nord du deuxième portique, comme tout ce qui concerne la naissance et la jeunesse de la reine. Viendrait ensuite le thème du souverain bâtisseur, fidèle à la mémoire des ancêtres et au culte du divin : le transport de deux obélisques colossaux en serait le symbole. Hatshepsout ferait représenter toute l'opération sous la partie Sud du premier portique, en accord avec la position géographique des carrières de granit rose d'Assouan, où les monolithes avaient été extraits.

Puis viendrait l'illustration de la fantastique expédition au pays de *Pount*, qu'elle avait rêvé d'organiser dès sa tendre jeunesse, et qu'elle espérait faire partir l'année suivante, pour l'enrichissement commercial et pacifique de l'Egypte, et pour l'approfondissement de ses connaissances dans de nombreux domaines. L'aventure serait représentée dans la partie Sud du second portique.

Enfin, à la zone Nord du premier portique, domaine réservé à l'arrivée dans le monde des transformations avant la renaissance qui convenait à toute chapelle funéraire, l'évocation du marécage ne serait pas négligée.

16. Expression signifiant, en clair, l'union d'un dieu avec une mortelle.

La majestueuse souveraine Hatshepsout, sous la forme du sphinx royal, protège l'Egypte en exécutant le massacre symbolique des ennemis du Pays. La beauté de la scène demeure encore en dépit du complet martelage. (D'après Naville)

Un autre sanctuaire pour l'Histoire

Là ne s'arrêterait pas l'œuvre immense déjà acquise ou prévue par la souveraine. Cependant elle ne voulait pas, dans le domaine des fêtes *sed* évoquées qui allaient se succéder au cours des myriades d'années au bénéfice de son éternité, ternir cette gloire en faisant allusion aux luttes qu'elle avait dû mener – et mènerait à nouveau – avec une énergie sans faille mais parfois douloureuse. Elle voulait, en ces lieux de panégyries, taire le détail des épreuves rencontrées et qu'elle affronterait encore dans le royaume : ainsi, le souci qu'elle avait ressenti à chaque période de rébellion dans les pays du grand Sud ; les troubles fomentés en Moyenne Egypte, les sanctuaires abandonnés à réédifier, la « modernisation » de l'Egypte à entreprendre, les ateliers d'art royaux à reconstituer après la réouverture et le réaménagement des carrières, les clergés à se concilier dans le nord du pays... Tout cela, elle y ferait allusion plus tard, la besogne achevée, et l'exposerait dans un autre domaine d'Hathor, la grotte qui serait aménagée pour Pakhèt, une autre forme de la déesse, lionne aux griffes acérées [17].

17. Il s'agit du Spéos Artémidos, près de Béni Hassan en Moyenne Egypte, dont il sera question plus loin, dans le chapitre XIX.

Afin de rappeler sa victoire sur les épreuves ainsi traversées, il lui suffirait de se faire représenter tel un sphinx, aussi puissant que désinvolte, piétinant des agresseurs dans le plus tragique désarroi, en un tableau où elle saurait faire conjuguer l'élégance et la malice [18].

Un caveau pour Sénènmout

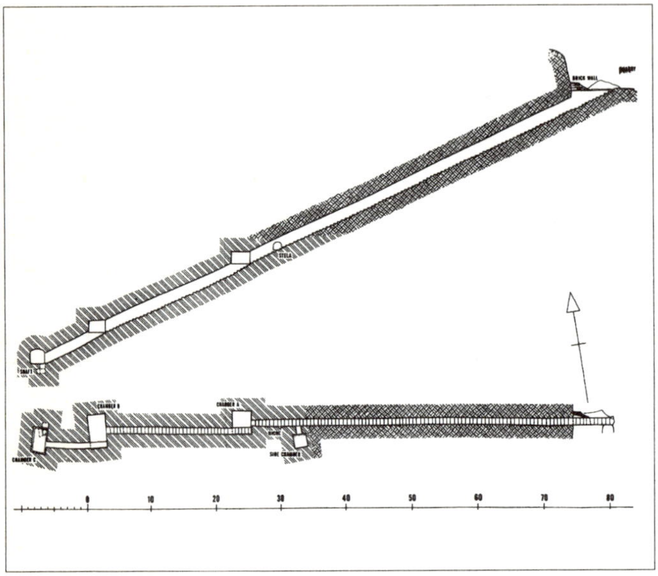

Plan et coupe du caveau funéraire de Sénènmout et de sa « descenderie ». La stèle funéraire était placée dans la muraille peu après le milieu de la descenderie.
Deir el-Bahari. (D'après Dorman)

Sénènmout, ayant reçu le *satisfecit* de la reine après la présentation des plans pour le fastueux *Djéser-djésérou*, semble avoir obtenu d'elle le droit de faire aménager pour lui-même le caveau funéraire dont l'emplacement devait consacrer définitivement son état de grand intime de la souveraine.

Puisqu'il fallait pour choisir l'emplacement s'abstenir d'envisager la Vallée des souverains eux-mêmes ! une seule solution se présentait : les parages du *Djéser-djésérou*, que Sénènmout n'hésita pas à proposer à la reine, naturellement acquise à ce projet. Il allait donc être décidé de faire préparer ce caveau dans la dépression de la carrière formée par l'extraction des blocs de calcaire, située immédiatement au Nord de l'esplanade du temple : le creusement devrait commencer peu après la cérémonie d'ouverture de fondation de la tombe de la reine, de l'autre côté de la montagne.

Partie du mur et stèle funéraire de Sénènmout. Au sommet, deux silhouettes de Sénènmout en orant et flanquant le signe d'Isis. Sous la corniche, deux images d'Anubis en chien couché. Audessus de l'évocation du passage très étroit d'entrée figurent les deux yeux sacrés, soleil et lune. Encadrant la stèle, sous les images d'Anubis, debout, les « quatre fils d'Horus » et les essentielles 7 vaches sacrées grosses de l'heureuse Inondation, accompagnées du taureau fécondateur.

La « sublime des sublimes » (ou la merveille des merveilles) dans toute son incomparable harmonie, pour l'éternelle mémoire, de la reine Hatshepsout et la gloire d'Amon. Aux deux extrémités Sud et Nord du niveau inférieur, étaient dressées deux statues « osiriaques » de la reine, hautes de sept mètres. Cette esplanade précédant la première rampe d'accès avait été plantée d'un jardin de rêve. Deir el-Bahari. (Ph. J. L. Clouard)

IX

LA THÉOGAMIE

Première étape prévue par Hatshepsout grâce à la majestueuse amplification du *Djéser-djésérou* : exposer la justification indiscutable de ses droits au trône, en en donnant la démonstration par l'image, dans son propre temple jubilaire.

La souveraine avait donc décidé sans tarder de faire composer, par les très savants prêtres-scribes des archives, les illustrations et les textes évoquant le déroulement de son sacre supposé, par lequel son père l'aurait désignée [1]. Elle pensait l'avoir rendu effectif, par la magie des rites dont elle n'avait bénéficié que d'un seul aspect, puisque la force du Sacre n'avait réellement investi que son seul neveu et corégent.

Comment devenir fille d'un dieu

Il était nécessaire maintenant de faire oublier sa naissance et son enfance seulement patriciennes dans la grande maison familiale de Thèbes, voisine de celle d'Inéni. C'était, ensuite, pouvoir affirmer vigoureusement la prédestination miraculeuse qui planait sur tout son personnage.

Durant ses premières années, sa nourrice Sat-Rê lui avait bien souvent raconté les prodiges survenus à la cour de Khéops [2]. Le fabuleux conte des magiciens se terminait par la naissance merveilleuse des rois de la Ve dynastie. En conséquence, Sénènmout, qui se plaisait à consulter les vieux écrits des « maisons de vie », avait été chargé d'entreprendre les recherches nécessaires dans les grimoires conservés à Héliopolis auprès du clergé du temple solaire, pour s'instruire des « rouages » de ce mystère, pivot millénaire des institutions royales.

La préparation du mystère

A son retour, le Grand Majordome était prêt à soumettre à sa souveraine le vaste scénario d'un véritable drame composé de plusieurs actes, et localisé entre ciel et terre. Le spectacle devait être figuré sur les murs du temple, en tenant compte de l'orientation à respecter, car la signification – et le message – du décor de chaque partie d'une maison divine devait être en rapport avec son orientation propre.

La démonstration imagée – et écrite – de la naissance divine d'Hatshepsout devait donc, en conséquence, figurer sur la paroi septentrionale de la seconde terrasse (ou portique) du *Djéser-djésérou*, et démontrer les origines divines de la souveraine. En priorité, il fallait réserver à l'Amon thébain, protecteur de la dynastie – le faiseur d'oracles – le rôle essentiel dans les scènes relatives à l'union charnelle d'un dieu avec une mortelle, rôle que, plus tard, Zeus reprendra à son compte sous le ciel de l'Hellade. Or, à l'origine millénaire de cette théogamie, celle dont une seule source témoigne était le dieu solaire qui avait honoré l'épouse d'un prêtre de Rê.

Ainsi, Amon serait le géniteur ; le choix du dieu se serait porté sur la reine Ahmès, Grande Epouse royale. Hatshepsout deviendrait leur fille chérie. Le spectacle pouvait commencer. Sénènmout vint alors dérouler, devant sa reine, un volumineux rouleau de papyrus de 12 coudées, sur lequel toutes les étapes du merveilleux mystère étaient dessinées et commentées avec talent [3].

Les intentions du dieu

L'histoire commence par l'annonce d'Amon, en majesté sur son trône, face au conseil des quatorze formes divines assemblées devant lui [4]. La scène se passe « au ciel », où les interlocuteurs du dieu sont informés d'une naissance, au sujet de laquelle Amon déclare :

*« Je désire la compagne qu'il (= Thoutmosis Ier ?) aime, celle qui sera la mère royale du roi de Haute et de Basse Egypte Maâtkarê, qu'elle vive !, Hatshepsout (*Khénémèt-Amon*). Je suis la protection de ses membres tandis qu'elle s'élèvera... Je lui donnerai toutes les plaines et toutes les montagnes... Elle guidera tous les vivants... Je ferai tomber la pluie qui est dans le ciel [5] en son temps, (je ferai) que lui soient donnés de très grands Nils en son époque... et celui qui blasphémera en employant le nom de Sa Majesté, je ferai qu'il meure sur-le-champ. »*

La mission de Thot

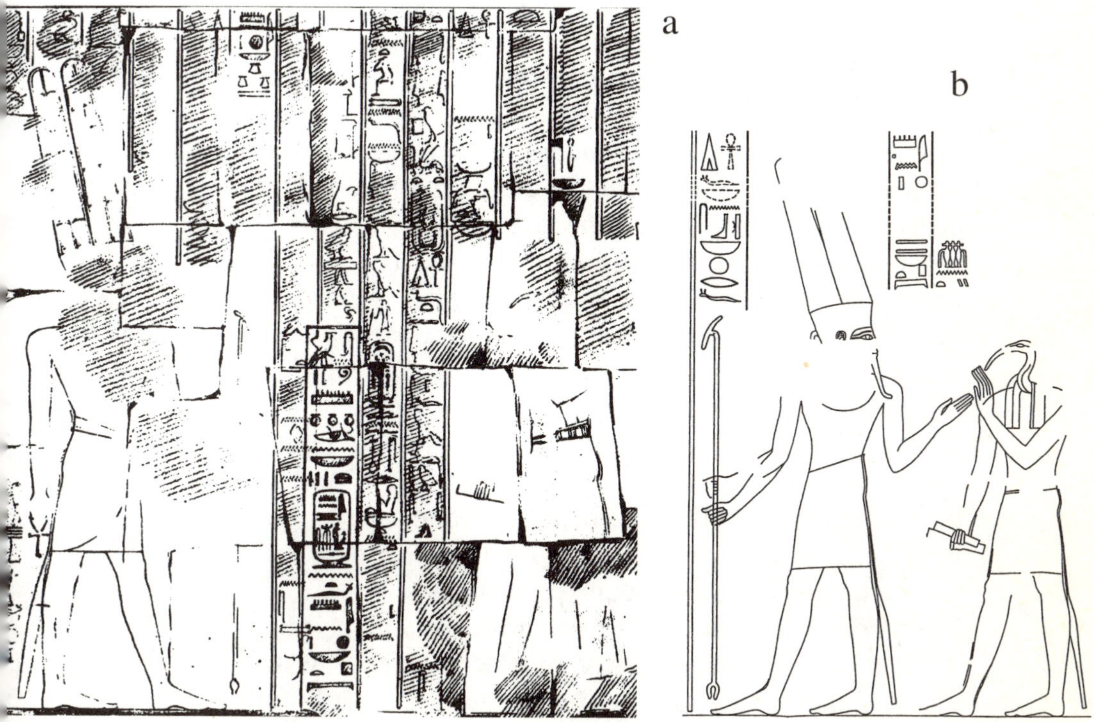

a : Amon au ciel décide de créer son « enfant terrestre ».
b : Il ordonne à Thot d'aller rechercher une épouse mortelle.
(D'après Naville)

Il ne suffit pas d'avoir informé le collège des dieux, Amon va maintenant charger Thot [6] – la parole divine et le messager des dieux – d'aller sur terre vérifier l'identité de l'élue :

« Va vers la demeure du souverain qui est à Karnak, chercher le nom de cette jeune femme, car moi je suis dans l'horizon qui est dans le ciel, la grande demeure des dieux. »

A son retour de mission, Thot peut informer le dieu :

« Cette jeune femme dont tu m'as parlé, prends-la, maintenant. Son nom est bien Ahmès. Elle est belle plus que toute autre femme qui soit dans ce pays. C'est l'épouse de ce souverain, le roi de Haute et de Basse Egypte Âakhéperkarê, qu'il vive éternellement ! »,

et il incite le dieu à se rendre vers elle dans le palais, où il le conduit, une fois descendu sur terre.

L'union du dieu et de la mortelle

Vient alors la scène essentielle de l'hymen [7]. Tout porte à penser que l'action se passe au palais, dans la chambre de la reine, alors qu'Amon vient assurément de prendre la forme de Thoutmosis-Âakhéperkarê.

Cependant, pour rendre encore plus efficace l'œuvre d'Amon, le dessin continue à figurer le dieu et non le roi dont il vient cependant d'emprunter l'aspect. Pour ces instants sublimes, la scène d'amour vers laquelle le dieu se dirige est traduite par des images symboliques d'une extrême chasteté. Point de couche où deux corps vibrants s'enlacent, point d'extase digne de la passion divine : la reine est endormie, nous dit le texte, et s'éveille à l'approche d'Amon. L'image montre pudiquement Amon assis devant Ahmès, dans toute leur élégante dignité. Leurs sièges sont posés sur le signe du ciel. Leurs genoux se croisent à peine, leurs bras se rencontrent discrètement cependant que le dieu présente à la reine le signe de vie, et que les deux déesses Selkit et Neith soutiennent les pieds des deux personnages.

En contrepartie de cette extraordinaire retenue pictographique, utilisée pour exprimer la divine rencontre en vue de l'acte procréateur, les textes fort heureusement exaltent l'atmosphère en décrivant les relations amoureuses des deux amants :

« Lorsqu'Amon, seigneur de Karnak, vint, il s'était donné l'apparence de son époux, le roi de Haute et de Basse Egypte. Il la trouva endormie dans la splendeur de son palais. Elle s'éveilla à l'odeur du dieu, et sourit face à Sa Majesté. Aussitôt, il se dirigea vers elle, prêt à s'en emparer. Il l'étreignit, alors, et lui imposa son (brûlant) désir [8], agissant de façon qu'elle le vît sous sa forme de dieu.

La « théogamie », union d'Amon Seigneur des dieux et de la reine Ahmès, épouse de Thoutmosis (Ier)-Âakhéperkarê. (D'après Naville)

Lorsqu'il se fut approché d'elle, son amour courut dans sa chair, transportée par sa virilité. Le palais était inondé du parfum du dieu, toutes ces senteurs venant de Pount. »

Soudain la reine percevait l'identité de celui qui l'enlaçait : ce n'était pas le roi, mais le dieu lui-même, Amon seigneur de Karnak ! Elle murmura :

« Combien est grand ton rayonnement ! Il est splendide de t'admirer, tu as honoré ma féminité de tes faveurs, ta rosée est passée dans tous mes membres. »

Ainsi reconnu, le dieu reprit son duo d'amour en faisant, comme il le déclara :

*« tout ce qu'il désirait d'elle. Elle permit qu'il jouisse d'elle. Elle l'embrassa... Ensuite,... cette Epouse et Mère royale Ahmès, en présence de la Majesté de ce dieu auguste, seigneur des trônes des Deux Terres, déclara : "Seigneur, vraiment, combien grande est ta puissance ! C'est noble (*shépès*) chose de voir ta face (*hat*) lorsque tu es uni (*khénèm*) à Ma Majesté (*Amon*), en ta perfection et que ta*

rosée a pénétré toute ma chair." "Hat-shepsout-khénémèt-Amon" ». lui répondit Amon, avant de se retirer de sa vue, non sans préciser :

« Celle qui s'unit à Amon, celle qui est à la face (= la première) des nobles, tel sera le nom de cette présente fille que j'ai placée dans ton sein, suivant ce qui est sorti de ta bouche. »

En général, comme on l'a déjà vu, les mots prononcés par la mère au moment de l'accouchement deviennent, par jeu de mots et par allitération, le prénom de l'enfant qui vient de naître. Dans cette théogamie, les mots prononcés par la mère au moment de la conception formeront le prénom de l'enfant à naître [9].

Et le dieu de déclarer en disparaissant :

« Elle exercera une royauté bienfaisante dans ce pays tout entier. A elle mon ba [10]*, à elle ma puissance, à elle ma vénération, à elle ma couronne blanche* [11] *! Assurément elle régnera sur les Deux Pays, et elle guidera tous les vivants... jusqu'à l'orbe du ciel. J'unis pour elle les Deux Pays en ses noms, sur le siège d'Horus des vivants, et j'assurerai sa protection chaque jour, avec le dieu qui préside à ce jour* [12]*. »*

L'intervention de Khnoum

Le tableau suivant se passe au ciel, et concerne les instructions données par Amon à Khnoum [13], le potier divin qui a façonné l'humanité sur son tour :

« Va ! Pour la modeler, elle et son ka*, depuis ses membres qui sont à moi. Va ! Pour la former mieux que tout dieu. Façonne pour moi cette mienne fille que j'ai procréée...*

Je vais donner forme à ta fille (répond Khnoum)... Ses formes seront plus exaltantes que (celles) des dieux, dans sa splendeur de roi de Haute et Basse Egypte [14]*. »*

Khnoum se met immédiatement au travail pour créer sur son tour la forme visible de l'enfant à naître, et aussi celle de son *ka* [15]. La déesse grenouille Hékèt, favorisant les naissances, est agenouillée devant les deux petits êtres debout sur le tour, et leur présente au nez le signe de la vie (*ânkh*). On s'aperçoit alors qu'il n'est pas question d'images féminines modelées sur le tour, mais de celles de deux petits garçons : le futur titulaire de la fonction et son *ka*, et non pas la personne elle-même montée sur le trône d'Egypte. Hatshepsout,

---

10. Une des parties immatérielles du dieu – comme de l'humain –, que l'on traduit, faute de mieux, par « âme ».

11. Il ne faut pas oublier que les Thoutmosis étaient originaires de Haute Egypte, illustrée par la couronne blanche, la *hédjèt*.

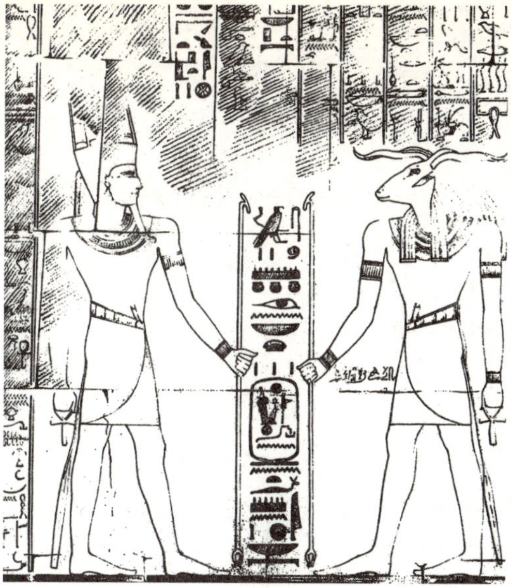

Amon ordonne alors à Khnoum, le potier divin, de se mettre à l'œuvre. Deir el-Bahari. (D'après Naville)

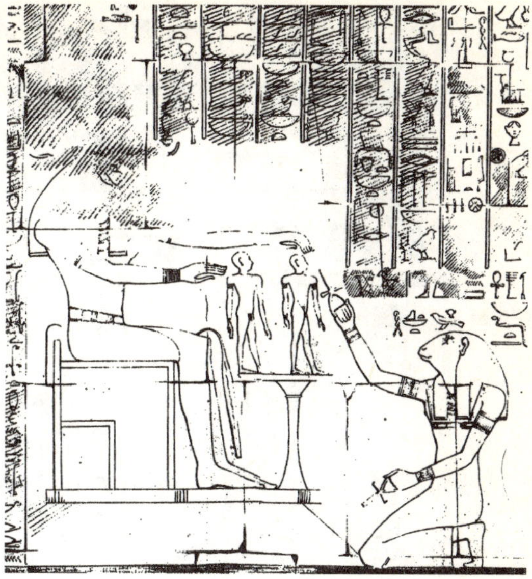

Khnoum, assisté de Hékèt, façonne, sur son tour, l'héritier divin et son ka. (D'après Naville)

deviendra automatiquement le roi, accompagné de son *ka* sur terre, comme cela a été décidé dès la conception. Mais, pour conserver au souverain futur son intime personnalité, les discours qui accompagnent les représentations s'adressent à un être au féminin [16] !

Khnoum, tout en activant son tour, commente son travail et s'adresse directement au petit être en devenir. Ses paroles renforcent magiquement l'efficacité de son action et correspondent au développement du fœtus, pendant toute la durée de la gestation. En parlant directement au futur souverain, il situe ainsi le personnage dans sa fonction à venir, suivant les termes utilisés par le dieu :

« Je t'ai formée avec les "membres" d'Amon régnant sur Karnak, toute vie et contentement, toute stabilité, toute joie de cœur avec moi ; je t'ai donné tous pays, tout peuple. Je t'ai donné toutes les offrandes, toute nourriture. Je t'ai donné (le moyen) d'apparaître sur le trône d'Horus, comme Rê pour toujours... Je t'ai donné d'être devant le ka *de tous les vivants, alors que tu brilles comme roi de Haute et de Basse Egypte, du Sud et du Nord, suivant ce que ton père qui t'aime t'a donné. »*

« L'annonce » faite à l'Epouse divine

Le tableau suivant [17], qui doit marquer une étape essentielle dans le déroulement du drame, est quasiment muet. Tout se comprendra sans qu'aucune parole soit prononcée. On peut déduire

Thot, envoyé par Amon, est chargé d'annoncer le « miracle » à la reine comme « saisie » par l'émotion. Deir el-Bahari. (D'après Naville)

de l'attitude de Thot et d'Ahmès, debout et se faisant face, qu'il s'agit d'avertir la Grande Epouse royale des suites miraculeuses de la visite divine : la reine porte bien en son sein l'enfant divin, Khnoum en est garant. De même que Thot est venu prévenir Amon de la beauté d'Ahmès, il vient maintenant « annoncer » (c'est le mot juste) à la reine l'existence du « fruit de ses entrailles ».

L'attitude d'Ahmès, debout et immobile, les bras tombant le long du corps, laisse supposer la réaction qui s'ensuit chez l'élue, sentiments faits de stupeur et d'émotion indicibles.

Vers la naissance [18]

Les temps sont révolus, Khnoum et Hékèt viennent chacun prendre Ahmès par la main, pour la conduire vers la salle d'accouchement. Sa silhouette souligne les rondeurs de son abdomen, détail anatomique bien peu fréquemment représenté. On devine, parmi les lignes de texte détériorées, quelques mots prononcés par Hékèt, dont ceux-ci : « Tu dois accoucher immédiatement… »

Hékèt, à tête de grenouille, aidant à l'élaboration de l'enfant divin et Khnoum dirigeant la future mère vers la salle d'accouchement. Deir el-Bahari. (D'après Naville)

Naissance divine

La scène [19] n'a rien de réaliste, il s'agit de la naissance de la fille d'Amon. Aussi la mère mortelle, touchée par la grandeur divine, est-elle assise sur le simple trône archaïque : la naissance s'est produite comme par enchantement. Digne souveraine, elle tient dans ses bras un seul petit enfant. A ses pieds, sur un immense lit à têtes de lion, quatre nourrices-sages femmes tendent leurs bras vers Ahmès, comme pour recevoir l'enfant. Au-dessus d'elle, on peut encore lire :

> *« Celle qui va donner naissance, tout de suite, qui est dans les douleurs de l'enfantement. »*

Derrière la reine, une déesse agenouillée tend en direction de la reine son signe de vie. Elle est coiffée d'une sorte de panier, dans lequel ont été déposés le placenta, et le cordon ombilical qui semble sortir du panier, dressé comme l'anse du récipient. Derrière, on reconnaît les deux déesses tutélaires, Isis et Nephthys.

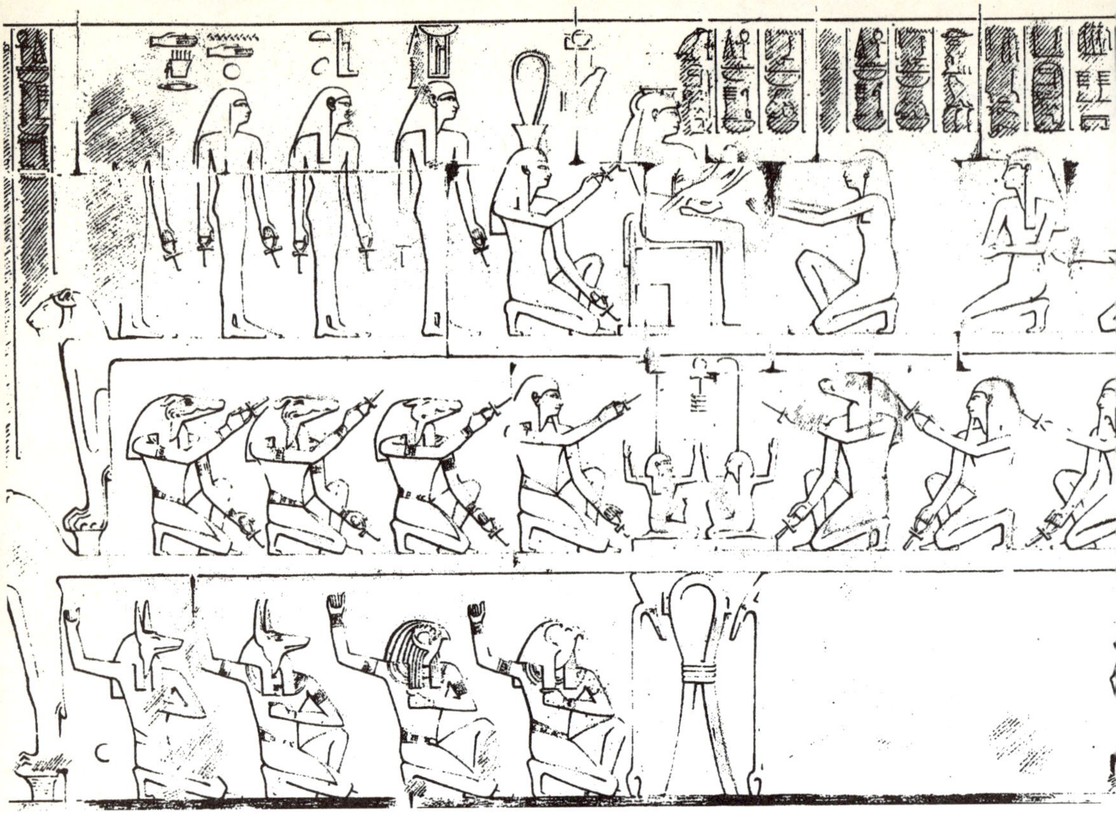

L'immense composition se déploie autour de deux signes de myriades d'années et comprend la représentation des génies évoquant les points cardinaux : ce sont aussi les ancêtres de la royauté. Sous les deux grands lits superposés où siègent ces acteurs, assistant à l'apparition sur terre de l'enfant du dieu, ont pris place deux génies-animaux fantastiques et bienfaisants, veillant sur la naissance : Bès, ce nain d'Afrique mi-bête mi-homme, qui repousse le mal, et Thouéris (« la grande »), ayant pris la forme de l'hippopotame gravide, comme Bès dressée sur ses pattes arrière. Ils ont tous deux veillé au bon déroulement de la naissance.

L'événement est commenté par un grand personnage, à l'extrême droite. C'est la déesse-utérus, Meskhénèt, portant son insigne sur la tête, assise sur son trône. Elle s'est chargée de diriger le travail des accoucheuses.

La présentation au père [20]

La cérémonie se déroule en deux étapes. La déesse Hathor, sur son trône, accueille maintenant Amon arrivé vers elle pour recevoir l'enfant, qui lui est présenté, encore sans son *ka*, tout nu et debout, posé sur une main de la déesse. Le dieu le salue par ces mots, alors que son cœur est extrêmement satisfait :

Ci-contre :
Assistée par déesses et génies, Ahmès vient de mettre au monde l'enfant Hatshepsout, en présence de la déesse-utérus et des formes divines protectrices. (Deir el-Bahari)

Ci-dessous :
Thot, Maître de Khéménou, présente l'enfant du miracle, Hatshepsout, et son *ka* (royal), qu'Amon reçoit bras tendus (les deux petites figurines ont été martelées). (D'après Naville)

Amon, maintenant trônant, va serrer sur son cœur Hatshepsout, sa fille, traitée, en raison du rôle qu'elle jouera, comme un petit garçon royal. (D'après Naville)

« Glorieuse partie qui est sortie de moi-même, roi prenant les Deux Terres sur le trône d'Horus, pour toujours. »

Puis les deux divinités trônent, maintenant l'une devant l'autre. A son tour, Amon tient le petit enfant, cet enfant qu'il vient de reconnaître et de confirmer dans ses droits à la royauté.

Grande scène de la nativité

Il fallait maintenant affirmer la nature divine de l'enfant d'Amon, futur maître du pays, qui dorénavant sera accompagné de son *ka*. Tout ce programme est résumé en deux phases [21].

Tout d'abord, il est bien rappelé que le petit être royal a été nourri du lait, élément solaire par excellence, qui entretient la vie. Il faut ensuite démontrer que l'enfant terrestre d'Amon, à l'image de tous les souverains d'Egypte, est le seul être sur terre possédant avec lui son *ka*. Mais cette contrepartie céleste de son image terrestre est formée de 14 éléments distincts, aussi bien matériels et nécessaires à son existence, que de la plus haute spiritualité.

Sur le côté gauche du tableau, deux longs lits, à têtes prophylactiques de lion, sont à nouveau superposés. Le premier a reçu la reine Ahmès accroupie, tenant dans ses bras le petit être qu'elle semble bercer. Cette jeune mère, libérée des douleurs de l'accouchement, se fait recoiffer par sa suivante, indiquant ainsi que sa chevelure avait sans doute été dénouée, suivant la coutume, pour contribuer aux efforts nécessités par la mise au monde de son enfant. Devant elle, les deux nourrices divines, normalement accroupies sur le second lit, allaitent l'enfant, maintenant accompagné de son *ka*.

Une importante intervention d'Hatshepsout

Introduction de la vache Hathor

Hatshepsout acceptait toute cette mise en scène, aussi réaliste que poétique, tracée pour évoquer sa naissance divine, mais il lui paraissait insuffisant que le seul tour du potier, image bien archaïque, puisse uniquement permettre de replacer le miraculeux phénomène dans un contexte si peu évocateur. Elle voulait avant toute chose introduire l'œuvre incontournable de la Grande Mère, Hathor, celle qui dorénavant était appelée à symboliser aussi l'Occident de Thèbes, et ses nécropoles. Le giron universel qu'elle incarnait résidant dans cette montagne et dans toute grotte, en serait maintenant l'évocation. Puisque c'était, mystiquement, dans ce sein maternel que se constituaient ou se reconstituaient les fœtus destinés à l'existence terrestre, ou à la survie *post mortem*, en conséquence, l'objet de l'amour divin qu'était sa mère devait être en quelque sorte absorbé dans le domaine de la déesse.

Ainsi, pendant toute la grossesse de sa mère, l'embryon d'Hatshepsout ne pouvait avoir été nourri que dans le sein de la déesse. Le placenta dont dépendait sa croissance dispensait la provende initiale nécessaire à sa croissance. Il était donc possible, par le jeu des symboles, de l'évoquer au moyen du lait lumineux et solaire [22] de la vache sacrée, bien entendu. Alors Hatshepsout décida que cet allaitement, c'est-à-dire toute la période de gestation, serait, dans la scène de la nativité, évoqué par l'image de deux nourrices, pour l'enfant royal et son *ka*, et que ces dernières devraient posséder une tête empruntée à celle de la vache divine.

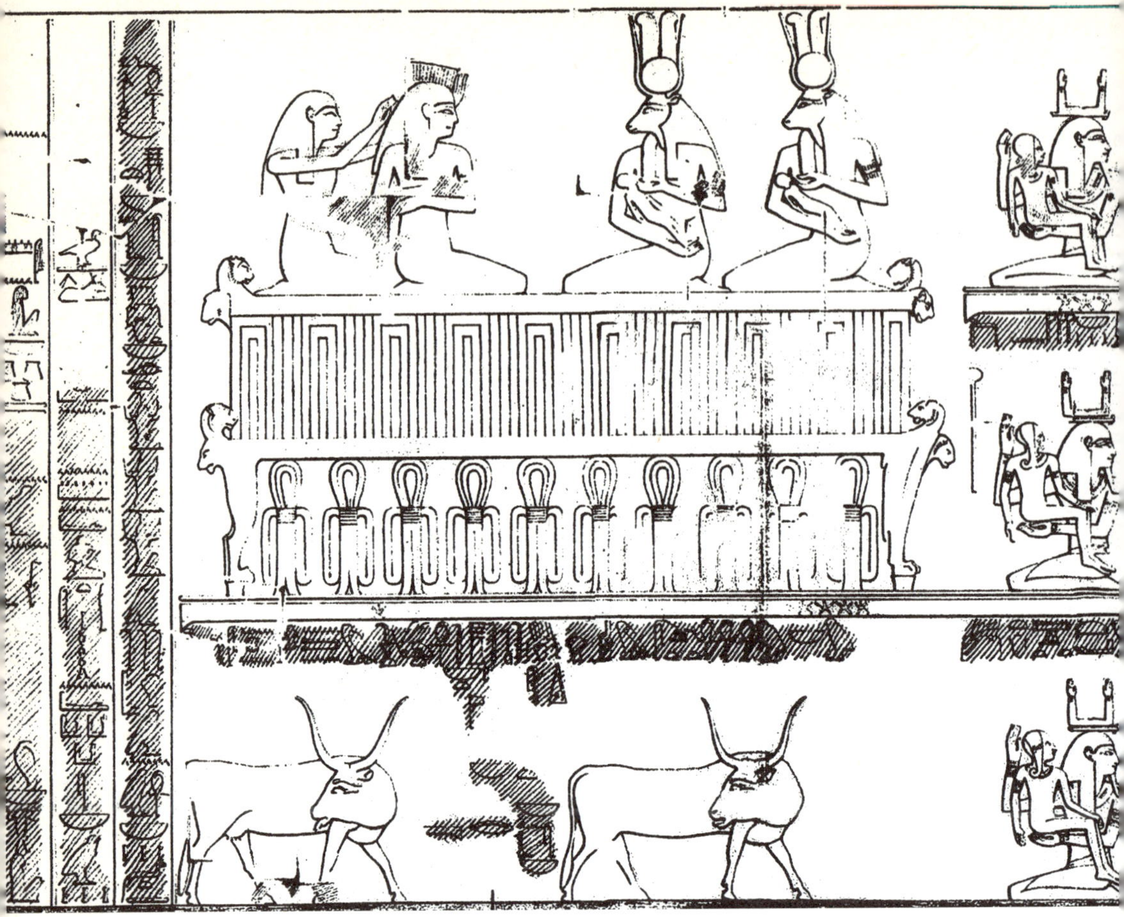

De surcroît, la reine désirait faire apparaître sous le second lit une scène se rapprochant encore davantage de la réalité humaine, et présentant deux vaches laitières [23]. Mais pour que le réalisme soit définitivement substitué à l'académisme des temps officiels révolus, elle insista pour qu'on reproduise une scène de la vie agricole où la vache, allaitant son petit [24], tourne la tête pour lécher le veau suspendu à son pis.

Dorénavant, Hatshepsout la théologienne continuera à honorer et à commenter la nature et l'œuvre de sa nourrice céleste. La multiplicité des chapiteaux hathoriques en est la preuve. Une chapelle-grotte serait certainement aménagée au Sud du *Djéser-djésérou*. La création de temples ou de chapelles-grottes apparaîtra hors de la région thébaine : la première frise à têtes d'Hathor n'était-elle pas déjà un des ornements de la magnifique chapelle de Sénènmout ? La bonne déesse habitera désormais la montagne thébaine, dans ses deux versants, à l'Ouest comme à l'Est, pour les souverains comme pour leurs sujets.

La naissance miraculeuse, figurée après la délivrance de la reine, est fêtée « publiquement ». L'enfant, issu du dieu apparaît en majesté avec ses 14 *kas*. Les nourrices royales, émanations d'Hathor, l'ont pris en charge. Finalement, le petit être et son *ka* sont présentés aux images divines. (D'après Naville)

La « nativité » commentée

La partie droite du tableau [25], toujours tracée sur les conseils de Sénènmout, convenait à la reine : douze génies accroupis tenant chacun l'image enfantine [26] du futur souverain, orné de la boucle de cheveux de l'enfance. En ajoutant les deux petits êtres dans les bras des nourrices aux douze enfants tenus par les génies, leur ensemble constitue les quatorze *kas* royaux [27] formant la personnalité complexe du *ka* royal, accompagnant sur terre l'enfant issu du dieu.

---

26. Les nourrissons représentés ici paraissent nettement plus grands qu'à la naissance.
27. Ce sont les 7 *kas* et les 7 *hemsout*.

Le chapitre se termine par le défilé de deux génies, celui du lait et celui de l'Inondation [28], ce dernier présentant les jumeaux au père divin. Les témoins de la scène sont ainsi informés de l'événement [29]. Plus loin, on verra Amon et Thot [30] occupés à verser sur le petit prince et son *ka*, avec chacun une aiguière, l'eau purificatrice du baptême accompagnée de ces mots : *« Tu es purifié avec ton* ka *pour recevoir ta dignité de roi de Haute et de Basse Egypte. »*

Enfin, Amon va présenter lui-même son héritier [31] aux dieux du Sud et du Nord.

Pour l'éternel renouvellement [32]

L'avenir du petit être est ainsi tracé, et pour qu'il ne puisse en aucun cas échapper à l'orbe du temps qui doit se renouveler sans cesse, Anubis intervient, sous la forme duquel on devine l'ombre d'Hatshepsout pour la première fois dans ce temple : en tant que bénéficiaire des rites, elle donne son impulsion à un grand disque [33] posé à terre, afin qu'il entreprenne son circuit, sans doute lunaire (?), de l'archaïque calendrier de la renaissance.

A droite du tableau, Khnoum semble donner le départ du

Les dernières passes magiques sont assurées par des Formes divines pour garantir la longévité, au ciel comme sur la terre, de la souveraine de l'Egypte. (D'après Naville)

mouvement en direction de Séshat, l'annaliste. Elle apparaît aussi pour la première fois, ici affairée à l'enregistrement de toute action touchant à la vie et aux jubilés terrestres et *post mortem* du souverain.

La conclusion de la théogamie

Tous ces rites mythiques, issus de la nuit des temps, ont très probablement contribué à inspirer des constructions théologiques exploitées en Orient, puis en Occident, au début de l'ère chrétienne.

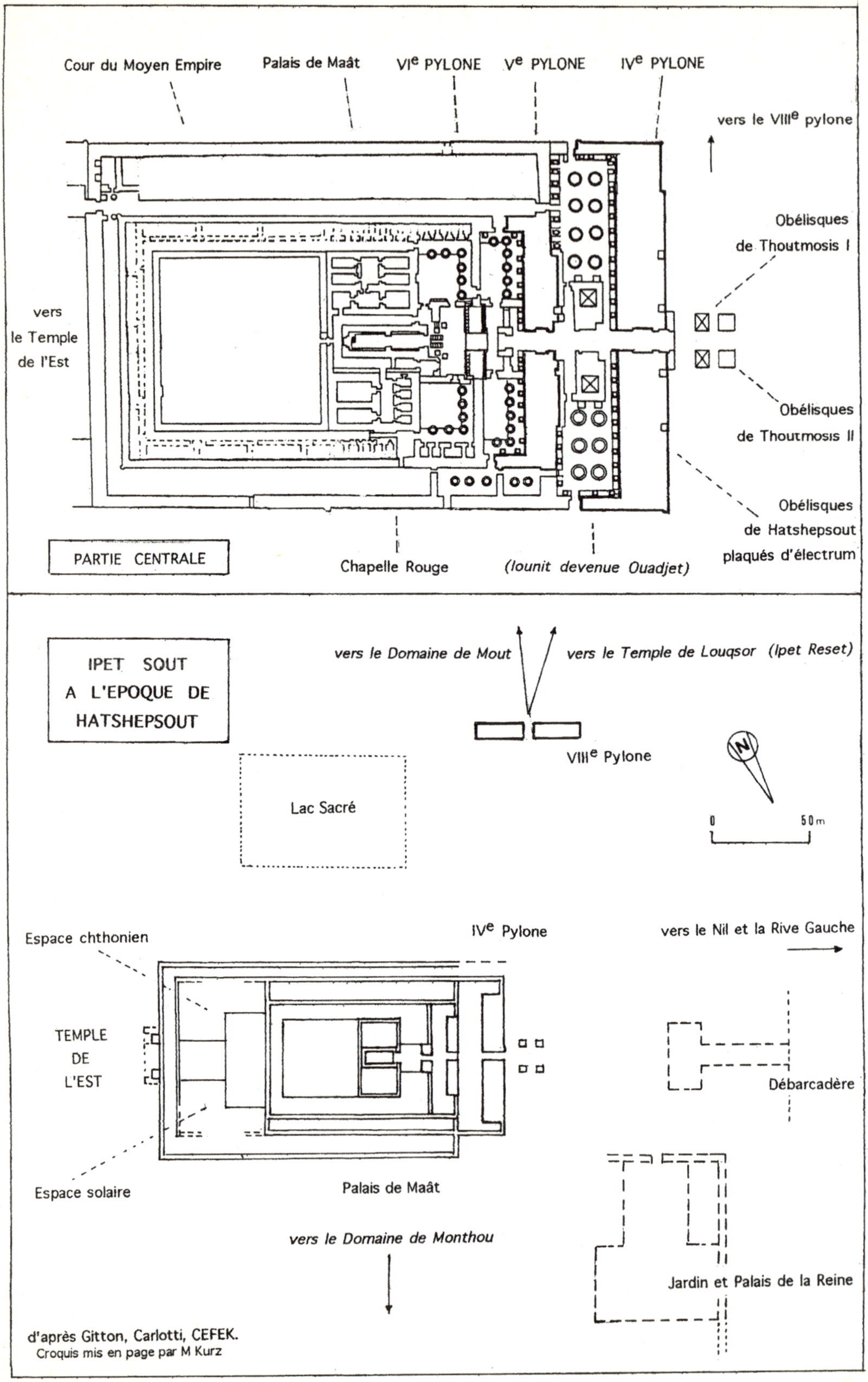
Cour du Moyen Empire
Palais de Maât
VIe PYLONE
Ve PYLONE
IVe PYLONE
vers le VIIIe pylone
Obélisques
de Thoutmosis I
vers
le Temple
de l'Est
Obélisques
de Thoutmosis II
Obélisques
de Hatshepsout
plaqués d'électrum
PARTIE CENTRALE
Chapelle Rouge
(Iounit devenue Ouadjet)
IPET SOUT
A L'EPOQUE DE
HATSHEPSOUT
vers le Domaine de Mout
vers le Temple de Louqsor (Ipet Reset)
VIIIe Pylone
N
0
50 m
Lac Sacré
Espace chthonien
IVe Pylone
vers le Nil et la Rive Gauche
TEMPLE
DE
L'EST
Débarcadère
Espace solaire
Palais de Maât
vers le Domaine de Monthou
Jardin et Palais de la Reine
d'après Gitton, Carlotti, CEFEK.
Croquis mis en page par M Kurz

X

HATSHEPSOUT ET SES TEMPLES L'OUVERTURE À L'HOMME

L'extrême originalité de la souveraine s'exprime, cela va de soi, dans le choix et l'aspect des monuments qu'elle décida d'ériger, tout en consolidant et en amplifiant même les édifices de ses devanciers.

Le souci de la reine

Hatshepsout demeure féminine avant tout, riche d'une sensibilité exprimée sur deux registres. En ce pays béni où l'architecture constitue le langage le plus efficace pour établir le contact avec le surnaturel, investie du pouvoir de faire bâtir pour le dieu, Hatshepsout veut s'efforcer d'allier la force avec la grâce, ce qui n'est pas aisé, et s'emploie avec bonheur à tempérer le colossal par la mesure et la sobriété. Un autre souci l'habite. Ces monuments, dont elle veut gratifier son pays pour la gloire de son dieu, ne doivent plus être complètement éloignés des humains. Elle veut aussi, en quelque sorte, communiquer par ce moyen avec son peuple, établir un trait d'union.

Notion générale du temple

Il faut, pour comprendre la souveraine, se reporter à la notion essentielle du temple, cette demeure sacrée et secrète, destinée à entretenir la « machine divine » et non à recevoir la dévotion populaire. De son temps, la rencontre entre le divin et le peuple se faisait uniquement par le truchement de la barque divine contenant l'image de la forme divine, ainsi révélée au cours des fêtes où la procession de la magnifique nacelle, portée par les prêtres sur des brancards, entraînait la foule au cours de son long cheminement entre deux sanctuaires. La composition du temple ne laissait pas filtrer la nature de ses éléments nombreux, rituels et bénéfiques, consacrés à la Couronne autant qu'à l'équilibre du pays ; ces locaux sacrés, introduisant le saint des saints, étaient défendus et masqués par un imposant mur d'enceinte, qui en faisait une véritable citadelle, radicalement opposée à l'état d'un haut lieu drainant tous les regards.

Le *Djéser-djésérou,* encore

La plus belle démonstration que la reine pouvait donner de sa réforme était la réalisation du *Djéser-djésérou*, la « Splendeur des splendeurs », dont elle attendait l'achèvement après de longs travaux, et où pour la première fois révérence allait être faite à la beauté harmonieuse, et surtout à la possibilité d'offrir un objet d'admiration à sa population.

Pour la première fois en effet, l'élévation d'un monument projeté, présentant trois gradins successifs, en magnifique calcaire couleur d'ivoire, accrochés à l'écran de la montagne, serait perçue par tous au-delà du mur d'enceinte. Son jardin, constituant un hymne à la nature, introduirait aux portiques historiés, certainement prévus dès lors pour constituer un enseignement ; ses piliers osiriaques pourraient frapper l'imagination, étant alors visibles en bordure des portiques. C'était une véritable révélation qui se préparait ainsi, lorsque la construction serait plus avancée et les échafaudages démontés. A l'étage supérieur, les locaux réservés au culte dans ce « Temple de Millions d'années » demeureraient naturellement protégés de la vue des profanes.

En ce tout début de l'année VIII, la belle reine, satisfaite des projets apportés par Sénènmout à la démonstration de sa nature divine, tenait à faire partir sans tarder l'expédition projetée

Le temple jubilaire de la reine. Le monument a été admirablement intégré dans le cirque rocheux au calcaire doré de soleil. Après le monticule de droite, se trouvait une grande carrière d'où la pierre fut extraite pour la construction du temple. Deir el-Bahari. (Photo J. L. Clouard)

depuis sa jeunesse vers le légendaire pays de *Pount*. Elle désirait néanmoins apporter d'urgence à la conception classique du sanctuaire d'Amon une amélioration d'envergure, répondant à son désir d'élargir les horizons de son dieu, en établissant cette indispensable approche entre le sanctuaire et la population, à la portée de tout entendement, en un mot, amorcer un dialogue.

L'orientation d'*Ipèt-Sout*

Certes, depuis des années, la souveraine vivait sous l'emprise d'Amon et venait une fois de plus, à propos de la théogamie, d'affirmer avec force les liens qui l'unissaient à son officiel géniteur. Cependant une ambiguïté subsistait encore : le point sensible se trouvait dans son protocole. En effet, celui des cinq grands noms de couronnement, celui qui devait coiffer son appellation de naissance, à savoir « fille du soleil », s'appliquait à un nom « roturier », Hatshepsout. Il lui fallait donc agir aussi en faveur du soleil, puisque les termes du protocole affirmait qu'elle en était la « fille ».

Le culte solaire retrouvé

En conséquence, il était nécessaire de prouver, à Karnak même, cette filiation solaire dont elle n'avait pas encore donné la preuve, et ceci sans pour autant négliger le seigneur de Karnak, roi des dieux, un « tard-venu » qui ne figurait pas dans le protocole de la plus ancienne des royautés.

Sur la rive droite du Nil, à l'est du temple *Ipèt-Sout*, Hatshepsout fit édifier un temple au Soleil-Levant, « *dédié à Amon-Rê- qui écoute les Prières* », et où les fidèles pouvaient venir s'adresser au dieu qui se penchait vers les hommes. Karnak-Est. (Photo Donadoni)

Lorsqu'elle avait pris soin de consacrer les deux obélisques [1] prévus pour son demi-frère et époux, le deuxième Thoutmosis, dans la « cour des fêtes », et devant le VIe pylône, elle songeait déjà à faire extraire des carrières de Séhel deux autres obélisques en granit rose, encore plus élevés, qu'elle avait l'intention de consacrer au soleil. Si l'on en croit l'inscription d'un de ses plus fidèles des fidèles, Thoutiy [2], chargé de recouvrir d'électrum ces deux aiguilles monumentales, leur hauteur respective aurait été de 108 coudées [3], c'est-à-dire approximativement 54 mètres. Les architectes et carriers avaient donc reçu l'ordre de renouveler l'exploit, encore plus délicat, exécuté du temps où Hatshepsout était encore Grande Epouse royale.

Maintenant, elle allait choisir en compagnie du Premier Prophète d'Amon, Hapouséneb, le meilleur emplacement où dresser au soleil ces monuments, introduisant un nouveau sanctuaire conçu dans les vues réformatrices et universalistes vers lesquelles elle tendait.

La souveraine s'était souvent interrogée sur les mobiles qui avaient présidé à l'orientation du domaine d'Amon, dont les pylônes successifs faisaient face à l'horizon occidental, région qui n'était pas spécialement celle de la lumière, et qui rencontrait les nécropoles où reposaient les défunts : là où meurt le soleil. Ses entretiens avec Sénènmout l'avaient alors incitée à diriger plutôt son regard vers la zone occidentale la plus proche du temple, celle où coulait du Sud au Nord le Nil, l'artère essentielle du pays, source de vie, qui chaque année ramenait dans les flots de l'Inondation Amon « le caché ».

Voilà pourquoi la grande porte d'*Ipèt-Sout* [4] et ses pylônes, ses obélisques et tous les locaux sanctifiés jusqu'au fond du sanctuaire, berceau de la barque sacrée, étaient tournés vers le lieu où l'on pouvait accueillir et bénir l'arrivée de Hâpy.

Mais il n'en était pas moins évident, pour autant, que l'ancestrale et imposante fondation de la royauté pharaonique, depuis la XIe dynastie, ne recevait pas sur ses façades successives le baiser vivifiant du soleil levant. Il fallait remédier à ce qui, aux yeux de la reine et du fin politique qu'était Sénènmout, semblait être une contradiction : le domaine du Premier Prophète et de son redoutable clergé devait cependant être ménagé.

Le temple de l'Est à Karnak

Hatshepsout choisit donc, loin du sanctuaire d'Amon, en dehors du premier mur de clôture, à l'extrême Est du domaine mais dans l'axe d'*Ipèt-Sout*, l'endroit où faire ériger, au soleil levant, les deux gigantesques obélisques plaqués d'électrum, transformés en extraordinaires et éblouissantes torches solaires, mais dont les bases étaient décorées d'images d'Amon en relief. A l'arrière seraient édifiés des bâtiments [5], des chambres latérales

Le groupe en albâtre représentant primitivement Amon et Hatshepsout assis côte à côte fut, par la suite, remanié en Amon et Thoutmosis-Menkhéperrê. (Photo Desroches Noblecourt)

précédées d'une « salle large » s'ouvrant à l'Est, ornée de piliers quadrangulaires en façade, décorés de statues « osiriaques », et reliés entre eux par des murs d'entrecolonnement. Le centre de la façade serait occupé par un monumental groupe, formé des images assises d'Hatshepsout et d'Amon placées dans un naos. L'ensemble devrait être sculpté dans un bloc monolithe d'albâtre, et la reine tenait à se faire représenter dans une robe féminine, et non pas dans un costume masculin de souverain [6]. En avant, comme encadrant la façade, les deux obélisques seraient dressés sur des bases de granit rose, posées rituellement sur des socles de grès [7].

Face au soleil levant, la reine près de son créateur « le caché » (*Imèn*) serait illuminée par l'astre irradiant, apparaissant comme l'expression vivante et visible du divin qui l'avait engendrée : elle devenait ainsi la fille d'Amon-Rê [8]. Cette discrète réforme, ce complément solaire ajouté au concept du « caché », ne devait très sûrement pas être acceptée sans certaines réticences – car assez révolutionnaire – par le Premier Prophète d'Amon Hapouséneb. Pourtant, là ne se limitait pas l'innovation. Ce nouveau sanctuaire de Karnak, conçu pour recevoir toute la dynamique de l'astre de vie, avait été appelé « Temple d'Amon qui écoute les prières ». Pour la première fois, un sanctuaire divin était conçu afin que la forme divine reçoive directement – en présence du souverain toutefois – les suppliques de ses sujets. C'était une innovation fondamentale, qui allait établir le contact, le dialogue entre l'homme et le divin. Jusqu'à ce jour, le maître de l'Egypte en avait été présenté comme le seul interlocuteur, inévitable et lointain [9].

D'autres travaux à Karnak

Hatshepsout avait délégué, dans les différentes provinces de *Kémèt*, architectes et maçons chargés de soigner les divers sanctuaires, négligés du temps de l'occupation étrangère, et dont ses devanciers n'avaient pu encore prendre en considération la rénovation. Elle prêterait plus tard la plus grande attention à ceux des temples dont elle devrait personnellement surveiller la reconstruction, en Moyenne Egypte principalement. Pour l'heure, la préparation du grand voyage vers *Pount* lui avait seulement laissé la possibilité de faire exécuter, sur la rive gauche, le vaste programme du *Djéser-djésérou*, et sur la rive droite à Karnak, de considérer les urgences. C'était avant tout, à l'arrière des salles qui entouraient le sanctuaire de la barque sacrée, l'édification

Chapelle édifiée par Hatshepsout dans la cour qui précédait le temple de Louxor afin de recevoir la barque de pèlerinage. Elle fut flanquée de deux autres pièces destinées à abriter les deux autres barques de la triade, sous le règne de Ramsès II. (Photo Desroches Noblecourt)

d'une grande salle de fête – munie d'un local solaire (au Nord) et d'un local osirien (au Sud) – appelée « Salle de fêtes d'Amon [10] ».

La reine devait aussi faire remanier les appartements du très mystérieux « Palais de Maât [11] », où elle avait été sanctifiée au cours des cérémonies de son couronnement.

Sénènmout veilla également à la construction d'un magasin à encens, pour recevoir les pastilles odoriférantes destinées au culte [12] :

« … La maîtresse des Deux Terres, Maâtkarê, la fille de Rê, Hatshepsout-qui-s'unit-à-Amon, a fait comme sa fondation pour son père Amon-Rê, de lui construire un magasin d'encens pour faire les pastilles de chaque jour, afin que ce domaine soit toujours dans l'odeur de la Terre du dieu… »

Le VIIIe pylône

Karnak était redevenu le chantier de construction le plus important. Celui des monuments qui tenait le plus au cœur du Premier Prophète d'Amon, Hapouséneb, était bien le bâtiment que nous désignons de nos jours sous le nom de VIIIe pylône. Il devait marquer magistralement le point de départ de l'allée de sphinx menant au temple de Mout, objet de la particulière attention de Sénènmout, et près duquel il avait été autorisé à faire construire une petite chapelle, nouvelle marque de faveur accordée par la reine [13].

C'est aussi à partir de ce grand pylône que devait se former la grande procession du Jour de l'An comme celle de la fête d'*Opèt*, la plus populaire de toutes les panégyries, conduisant la barque du dieu Amon et plus tard son escorte familiale, les barques de Mout et de Khonsou, véhiculées jusqu'au temple de Louxor, l'*Ipèt-résèt.* Hatshepsout projetait déjà, dès le retour de l'expédition de *Pount*, de faire édifier des chapelles de station, reposoirs, pour recevoir la nef sacrée durant son parcours, afin de l'offrir à la vénération de la foule, alors qu'à l'entrée de la cour du « Harem du sud » (*Ipèt-résèt*) un très élégant bâtiment aux

La barque d'Amon, la Outès-Néférou, sortant de sa chapelle de Karnak, véhiculait la statue divine vers Louxor pour la « Belle Fête d'Opèt ». Chapelle rouge de Karnak.
(Photo A. Ware)

Toujours portée sur des brancards, par les prêtres d'Amon, la barque regagne sa chapelle après avoir traversé le Nil sur la grande péniche d'Amon, à l'occasion de la Belle Fête de la Vallée, jusqu'à Deir el-Bahari.
(Photo A. Ware)

colonnes extérieures fasciculées abritait la chapelle destinée à la barque. Durant toute la célébration divine, Amon allait régénérer en ces lieux son *ka* divin [14] (sous Aménophis III, deux autres chapelles furent édifiées pour les barques de Mout et de Khonsou).

Ce VIIIᵉ pylône, dont l'axe devait être naturellement perpendiculaire à celui du grand temple (*Ipèt-Sout*), rencontrait celui-ci à l'endroit où les deux obélisques prévus pour Thoutmosis II avaient été dressés par ordre d'Hatshepsout. Au début de l'an VIII, on apercevait déjà les assises des tours du pylône, aux joints d'une extrême finesse, remarquablement assemblées avec un soin unique. Les blocs avaient déjà été extraits des carrières du Gebel Silsilé. Leur base était, exceptionnellement, de calcaire fin. Ces deux tours, en forme de trapèze, étaient prévues pour être naturellement reliées par une porte à corniche. Devant leurs immenses façades tournées vers le Sud, Hatshepsout rêvait de faire figurer six statues colossales assises, illustrant les membres, passés et présents, les plus éminents de la Couronne.

Ce monument notoire de la famille porterait équitablement les noms jumelés des deux corégents, répondant ainsi à la règle dont Hatshepsout ne se sera jamais départie [15].

Le VIIIᵉ pylône construit sous les ordres du Premier Prophète d'Amon, Hapouséneb, pour la gloire d'Hatshepsout. Cette monumentale porte, ouvrant vers les sanctuaires du Sud, possédait une façade méridionale ornée de statues des membres de la famille des Thoutmosides. (Photo J. L. Clouard)

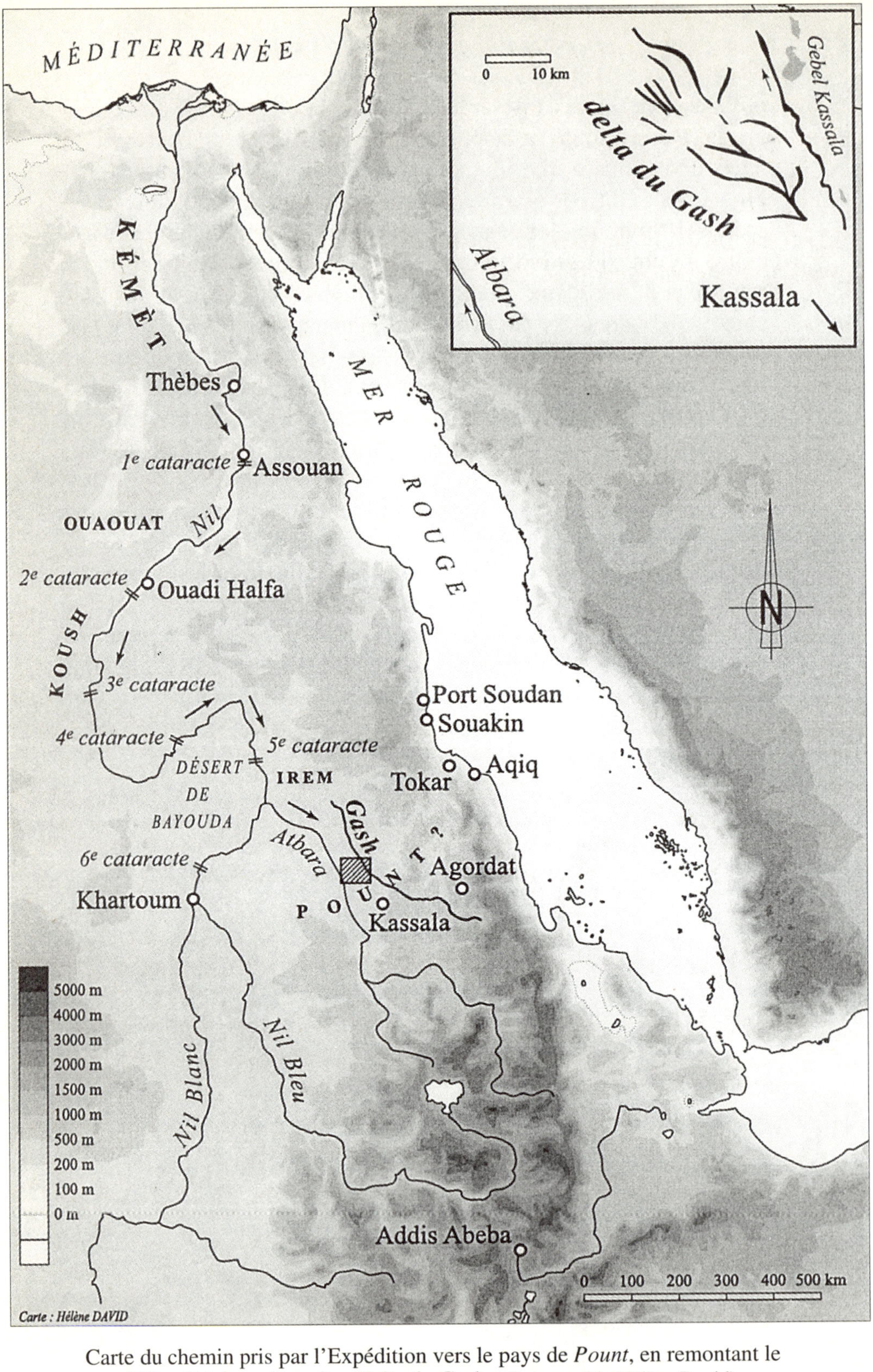

Carte du chemin pris par l'Expédition vers le pays de *Pount*, en remontant le Nil et l'Atbara, jusqu'au Delta du Gash. (Cartographie Hélène David)

XI

LES PRÉPARATIFS
L'EXPÉDITION AU PAYS DE *POUNT*

Les problèmes à régler

Ce matin du 2e mois de la saison *Akhèt* (l'inondation), le 1er jour de la VIIIe année du règne [1], Hatshepsout s'était réveillée en sursaut : elle venait de voir en rêve son vieil ami Inéni, décédé depuis deux années. Il lui était apparu dans le cadre de son jardin si fameux, craignant, lui avait-il dit avec emphase, que l'expédition au pays de *Pount* ne puisse se réaliser : elle n'avait pu lui répondre, l'image ayant aussitôt disparu. N'importe ! Loin de s'effrayer d'une telle prophétie, la reine au contraire était maintenant, après tant de doutes, convaincue du succès de pareille aventure !

Où se trouvait le pays de *Pount* ?

N'était-il pas connu, après consultation du *Grand Livre des rêves* [2], qu'il fallait toujours être assuré du contraire de ce qui était révélé en songe ? Tout était donc de bon augure pour ce projet qu'elle voulait réaliser depuis tant d'années, car, depuis sa jeunesse, Hatshepsout rêvait au lointain pays de *Pount*, dont on disait que c'était la Terre du dieu... il y avait bien une raison. Etait-ce parce qu'il produisait ces merveilleux arbres d'où l'on tirait l'oliban, la myrrhe, l'encens révélateurs de la présence divine ?

Les expéditions guerrières du premier Thoutmosis n'avaient jamais passé la 5e Cataracte, ni gagné les horizons des régions orientales du Haut Nil dont, disait-on, provenaient les précieuses résines odoriférantes qui servaient aussi à satisfaire l'esprit divin au fond de son sanctuaire. Ces produits atteignaient l'Egypte grâce aux caravaniers, les *sémèntiou* [3], parcourant les régions orientales loin du Nil : ils périssaient parfois victimes de redoutables bédouins. Ce mot de *sémèntiou* apparaît sous le règne d'Hatshepsout dans une inscription de Deir el-Bahari à propos de l'expédition au pays de *Pount*, dont il semblait que le chemin direct pour s'y rendre avait été oublié ou abandonné. Amon, dans son oracle (*Urk.* IV, 344, 11-16), rappelle que « *les merveilles qu'on en rapportait (du temps) du père de tes pères (passaient) de main en main et en échange de nombreuses contreparties, mais personne ne l'atteint (maintenant) sauf les* sémèntiou ». Les *sémèntiou* étaient les agents des rois et des princes chargés de rencontrer les caravanes véhiculant des produits rares venant de l'étranger, et auxquels ils n'avaient pas toujours accès directement. Ils étaient également des interprètes et d'habiles informateurs.

Cependant, aucun site précis n'avait été indiqué à la jeune Hatshepsout, du temps qu'elle était encore Epouse royale, mais elle se promettait de mener l'enquête.

Les troupes royales, depuis le début de la dynastie, avaient pour chaque action répressive dans le Sud emprunté le Nil jusque dans la région de Tombos, au sud de la 4e Cataracte. Pillards et rebelles avaient été châtiés du temps de Thoutmosis Ier. A chaque occasion, Inéni avait profité de la légère pénétration de l'armée sur la rive orientale du Nil [4] pour explorer les terrains où découvrir une végétation nouvelle, et peut-être une faune inconnue. Partout, les habitants interrogés lui avaient précisé que des « arbres qui pleuraient des senteurs » existaient vers les « horizons du soleil [5] ». Aussi, à chacun de ses retours à Thèbes, le savant Inéni n'avait pu enrichir son jardin

4. Mais il avait très vite rencontré le désert de Bayouda (*cf.* la carte).

botanique d'arbres à encens, en revanche il avait assuré Hatshepsout de leur possible accessibilité, et lui avait précisé qu'on devait, pour les atteindre, s'engager d'abord sur le *Ouadj-our* (« le Grand Vert ») [6], c'est-à-dire sur le fleuve en période d'Inondation, puis quitter le grand fleuve à un certain moment pour pénétrer par une moindre voie d'eau dans les terres du pays de *Pount*.

Depuis longtemps, j'avais compris que le terme *Ouadj-our*, le « Grand Vert », véhiculant les têtes de papyrus au début de l'Inondation, définissait avant tout le Nil en débordement. Par extension ce terme peut signifier « étendue d'eau », « grand lac », « mer ». Cependant, la plupart du temps, on ne peut se tromper, lorsque les Egyptiens qui se méfiaient de la mer et de son eau salée, stérile, faisaient des libations avec *Ouadj-our*, c'était avec l'eau particulièrement douce de l'Inondation. Par un cheminement un peu différent, mon excellent collègue Cl. Vandersleyen est arrivé à la même conclusion. Il vient de consacrer à cette étude un livre complet et fort concluant, en dépit de quelques objections émanant de certains esprits moroses, désespérément attachés à de désuètes idées reçues [7].

Une grande partie des difficultés rencontrées pour localiser le pays de *Pount*, jusqu'à aujourd'hui, est justement l'interprétation qui a été faite du mot *Ouadj-our*. Aussi longtemps que l'on ne s'est pas avisé d'approfondir sa signification, et aussi des conditions et du rôle primordial joué par le Nil et son régime particulier, on traduisait *Ouadj-our* par « mer », puisque *Ouadj-our* signifiait « le Grand Vert », – en parallèle, nous avons en Occident « la Grande Bleue » ! Les difficultés alors ont commencé lorsqu'il a été question de localiser les rares allusions au voyage vers le pays de *Pount*. Je suis naturellement tombée dans la même erreur, lorsque j'écrivais en 1953 [8] que s'il fallait passer par la mer, les voyageurs qui se rendaient à *Pount* n'avaient que deux solutions à leur disposition :

a/ en s'appuyant sur des inscriptions assez difficiles à comprendre, on avait conclu qu'en partant de Thèbes, comme c'est le cas pour la flottille d'Hatshepsout, on devait descendre le Nil jusqu'à Coptos, point de départ de la route caravanière se rendant aux mines d'or et de greywacke du Ouadi Hammamat, pour aboutir au port de Qoseir sur la mer Rouge, 200 km plus loin. De là, on construisait un bateau. Pour en obtenir plusieurs c'était encore plus irréel, car où trouver tant de bois sur place ? Alors le départ maritime se faisait vers les côtes de l'Erythrée et de l'Arabie heureuse, puisque les rares inscriptions disaient que *Pount* « se trouvait des deux côtés de *Ouadj-our* » : la mer ? Donc Somalie – Arabie. L'épreuve ne faisait que commencer. Une fois le chargement achevé, il fallait refaire à l'inverse le même trajet, et en arrivant au port de Qoseir, recomposer une caravane d'hommes et d'ânes pour transporter sur les 200 km du Ouadi Hammamat les animaux, les arbres verdoyants avec leurs racines, etc. Cette reconstitution, proposée par des savants peu rompus à ce genre de voyage, me paraissait irréelle. C'est la raison pour laquelle il me fallait trouver un itinéraire pour la flottille d'Hatshepsout, composée de 5 bateaux partant du Nil et revenant sur le Nil après avoir gagné la mer.

b/ la seconde solution à laquelle j'avais été obligée de me résoudre était que pour gagner la mer il fallait descendre le cours du Nil jusqu'à la pointe du Delta, d'où il semblait que le canal d'eau douce voulu par les Sésostris aurait été aménagé pour gagner le Nord de la mer Rouge. Il semble que l'on soit assuré, maintenant, que ce canal n'a pu être utilisé que sous Darius, du temps de l'occupation perse.

On verra plus loin que, lorsque Hatshepsout dut choisir le trajet de son expédition de *Pount*, elle n'hésita pas à pousser plus avant la pénétration de son père au-delà de la 4e Cataracte, et que sa flottille arriva jusqu'au confluent du Nil et de l'Atbara, au Sud de la 5e Cataracte : le meilleur moyen d'accomplir toute la mission sans transbordement et sur les mêmes bateaux.

Le problème de *Ouadj-our*

Hatshepsout avait donc poursuivi son enquête dans le plus grand secret. Elle avait appris que, bien avant le temps des pyramides, le mot *Ouadj-our* évoquait principalement une zone et une étendue du Nil, vers le grand Sud de l'Egypte, qui au moment de l'Inondation prenait une teinte vert blanchâtre, ainsi colorée par les têtes de papyrus et les jacinthes sauvages arrachées dans la région du Sud, traversée par le Nil Blanc après le passage du Bahr el-Ghazal.

L'expédition de Hénou

Des expéditions avaient été organisées à nouveau dès le début du Moyen Empire vers cette Terre du dieu, toujours pour la même quête. La plus célèbre remontait au règne de Monthouhotep III [9], on en parlait encore aux temps d'Hatshepsout : c'était l'exploit réalisé par le Grand Intendant Hénou (ou Hénénou), mais ses aventures paraissaient invraisemblables aux yeux de la reine. En effet ce fameux Hénou, sollicité par son roi, aurait été envoyé au pays de *Pount* pour rapporter au palais l'*ânty* odoriférant. Il était parti de Coptos sur le Nil, entre Abydos et Thèbes, afin de gagner la mer. Pour ce faire, laissant Coptos et le Nil, il aurait alors traversé environ 200 km de désert au Ouadi Hammamat, emmenant avec lui 3 000 hommes, chacun porteur d'outres et de jarres d'eau et de 20 pains par jour, accompagnés par des ânes chargés du matériel. Sur tout le chemin de roc et de sable, il aurait fait forer des puits (plus de 14 !). Enfin, en atteignant *Ouadj-our*, il aurait construit un bateau destiné à ramener les produits de la Terre du dieu, où il aurait ainsi pu se rendre.

Un autre trajet ?

Cette histoire, qui avait été écrite sur une paroi rocheuse du Ouadi Hammamat [10] parce que Hénou y était allé ensuite extraire la belle pierre des carrières pour son roi, demeurait une énigme pour Hatshepsout. Elle ne pouvait pas reconstituer l'itinéraire pris par le voyageur, et la construction d'un bateau à la suite d'un trajet dans le Ouadi Hammamat. Hénou n'aurait-il pas plutôt traversé le désert dans le pays de *Koush* (Soudan), par la route caravanière qui part de Korosko (en Nubie) pour aboutir à Abou Hamid, afin d'éviter la grande boucle du Nil, où le fleuve redescend brusquement vers le Sud, ce que les navigateurs appellent *mou-ked*, c'est-à-dire « l'eau inversée [11] » ? C'est après ce raccourci, qui permet également de ne pas affronter la 3e et la 4e Cataracte, que Hénou aurait pu rejoindre le Nil à l'emplacement d'Abou Hamid.

---

9. VdS, p. 34-36 ; du même auteur, « Les inscriptions 114 et 1 du Ouadi Hammamat (IIe dynastie) », *Mélanges Van de Walle*, Bruxelles, 1989, p. 148-158.

L'expédition d'Imény

Par ailleurs, une inscription gravée au Ouadi Gaouasis, non loin de la mer Rouge, avait permis de faire savoir à la reine que, en l'an XXIV du règne de Sésostris Ier (vers 1960 avant notre ère), et sous les ordres du vizir Antefoker, le Héraut Imény, fils de Monthouhotep, avait dirigé une expédition vers *Pount*, composée de 3 756 membres, dont 500 marins et 3 200 soldats. C'était l'époque de l'installation de la force égyptienne sur toute la région de la 2e Cataracte, et non celle de la conquête vers le Sud.

Dans cette inscription, le roi avait ordonné à son vizir de faire construire, dans les docks de Coptos, une flotte pour aller à *Pount*. Ces bateaux avaient été construits sur la rive de *Ouadj-our* [12].

Hatshepsout ne comprenait pas davantage comment ces bateaux, construits sur le Nil, à Coptos, au Nord de Thèbes, avaient été transportés à travers le désert pour embarquer toute l'expédition vers *Pount*. Sans doute, là encore, en revenant d'une autre mission (moins importante, peut-être du Sinaï), Imény, en traversant le Ouadi Gaouasis, avait-il fait graver cette inscription qui représentait, sans doute, le meilleur morceau de bravoure de sa carrière.

L'expédition de Khentykhéty-our

Ces deux premiers témoignages des siècles passés, soumis à la reine et donnés en exemple lorsqu'elle avait commencé à réunir toutes les données du problème concernant le voyage à Pount, pouvaient être interprétés de diverses manières. Cependant une stèle, remontant également au Moyen Empire, choisie parmi plusieurs exemples trouvés au Ouadi Gaouasis, constituait une preuve formelle d'un retour de *Pount* par un port égyptien, bien que le mot *Ouadj-our* n'ait pas été indiqué. C'était le monument d'un Chancelier royal nommé Khentykhéty-our, daté de l'an XXIV du règne d'Amenemhat II. Il avait dédié sa stèle à la forme divine de Min de Coptos, pour lui rendre grâce, à cause de son heureux retour du pays de *Pount*, à *Souou* (Ouadi Gaouasis), son armée et lui-même, sains et saufs, et ses bateaux de même.

Il n'y avait plus de doute, la reine devait être convaincue : à cette époque on allait généralement à *Pount* par bateau, la route du Nil n'étant pas assurée sur tout le parcours.

Interrogé à maintes reprises sur cet itinéraire par la mer Rouge, Ahmès Pen-Nekhbet, l'ancien compagnon d'armes du premier Thoutmosis et grand connaisseur du Sud, accusait en tout cas Hénou (ou son scribe) d'avoir glissé des erreurs dans son récit. Pour appuyer le verdict du vieux précepteur de la princesse, la dame Sat-Rê avait souvent évoqué le *conte du naufragé*, remontant au Moyen Empire, où il était bien écrit sur le papyrus [13] de la bibliothèque du Palais que le marin, se rendant vers les « mines du Prince », vers la *Terre du dieu*, était bien parti et bien revenu sur *Ouadj-our*, et était en définitive, pour regagner son pays, passé devant *Sènmèn* près de l'île d'Eléphantine et de la 1re Cataracte, donc sur le fleuve. Ainsi, on pouvait certainement, à cette époque, se rendre au pays de *Pount* et en revenir par le Nil, ou du moins pour la plus grande partie par le fleuve. Ce qui avait été tenté au Moyen Empire devait être d'autant plus réalisable après les campagnes victorieuses du premier Thoutmosis. Plus que jamais la reine désirait faciliter, améliorer le voyage pour la quête de l'oliban… Il lui faudrait innover et simplifier, ce qui était constamment son objectif. Au reste, le chemin avait, en partie, été tracé par son père. Elle allait charger Néhésy, qui connaissait bien le Nil et ses riverains, de tout prévoir pour le parcours fluvial.

Le meilleur chemin

Hatshepsout avait en conséquence et par ailleurs envoyé les meilleurs de ses « caravaniers » explorer les chemins qui devaient mener des rives du Nil, au-delà de la limite atteinte par les armées de son père, vers la région où se trouvaient les arbres à encens et les produits des terres environnantes. Lorsqu'elle aurait réuni tous les renseignements, lorsqu'elle serait assurée du chemin à suivre, elle organiserait la première expédition qui permettrait à son pays d'être en relation directe avec *Pount*. Dorénavant, le commerce se ferait sans intermédiaire avec la Couronne, et ne compterait plus sur l'entremise de l'ancienne et souvent redoutable puissance de Kerma, que son père avait jugulée [14].

Les décisions de la reine

Son audace avait été encouragée depuis longtemps par Inéni. Il lui avait donné en exemple les végétaux rares qu'il avait rapatriés du Sud et transplantés dans son jardin de Thèbes, lui assurant qu'il lui serait certainement possible à son tour de faire croître jusqu'aux pieds d'Amon les arbres de la Terre du dieu pour parfumer son domaine et alimenter son culte.

En contentant son père Amon, Hatshepsout envisageait, parallèlement, l'ouverture de chemins commerciaux d'envergure, et d'échanges fructueux. Mais elle tenait surtout à s'informer de la nature de ce pays de *Pount*, de la façon dont son chef et ses habitants vivaient ; elle voulait entendre parler des paysages différents de ceux qui l'entouraient, de la richesse de la végétation, de la variété des animaux. Et pour la joie de tous, les hamadryas et les cercopithèques, les plus étranges des quadrupèdes, viendraient enrichir son jardin zoologique. Ce qui ne pourrait pas supporter le voyage, les plantes délicates, les fleurs et les habitants de l'onde, elle ordonnerait à ses dessinateurs de les enregistrer en des relevés très méticuleux.

Le rocher de Napata, au pays de *Koush*, repère du dieu dont l'image sous forme de serpent jaillit à l'extrême gauche. Thoutmosis III fit ériger contre ce rocher un temple au dieu Amon. (Photo T. Kendall)

La Terre du dieu – Quel dieu ?

Mais il restait encore la question essentielle à percer : pourquoi ce pays de *Pount* était-il considéré comme la Terre du dieu ? Quel dieu ? Quel indice pouvait mettre la reine – et ses éventuels théologiens – sur le chemin de la compréhension ? Les récits des fréquents passages de son royal père, lorsqu'il allait combattre autour de la 4e Cataracte, lui revenaient à l'esprit. Ainsi, en passant devant le grand rocher de Napata, Âakhéperkarê avait à plusieurs reprises aperçu la haute pierre qui paraissait jaillir, tel un cobra dressé devant la massive montagne [15]. Les indigènes avaient assuré au roi que ce jeu de la nature était l'image pétrifiée du serpent d'Amon-Nil, vénéré dans ce lieu. Le Grand-prêtre d'Amon, Hapouséneb, libre de dévoiler certaines vérités longtemps occultées, et Sénènmout, soucieux d'approfondir les textes sacrés, avaient éclairé la souveraine.

Le serpent du Nil

Le serpent mystérieux du *conte du Naufragé* et le serpent de Napata étaient bien ce même symbole du Nil tout le long de son cours. Au reste, la longue barbe incrustée de lapis-lazulis de l'étrange reptile décrit dans le conte « initiatique », c'était bien la longue et fine barbe recourbée, la *khébésèt* qui avait été prêtée par le rituel aux effigies d'Amon, bien différente de la barbe factice du roi, et aussi de celle de ses seigneurs [16]. Cette barbe avait été affectée à la momie d'Osiris, que le mythe faisait revenir avec les eaux de l'Inondation chaque année. Autre point de réflexion, les habitants de *Pount* étaient appelés les *Khébèstious* [17], « les gens à la barbe recourbée » de la *Terre du dieu.*

Amon, à la barbe recourbée, était-il donc originaire de la Terre du dieu ? C'était *Amon la force cachée*, lui avait alors révélé Hapouséneb, Amon le fécondateur. Cette Inondation bienfaisante pour l'Egypte, sans laquelle rien ne pourrait vivre, proviendrait-elle du « Pays du dieu », cette terre couverte des odeurs sublimes des régions abritant la présence divine, vers laquelle l'Atbara conduit, qui prend sa source au Nord du lac Tana en Ethiopie ? On sait, au sujet de l'Inondation du Nil, que le phénomène se produit en deux temps. Au début du mois de juillet, le Nil Blanc, alimenté par les grands lacs, commence à véhiculer en abondance des eaux verdâtres. Quelques semaines après, l'Atbara se jette dans le Nil Blanc, au Nord de l'endroit où le Nil Bleu d'Ethiopie rejoint le Nil Blanc (de nos jours à Khartoum). En parcourant son lit, l'Atbara détache de ses flancs les terres ferrugineuses formant les alluvions fertilisantes qui se répandaient sur l'Egypte plus au Nord, pendant quatre mois chaque année. Ce sont donc les terres de l'Atbara qui nourrissent en grande partie la terre d'Egypte. De ce même pays de *Pount*, arrivaient en Egypte, chaque année avec l'Inondation, les vestiges des bananiers sauvages d'Abyssinie (le *Musa ensete*), arrachés des terres par la violence des eaux, et que les hommes du néolithique représentaient déjà sur leurs poteries funéraires avec les bateaux, pour fêter leur réveil annuel à chaque Nouvel An, en l'honneur du dieu et de son pays d'origine [18].

Le Nil Bleu, issu du lac Tana, les véhiculait. Aux temps légendaires, Amon avait donc régné sur *Pount*.

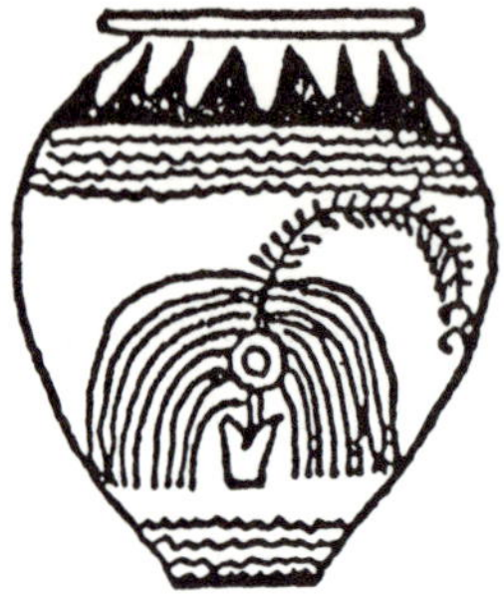

Vase néolithique portant l'image du bananier sauvage d'Ethiopie (le « *Musa ensete* »).

Le « *Musa ensete* » éthiopien : le long régime de bananes jaillit de hautes touffes de feuilles harmonieusement courbées, ici fanées. (Photo de Denis Gérard)

A gauche : Des échafaudages modernes ont été fixés à leur place antique pour accéder à la « tête du serpent dressé ».
A droite : Sommet de l'éperon rocheux épousant la tête du serpent dressé.
(Dessins T. Kendall)

A gauche : Ce dessin ainsi que les deux autres en bas de la page 200 sont les reconstitutions de Timothy Kendall, l'égyptologue américain qui a fait la périlleuse escalade de l'éperon du grand rocher de Napata (un « jeu de la nature »). Il a reconnu que son sommet empruntait bien l'aspect général de l'uræus dressé. Sur la poitrine du reptile une inscription dédicatoire avait été recouverte d'une plaque d'or. (Dessin T. Kendall)

En dessous : Le rocher habité par Amon devant lequel jaillit l'éperon rocheux en forme de serpent est évoqué au sommet du mur Sud de la grande salle du temple de Ramsès II en Abou Simbel. Le roi lui fait offrande.(Dessin T. Kendall)

Un nouvel oracle

Hatshepsout avait ainsi ordonné la construction de cinq bateaux à voiles et à rames, munis d'un grand mât central [19], pour cette expédition pacifique, navires cependant armés, comme elle ne manquait pas de le rappeler. Simultanément, le Grand-prêtre d'Amon faisait connaître au pays entier qu'un nouvel oracle avait été rendu par Amon à l'intention de la reine, dans son temple [20] :

« Le roi lui-même, roi de Haute et de Basse Egypte Maâtkarê, la Majesté de la Cour s'approche de l'escalier du seigneur des dieux, et entend l'ordre issu du Grand Siège, l'oracle de la bouche du dieu lui-même : "Rechercher les routes vers Pount*, découvrir des chemins vers les escaliers de l'oliban, conduire l'armée par eau et par terre pour rapporter les merveilles du Pays du dieu, ce dieu même qui a créé sa perfection."* [21] *»*

Quel programme !

Hatshepsout savait maintenant où son expédition armée allait se diriger. Ses *sémèntiou* (caravaniers) étaient revenus de leurs prospections et lui avaient indiqué que le meilleur chemin pour atteindre au but était de remonter le Nil, de dépasser la 5ᵉ Cataracte et de traverser ainsi la région appelée *Irem* [22], au sud de *Miou*. A peu de distance, le flot deviendrait assez tumultueux, car son cours serait rejoint par les eaux d'un fleuve aux teintes couleur de terre, rougeâtres, et qui viendraient de la zone orientale (l'Atbara, celui qui apportait ses alluvions à l'Egypte).

L'expédition pourrait ainsi pénétrer dans l'intérieur des terres où il serait possible de mouiller la flottille. Les *sémèntiou* avaient alerté les riverains et le chef du pays, qui s'empresseraient d'accueillir l'ambassadeur de Sa Majesté ; ensuite le pays serait ouvert aux envoyés de la reine, qui auraient la liberté de circuler au cœur de la région où trônait une courte et large rivière, se répandant en méandres comme les doigts de la main (le futur delta du Gash, sur le chemin de Kassala). C'était le centre de rencontre le plus important de cette zone orientale du pays de *Koush* (Soudan), longeant la frontière des hommes d'Erythrée.

Il semble donc dès lors évident de localiser le pays de *Pount* dans le quadrilatère placé à la limite de l'Erythrée et du Soudan, sur la partie orientale du territoire situé entre l'Atbara et le Nil Bleu, limité à l'ouest par la portion du Nil Blanc enrichie par le Nil Bleu, après Khartoum.

Evitant les montagnes, les navigateurs d'Hatshepsout durent remonter l'Atbara et se diriger en direction de Kassala, dans la vallée accueillante du Gash, vers laquelle ils pouvaient aboutir facilement, arrivés ainsi à mi-chemin, sur 300 km entre le Nil et les rives de la mer Rouge (le point le plus au Nord étant actuellement Port Soudan, au Nord d'Aqiq), et sur un territoire qui dut être fréquenté depuis des millénaires. Les travaux de Rolf Herzog [23] avaient déjà apporté une étude dont il était impossible de ne pas tenir compte, et que reprend K. Kitchen, sans toutefois abandonner l'arrivée par la mer Rouge. Rodolfo Fattovich en apporte maintenant la très logique certitude de l'archéologie, à l'issue de plusieurs études [24].

Il conclut (p. 263) : « The peoples living along the northern Ethiopian-Sudanese borderland were able to exploit the main resources of Punt within the frame of their possible seasonal movements and to control the trade routes between Ethiopia and Nile Valley. Aqiq and Kassala might have been the entries to the region from the sea and the inland, while Agordat might have been the gateway to the highland. » Je tiens à remercier Madame Anne Saurat de m'avoir signalé plusieurs études concernant les travaux de Rodolfo Fattovich en Ethiopie.

On sait maintenant que les premiers sondages exécutés par R. Fattovich dans le delta du Gash, près des montagnes de Kassala, sur la frontière Est du Soudan, sont concluants. Ses fouilles ont livré, sur place, une quantité considérable de poteries, appartenant à la culture de Kerma (groupe C) des Soudanais à cette époque. Ce qui prouve des relations entre les Soudanais du haut Nil et le delta du Gash. De surcroît, un groupe de 172 poteries cassées du Nouvel Empire provient également du même endroit [25]. Ce centre était à égale distance de la mer Rouge et du Nil. Les plus beaux produits de l'Afrique orientale y étaient apportés. Toute la région était riche en aromates. Ainsi arrivée par eau, l'expédition de la reine continuerait « sur terre » comme l'oracle l'avait prédit, et pourrait ensuite parcourir la région jusqu'à la prochaine Inondation.

Connaissances des voyages vers *Pount*

Il convient ici de donner à mes lecteurs quelques informations sur la localisation du pays de *Pount*, puisque jusqu'à présent la question demeurait ouverte. J'ai d'abord été guidée, en cela, par l'assurance que j'avais de reconnaître dans le fleuve Atbara, cet affluent abyssin du Nil dont les eaux boueuses arrachées à ses rives ferrugineuses par l'ardeur des flots ont, de tout temps, contribué à forger la terre d'Egypte. « La Terre du dieu est située des deux

24. Dont : « The Problem of Punt in the Light of recent Field Work in the Eastern Sudan », *Akten des vierten internationalen Ägyptologen Kongresse, Munchen 1985*, Bd 4, Hambourg, 1991, p. 257-267.

côtés d'*Ouadj-our* », ce qui correspond à localiser *Pount* entre l'Atbara et toute la région humidifiée par le « delta du Gash », dont le cœur est Kassala et qui se prolonge jusqu'à la mer Rouge.

C'était donc dans cette région (extrême-) orientale du Soudan, près de l'Erythrée, qu'il fallait trouver le terrain favorable à la localisation du pays de *Pount*. Les recherches archéologiques exécutées par Rodolfo Fattovich, dans la région de Kassala, m'ont définitivement convaincue. Cet auteur a non seulement constaté que, depuis toujours, le delta du Gash était bien le lieu de rencontre et de troc pour nombre de produits apportés de plusieurs coins de l'Afrique noire, mais que les fragments de poterie koushite (soudanaise) et égyptienne, trouvés sur place, prouvaient l'existence de rencontres entre les deux pays, et des échanges qui en avaient été le résultat.

Ce delta du Gash, qui paraît être en certains endroits pris dans les ramifications de la rivière (Gash) se répandant dans les terres, aurait peut-être pu inciter les habitants de la région à bâtir des habitations analogues à ces sortes de huttes sur pilotis (?) que l'on verra représentées, et pour cette raison, sur un terrain humide, avec plusieurs bras d'eau, rappelant les paysages du Gash, dans les décors de Deir el-Bahari commentés plus loin. D'autres terrains animés de végétation, également visibles sur les représentations de Deir el-Bahari, et où certains ont voulu reconnaître le sable du désert, seraient plutôt celui des terres ferrugineuses de l'Atbara, car il s'agit d'un terrain rosâtre où poussent des arbres !

R. Fattovich signale encore les produits que l'on pouvait se procurer dans ce lieu de troc tropical, et que l'on retrouve dans les descriptions égyptiennes. Naturellement l'oliban, la myrrhe et l'encens des montagnes en bordure de la mer Rouge, dans les basses terres occidentales de l'Erythrée, et sur le plateau du Tigrée, des aromates, myrrhe, oliban, résine de térébinthe, du bois d'ébène, des animaux sauvages, girafes, éléphants, rhinocéros, panthères, de l'or et de l'électrum (au Sud-Ouest de Port Soudan), des pierres fines, de l'obsidienne, de la cornaline, du soufre, du lapis-lazuli par l'intermédiaire du Yémen, des troupeaux de bestiaux à cornes courtes et à cornes longues, à l'intérieur des terres. Sans oublier les hamadryas, les babouins, les cercopithèques, de l'ivoire, des épices véhiculées à travers l'Arabie, dont la cannelle (« cinnamome », *tishepsès*) et les baies de genièvre. Tous ces produits partaient vers la terre des Egyptiens : ces derniers les rachetaient à des intermédiaires, ou les recevaient en rançon de ceux-ci. En effet, il ne semble pas que les Pountites (ou Pounites) aient pu venir souvent eux-mêmes en Egypte vendre leurs produits. Leurs possibilités étaient rudimentaires. Un seul exemple concerne ces rapports. Il s'agit d'une peinture de la tombe thébaine n° 143 (de Gourna), ayant appartenu à un certain Min, Trésorier en chef de Thoutmosis III et d'Aménophis II, donc immédiatement après la disparition d'Hatshepsout. Le décor, malheureusement détérioré, commémore l'arrivée à terre de deux sortes de grands radeaux à une voile noire, triangulaire,

Tombe du Trésorier en Chef, Min : deux radeaux de Pountites arrivent en Egypte chargés de produits de troc. Ils sont accompagnés de leur famille.

supportée par un seul mât, et possédant un unique aviron-gouvernail, radeaux conduits par des Pountites ainsi que l'inscription le précise. Il semble que chaque radeau ait pu contenir, avec son chargement, quatre hommes et une femme. L'une d'elles, accroupie, allaite un enfant !

A terre, les produits qu'ils apportent sont exposés. Plus loin, deux chefs de *Pount*, à genoux, saluent cérémonieusement. Ils portent une mince barbe et leurs courtes tuniques, bordées au sommet d'un galon coloré, en dents de scie, dégage une épaule nue [26].

Il faut encore rappeler que les habitations sur pilotis demeurent, encore de nos jours, dans ces régions soudanaises. De même, les rois-prêtres recouvrent leurs jambes d'anneaux. Ils peuvent être accompagnés d'une reine, leur égale, à l'embonpoint surprenant, comparable à celui de la reine de *Pount*.

En revanche, les autres silhouettes féminines demeurent fines et élégantes (*cf.* les vestiges de la tombe thébaine de Min, n° 143).

Préparatifs du départ

Trois jours avant le départ de l'expédition, Hatshepsout avait réuni les plus hautes autorités du pays pour une dernière mise au point. Aux côtés de Sénènmout, de Hapouséneb, de Thoutiy le responsable de la mission, du vizir et du Vice-roi de Nubie (Sény ou Inebny ?), Hatshepsout avait tenu à bénéficier encore une fois des sages conseils d'Ahmès Pen-Nekhbet, sorti pour l'occasion de sa retraite.

Etaient présents : le Directeur de l'arsenal royal, celui du bureau de l'approvisionnement, le Directeur des médecins, des pharmaciens et charmeurs de serpents. Le Chef des dessinateurs, qui serait du voyage, ainsi que le Chef-géomètre et le responsable des interprètes.

Tout était au point. Les cartes géographiques avaient été dressées, Thoutiy les avait déjà placées dans les coffres de sa cabine, non loin des produits précieux manufacturés sortant des meilleurs ateliers où le merveilleux sable d'Egypte était transformé en pâtes de verre multicolore, trésors destinés au chef de *Pount*. Les conserves alimentaires n'avaient pas été davantage oubliées.

Les cinq vaisseaux à voiles et à rames, sortant des arsenaux royaux, avaient été mis à l'épreuve et pourraient affronter des tempêtes comme le fleuve en pouvait subir parfois.

La date du départ avait été choisie en fonction de la période de l'Inondation, pour que les hautes eaux permettent de franchir les cataractes.

A ce propos une objection avait été présentée par le vizir Ousèr (Ousèramon), qui redoutait ces obstacles. Le Vice-roi de Nubie lui avait alors rappelé que, devant d'éventuelles difficultés graves, la flottille pourrait être mise à terre et acheminée sur des glissières de boue du Nil, en contournant ainsi le terrain de la citadelle frontière, comme cela avait été fait autour du fort de Mirgissa après la 2e Cataracte.

De surcroît, Ahmès Pen-Nekhbet avait rappelé au vizir l'habileté légendaire des marins-combattants de Sa Majesté, et l'exploit bien connu du temps du grand Thoutmosis.

C'était lorsque Ahmès fils d'Abana avait su dominer « l'eau mauvaise [27] » au moment de la remontée si difficile de la 4e Cataracte, où il avait pu faire passer toute la flotte, sans dommages, ce qui lui avait valu de se voir décerner le titre glorieux de Chef des rameurs [28].

L'oracle d'Amon s'était exprimé : l'expédition devait passer par eau et par terre [29], le message concernait l'ouverture d'un nouveau chemin, jusqu'à parvenir dans la *Terre du dieu* « située des deux côtés de *Ouadj-our* [30] ». Alors l'expédition armée (*mésha*) planterait les piquets d'amarrage et se dirigerait vers la grande réunion des produits recherchés.

Hatshepsout l'avait bien précisé, elle n'ignorait pas que des dangers de tous ordres pourraient être rencontrés durant ce long voyage, il faudrait, à l'aller comme au retour, subir avec succès le passage des cataractes, puis se défendre d'éventuelles agressions, et surtout de bien perfides convoitises et médisances [31] cultivées sur la terre d'Egypte.

L'offrande de la souveraine

Le dernier acte auquel il fallait sacrifier avec la plus grande dévotion était « l'ouverture de la bouche et des yeux » de la statue-groupe d'Amon et d'Hatshepsout en granit rose, préparée pour figurer sur la *Terre du dieu*, et qui ne pourrait être efficace que si elle avait été « animée ». D'après l'inscription, cette statue-groupe était parée d'accessoires exécutés en pierres fines provenant du même pays de *Pount* :

« Elle a fait comme un monument pour son père Amon… une grande statue de Maâtkarê et d'Amon-Rê… Régent de Pount *qu'il aime… Le trône est fait d'un seul bloc de granit, les ornements sont en pierres fines des dieux, provenant de* Pount, *sélectionnées* [32]. »

Et le groupe devait être placé dans une chapelle dressée au milieu des « escaliers d'essences d'*ântyou* » de *Pount* [33].

Le départ des cinq vaisseaux devait se faire à l'aube, après le lâcher des quatre pigeons voyageurs portant le message suspendu à leur cou, afin d'avertir les quatre points cardinaux du début de la grande aventure.

XII

L'AVENTURE [1]
L'EXPÉDITION AU PAYS DE *POUNT*

Le départ

Hatshepsout avait minutieusement veillé à la relation imagée de l'exploit longuement mûri, puis préparé pour que cinq vaisseaux puissent atteindre directement la *Terre du dieu*, et en reviennent sans transbordement, chargés de la fastueuse cargaison désirée. En dépit de malencontreuses destructions, une importante partie des reliefs subsiste sur les murs de son temple jubilaire. Il suffit de les interroger dans l'ordre où la souveraine a voulu les faire représenter, en tenant compte des particularités de la composition graphique égyptienne, encore étrangère à l'évocation du paysage et qui, rituellement, se défend de respecter les lois de la perspective.

Le départ de l'expédition eut lieu très probablement à la hauteur du domaine d'Amon, à Karnak. La flottille attendait que la souveraine, ayant à ses côtés le jeune roi Thoutmosis, escortée de Sénènmout, du Grand-prêtre Hapouséneb, et sans doute du vizir Ousèramon – à qui de très hauts fonctionnaires s'étaient joints – apparaisse sur le large embarcadère en liaison avec le Palais et le temple.

Alors, l'un après l'autre, les vaisseaux s'engagèrent dans le canal menant au bassin de l'embarcadère, pour saluer Hatshepsout. La nef de tête était dirigée par Néhésy lui-même, le chef de l'expédition. C'était l'unité la plus précieuse car, depuis la veille, le groupe sacré formé des statues d'Amon et d'Hatshepsout avait été hissé à bord. L'oliban brûlé, la lustration versée, le signal du départ fut donné par un large geste de la reine, auquel répondit immédiatement l'éclat des trompettes militaires. Puis, majestueusement, les cinq navires prirent la direction du Sud.

Le spectacle était grandiose, les voiles (auxquelles des proportions « emphatiques » avaient été données) étaient subitement gonflées par le soufflc dcs vents étésiens (du Nord). Sur les deux rives, la population amassée poussait de stridents cris de fête. Comme toujours, les enfants couraient sur le bord de l'eau, s'efforçant de suivre la parade nautique, très vite disparue dans le lointain.

Magnifique composition résumant, sur le mur de la colonnade Sud du 2e niveau du Temple de la reine, l'arrivée et le départ de l'expédition de *Pount*. Au registre inférieur, cinq bateaux. A gauche, on peut voir deux des bateaux déjà à quai, voiles baissées. A droite, les trois autres embarcations sont encore en action, magnifiques voiles gonflées par le vent. A l'extrême gauche, une barque a été mise à l'eau afin de véhiculer vers le sanctuaire d'Hathor les offrandes de la souveraine. Au registre médian : c'est le chargement des deux bateaux, à quai. A droite, le départ des trois autres navires vers Thèbes. Au registre supérieur en partie disparu, évocation des produits présentés par les chefs des régions parcourues, et destinés à la Souveraine évoquée par le grand signe du Séma-Taouy, à droite. (Dessin d'après Naville)

On imagine l'admiration, l'étonnement mêlé de respect lorsque la superbe armada vint à voguer dans les régions seulement visitées jadis par les rois combattants. Les nouvelles circulaient sur tout le cours du Nil. Bien avant l'arrivée de l'expédition, Paréhou, le « Grand de *Pount* », allait se préparer à recevoir les navires de la reine. La traversée des cinq cataractes fut sans aucun doute un exercice périlleux. Les agressions des divers riverains ne manquèrent certainement pas. Mais pour les anciens Egyptiens, seule comptait l'arrivée au but !

Sur les rives de l'Atbara

Les cinq navires, actionnés par des rameurs dont l'effort, pour la pénible remontée du flot, était soutenu par les voiles à deux vergues gonflées par le vent du Nord, viennent d'arriver sur un plan d'eau animé d'une véritable frise de poissons. Ce sont des mollusques et crustacés, le poisson-coffre (*ostraciidae*), le poisson-rhinocéros (*Bolbometopon muritacum*), la raie, la seiche, l'espadon, le baliste, le *Palinurus penicillatus*, le *Cheilinus undulatus* (Napoléon !), le *Chætodon chrysurus*, la langouste (?) trouvés dans l'eau salée de la mer Rouge, et aussi quelques poissons du Nil, la *Tilapia nilotica* (?) (le boulti actuel), la tortue trionyx, le poisson-chat, l'oxyrhinque (?), vivant en eau douce.

Deux poissons évoquant les limites « aquatiques » du Pays de *Pount*.

Ces poissons sont figurés en véritable et régulière théorie, alignés les uns nageant à la suite des autres, sans aucune agitation réaliste comme on peut le voir sur les scènes de pêche, habituellement : ils sont là pour évoquer, très probablement, un échantillonnage de la faune marine exotique, montrant que l'expédition s'est rendue dans le pays lointain, situé entre deux fleuves, mais possédant cette particularité de disposer d'une large côte baignée par la mer Rouge [2].

Aucune indication n'est donnée sur le tonnage de ces navires, ni sur le nombre des hommes d'équipage, mais il est bien évident qu'ils ne pouvaient, en aucune manière, dépasser la taille de celui qui, au Moyen Empire, avait entraîné le « Naufragé » vers les « mines du souverain [3] », et qui mesurait 150 coudées de long,

40 coudées de large, et confié à 150 marins expérimentés. Si, au contraire, on doit se fier strictement au bas-relief, quinze rameurs devaient être placés sur chacun des bords des bateaux. Chaque équipage aurait ainsi compté trente rameurs, ce qui aurait constitué en tout un ensemble de 150 rameurs pour les cinq navires. En se fondant sur les proportions des bateaux par rapport aux dimensions des hommes qui les animent, certains égyptologues ont suggéré que les vaisseaux avaient pu mesurer 70 pieds de long, 18 de large et 4 à 5 pieds de profondeur ; le mât aurait dépassé 27 pieds [4]. Ces mesures suggérées paraissent trop justes, si l'on songe qu'au moins chaque bateau, comme on le verra, devait recevoir au minimum six arbres à *ânty*, sans compter tout le chargement de produits précieux, des bois, des ballots d'épices et des animaux sauvages ou domestiqués, dont une girafe, et les Grands des régions visitées qui allaient se rendre à Thèbes !

Quoi qu'il en soit, on doit être assuré que tous les détails n'ont pas été représentés sur ces bateaux. Figure, avant tout, ce que les Egyptiens tenaient pour l'essentiel. Ainsi découvrira-t-on, après le débarquement, les seuls huit soldats et leur officier accompagnant le chef de la délégation qui, partout, sont cités comme constituant une expédition « armée » (*mésha*). Les embarcations, de même que les célèbres barques de Khéops, découvertes au pied de sa pyramide [5],

Détail de bateaux sur le chemin de *Pount*, remontant le Nil, toutes voiles gonflées et rameurs en action contre le courant. (D'après Naville)

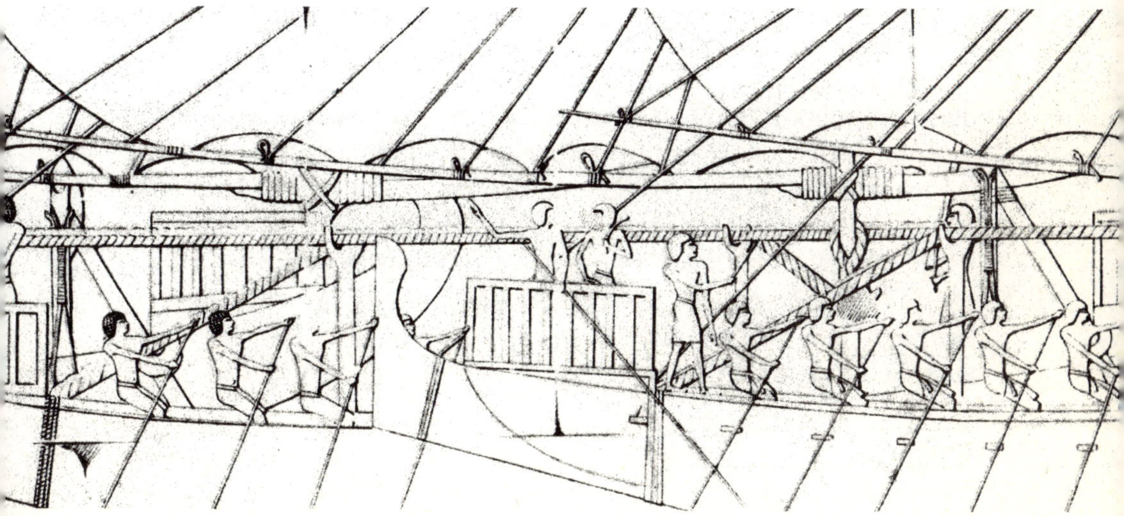

Rameurs sur le point d'arriver à *Pount,* à gauche : premier bateau accostant (manœuvre d'amarrage) ; à droite bateau sur le point d'arriver (rameurs encore en action). (D'après Naville)

devaient posséder des coques constituées de « virures » indépendantes, maintenues entre elles par des ligatures traversant des encoches faites dans l'épaisseur de ces bois épais. Pour assurer la complète cohésion et l'étanchéité, la paroi interne devait être calfatée. Enfin, une imposante haussière extérieure était tendue de la proue à la poupe du bateau, et maintenue par des sortes de fourches tout le long de son trajet au-dessus du pont.

A la proue et à la poupe de chaque bateau étaient aménagée une sorte de cabine surélevée, et chaque poupe était terminée par un élégant papyrus à tête recourbée.

Devant la rive c'est maintenant une habile manœuvre. Les deux premiers navires viennent d'arriver : sans doute ne sont-ils pas tout à fait ancrés contre la berge, car une barque vient de se détacher de ces premiers bateaux (probablement la « vedette » de liaison), qui transporte vers la rive un petit chargement. Parmi les récipients et emballages figurent les produits nécessaires à présenter l'hommage de la reine à la « maîtresse de *Pount* », Hathor [6], car on va fouler le sol de son domaine – il convenait aussi de lui rendre grâce pour la traversée des cataractes et les vents

6. Une chapelle à la belle Hathor, également maîtresse de la Nubie, avait dû être édifiée puis sporadiquement entretenue à chaque séjour des caravaniers.

Le Chef de l'Expédition, Néhésy, commande la manœuvre d'arrivée, transmise aux commandants des autres navires. (D'après Naville)

favorables rencontrés au cours de la remontée de *Ouadj-our*. Ces produits d'Egypte devraient aussi être utilisés en témoignage de « bonne arrivée ».

Les trois autres bateaux égyptiens n'ont pas encore cessé de naviguer ; chacun d'eux est muni d'une immense voile toujours gonflée par un vent propice. Les cordages sont tendus, mais les matelots se préparent à monter sur la vergue inférieure pour commencer la manœuvre et rouler la voile. Au-dessus de la poupe est écrit : « accoster ! [7] »

A gauche des deux premiers bateaux et de la petite « vedette », et au-dessus des deux premiers arbres à oliban figurés, une inscription martelée, en partie reprise plus tard par Ramsès II, commente l'essentiel de la scène :

> *« Navigation sur* Ouadj-our, *prendre la meilleure route vers la Terre du dieu. Abordage en paix dans le pays de* Pount *par l'armée (= l'expédition), pour suivre l'ordre du seigneur des dieux, Amon seigneur du trône des Deux Terres, à la tête de Karnak, pour rapporter les précieux produits de tout le pays, parce qu'il aime Maâtkarê plus que tous les rois des premiers temps, et cela n'arrivera jamais dans ce pays pour d'autres souverains. »*

7. Mot à mot : « à terre, toute ! »

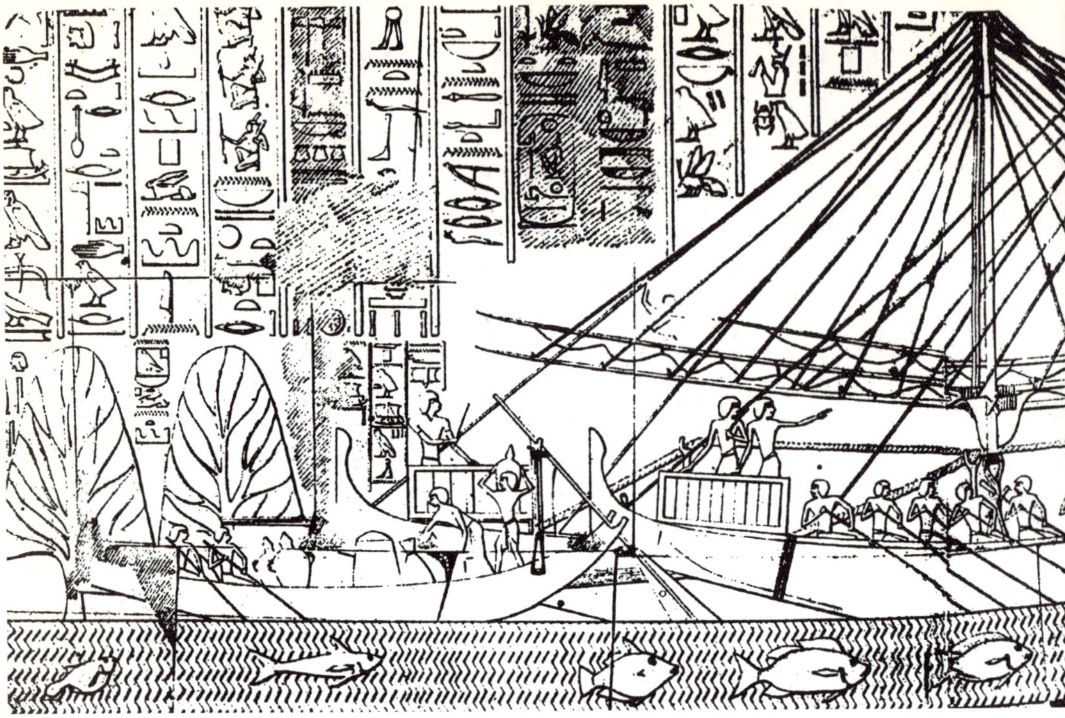

La petite barque « vedette » emporte les offrandes destinées à rendre hommage à la maîtresse des lieux, la divine Hathor. La frise de poissons évoque encore les ressources aquatiques de *Pount*. (D'après Naville)

L'hommage d'Hatshepsout pour Hathor

Néhésy, le chef de l'expédition, vient alors de débarquer : il a été précédé par certains de ses matelots, affairés à déposer sur la grève le grand coffre rectangulaire dans lequel, avant le départ, avaient été placés les éléments à exposer en offrande dès l'arrivée (ce sont en réalité des échantillons de troc commercial), et chargé dans la petite vedette. On reconnaît des bijoux, des armilles et des périscélides pour les jambes, des colliers et surtout une grande quantité de perles de verre et fritte émaillée multicolores, toutes maintenues par de longs fils, les éternelles verroteries si prisées de tout temps en Afrique et dont le pays d'Egypte était le grand fournisseur. On distingue encore une dague et son fourreau, ainsi qu'une hache.

Néhésy a pris place derrière ces « trésors », alors que les huit soldats et leur officier attendent derrière lui. Cet officier tient d'une main une hachette, et de l'autre une pique et un carquois. Les soldats portent également la hachette d'une main, et de l'autre ils présentent non seulement une pique, mais aussi un bouclier en forme d'écu.

Les rencontres [8]

Au loin, le paysage intrigue les Egyptiens. Parmi les arbres à oliban dont les effluves parviennent à leurs narines, d'autres arbres encore paraissent être un mélange de palmiers-dattiers et de palmiers-doum ; ils aperçoivent aussi des huttes rondes au sommet pointu, qui semblent avoir été bâties sur pilotis, à supposer que le terrain pouvait parfois être inondé. Une échelle disposée en biais permet d'accéder à la partie habitable ainsi surélevée. Entre les deux premiers sycomores, un bovidé est couché.

Les Grands de *Pount*

Plus près s'avance avec dignité un groupe composé – symboliquement – de huit personnages et d'un âne. En tête, Néhésy reconnaît Paréhou, le roi, le Grand de *Pount*, que les caravaniers de la reine lui avaient décrit. De haute taille et mince, il porte un pagne ressemblant beaucoup à celui des Egyptiens, mais qui en diffère cependant par deux minces retombées à l'avant, alors qu'à l'arrière on distingue, partant de la ceinture, l'amorce de la « queue animale cérémonielle » que le roi d'Egypte porte aussi pour les occasions rituelles. Paréhou est coiffé de la courte calotte de cheveux bouclés ; son menton est orné de la célèbre longue et mince barbe à l'extrémité recourbée, la *khébésèt* chère au dieu de Karnak.

En guise de salut, Paréhou, les avant-bras levés, présente à son vis-à-vis Néhésy les paumes de ses mains ouvertes. Un poignard est glissé sous sa ceinture. Devant lui, la reine Ity, atteinte d'une obésité semble-t-il maladive et congénitale, est représentée sans complaisance par un œil égyptien, mais, localement, elle devait présenter un charme certain [9]. Ity paraît vêtue d'un corsage à manches courtes (?), complété par une jupe croisée sur le devant et retenue par une ceinture. Ses chevilles sont ornées de périscélides, et ses poignets de bracelets. Comme son époux, elle n'est chaussée d'aucune sandale. Sa chevelure, qui tombe aux épaules, est maintenue sur le front par un bandeau noué à l'arrière, également porté par certains nobles pountites. Autour de son cou, un collier est agrémenté de trois lourds pendentifs ronds.

La reine accomplit un geste de salutation analogue à celui de son mari, de même que les deux fils du couple et leur fille, à leur suite, cette dernière présentant visiblement les mêmes dispositions physiques que sa mère [10]. Immédiatement après avoir figuré les enfants du Grand de *Pount*, l'artiste n'a pas pu échapper à l'humour qui taquine parfois son ciseau : il a dessiné un âne de petite taille, portant sur son dos un coussin, en prenant plaisir à marquer au-dessus de l'animal cette indication un peu dérisoire lorsque l'on considère la taille de l'une et de l'autre : « *l'âne qui véhicule son épouse* » !

Derrière la monture et son ânier bâton en main, deux « Grands de *Pount* », une main sur l'épaule en signe de respect, saluent Néhésy. De l'autre main ils tiennent un bâton de jet [11].

La mission de Néhésy

Maintenant, le roi de *Pount* Paréhou et le délégué de la reine Néhésy se font face : ils ne sont plus séparés que par les présents de la reine. Avec une certaine hauteur, Néhésy va se charger de les commenter à Paréhou, car ce ne sont pas des cadeaux pour le souverain comme il aurait pu le croire, mais des objets réunis pour honorer la grande Hathor, maîtresse de *Pount* comme de la Nubie, Dame de l'or, des mines lointaines et des produits précieux… Voici, sans doute, une façon de signaler les rapports,

Echanges de présents entre le délégué d'Hatshepsout et les souverains de Pount. Au registre supérieur, derrière Néhésy, la tente dressée qui abritera le banquet. (D'après Naville)

même espacés, entretenus entre l'Egypte et *Pount*, et aussi un moyen de souligner une sorte de présence égyptienne sur la *Terre du dieu*. La légende écrite qui domine la représentation de la délégation égyptienne est très suggestive, légèrement impérieuse, dominatrice :

« Arrivée de l'envoyé (royal) en Terre du dieu, avec les soldats qui l'accompagnent, devant les Grands de Pount, *chargés de toutes bonnes choses du Palais – qu'il soit prospère ! – à l'intention d'Hathor maîtresse de* Pount, *pour la vie, la prospérité et la santé de Sa Majesté ! »*

Ity, reine de *Pount*, type local de beauté royale. (D'après Naville)

L'accueil du roi de *Pount*

Bien qu'averti de l'expédition, et donc l'attendant, ayant naturellement préparé son accueil, Paréhou joue la surprise en saluant l'ambassadeur d'Hatshepsout, et en lui confiant son étonnement. On peut lire devant le Pountite :

« L'arrivée des chefs de Pount, *courbés et tête baissée pour recevoir ces soldats et donner des louanges au seigneur. »*

Puis, au-dessus de la suite de Paréhou et de Ity :

« Ils disent en implorant la paix : "Comment êtes-vous arrivés ici, dans cette terre que les gens d'Egypte ne connaissent pas ? Etes-vous venus d'en haut [12], *ou avez-vous navigué sur l'eau, ou par terre ? La Terre du dieu est heureuse, vous l'avez foulée, comme Rê. N'y a-t-il pas de chemin pour se rendre vers* To-méry [13], *vers Sa Majesté, car nous vivons du souffle qu'elle nous donne ?" »*

12. Mot à mot : « du ciel ». D'en haut, des cimes supérieures puisque l'Ethiopie est très montagneuse.

Près d'une hutte sur pilotis, un noir d'une autre région de l'Afrique. (D'après Naville)

Une hutte entre un arbre à oliban et un palmier-dattier. Le chien semble être une des deux races de canidés élevés dans la région. (D'après Naville)

On comprend dès l'abord les intentions du prince de *Pount*, désirant se rendre en Egypte. Au reste, dès que les navires repartiront vers Karnak, ils prendront à leur bord une imposante délégation des Grands de *Pount*, de même que certains chefs des contrées traversées par l'expédition. La reine Hatshepsout ne souhaitait que cette conclusion à son entreprise, et avait préparé l'atmosphère propice à de bonnes relations. Ordre avait été donné à Néhésy d'emporter, indépendamment des provisions nécessaires à la nourriture de base des voyageurs, toutes les meilleures denrées d'Egypte susceptibles d'être conservées pendant le trajet, afin d'offrir, sitôt l'arrivée à *Pount*, un fastueux banquet à la famille princière et aux grands du royaume. La chose s'avérait sans difficulté puisque l'échange semblait s'être engagé dans la même langue : ils paraissent, en tout cas, se comprendre.

Premier relevé de la scène fragmentaire du pays de *Pount*, découverte par Auguste Mariette, à l'époque du dégagement du portique sud du temple de Deir el-Bahari (les images de certains membres de la famille royale de *Pount* n'avaient pas encore été volées). Au-dessus de la frise de poissons, Néhésy, escorté de soldats, remet les présents de la reine aux souverains de *Pount*. Au second registre : la famille royale offre l'or et l'oliban à Néhésy. Derrière ce dernier, la tente du banquet de la bonne entente. Au registre supérieur, transport par matelots égyptiens et Pountites des arbres à oliban. (Dessin d'Auguste Mariette)

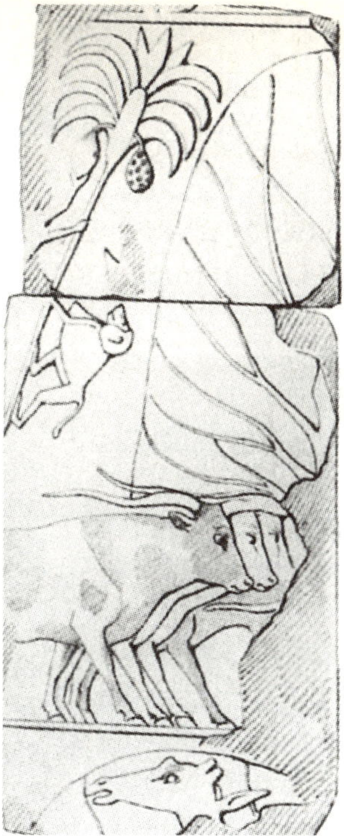

Un singe hamadryas escalade le tronc d'un palmier-dattier ; des bovidés aux longues cornes cherchent l'ombre sous un arbre à oliban. Au registre inférieur on distingue encore la tête d'une girafe. (D'après Naville)

Le banquet

Aussi, invitation avait été faite pour que, dès le lendemain, ces festivités soient données.

Le groupe de granit rose représentant le dieu et la reine était descendu à terre et dirigé vers l'esplanade où l'on pourrait vénérer Sa Majesté la reine d'Egypte, présente dorénavant aux côtés de son père Amon sur la Terre du dieu. Alors les matelots dressaient une large tente couverte de lin coloré de teintes joyeuses, pendant que les cuisiniers des cinq bateaux s'étaient réunis pour confectionner les succulentes agapes royales :

Ils disposaient des meilleurs produits, mis en conserve par des artisans spécialisés et les chimistes de la « maison de vie ». Fournis par la précédente inondation, à Thèbes, les petits poissons péchés avaient été traités et placés dans la saumure. D'autres furent fumés, de

même que les canards sauvages. Les cuisiniers disposaient encore de filets de bœuf en lamelles et de cuissots de gazelle séchés et recouverts d'épices. Des sauces à base d'huile d'olive avaient été agrémentées de confit d'aubergine. Les olives et les fromages blancs allaient retrouver leur souplesse et leur saveur, servis avec les petits oignons blancs et accompagnant la boutargue [14].

Bien d'autres denrées mijotaient dans les chaudrons : les fèves, les pois chiches qui évoquaient l'œil du faucon [15], et des lentilles servies avec les éternels oignons blancs, pendant que les boulangers et les pâtissiers de la reine allaient faire cuire les petits pains au cumin et au sésame, et composaient une variété incroyable de gâteaux à base de miel, d'amandes et de pistaches (de Syrie), sans oublier les dattes, les figues et les raisins séchés.

Les cruches de miel et de bière avaient été mises au frais au fond de trous aménagés dans la terre, et les jarres de vin des domaines de la reine, portant sur le haut de l'épaule la date de la récolte, le nom du vignoble et celui du vigneron, avaient été débouchées. Alors le vin, parfaitement décanté, était transvasé dans des carafes spécialement utilisées pour le service. L'approvisionnement, en la circonstance très raffiné, comprenait quelques bouteilles de vin sucré du pays de *Khor* [16], qui devait être bu à la fin du repas.

Le lendemain, tout était prêt pour la cérémonie d'alliance et d'entente commerciale. A l'arrivée près de la berge, Néhésy avait donc présenté l'échantillon des matériaux destinés au troc. C'était maintenant au tour de Paréhou. Aussi, un amoncellement de résines odoriférantes avait été déposé à côté de la tente du banquet, et près duquel on pouvait voir deux grandes corbeilles contenant des anneaux d'or [17]. A terre étaient placés des bois de jet.

Maintenant, derrière Paréhou et Ity, des Grands de *Pount* apportaient d'autres produits, dont un liquide contenu dans une grande jarre. Puis, à la suite de deux ânes (les montures des deux souverains), on apercevait à nouveau des arbres à *ânty*, et enfin un troupeau de bovidés. Malheureusement, la suite du décor a disparu.

---

14. Ce mot, « boutargue », vient directement du vieil égyptien *batarekh*. Ce sont des œufs de muge compressés.

15. Trempés dans l'eau, ces pois « chiches » présentent un relief à l'image d'une tête de faucon, d'où le nom de *Hor-bik*, « bec de faucon », qui leur avait été donné (analyse de V. Loret).

Paréhou se fit annoncer ; au-dessus de lui, on peut lire :

« *Arrivée du Grand de* Pount, *portant les "tributs* [18]*" vers les terrains baignés par* Ouadj-our, *devant le messager du roi...* »

De l'autre côté, devant Néhésy, est inscrit :

« *Réception du tribut du Grand de* Pount, *par le messager du roi.* »

Les deux convives avaient soigné leur toilette pour cette illustre occasion ! Le collier porté par Paréhou paraît plus volumineux que celui utilisé la veille, mais le détail le plus étonnant est la vision d'une de ses jambes, entièrement revêtue d'anneaux (d'or) brillant au soleil [19]. Quant à Néhésy, il a revêtu une tunique d'apparat, plus courte que le long pagne à chemisette revêtu la veille. Les manches sont limitées par des armilles. Il a entouré son cou d'un volumineux collier, et tient en main une canne moins haute que celle sur laquelle il s'appuyait à la première rencontre. Pour accueillir ses hôtes, il porte une de ses mains à la poitrine. Dans une intention analogue Paréhou, qui tient d'une main un court bâton, appuie l'autre main sur l'autre bras.

Le banquet va pouvoir commencer sous la tente. Au cas où les instructions données par la reine n'auraient pas été bien retenues, le scribe a recouvert le flanc de l'abri ainsi représenté de six colonnes verticales d'hiéroglyphes explicatifs :

« *La tente (est) préparée par l'envoyé royal et ses soldats, sur les escaliers de l'oliban de* Pount, *des (deux) côtés de* Ouadj-our [20], *afin de recevoir les Grands de ce pays. Il leur sera offert le pain, la bière, le vin, de la viande, des fruits et toutes bonnes choses trouvées en* To-méry, *et correspondant à ce qui a été commandé par le Palais*. »

Le festin dut se dérouler suivant un protocole mixte où chacun fut obligé de se plier aux coutumes de son pays, coutumes observées scrupuleusement, mais l'éternelle chaleur communicative des boissons ne manqua pas, certainement, d'animer les échanges, après les véritables litanies rituelles de politesses. Le séjour à *Pount* de l'expédition fut fixé, les acquisitions et les échanges, la liberté de circuler dans toute la zone commerciale mis au point, et

---

19. Voir page 21.

puis assurance fut donnée aux Grands de *Pount* de pouvoir accompagner la mission à son retour, en vue de traiter de vastes ententes avec la reine.

Pour commémorer ces événements, il ne restait plus qu'à inaugurer en ces lieux le groupe statuaire envoyé par la reine, dans ce pays assurément ami :

> *« Elle (Hatshepsout) l'a fait dresser dans la Terre du dieu. Il s'agit de la statue de ce dieu (Amon) côte à côte avec celle du roi de Haute et Basse Egypte, Maâtkarê. Elle est (faite) d'une seule pierre de granit. La grande ennéade qui demeure au cœur de* Pount *la vénère. (Ce groupe) est fixé éternellement et à jamais, en sa place, devant les escaliers de l'oliban de* Pount *(dans), un siège merveilleux de réjouissance du cœur. Sa Majesté l'a fait pour lui, ce dieu auguste.*
>
> *Sa Majesté a fait cela lorsque les soldats sont venus dans ce pays étranger, dont son père lui avait annoncé la route, afin qu'il soit permis à ce pays de voir Sa Majesté, ainsi que son père, régent de* Pount, *pour la durée de tous les jours, en raison de sa puissance et en vertu de cette puissance qui dépasse celle de tous les êtres divins*[21]. »

L'activité de l'expédition à *Pount*

Le soir même, les Grands de *Pount* réunissaient les hommes qui allaient, dès le lendemain, guider les Egyptiens pour choisir les arbres à oliban, en vue d'organiser leur extraction du sol sans blesser les racines, car Néhésy avait exprimé le désir de la reine qui souhaitait recevoir les arbres vivants, leurs racines entourées de la terre d'origine, de façon à les entretenir pendant le voyage de retour, et à pouvoir les replanter dans le temple d'Amon, à Karnak.

D'autres Pountites allaient introduire le chef de la mission vers la dépression centrale de la province (appelée de nos jours le delta du Gash), qui abritait le plus grand marché d'Afrique orientale. Une partie des dessinateurs parcourait le terrain, pour étudier les arbres et les plantes avec les botanistes et un des médecins des équipages, spécialiste en pharmacopée. D'autres artistes, plus curieux, s'étaient fait guider jusqu'à la mer Rouge pour que les pêcheurs sortent de leurs filets à leur intention les espèces si variées, aux merveilleuses couleurs chatoyantes, des poissons vivant dans ces eaux de corail. La topographie de la région était assurée par l'architecte, il étudiait l'habitat, qui l'intriguait (surtout le domaine inaccessible de Paréhou), et menait son enquête sur l'hydrographie du pays, assez déroutante pour les Egyptiens.

Entre arbres à oliban et palmiers-dattiers, aux troncs presque toujours doubles, six porteurs véhiculent chacun les précieux arbres dont les racines sont soigneusement protégées par de la terre, et déposées dans des paniers.
(D'après Naville)

Tous ces relevés habiles et précis, regroupés jour après jour, tracés sur de solides rouleaux de papyrus, étaient déposés dans de longs et minces étuis de terre cuite et transportés régulièrement dans les gaillards d'avant et d'arrière des bateaux.

Le chef-médecin de l'expédition, habitué à la population relativement homogène de la Haute Egypte, étudiait les diverses ethnies qui se croisaient – et se mélangeaient parfois – dans cette Terre du dieu, où les Africains venant du Sud, aussi noirs que l'ébène récoltée dans les régions d'où ils arrivaient, côtoyaient d'autres ethnies voisines guidant des animaux telles la girafe ou la panthère, destinés au jardin zoologique d'Hatshepsout. La différence était grande entre ces négroïdes et les Pountites au type chamitique prononcé, assez voisin de celui des Egyptiens, auquel appartenaient les Grands du pays.

Une des plus séduisantes acquisitions faites chez ces Africains était ce couple de magnifiques guépards, de « chasseurs » apprivoisés, si élégants et si majestueux dans leur marche souple, et tenus en laisse. A plusieurs reprises, ils servirent de modèle aux scribes-dessinateurs de Sa Majesté, charmés par ces animaux au

Chargement des deux premiers bateaux. (D'après Naville)

cou démesurément long dominé par une petite tête aux oreilles rondes et aux « larmes » de poils noirs qui semblaient tomber de leurs yeux. Alors leur paraissaient bien lourdes les formes des rhinocéros qu'ils rencontraient pour la première fois. Il y avait aussi ces grands chiens blancs, hauts sur pattes, qui vivaient familièrement près des huttes sur pilotis, et qu'il serait bon d'introduire en Egypte. Enfin, dans les arbres nichaient des espèces d'oiseaux inconnues sur les rives du Nil égyptien, et dont les œufs, figurant encore dans les nids, pouvaient indiquer la saison pendant laquelle ils avaient été dessinés.

L'ensemble de ces documents, d'une valeur exceptionnelle, d'une originalité et d'une utilité certaines, formait en quelque sorte, et naturellement *mutatis mutandis*, le prototype lointain de ce que Bonaparte fit réaliser par la *Description de l'Egypte*, du temps de la campagne militaire qui commença sur les bords du Nil en 1798 [22]... plus de 3 250 années après !

Le chargement et le retour

Arriva le jour où Néhésy retrouva, à la date voulue, sur les bords de l'Atbara, tous les hommes de l'expédition qui s'étaient répandus dans cette région bénie de merveilles. La serviabilité des Pountites avait été remarquable : les gens du pays comme les autres Africains à la peau noire avaient véhiculé les ivoires, les bois d'ébène, les sacs d'épices, les plumes et œufs d'autruche, les peaux de félins et tous ces produits exotiques rassemblés dans

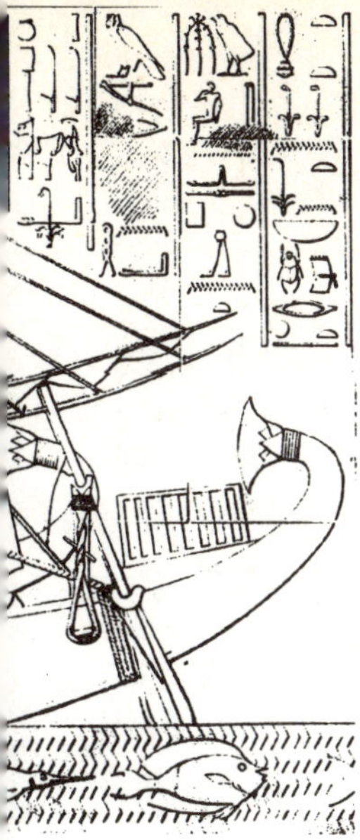

l'immense « foire » du delta du Gash. Les gommes et essences de térébinthe, maintenant, s'entassaient, le plus grand soin avait été apporté aux arbres à oliban qui allaient être chargés sur les bateaux. Depuis la veille du départ ils avaient été déposés, avec leurs racines protégées par une masse importante de terre, dans de grandes corbeilles portées à l'aide de palanches qui étaient maintenues par trois hommes à l'avant et trois hommes à l'arrière de l'arbre, lui-même équilibré par une corde tenue par l'un des porteurs de tête. Ce sont tous des arbres à oliban. Cet arbre à *ânty* ou *ântyou*, c'est-à-dire à oliban (*frankincense*), est un *Boswellia* dont six espèces au minimum avaient été repérées au pays de *Pount* [23].

Au-dessus : Gros plan du chargement. La discipline règne sous l'autorité de Néhésy. Un singe hamadryas semble fort intéressé par la manœuvre. (D'après Naville)
Au-dessous : Les babouins-hamadryas ont conquis leur place au-dessus de l'entassement régulier des précieuses marchandises. (D'après Naville)

Manœuvre pour le départ d'un des bateaux. (D'après Naville)

Tout au long de cette expédition a régné une remarquable discipline, encore respectée au moment du chargement de tous les produits.

Pour accéder aux navires, des passerelles ont été utilisées, et c'est un va-et-vient de matelots qui se succèdent, portant des jarres, des sacs, des cruches contenant les divers aromates en des emballages très régulièrement entassés, et surtout les arbres à encens, strictement amarrés.

Du haut du gaillard d'avant, le travail est rythmé par un contremaître frappant dans ses mains. Néhésy surveille le chargement en le vérifiant d'un bateau à l'autre. La répartition de tous les éléments à bord a été opérée dans un ordre et un équilibre remarquables. Le soin est extrême en vue de disposer leurs masses. Dès qu'un bateau est rempli, babouins et cynocéphales, qui se sentent déjà chez eux, prennent position dans les meilleures places. L'un d'eux est déjà assis, l'autre fait encore de l'équilibre sur une des haussières, non loin d'une outre qu'il faudra remplir d'eau, mais déjà suspendue. On ne distingue ni les autres animaux sauvages, ni les chiens, qui devaient avoir été mis en cage, ni les gens de *Pount* qui cependant devaient faire partie du voyage.

Les derniers porteurs s'interpellent :

« Prenez garde à vos jambes, camarades ! »,

s'écrie un des hommes qui participent au transport d'un des arbres, alors qu'un des matelots, à l'arrière, se plaint :

« Tu me donnes à porter bien trop lourd. »

Arrivée à Thèbes des premiers bateaux de l'Expédition. Néhésy et les capitaines des bateaux saluent la foule qui les accueille. (D'après Naville)

La conclusion est de répondre avant tout :

« Nous travaillons pour notre puissant roi. »

Et puis il ne faut pas oublier de préciser :

« Nous accompagnons les arbres à oliban du pays du dieu, vers le temple d'Amon, (puisque) leur place doit être là-bas. Maâtkarê les fera s'épanouir devant son lac, des deux côtés de son temple [24]*. »*

Les marins maintenant détachent les voiles pour les hisser. Toute cette activité bien ordonnée est le fruit de plusieurs mois de recherches et de quêtes heureuses. Le chœur des travailleurs s'est fait entendre pendant toute l'opération, chacun est fier de ce chargement qui fera l'admiration de toute la ville de Thèbes à l'arrivée, et provoquera la satisfaction de la souveraine dont ils recevront certainement une juste récompense :

« (On charge) les bateaux en grande abondance avec les merveilles du pays de Pount*, avec toutes les belles essences de la Terre du dieu, avec des tas de gommes (*kémyt*) et d'oliban, et des arbres à oliban frais (vert), avec de l'ébène et de l'ivoire pur, avec de l'or vert du pays d'Amon, avec du bois de cinnamome (*tishépsès*, cannelle), du bois-*khérit *(?), avec de la myrrhe (*ikhem*), de la résine de térébinthe (*sénétèr*), de l'antimoine (*mésdémèt*), des babouins (*mânâou*), des cynocéphales (*guéfou*), des chiens lévriers (*tshésèm*), des peaux de panthères du Sud, et avec des gens du pays et leurs enfants... »*

Maintenant les bateaux ont levé l'ancre. Ils ont quitté les rives de l'Atbara, ont retrouvé le Nil et ont repris la direction du Nord pour affronter les cinq cataractes. La traversée sera rude durant ces passages difficiles. Aucune inscription, selon l'habitude, n'en dit mot. Si l'on s'en tient au relief représenté, trois navires sur cinq auraient pu avancer relativement de front, toute voile gonflée. Quelque 10 kilomètres avant d'avoir atteint la frontière du pays de *Ouaouat*, qui marquait l'entrée en Nubie égyptienne, la flottille de la reine s'engagea, unité après unité, sur l'étroit parcours jalonné par le chapelet de forteresses érigées entre l'an VIII et l'an XIX de Sésostris III dans cette zone dominée, à la hauteur de la 2e Cataracte, par l'imposante fortification de Bouhen (Ouadi Halfa). L'expédition fut certainement fêtée, comme il convient, mais repartit rapidement pour atteindre les rives de Karnak, où l'impatience était à son comble. L'inscription qui précède l'arrivée des bateaux, sur le bas-relief, résume en un raccourci lapidaire cet événement sensationnel :

> « *Les envoyés de Sa Majesté, ayant atteint les escaliers de l'oliban, ont saisi l'oliban comme ils le voulaient. Ils ont chargé leurs bateaux pour satisfaire leur désir, avec des arbres à oliban frais (vert)... tout ce qui était vrai et beau en ce pays étranger, chaque œil en a été témoin* [25]...
>
> ... *On navigue, on va en paix, et c'est dans la joie (que) les soldats du maître des Deux Terres ont atteint Karnak. Les Grands de ce pays étranger sont à leur suite. Ils apportent ce qui n'avait jamais été livré à aucun roi ancêtre comme merveilles du pays de* Pount, *grâce au pouvoir de ce vénérable dieu, Amon-Rê, seigneur des trônes du Double Pays* [26]. »

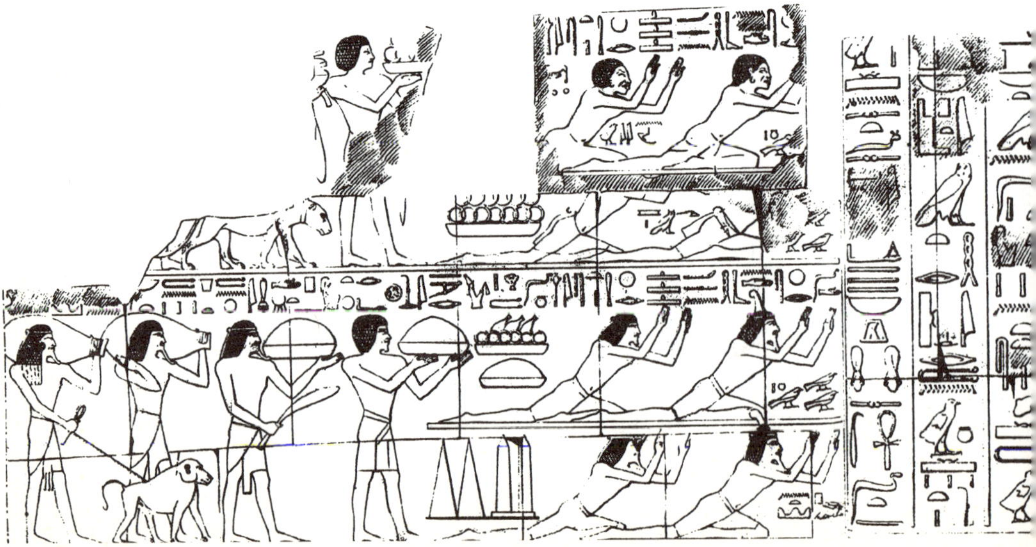

L'arrivée à Karnak

Les reliefs, détériorés en cet endroit, ne permettent pas d'admirer la scène complète, mais on imagine les bateaux à quai, comme à l'arrivée à *Pount*, à cette différence que le débarcadère fastueux a été décoré pour la circonstance. On voit que les gens de *Pount* et des contrées limitrophes sont descendus à terre. Ils se dirigent vers la reine, qui en cet endroit est simplement évoquée par le grand signe de la réunion des Deux Terres, le *Séma-Taouy* [27], supportant le cartouche de la reine (dont le nom, naturellement, est martelé), à côté de la « bannière », premier élément de son protocole.

Sur quatre registres, agenouillés, les bras dans l'attitude de l'adoration, les divers notables du grand Sud vénèrent l'emblème de la reine. Les plus proches du spectateur – les deux registres du bas – sont occupés par les Grands de *Pount*, ainsi que l'inscription l'indique : « Ils rampent à terre. » Le premier personnage de chacune des deux premières rangées se distingue par une plume (d'autruche ?), maintenue droite par un bandeau de tête dont une retombée arrière s'arrête à la hauteur des épaules. Derrière eux, on reconnaît des pains de résine moulés en forme d'obélisques et de cônes pointus, posés à terre, des anneaux et des sachets remplis de poudre d'or. Puis les porteurs présentent des paniers remplis d'aromates et de lourdes cruches contenant des gommes odoriférantes fraîches. Un homme conduit en laisse un cynocéphale.

L'inscription qui les domine, et les présente comme des solliciteurs, s'adresse à la reine :

« Salut à toi, ô souveraine de To-méry, *soleil féminin qui brille comme le globe* Aton… »

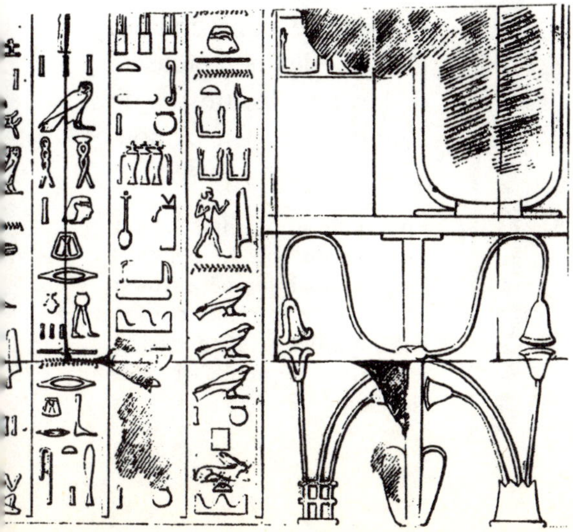

Pour la glorieuse présentation des résultats de l'Expédition, les Grands de *Pount*, d'*Irem* et de certaines tribus de *Koush* saluent avec vénération l'emblème (le *Séma-Taouy*) du Palais. Puis, le défilé des produits ramenés commence. Ils sont portés par les Egyptiens et les Pountites : ce sont des sacs de résines odoriférantes, des pains d'encens, des anneaux d'électrum, des bois précieux, des hamadryas, une panthère... (D'après Naville)

La troisième rangée supérieure montre deux chefs du pays d'*Irem*, d'un type encore chamitique, non négroïde, très déterminé. Derrière eux, des anneaux d'électrum (?) présentés en rangées superposées sur un panier. Puis vient à nouveau un porteur d'anneaux. Derrière lui, on peut voir une panthère à l'air tristement soumis, menée en laisse par un homme dont la silhouette a presque entièrement disparu.

Enfin, au quatrième registre subsistent les images de deux Africains de type négroïde. Ils sont déclarés « chefs de *Némyou* ». Derrière eux on peut lire : « or ». Il est évident que ce relief évoque, par ces personnages, les apports de *Pount*, mais aussi ceux des pays des régions du haut Nil, en liaison avec l'expédition de la reine, et qui désirent être admis en relation pacifique et commerciale de troc avec l'Egypte.

La consécration pour Amon

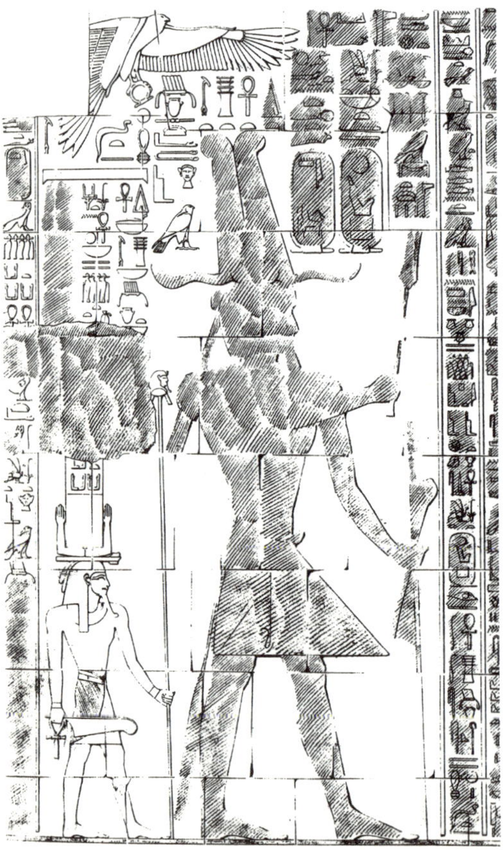

Alors, tenant maintenant à prendre part personnellement à ces imposantes cérémonies du retour, Hat-shepsout apparaît en majesté, coiffée des deux hautes plumes d'autruche posées sur les longues cornes ondulées de bélier – son *ka* figuré derrière elle – tenant en main la massue de consécration. On la devine prête à dédier tous les trésors de *Pount* à son père Amon.

En majesté, Hatshepsout escortée de son *ka* consacre les produits à son père Amon. L'image de la reine, comme partout ailleurs, a été méticuleusement martelée. (D'après Naville)

La reine s'est avancée sur l'immense esplanade où sont exposés et vont être contrôlés tous les apports du Sud. A l'autre extrémité, Amon trône dans toute sa splendeur. A l'occasion de son discours d'inauguration, Hatshepsout précise que tous ces produits sont bien réellement ceux de *Pount*, auxquels sont joints ceux de *Miou* et de *Berbèr* [28], les tributs du vil pays de *Koush* et ceux de la terre des Noirs, les *Néhésyou*, les *Iountyou-Sétiou* (archers de Nubie), tous produits pour Amon-Rê. L'exposition en est impressionnante, car déjà, proches du temple, quatre magnifiques arbres à *ânty* ont été plantés, et présentent des proportions suffisamment importantes pour dispenser leur ombre à un troupeau de bovidés, figuré en cet endroit pour évoquer les 3 300 bêtes à cornes qui sont destinées au domaine d'Amon, et qui arriveront à Karnak par caravane.

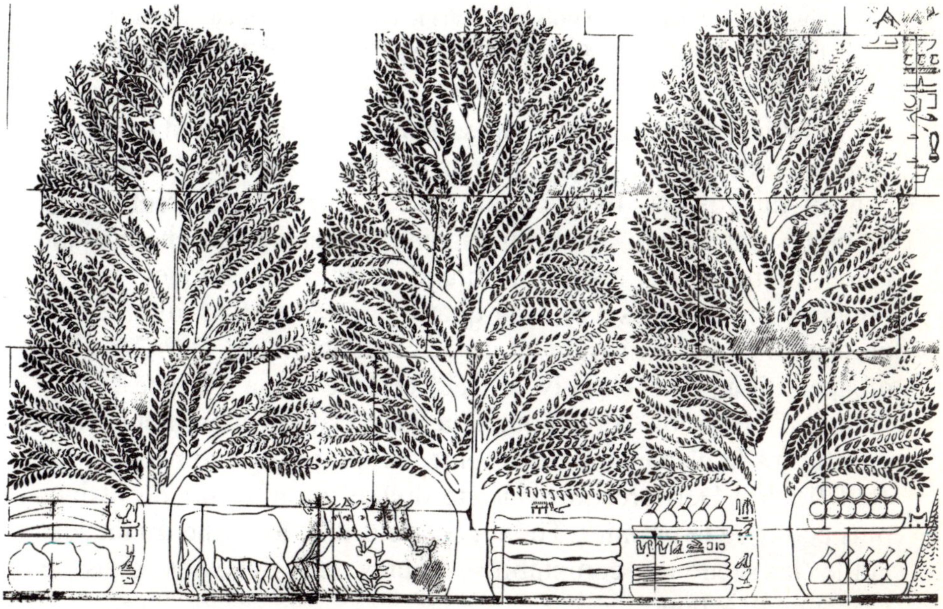

Dans la cour du temple, trois des plus grands arbres, ramenés de *Pount*, ont déjà été replantés. Sous leurs feuillages ont été exposés des sacs de poudre d'or, d'encens, de myrrhe, d'oliban, de bois précieux, des bovidés... (D'après Naville)

A côté sont déposées des grumes d'ébène, des sacs d'antimoine, des bois de jet, des défenses d'éléphant, une superposition de lingots d'électrum [29] et d'autres denrées en poudre dans des sacs, des sachets d'épices.

28. Des régions qui entourent de plus ou moins près la 5e Cataracte.

Sept des trente et un arbres à oliban ramenés de *Pount* sont exposés dans la cour du temple, avant d'être replantés. Des masses considérables de gommes odoriférantes entassées, et qui vont enivrer la reine, sont mesurées au boisseau sous le contrôle de Thoutiy dont la silhouette n'est plus qu'une ombre, derrière les ouvriers. (D'après Naville)

A l'arrière de la grande cour, sept arbres à oliban sont exposés, leurs racines encore protégées par des mottes de terre, dans les paniers du voyage. Ils évoquent les 31 exemplaires réellement rapportés par bateau. Au premier plan est représenté un écrasant amoncellement de résine d'oliban, à la base duquel quatre hommes sont affairés à remplir quatre boisseaux, à la suite, entreprenant ainsi l'enregistrement de ce véritable trésor. Derrière eux, on aperçoit à peine Thoutiy, le Chef-orfèvre de Sa Majesté [30], surveillant l'opération. Sa silhouette a été presque entièrement gommée, après la disparition de la reine, ce qui prouve combien il lui était fidèle ! Derrière lui avait été dressé un autre tas de résine, plus petit que le premier. Thot, à la tête d'ibis, le scribe divin, surveille la scène et comptabilise toutes ces richesses dans le Domaine d'Amon.

L'ivresse inattendue de la reine

Voici que brusquement Hatshepsout, ne pouvant plus retenir l'impulsion enivrante qui bouillonne en elle, abandonne toute la retenue du protocole à la vue du trésor d'oliban tant désiré. Elle veut aussi participer à la fièvre de l'action et s'approche des résines odoriférantes, et se met à réagir telle la plus simple de ses sujettes [31] ! Comme saisie d'un désir charnel, elle s'approche de ces gommes qui ont commencé à suinter sous l'action du soleil, rappelant l'or en fusion. Elle saisit de ses deux mains le baume sacré et s'en recouvre les bras, les épaules, le torse. L'huile dorée ruisselle sur son corps qui brille comme les étoiles. Elle vit l'ivresse divine de ce *Pount* qui est maintenant à sa portée. Les prêtres, les Grands, les courtisans, le peuple l'acclament. C'est l'instant unique de communion avec la *Terre du dieu*. Elle devient elle-même, par ce geste mystique, la déesse Hathor... la Lointaine, l'Inondation qui règne sur *Pount*.

Le scribe, inspiré par Séshat l'annaliste, voulut éterniser par l'écrit cet instant insensé, délirant, mais dont aucune image ne pourrait matérialiser l'intensité, car trop proche du sacré. Il s'est contenté de décrire à sa manière la scène prise sur le vif, qui l'avait profondément frappé [32] :

> *« La reine prend un boisseau d'électrum. Elle étend ses mains pour mesurer l'amas. C'est la première fois et c'est un sujet de réjouissance de mesurer l'*ânty* vert pour Amon. Séshat en fait le décompte.*
>
> *(Alors) Sa Majesté elle-même, avec ses propres mains, répand de l'huile sur tous ses membres, son parfum est comme un souffle divin. Son odeur s'est répandue aussi loin que* Pount*, sa peau s'est transformée en électrum. Elle brille comme les étoiles, dans la salle des fêtes, en présence de la terre entière.*
>
> *Le peuple [33] est en joie... il adore le seigneur des dieux. Il célèbre Maâtkarê de même qu'il l'adore, car elle est une réelle merveille. Elle n'a pas son égale parmi toutes les formes divines qui existaient avant, depuis que le monde existe. Elle est vivante comme Rê, éternellement. »*

Cette scène unique et surprenante n'avait pas manqué de frapper même l'entourage le plus proche de la reine. Un de ses fidèles, un certain *Sénémiah*, dans sa biographie pourtant tracée plus tard, ne manqua pas de rappeler exceptionnellement, à propos de ce retour triomphal de *Pount*, qu'Hatshepsout elle-même en vint à « glisser ses deux bras sous le boisseau [34] ».

L'étendue du trésor

Maintenant on peut apercevoir, exposée, une grande partie de la cargaison des cinq navires. Quelques animaux évoqueront l'ensemble de ce qui a été amené pour le jardin zoologique.

Exposition des « Trésors » rapportés de *Pount* : bois de jet, anneaux d'or, pierres semi-précieuses, peaux de félins, guépards et girafe vivants... (D'après Naville)

La panthère, toujours soumise, avance tête baissée, alors que les deux guépards à la fière allure, libérés de leur laisse, défilent avec noblesse. Contre un pan de mur détérioré on aperçoit une partie de l'aile et la queue d'un gros oiseau (une autruche ?). Derrière, la girafe, pattes très tendues, semble avoir bien supporté le voyage [35].

La pesée des anneaux d'électrum (*djam*). (D'après Naville)

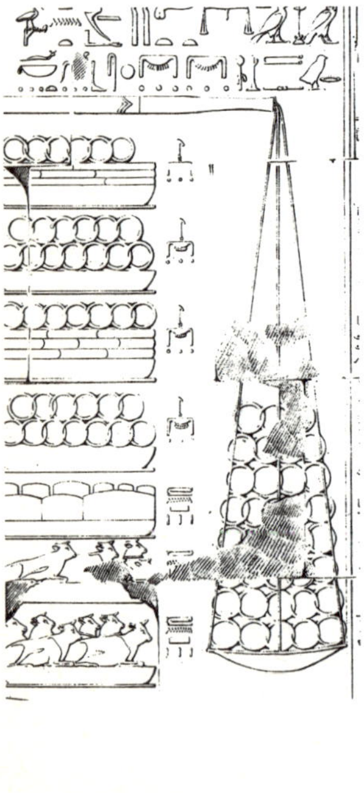

Puis, sur toute la hauteur de la paroi, en plusieurs registres, sont figurés quatre grands coffres remplis d'électrum (*djam*). Des anneaux d'or, des bois de jet, des ivoires, des œufs et des plumes d'autruche, des peaux de félins, des bois précieux et très probablement de très exceptionnels morceaux d'obsidienne [36].

Enfin Séshat, la divine annaliste, demeure toujours debout pour surveiller la pesée de la quantité exceptionnelle d'anneaux d'électrum qui vient d'être extraite des coffres. L'opération est réalisée à l'aide d'une énorme balance à deux larges plateaux suspendus à des chaînes. La « tare » (en *débèn*) est assurée par de magnifiques poids épousant des formes de

36. Il semble maintenant évident que les rares utilisations de l'obsidienne constatées dans la statuaire égyptienne étaient dues aux apports du pays de *Pount*.

bovidés de différentes tailles : Thoutiy avait rapporté de *Pount* 98,5 boisseaux d'or, soit 8592,5 *débèn*, correspondant à 790 kilogrammes [37].

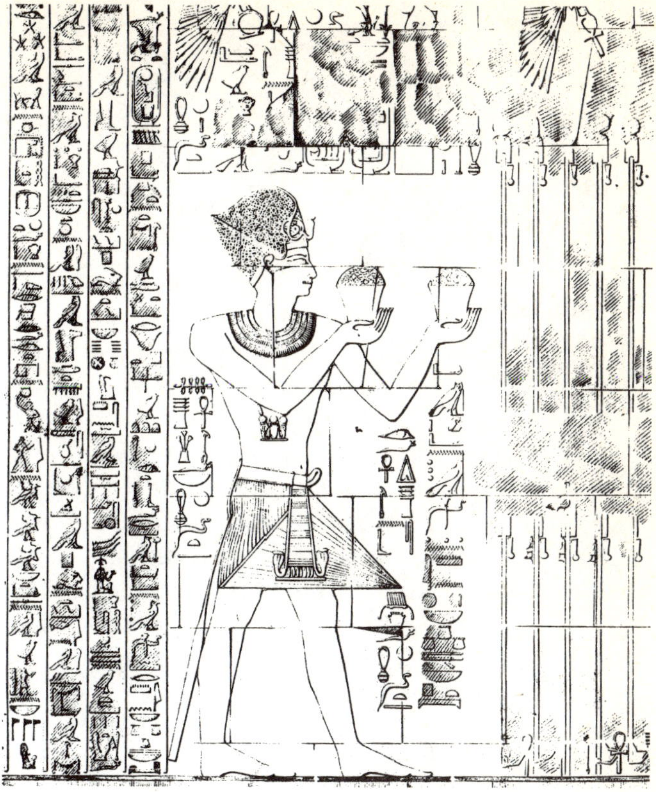

En conclusion, le petit roi Thoutmosis-Menkhéperrê fait l'offrande de l'oliban à la barque d'Amon. (D'après Naville)

La présence de Thoutmosis III

En cette fin de la IXe année du règne, le petit roi était âgé de 9 à 10 ans : une place lui était naturellement réservée au cours de ces festivités. Coiffé du splendide *khépéresh* du roi régnant, le serpent de Ouadjit superbement lové au-dessus de son front, à lui revient l'honneur d'offrir deux mesures d'*ânty* frais à la magnifique barque d'Amon, précédée de ses hautes enseignes [38].

La magistrale déclaration d'Amon

Au fond de la grande salle Amon, sur son trône issu des premiers âges, va livrer le commentaire emphatique des événements uniques, exceptionnels, vécus pacifiquement dans le danger et la gloire, et dont les résultats marqueront désormais l'action de la reine. La statue divine est placée contre le mur, l'ouverture par laquelle le prêtre prononce les paroles du dieu est invisible :

« Je t'ai donné Pount *en entier, la plus lointaine des terres divines. La Terre du dieu qui n'a jamais été explorée, les escaliers de l'oliban qui n'avaient jamais été vus par les Egyptiens. On n'en entendait parler que de bouche en bouche, à travers les dires des anciens. Ces belles choses amenées, elles furent apportées à tes pères les rois de Basse Egypte, les unes après les autres, (seulement) depuis l'âge de tes ancêtres, et aux rois de Haute Egypte qui existaient (même) auparavant, (mais) en échange de paiement.*

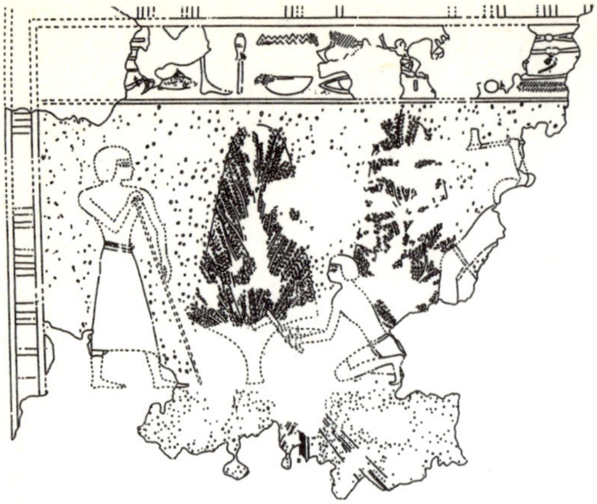

Ouvrier déracinant un arbre à oliban en présence, semble-t-il, du premier Prophète d'Amon, Hapouséneb. (Tombe thébaine d'Hapouséneb)

Personne n'avait atteint ces terres d'importance, à l'exception de tes caravaniers. (Maintenant) j'ai fait en sorte que tes soldats les parcourent. Je les ai conduits par eau et par terre, pour ouvrir les routes mystérieuses et pénétrer dans les escaliers de l'oliban.

C'est l'endroit merveilleux [39] *du Pays du dieu et c'est mon lieu de délices. J'ai fait cela pour satisfaire mon cœur ainsi que (celui) de (ta) mère Hathor, maîtresse de la couronne blanche (?), maîtresse de* Pount, *maîtresse du ciel, la grande-de-magie, la souveraine de tous les dieux. Maintenant, ils chargeront leurs bateaux selon leur désir, avec des arbres à oliban vert et tous les bons produits de ce pays étranger.*

Les Pountites, ils ignoraient les hommes d'Egypte ; les Khébèstiou, *j'ai gagné leur confiance pour qu'ils te rendent grâce comme à dieu, à cause de ta puissance à travers (ce) pays étranger.*

Je les connais, car je suis leur maître. Ils savent que je suis le générateur, Amon-Rê (dont) la fille courbe toutes les terres, le roi de Haute et de Basse Egypte Maâtkarê.

J'ai fait cela car je suis ton père. J'ai placé ta crainte parmi les Neuf Arcs. Maintenant, ils sont venus en paix à Karnak, et ils apportent de grandes merveilles, toutes sortes de belles choses du Pays du dieu pour lesquelles Ta Majesté avait envoyé (son expédition). Des amoncellements de gomme [40] *d'oliban, des arbres bien équilibrés portant l'oliban vert et qui fleuriront (ou "bourgeonneront") dans la grande cour des fêtes pour que le seigneur des dieux puisse les voir. Ta Majesté elle-même les plantera de chaque côté de mon temple, pour que j'en sois réjoui* [41]. »

En conclusion de cette extraordinaire aventure, relatée par ses témoins sur les murs du *Djéser-djésérou*, et aussi après la mise au point inattendue… et officielle, donnée par Amon lui-même afin que nul n'ignore les liens lointains qui l'unissaient à cette terre d'où il était issu, Hatshepsout coiffée de la couronne *atef*, casse-tête et canne en mains, son *ka* toujours représenté derrière elle, prit place sur son grand siège plaqué d'argent et abrité sous son dais d'apparat [42]. En présence des « pères divins », du vizir, des nobles, des Amis royaux,

40. Le mot traduit par « gomme » en français, provient du mot égyptien utilisé ici même : *kémyt*.

elle leur expliqua à nouveau les mobiles officiels de cette expédition, soulignant avec emphase le but essentiel de toute l'opération. Elle avait obéi aux ordres de son père Amon, nul ne pouvait plus en douter, pour ouvrir les chemins directs vers la Terre du dieu et ramener les arbres à oliban pour les planter dans le domaine de son créateur.

Au pied du trône, trois hommes se tiennent debout, dans l'attitude du salut respectueux : une main posée sur une épaule. Leur silhouette a été complètement et soigneusement martelée par des mains impies, ce sont maintenant des ombres. Deux noms, tracés au-dessus de leurs têtes, peuvent être cependant déchiffrés : il s'agit d'abord de Néhésy, le responsable de l'expédition ; on peut aussi distinguer le nom de Sénènmout, probablement l'artisan très discret du projet. Pour le troisième, rien n'est plus visible : il est peut-être question d'Hapouséneb, le Grand-prêtre d'Amon, le maître du domaine où la plus grande partie du trésor allait être entassée [43] ? Hatshepsout va ouvertement les féliciter pour avoir si bien œuvré au bénéfice d'Amon.

Tous les trois cependant savaient avant tout qu'à la fin de cette neuvième année du règne des corégents Menkhéperrê et Maâtkarê aimée d'Amon, la première vaste opération commerciale, scientifique et pacifique au monde venait de naître au pays de Pharaon.

La reine félicite les trois responsables de l'Expédition de *Pount* : Néhésy, Sénènmout et, probablement, Hapouséneb (l'inscription qui accompagne son image, est illisible). Deir el-Bahari. (D'après Naville)

XIII

HATSHEPSOUT ET SA CELLULE FAMILIALE

Néférourê, la fille aînée

Au retour de l'expédition de *Pount*, Néférourê, la fille aînée d'Hatshepsout, éduquée par les plus brillantes personnalités du Palais, devait avoir atteint approximativement sa quinzième année. Elle avait été portraiturée dans les chapelles réservées à la famille royale, au troisième niveau du temple jubilaire de Deir el-Bahari, mais nulle part ailleurs dans les reliefs du temple on ne rencontre son image. Au reste, aucun autre membre de la famille royale n'avait été évoqué dans les parties publiques du temple jubilaire, à l'exception du vénéré Thoutmosis Ier, au sujet du supposé couronnement de sa fille, et mise à part la présence du jeune Menkhéperrê au cours des cérémonies officielles.

Néférourê et Sénènmout

On se souvient que, dès sa tendre enfance, le charmant petit visage de Néférourê était apparu dans les groupes statuaires formés par l'image de Sénènmout, en statues-cubes, protégeant dans son giron l'héritière de la Grande Epouse royale. On la retrouve ainsi sur une statue-cube conservée au musée de Berlin [1], deux autres au musée du Caire [2], une quatrième au British Museum [3] ; un autre groupe la montre assise sur les genoux de Sénènmout [4]. Dans le groupe le plus original (Field Museum de Chicago), elle est tenue dans les bras de Sénènmout, lui-même dans l'attitude de la marche [5]. Ces statuettes doivent remonter aux toutes premières années de la princesse, peu de temps avant qu'elle ne soit portraiturée à Deir el-Bahari. Dans le sanctuaire, elle est représentée en petite fille au corps très mince, encore figurée nue, et cependant parée de rubans croisés sur la poitrine, de bijoux dont une ceinture de hanche garnie de cauris, sceptre et signe de vie en mains, la tête ornée de la boucle de cheveux de l'enfance, et portant déjà au front l'uræus royal. Au-dessus d'elle, son nom est mentionné dans le cartouche royal, complété par son titre de « Fille royale, aimée du souverain, Epouse du dieu » (déjà !). Sans doute n'était-elle plus surveillée étroitement par son premier Père nourricier Ahmès Pen-Nekhbet, qui s'en était occupé lorsqu'elle était encore « une enfant au sein [6] ».

Peu de temps après, on la voit représentée à Karnak, toute petite, dans un groupe de famille, marchant entre son père le deuxième Thoutmosis et la Grande Epouse royale Hatshepsout, en présence d'Amon [7]. Elle fut alors confiée aux soins très attentifs de Sénènmout, son Intendant puis son Tuteur, qui semble ne plus l'avoir quittée jusqu'à sa disparition. Encore très jeune, un troisième Père nourricier fut donné à cette princesse aînée sur laquelle Hatshepsout semblait avoir porté tous ses espoirs, et qu'elle traitait déjà comme la princesse héritière. Senmèn, le nouveau Tuteur, « Enfant du *kep* [8] », avait en effet été chargé des « soins du corps divin de l'Epouse du dieu Néférourê », sans pour autant négliger l'attention qu'il devait porter, en tant que son Intendant [9], à la « Fille du dieu », Hatshepsout-Mérytrê, la sœur cadette.

Néférourê possédait déjà une « Maison » et des fonctionnaires à son service, dirigés par le Gouverneur de cette Maison, l'Intendant de la Cour, Minhotep, fils de la dame Ibou et de Bétou [10].

La jeune princesse à marier

Vint l'époque où Néférourê, devenue une svelte jeune fille, fut pour la seconde et dernière fois représentée dans le sanctuaire de

6. Mot à mot « entre les deux seins », *imy ménèdjouy*.

Deir el-Bahari [11], à l'occasion de l'offrande faite à la barque d'Amon par la reine Maâtkarê, parallèlement avec son neveu et corégent Menkhéperrê. Derrière Thoutmosis, une silhouette subsiste en partie, malheureusement détériorée. On peut voir celle qui ne peut être que Néférourê. Elle est surmontée des inscriptions : « Fille royale de... Maîtresse des Deux Terres, souveraine de Haute et de Basse Egypte... » (les autres titres ne sont plus lisibles [12]). Cette représentation pourrait sans doute remonter à l'époque du retour de *Pount*, en l'an X. Elle était âgée d'environ une quinzaine d'années, son demi-frère Menkhéperrê-Thoutmosis venait d'atteindre sa quatorzième année.

Ne paraissait-il pas normal, logique et même attendu de marier le jeune roi (ne l'oublions pas, fils d'une concubine) avec celle qui, de la famille royale, incarnait l'héritière au trône la plus directe ? Il semble donc fort probable que l'idée en soit naturellement venue à l'esprit d'Hatshepsout [13], nullement en cela désapprouvée par ses conseillers intimes. Les témoignages sur ces événements sont quasiment inexistants, cette période de l'histoire de la famille royale ne s'appuie que sur quelques éléments fragiles, des suppositions : encore faut-il admettre que ces dernières demeurent dans la logique des choses.

L'objection majeure à cette certitude est que les seuls vestiges relatifs à la princesse qui nous soient parvenus n'indiquent pas qu'elle soit jamais devenue la *hémèt nésout ourèt*, la « Grande Epouse royale ». Pour mieux saisir la situation, il faut avoir présent à l'esprit qu'en vue d'accéder à l'état de « marié », il n'existait alors ni cérémonie religieuse, ni cérémonie civile [14]. L'union de deux êtres se faisait par consentement mutuel devant des témoins qui, en général, étaient constitués par les membres de la famille. Il s'ajoute à cette situation la méconnaissance totale que nous avons du statut concernant l'épouse d'un jeune roi ayant comme corégent une autre reine. Quoi qu'il en soit, il ne pouvait exister ainsi, dans la Maison royale, au Palais, ces deux pouvoirs féminins, qui par ailleurs ne pouvaient s'affronter ; il faut aussi tenir compte de l'âge qui les séparait. Dans le cas ici étudié, il semble que le couple, trop jeune encore pour régner, était prié de laisser la reine Maâtkarê « conduire les affaires du pays ».

La première épouse de Thoutmosis-Menkhéperrê

Il paraît donc possible de suggérer une éventuelle union entre le jeune roi et sa demi-sœur, gratifiée de tous les titres auxquels sa naissance donnait droit, mais qui ne deviendrait « Grande Epouse royale » qu'après le départ d'Hatshepsout, lorsque Menkhéperrê monterait seul sur le trône. Quoi qu'il en soit, dès sa naissance, Néférourê avait reçu le droit d'inscrire son nom dans un cartouche royal. Tout enfant, elle portait déjà le titre prestigieux de *hémèt nétèr*, « Epouse du dieu ». Dorénavant, ses titres et fonctions illustrent son état de « Fille royale, Sœur royale, Epouse du dieu, Main divine, Divine adoratrice, Dame (ou "maîtresse") des Deux Pays, Régente du Sud et du Nord [15], Image sacrée d'Amon, bien-aimée d'Hathor ».

La voici maintenant au Sinaï, à l'occasion de la réouverture d'une mine de Sérabit el-Khadim, un des domaines de la grande Hathor [16]. Elle est accompagnée de celui qui, de Précepteur, est devenu le Grand Intendant d'Amon, Sénènmout. Elle accomplit le geste, strictement royal, de l'offrande à la « Maîtresse de la turquoise, Hathor ». La stèle où elle figure est datée de l'an XI. Mais cela n'est pas aussi simple : la date est indiquée en tenant compte de son état de *hèm*, « Majesté » ! En effet, on peut lire dans le cintre de la stèle et au sommet : « Année XI [17], <u>sous la Majesté de l'Epouse du dieu Néférourê</u>, qu'elle vive ! » La façon d'indiquer une date la mentionne comme étant « sous le règne de la Majesté... » : ici, la

Graffito représentant l'Epouse divine Néférourê, accompagnée du Grand Intendant Sénènmout. La princesse fait l'offrande du pain conique à la Maîtresse de la turquoise, Hathor. (Graffito du Sinaï)

Majesté aurait dû être soit Menkhéperrê, soit Maâtkarê. Or, Néférourê a reçu, ou s'est donné le titre de Majesté, et considère son nom comme celui d'un souverain couronné...

Elle est vêtue d'une longue robe moulant son corps, et sa tête est ornée de la volumineuse perruque royale [18], uræus au front. De surcroît, son chef est dominé par les deux hautes plumes des reines, ces mêmes hautes plumes (typique coiffure des reines et de l'étoile Sothis-Sirius) que l'on retrouve sur la tête d'Hatshepsout, Grande Epouse royale de Thoutmosis II, lorsqu'elle donne l'ordre à Sénènmout de faire transporter les deux premiers obélisques de Séhel vers Karnak.

Le couple royal

Après l'an XI, il n'a pas été trouvé à ce jour de traces datées de Néférourê, ce qui ne prouve absolument pas qu'elle ait pu disparaître ainsi de l'histoire [19], si l'on songe à toutes les destructions subies par les principaux acteurs de cette période. Mais une question se pose alors : si la jeune Néférourê avait formé un couple (de mariés) avec son petit roi Menkhéperrê, ils devraient avoir été

Néférourê, princesse héritière encore enfant, derrière le très jeune couronné, Thoutmosis-Menkhéperrê, faisant l'offrande du vin à la Barque divine. Deir el-Bahari, sanctuaire. (D'après Champollion : *Monuments*...)

Voici, en réalité, le visage de Néférourê que l'on peut voir évoquée à la page précédente.
Ici, le portrait de la princesse, traité en léger relief, fut prélevé vers 1880 et aboutit, en définitive, au Musée de Dundee.
L'image très détériorée permet cependant de constater que les premiers relevés pouvaient ne pas être très fidèles. (*cf.* K. Kitchen J.E.A., vol. 49 (1963) p. 245)

représentés ensemble, plus ou moins côte à côte, comme tous les couples « familiaux » égyptiens (royaux ou civils). Sans doute le premier exemple est-il donné dans le sanctuaire du *Djéser-djésérou*, lorsqu'elle est figurée derrière Thoutmosis III, tous deux affairés à vénérer la barque conjointement avec Hatshepsout.

Elle figure aussi, adulte, avant le jubilé de sa mère vers l'an XV, sur un mur de la petite niche-chapelle aménagée au fond du Ouadi Batn el-Baggara, dans le XVIe nome de Haute Egypte, près de Béni Hassan. Les lieux sont voués à Pakhèt aux griffes acérées, sous l'égide de qui la légitimation de la royauté est, une fois de plus, affirmée [20]. Néférourê et Menkhéperrê, puis Maâtkarê sont représentés officiant tour à tour, tels trois souverains. Si le nom de Maâtkarê fut martelé par la suite, celui de Néférourê est demeuré intact, de même que ses glorieux titres : « La fille du roi, de son corps, sa bien-aimée, la maîtresse des Deux Pays, la Régente du

Sud et du Nord, l'Epouse du dieu, l'image sacrée d'Amon, Néférourê, la bien-aimée d'Hathor, qu'elle vive à jamais. »

Mieux encore, il existe un document sur lequel Néférourê et Menkhéperrê figurent ensemble, sans la présence de Maâtkarê. Il s'agit d'une statue en diorite de Sénènmout, agenouillé et présentant devant lui un naos, statue consacrée à Karnak [21]. Fait exceptionnel, cette statue de Sénènmout est la seule, sur les 25 statues connues du Grand Intendant, qui ne comporte pas le nom de la reine Hatshepsout dans ses inscriptions. En revanche, sur chacun des deux côtés du naos, Menkhéperrê et Néférourê sont figurés, leurs noms respectifs marqués dans un cartouche, l'un et l'autre flanqués d'une représentation de Rénénoutèt, déesse des moissons. Les deux personnages royaux figurent à égalité sur ce monument où le Grand Intendant porte, dans ses inscriptions, des titres inusuels : « Intendant de la barque d'Amon *Ousèrhat*, Intendant des greniers de la barque d'Amon *Ousèrhat* [22]. »

Ayant ainsi fait participer mes lecteurs à cette recherche, je souhaite les avoir guidés vers la seule solution où aboutissent les quelques indices connus à ce jour : l'union de Néférourê et de Menkhéperrê. A ces arguments vient s'ajouter, de surcroît, le témoignage d'une stèle conservée au musée du Caire, remontant à l'an XXIII-XXIV, date à laquelle Hatshepsout n'est plus au pouvoir. La stèle [23] présente l'image de Thoutmosis-Menkhéperrê suivi d'une « Epouse du dieu » ; le cartouche qui identifie cette dernière porte le nom d'une Grande Epouse royale, Satiâh, fille d'une Nourrice royale, Ipou, mais ce nom a été gravé sur un autre nom dont seul subsiste visible, en tête, le signe du soleil, Rê, qui figure aussi par écrit au début du nom de Néférourê [24]. Il semble ainsi que ce cartouche a dû, primitivement, être utilisé pour la fille aînée d'Hatshepsout, d'autant que Satiâh ne fut jamais Epouse du dieu, à l'inverse de Néférourê [25].

Le fruit de l'union

Si l'on admet l'union qui semble avoir, très logiquement, existé entre les deux princes [26], il paraît normal de s'attendre à en trouver le résultat, puisqu'au premier chef ces mariages consanguins avaient pour objectif d'enrichir la progéniture de la Couronne.

Une fois de plus, si l'on aborde l'histoire de la grande reine, les éléments à notre disposition sont quasiment inexistants :

l'enquête dans les ténèbres continue ! On ne peut, à l'heure actuelle, s'appuyer que sur une seule inscription [27], tronquée, gravée sur le mur extérieur de la « salle des fêtes » de Thoutmosis III (le *Akh-ménou* de Karnak). Elle figure sur une longue inscription où il est question de « *l'installation du fils aîné du roi, [Amen] emhat*, en tant qu'*Intendant du bétail d'Amon* » (le prince pouvait porter le titre même s'il n'était pas encore capable d'en exercer la charge). Il ne paraît pas étonnant que le premier petit-fils d'Hatshepsout, le fils aîné (*sa sèmsou*) de sa fille, ait reçu le nom porté par un des grands ancêtres adoptés par Hatshepsout, si viscéralement attachée aux rois du Moyen Empire.

La disgrâce de Néférourê

Aucune preuve concernant ce prince aîné, *Amenemhat*, ne peut nous permettre de faire revivre le fils de Néférourê. On rencontre le même silence en ce qui concerne le destin de sa mère, qui aurait pu rester en vie – ou en faveur – jusqu'en l'an XXIII [28] en tant qu'Epouse du dieu, mais jamais ouvertement comme Grande Epouse royale. Il convient donc de chercher pourquoi le nom de la jeune épouse de Menkhéperrê fut remplacé par celui de Satiâh. Cette dernière, choisie parmi les « Ornements de la Maison du roi », fille d'une nourrice royale, avait dû occuper une place d'importance auprès de Thoutmosis, au détriment de Néférourê.

Quoi qu'il en soit, il semble qu'il faille penser à une sorte de disgrâce ou d'effacement de la part de Néférourê, plutôt qu'à une mort physique [29]. Satiâh a dû prendre officiellement la place de Néférourê lorsque Thoutmosis put régner seul ; elle devint Grande Epouse royale, et cela dut être d'autant plus facile que Néférourê n'avait pas reçu elle-même le titre de Grande Epouse royale durant la corégence. L'événement a dû, naturellement, se passer après la disparition officielle de sa mère, car s'il en avait été autrement on aurait retrouvé dans les écrits et autres vestiges des traces de sa personne. Pour suivre les termes de R. Tefnin, « de ce grand silence se dégage l'idée d'un implacable effacement politique ». On ne la voit mentionnée sur aucun monument, sur aucune statue, à l'exception peut-être d'une « Epouse divine » anonyme [30], qui apparaît figurée sur un des éléments de la chapelle rouge érigée par Hatshepsout à Karnak, à la fin de son règne.

La dernière demeure

Peut-être Néférourê fut-elle enterrée dans un ouadi proche de celui où sa mère avait fait préparer sa sépulture du temps qu'elle était la Grande Epouse royale de Thoutmosis II (c'était le Ouadi Sikkat Taquet ez-Zeïd). Elle aurait choisi le Ouadi Gabbanat el-Gouroud : une tombe y fut trouvée, complètement pillée, où fut cependant repéré un bloc de calcaire portant le nom de Néférourê.

Sans doute est-ce parce que Néférourê, fille aînée du souverain et précoce épouse de Menkhéperrê, avait le statut et non le titre d'Epouse royale, qu'elle ne voulut pas emprunter la première

Gabbanat el-Gouroud. Vallon de la tombe (?) de Néférourê, fille aînée d'Hatshepsout.

tombe que sa mère s'était fait préparer au Ouadi Sikkat Taquet ez-Zeïd, pourtant parfaitement inutilisée. Elle avait désiré bénéficier d'une sépulture qui lui fût personnelle, aménagée à son intention, deux vallons plus loin, derrière la Vallée des Reines [31].

31. Le nom antique de la Vallée des Reines était *Ta Sèt-Néférou*, « la place des *Néférou* » (*néférou* : les lotus, qui redonnaient vie éternelle aux défunts).

Façade du temple thoutmoside de Médinet Habou.

« L'implacable effacement » l'a poursuivie jusque dans la tombe de Thoutmosis-Menkhéperrê, où elle ne figure pas. En revanche, celle qui l'a supplantée y a été représentée non loin d'une obscure autre compagne royale, Nébétou. Mais une Grande Epouse royale de la famille s'y impose cependant : il s'agit de Mérytrê-Hatshepsout, dont il va être question [32].

Mérytrê-Hatshepsout

Les contemporains de Thoutmosis Ier sont formels, Néférourê était bien la fille aînée d'Hatshepsout et de Thoutmosis-Âakhéperenrê. Assurément, une seconde princesse, probablement née du couple royal, avait partagé les mêmes précepteurs avec sa sœur aînée [33].

Un nouveau mystère encore plus opaque enveloppe la vie de cette seconde fille de la reine : elle ne figure pas dans les salles supérieures du *Djéser-djésérou*, où il paraît bien que seuls les rejetons aînés de la famille royale ont été représentés. On ne sait virtuellement rien sur elle, mais elle prit officiellement le pas sur Satiâh, dès qu'elle devint Grande Epouse royale de Menkhéperrê [34].

Svelte et discrète, on la voit assez menue sur un des murs du temple thoutmoside de Médinet Habou, debout derrière l'image assise de son demi-frère et époux Menkhéperrê-Thoutmosis, et nul ne peut douter qu'elle mit au monde un prince, qui devint le secret et redoutable deuxième Aménophis, le second petit-fils officiel de notre Hatshepsout. La tombe portant actuellement le n° 42 de la Vallée des Rois fut aménagée pour la reine Mérytrê-Hatshepsout, comme le prouvent les dépôts de fondation à son nom, qui ont été retrouvés[35]. Son sarcophage rectangulaire inachevé de reine subsiste encore dans la tombe.

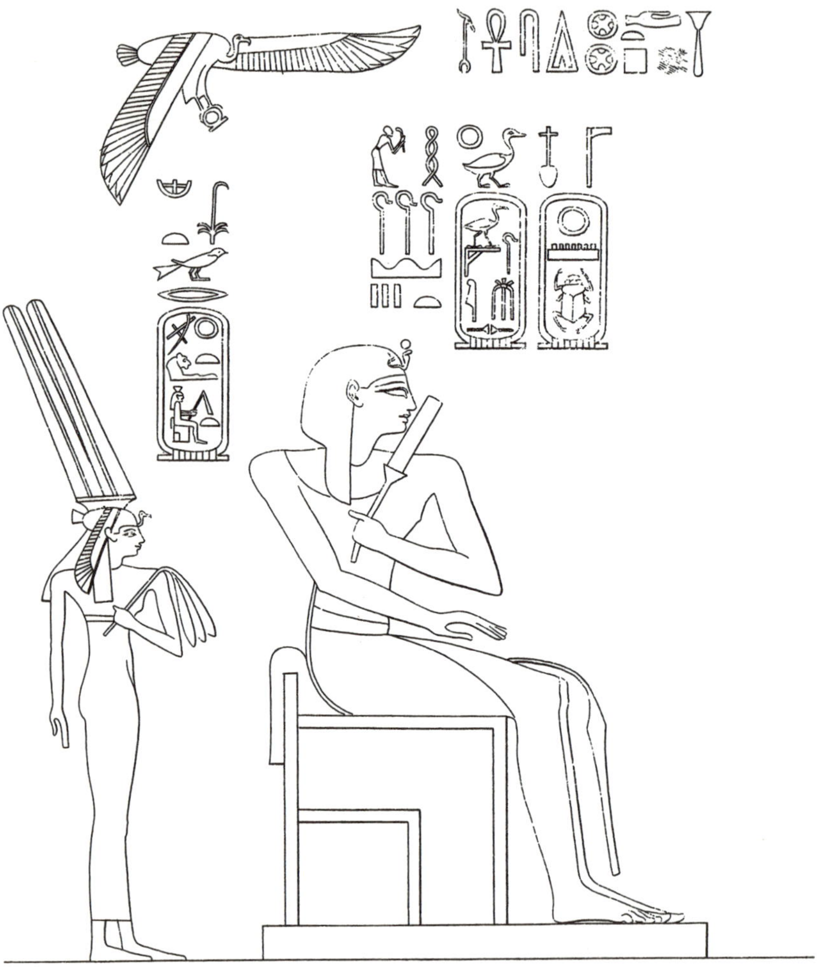

Thoutmosis-Menkhéperrê, assis sur le trône archaïque. L'inscription précise qu'il frappe les Chefs des Pays étrangers. Il est accompagné de la Grande Epouse Royale Mérytrê-Hatshepsout. (Bas relief. Temple Thoutmoside de Médinet-Habou.)

XIV

HATSHEPSOUT ET SÉNÈNMOUT
L'AN X DE LA CORÉGENCE

Les documents que l'on peut interroger sur la vie privée de la brillante Hatshepsout sont si ténus qu'il serait aisé, au premier abord, de les qualifier d'insignifiants [1], mais sans doute n'ont-ils pas été suffisamment pris en compte ? En revanche, on sait que notre reine ne s'est pas privée de parler abondamment de son œuvre publique : elle déclare avoir consacré tout le cours de son règne à la gloire de son père divin Amon – et pour que vive son pays – sans pour autant négliger la profonde dévotion vouée à son géniteur terrestre, le premier Thoutmosis, Âakhéperkarê.

Certes, la relation emphatique des événements marquants de son existence publique n'a pas épargné sa modestie : Hatshepsout devait assurément camper son personnage avec autant d'autorité que de subtilité, aussi sut-elle, pour ce faire, utiliser les vastes connaissances dont elle pouvait disposer, employant avec une rare habileté les facteurs humains et matériels de son environnement ; rien, cependant, n'apparaît de ce qui a pu constituer son existence personnelle.

1. Si bien que mes collègues ont eu la sagesse de renoncer à cette gageure aussi difficile qu'improbable.

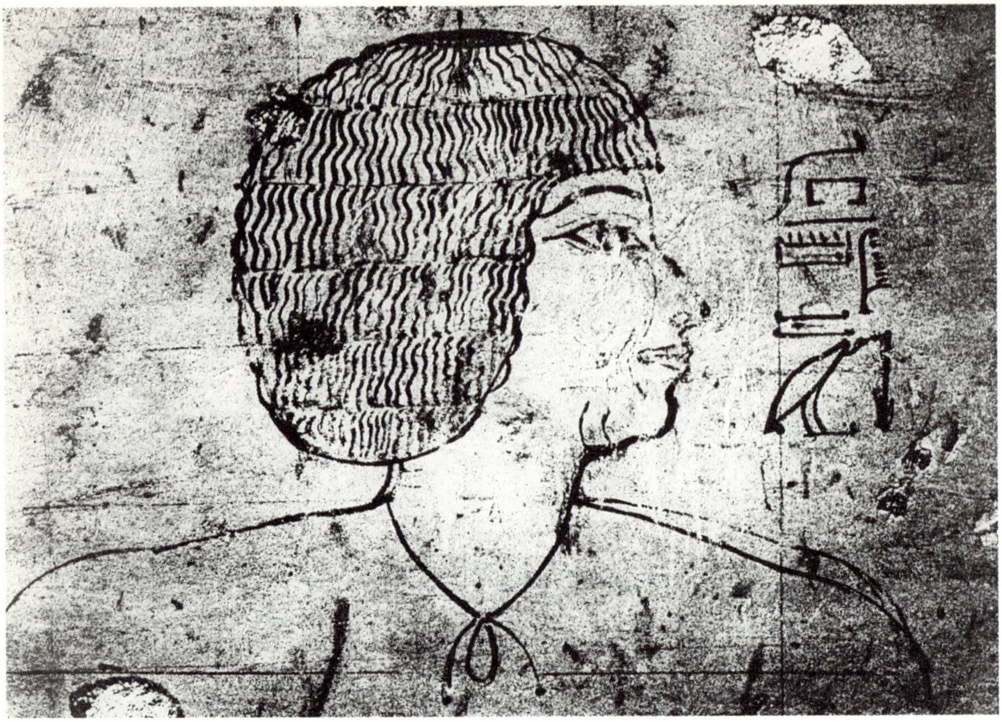

Sénènmout, Intendant d'Amon. Ce portrait, peut-être exécuté de la main de ce grand homme, est marqué, à la hauteur du nez et de la bouche par des scarifications que l'on retrouve encore récemment sur le visage des Nubiens. (Caveau de Sénènmout à Deir el-Bahari)

Pourtant, en dépit d'apparences dues à son obligatoire jeu royal, cette femme ne renia jamais sa féminité. En l'an X de la corégence Hatshepsout, un peu avant sa quarantaine, semble être arrivée au faîte d'une gloire acquise et méritée. Pouvait-elle continuer à se satisfaire du dévouement et de l'appui d'un cercle de collaborateurs, certainement gagnés à son action bénéfique, et de l'affectueuse fidélité des derniers vieux compagnons de son père ? Il semble qu'elle ait fait peu de cas de son éphémère époux, dont le rôle essentiel fut de lui donner semble-t-il deux jeunes princesses, mais qui grâce à Moutnéféret laissa à la garde d'Hatshepsout le futur troisième Thoutmosis.

Quel degré d'intimité ?

Hatshepsout attendait certainement mieux encore. Aussi l'attention se porte-t-elle, sans hésitation, sur le personnage central de l'entourage royal, Sénènmout. Pas davantage que pour la reine, le jugement de la majorité des égyptologues n'avait épargné Sénènmout [2], prétendant que, en raison de son extraction modeste, il ne pouvait être qu'un ambitieux, certes doué d'évidentes qualités, mais un arriviste forcené, que son nombre invraisemblable de statues permet définitivement de classer dans cette catégorie détestable.

Pourtant, à poursuivre l'enquête sur le personnage de Sénènmout, la discrétion, la retenue du Grand Intendant sur son intimité semblent complètes. Seuls transparaissent ses témoignages d'attachement, de vénération pourrait-on discerner, à l'égard de sa reine très aimée, et qui excluent semble-t-il toute flagornerie.

Proche de la souveraine, nul n'en doute, depuis presque son adolescence, ses charges de Majordome de la première petite princesse, et aussi de précepteur des deux sœurs, l'ont constamment mêlé à l'existence de leur mère. Son rôle éminent (sans doute aussi, pour un temps, précepteur du petit Thoutmosis) sous le règne du deuxième Thoutmosis, époux d'Hatshepsout, l'avait déjà placé apparemment de plain-pied avec la Grande Epouse royale. C'est ainsi qu'il se présente sur le graffito de Séhel [3], lorsqu'il lui est confié la charge de mener à bien l'extraction des obélisques du roi. Du point de vue du strict protocole, l'entorse était de taille : une même égale silhouette est donnée à chacun des personnages, Hatshepsout et Sénènmout, qui se font face. Ils sont égaux en taille, donc en importance !

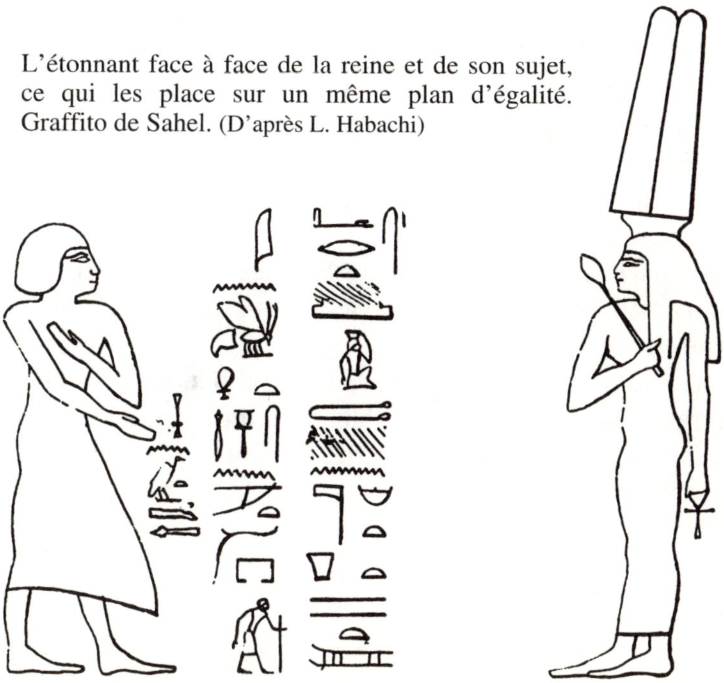

L'étonnant face à face de la reine et de son sujet, ce qui les place sur un même plan d'égalité. Graffito de Sahel. (D'après L. Habachi)

Non seulement Sénènmout est devenu puissant, mais il a reçu l'aval de la souveraine. Cet état, traduit par l'image, est substitué à celui du texte, qui ne peut semble-t-il pas être exprimé librement. L'image révèle cependant le choix, la préférence, et l'hommage témoigné par la souveraine à celui à qui elle reconnaît une sorte d'égalité, inacceptable si le Grand Intendant est considéré comme un sujet de la reine, mais compréhensible au cas où elle le traiterait comme son *alter ego* ? Quel autre témoignage à verser au dossier, à côté de ce début de preuve ?

La force des images

Ce graffito incite certainement à penser que Sénènmout fut autorisé à faire tracer pareil tableau, en tenant compte de l'éloignement de la métropole, ce qui aurait aussi permis de souligner, à la suite du nom de Sénènmout, l'épithète « objet d'amour [4] », et derrière celui de la reine, « très aimée [5] ». Cependant, le nombre important de statues de Sénènmout consacrées dans les temples [6] souligne les faveurs accordées par la reine, sa grande liberté d'action dans tous les domaines, et aussi l'attachement affectif dont il était l'objet [7].

Certes, on peut avancer que la reine dut volontiers accepter de se laisser adorer, mais elle consentit aussi à l'accès de Sénènmout dans la plus proche des intimités de la famille royale… et divine. La permission ne fut-elle pas donnée par Hatshepsout, afin que le Grand Intendant reçoive l'autorisation de faire figurer, à 60 reprises au moins, ses images, en louange à Maâtkarê, sur la face intérieure des portes en bois fermant les niches sacrées de la terrasse supérieure du *Djéser-djésérou*, celle de la chapelle de Thoutmosis Ier et aussi dans le secret des chapelles d'Hathor et d'Anubis : en position d'orant, Sénènmout est représenté regardant vers le fond du sanctuaire [8].

En fait, la permission royale accordée à Sénènmout, pour qu'il puisse faire figurer ses images dans le temple jubilaire, dépassait naturellement ce domaine, comme le fait comprendre le texte annonçant cette faveur :

4. *Ny mrwt*, ni mérout.
5. *Mryt âat*, Méryt âat.
6. 25 à ce jour, provenant presque toutes de Karnak : Dorman, *Senenmut*, p. 188-197.

« Louanges à Amon, flairer la terre devant le seigneur, pour la vie... du roi... Hatshepsout... Maâtkarê... par le prince héréditaire, le noble, l'Intendant d'Amon Sénènmout, en accord avec la faveur du roi qui a bien voulu laisser son serviteur établir son nom sur chaque mur, à la suite (de celui) du roi au Djéser-djésérou, *et aussi dans les temples des dieux de Haute et Basse Egypte. Ainsi parla le roi* [9]. »

Ce très proche de la Couronne adaptait aussi ses choix de prédilection à ceux de la reine. Ainsi, l'emphase portée par elle au culte d'Hathor était naturellement suivie par son Grand Majordome, et traduite dès la décoration de sa chapelle de Gourna par l'apparition de la première frise ornementale à têtes d'Hathor, sur ses murs. En retour, les attentions de la reine, en don de statues de Sénènmout vouées à la déesse, et dédiées dans les temples, furent constatées.

Sénènmout est le seul mortel qui reçut de la reine, la permission de se faire représenter en adoration devant sa souveraine et dans le temple jubilaire de celle-ci. (Chapelle d'Hathor à Deir el-Bahari)

Ce qui rapproche encore plus Sénènmout de la sollicitude du Palais se manifeste aussi par l'affectation d'un sarcophage en quartzite, matière aulique, auquel fut donné un aspect tout particulier, puisqu'il héritait, à la tête et aux pieds, d'un exceptionnel arrondi : il ne manquait que la barre horizontale contre un des petits côtés pour former le cartouche, et donner à la dernière enveloppe de Sénènmout une identité parfaitement royale [10].

L'attribution de la tombe

A deux reprises, dans son caveau, Sénènmout s'est fait représenter debout, légèrement incliné, rendant hommage à trois des cinq Grands Noms de sa Souveraine : le nom d'Horus (ou de « bannière »), le nom de couronnement et celui de naissance. Cette ultime vénération lui valut-elle les martelages dont son image fut victime ?

Par ailleurs, Hatshepsout n'a certainement pas pu être étrangère à l'attribution pour Sénènmout d'un terrain situé au Nord du *Djéser-djésérou*, afin de permettre l'aménagement de la dernière demeure supposée du Grand Majordome, sous la carrière exploitée en partie pour la construction du temple, dans l'aire sacrée appelée *Ta-djéséret*, et localisant ainsi les trois descenderies et les trois chambres funéraires de Sénènmout [11] sous le sanctuaire de la reine.

Les deux noms jumelés

Plus encore, l'étude de cette tombe permet de constater l'hommage réitéré du Grand Intendant à sa reine bien-aimée, en s'inclinant, à deux reprises, devant le cartouche et le nom de la souveraine, et en introduisant ainsi, dans ce qui devait être sa « maison d'éternité », la présence de l'être à qui il témoigna s'être toute son existence consacré. Pour souligner cet état de fait, comme un gage supplémentaire de sa fidélité, lui, voué comme tout Egyptien au mariage sitôt la puberté [12], et doté de tous les atouts pour créer une nombreuse famille, souligne son étonnant autant qu'exceptionnel célibat, en faisant représenter dans son caveau un de ses frères – à la place rituelle du « fils aîné », orgueil de tout Egyptien, qu'il déclare ainsi ne pas avoir engendré – pour lui rendre son culte funéraire. Un indice encore : dans la salle du caveau, dont le plafond présente la première image du ciel astronomique, l'hémisphère boréal et l'hémisphère austral sont séparés par une ligne principale médiane [13]. Surprise ! Les deux noms d'Hatshepsout et de Sénènmout sont réellement jumelés. Qu'on en juge [14] :

> *« Que vivent l'Horus* Ousérèt-kaou, *les Deux Dames* Ouadjet-rènpout, *l'Horus d'or* Nétérèt-khâou, *le roi du Sud et du Nord* Maâtkarê *aimée d'Amon-Rê* [15]*, qu'elle vive. Le Trésorier (du roi de Basse Egypte), le Majordome d'Amon-Rê Sénènmout, engendré par Ramosé, justifié, et né de Hatnéfer* [16]*. »*

Ainsi donc, les noms d'Hatshepsout et de Sénènmout, ensemble, sont associés au sommet de la chambre funéraire du Majordome. De surcroît, dans la partie méridionale du ciel, au-dessus et à gauche des sections illustrées par les images respectives de Sothis et d'Orion sur leur barque, apparaît maintenant à deux reprises le premier nom du protocole de la reine (le nom d'Horus).

Le premier nom domine l'image de la planète Jupiter (à tête de faucon), appelée « son nom est Horus qui réunit les Deux Terres, l'étoile du Sud du ciel ».

Le second nom domine le vautour de Mout (remplacé par le faucon d'Horus) apparaissant dans le nom de Saturne, nommé « l'étoile orientale qui traverse le ciel ».

Parfois ce jumelage des deux noms est mentionné sous l'égide d'Hathor, ainsi :

> *« Hathor dominant Thèbes, qui préside dans le saint des saints, aimant le dieu parfait (*néter néfer*) Maâtkarê, et l'Intendant du palais Sénènmout* [17]*. »*

Par ailleurs, à côté d'une amulette à tête d'Hathor mentionnant les noms jumelés d'Hathor et de Sénènmout [18], il faut encore ajouter

---

16. Il faut remarquer ici une inversion de la règle qui consiste à toujours citer en tête la mère, qui met au monde, suivie du nom du père, qui a engendré.

une grande perle d'améthyste, trouvée dans le *Djéser-djésérou*, et portant à la suite des titres et noms de la reine ceux abrégés du « prince héréditaire et comte, l'Intendant Sénènmout [19] ».

Emprunt d'objet royal

De surcroît, un albâtre en forme de coquille bivalve, d'une symbolique royale très particulière, provenant, d'après son inscription, d'un dépôt de fondation destiné au temple de Monthou dans la ville d'Erment, a été employé pour figurer dans le propre dépôt de fondation de la tombe de Sénènmout (n° 353) [20].

Est-ce désinvolture, ou prérogative ? Il semble bien que le Grand Majordome, natif très probablement d'Erment, ait eu le droit d'emprunter un élément du mobilier rituel royal, pour l'usage personnel de celui qui, sous le règne bien court de Thoutmosis-Âakhéperenrê, déclarait déjà « qu'il avait été (mis) au-dessus des plus grands [21] », lui qui, dès sa jeunesse, « n'avait cessé de recevoir l'or de la vaillance », et qui, ainsi que le maître du pays, « avait accès à tous les écrits des prophètes ».

Omniscient, il déclarait :

> *« Il n'y avait rien que j'ignorais de ce qui était arrivé depuis le commencement [22]. »*

Usage de la cryptographie

En témoignage de vénération pour Maâtkarê, Sénènmout voulut par tous les moyens faire vivre intensément les noms de sa souveraine. Il devint poète en quelque sorte pour chanter par rébus, très secrets au premier abord, le nom de naissance et surtout celui de couronnement de son « adorée ». On assiste ainsi à la naissance officielle en Egypte de la cryptographie – l'écriture secrète – au XVe siècle avant notre ère [23].

Cette écriture dont, au premier abord, l'aspect ne laisse pas déceler le message, avait sans doute pour but de protéger l'identité des personnalités évoquées contre les mauvais esprits destructeurs, toujours enclins à la nuisance [24]. Ce procédé avait, aussi, pour but d'attirer, par l'aspect insolite de ces groupements décoratifs originaux, l'attention de ceux qui pouvaient les contempler. C'était par cela même les pousser à en déchiffrer l'énigme, et faire revivre le message ainsi évoqué en lui redonnant vie, donc efficacité.

Sénènmout a fait tracer son « morceau de bravoure » sur les trois statues-cubes identiques, où il tient dans son giron la petite Néférourê dont on n'aperçoit que la tête. Sur chaque statue, deux cryptogrammes sont tracés sur les deux épaules du précepteur de la princesse.

Le premier cryptogramme [25]

L'épaule gauche de la statue porte une image énigmatique formée d'un homme marchant, tenant d'une main, en guise de canne, un grand signe *ouas*, et de l'autre le signe de vie *ânkh*. Sa tête invisible est remplacée par les mêmes signes *ouas* et *ânkh* réunis.

Il fallait décrypter cette étrange image, où tous les termes étaient intentionnellement mêlés. E. Drioton a su interpréter, en décrivant le rébus qu'il voyait : « Tête invisible » se prononce *Imen-hat*, « coiffée des objets sacrés » se prononce *khénèm-shépésout*, ce qui doit se lire en ordre *Hat-shépésout khéném (et)-Imen*, « Hatshepsout-unie-à-Amon ».

Une des statues de Sénènmout sur laquelle le Grand Intendant fit graver en écriture cryptographique son indéfectible hommage à la reine. Observez les deux signes blanchis gravés sur les épaules de la statue. (Musée de Berlin)

Le second cryptogramme [26]

Sur l'épaule droite de la statue est figuré le vautour de Mout (*Maât*), ailes déployées. Deux détails insolites, surprenants, le complètent : un grand œil (*Rê*) à la place du corps de l'oiseau, et le signe des deux bras levés (*ka*). L'ensemble signifie naturellement *Maât-ka-Rê*, le nom de couronnement de la reine.

Afin que nul n'ignore l'auteur de ces astucieuses compositions, Sénènmout prit soin d'informer ses éventuels lecteurs : ces compositions graphiques sont de son entière imagination :

> *« Signes que j'ai faits, selon l'idée de mon cœur, et par mon propre travail, sans les avoir trouvés dans les écrits des anciens. »*

Ce genre de cryptogrammes relatifs aux noms d'Hatshepsout est retrouvé sur plusieurs statues du fervent adorateur de la reine, sur des objets, des scarabées. En majorité, ils figurent sur les murs du *Djéser-djésérou*, en plusieurs variantes. La plupart concerne le nom de couronnement de la reine, Maât-ka-rê, nom dans lequel le signe Maât peut aussi être écrit par l'uræus dressé, si bien que la frise décorative cryptographique la plus aisée à lire est constituée par un cobra dominé par le soleil, dressé sur le signe des bras levés.

Après les noms jumelés, les images rapprochées

L'union entre deux êtres est, en Egypte, traduite par la représentation du « couple », si régulièrement évoqué dans l'art depuis l'Ancien Empire jusqu'à la fin de son histoire. Ce « groupe » réunit les statues de l'homme et de la femme. L'un peut être assis, l'autre debout et réciproquement, ils se présentent encore ou bien assis tous deux, ou bien debout. Ces deux êtres unis par le mariage sont souvent entourés d'un ou de deux enfants. Et ce couple statufié, déposé dans les chapelles funéraires, a pour but de prolonger pour l'éternité ce lien entre deux êtres idéalement unis par l'amour, témoin d'une félicité souhaitée pour l'éternité [27].

Arrivé à ce point de l'enquête menée pour tenter de percer le secret de Sénènmout, on pourrait se demander si une des trois statues porteuses du plus étonnant cryptogramme de la reine [28] ne livre pas, de surcroît, l'indice le plus évident des intimes rapports qui ont pu exister entre la reine et son Grand Majordome.

En effet, dans le corps de l'inscription qui recouvre cette effigie, apparaît une phrase rédigée par Sénènmout qui a intrigué les égyptologues, car elle semble exprimer un ordre indirect, à peine voilé, de Sénènmout à l'adresse de la souveraine :

> « *Fais que soit ordonné, en faveur de cet humble serviteur (que je suis), d'exécuter de nombreuses statues (*tout'*) en toutes sortes de pierres dures précieuses, pour le temple d'Amon de Karnak, et en toute place où se rend la Majesté de ce dieu (= la reine), comme (ce qui est fait) pour chaque favori d'antan. Alors elles devront être accompagnées des statues (*répyt*) de Ta Majesté dans ce temple* [29]. »

Jusqu'à présent, ceux qui ont commenté ce texte [30] l'ont jugé étonnant [31], original, audacieux [32], mais n'ont pas utilisé l'apport indiscutable qu'il constitue.

Si l'on veut bien suivre P. Lacau [33], à qui rien n'échappait, faisant remarquer l'exacte propriété des termes employés pour exprimer en égyptien les différents genres des statues, on constatera avec lui que ce mot « statue » présente un aspect différent s'il s'agit de la statue d'un homme ou de la statue d'une femme.

Tout' définit la statue d'un homme, *répyt* est employé pour évoquer la statue d'une femme. Ainsi, dans le texte cité, la reine est évoquée par une statue la représentant indiscutablement en femme, et non pas vêtue en monarque masculin. Il s'agit donc ici, de la part de Sénènmout, d'une ultime tentative pour former le groupe traduisant la notion de couple humain. Ce couple, à l'image duquel Sénènmout souhaitait ardemment être associé, constituait une allusion à peine voilée à la vie privée qu'il devait partager avec Hatshepsout dans l'intimité, lorsqu'elle n'était pas contrainte de figurer officiellement revêtue des attributs masculins des cérémonies officielles et religieuses.

On ne peut trouver plus ardente déclaration d'amour, voilée néanmoins, sous les mots clés définissant les éléments du couple acharné à durer, en dépit des conditions particulières qu'il vivait.

Pour conclure, il apparaît que Sénènmout souhaitait, grâce au regroupement des deux effigies masculine et féminine figurant ensemble dans les temples, reproduire le ménage impossible à officialiser, celui de la souveraine et du « prince consort » inavoué.

Cette preuve d'intimité s'était déjà exprimée depuis quelques années dans le cénotaphe de Sénènmout au Gebel Silsilé [34]. A deux reprises le Grand Majordome [35] avait fait représenter la reine, sous l'aspect féminin, encadrant ainsi la niche contenant son effigie funéraire. D'un côté Hatshepsout était embrassée par Sébek, de l'autre Nékhabit la prenait dans ses bras [36].

Un autre argument peut être évoqué, susceptible d'appuyer ce lancinant désir du Grand Intendant visant à figurer, pour l'éternité, aux côtés de sa reine. Il s'agit d'une petite chapelle souterraine plaquée de briques, découverte en 1900 par Budge et Legrain, et contenant une statue d'Hatshepsout et deux statues de Sénènmout. Par malheur, l'effigie de la reine, très détériorée, tomba en morceaux poussiéreux dès l'instant de la découverte. Les titres portés sur les statues de Sénènmout permettaient de constater qu'elles remontaient au règne de Thoutmosis II [37]. Ces statues seraient donc contemporaines du graffito de Séhel où Hatshepsout, Grande Epouse royale, fait face à Sénènmout, à égalité de taille. Si l'on ne tient pas compte d'une objection soulevée – sans preuves –, à ce propos, la réalisation du souhait le plus cher de Sénènmout aurait connu sa matérialisation dans cette petite chapelle.

Ainsi demeure-t-il peu de place pour le doute concernant cette intimité, évoquée par les quelques témoignages échappés au naufrage des siècles. Cependant, rien ne pouvait être caché à l'entourage immédiat du « couple ». La discrétion la plus rigoureuse leur avait probablement été imposée (sans doute en vain), ce que par ailleurs le fidèle Thoutiy, entre autres, en charge du Palais, n'avait pas manqué de souligner dans sa biographie [38] :

« Ma bouche garde le silence sur les affaires concernant le Palais. »

Les réactions de la reine

La puissance de Sénènmout dans le pays était extrême et les témoignages qu'il recevait de la reine apparaissaient évidents. A l'analyse, toutes ces prérogatives trouvaient leur justification en raison de la valeur indiscutable du Grand Majordome ; peut-on alors vraiment se demander si le favoritisme pouvait entrer en ligne de compte ? Le terme ne peut pas s'appliquer à l'attitude de notre reine, dont le comportement militerait plutôt en faveur de l'estime portée à ce fidèle des fidèles, à quoi pouvait peut-être se mêler une attirance physique dépassant le juste degré de l'affection.

Sénènmout avait-il pris un ascendant sur la reine ? Ses requêtes masquaient-elles véritablement une volonté imposée, un ordre déguisé ?

A tous ces témoignages débordants d'attachement, en complément de l'action bénéfique indiscutable du Majordome, Hatshepsout n'avait-elle répondu que par l'attribution honorifique de plus de 93 titres officiels différents [39] ? Se bornait-elle simplement à se laisser adorer, telle l'étoile lointaine, inaccessible, évoquée par Sénènmout au plafond de son caveau funéraire ?

On est en droit d'objecter à cette dernière supposition que l'Intendant d'Amon osa cependant laisser apparaître quelques traces – ô combien ténues – du consentement « actif » de la reine aux habiles, nombreuses et subtiles avances du célibataire endurci qu'il était, gage d'une fidélité dont il attendait ardemment la réciprocité.

Quoi qu'il en soit, ce « secret » du Palais était respecté, et jusqu'à ce jour les sujets de la reine sont demeurés muets. A leurs yeux, la souveraine n'encourut aucun reproche exprimé à ce sujet, et les persécutions dont sa mémoire eut à souffrir ne semblent pas avoir eu pour origine sa vie privée.

Une indiscrétion

Tout juste Hatshepsout pouvait-elle avoir été « brocardée » par quelques artisans de la nécropole en mal de plaisanteries grivoises, auxquelles pourraient se référer deux graffiti érotiques de la nécropole [40], cachés sur le mur Est d'une tombe-grotte désaffectée, creusée dans la falaise Nord de la terrasse supérieure de Deir el-Bahari [41].

Pour situer les représentations qui vont être décrites, il est nécessaire d'indiquer qu'elles voisinent avec la figuration d'une stèle gravée sur la muraille, et dédiée par un certain Néferhotep, scribe qui enregistrait les progrès des travaux du *Djéser-djésérou*. Ces graffiti paraissent contemporains de la stèle de Néferhotep [42], habitant d'el Kab, où la jeune Hatshepsout avait dans son enfance séjourné, et compté tant d'amis. Néferhotep était responsable justement des ouvriers d'el Kab participant aux travaux de Deir el-Bahari. De surcroît, cette stèle voisine avec un autre groupe de trois graffiti, émanant de prêtres également contemporains du *Djéser-djésérou*, et qui venaient certainement rechercher la fraîcheur dans cette grotte. Il s'agit du Deuxième Prophète d'Amon, Pahou, d'un autre Deuxième Prophète d'Amon dans *Djéser-djésérou*, et d'un dernier Deuxième Prophète d'Amon dans *Djéser-djésérou*.

Je me vois maintenant contrainte d'entraîner ici mes lecteurs dans les méandres d'une argumentation archéologique, car il est question d'authentifier deux scènes érotiques uniques pour l'époque, et capables d'éclairer le problème des relations entre nos deux héros. Nous poursuivons donc l'enquête, quasiment « policière ».

Les égyptologues qui ont étudié les deux graffiti érotiques en question, J. Romer et E. Wente, tombent relativement d'accord sur les grandes lignes de leur interprétation, où les deux personnages évoqués sont Hatshepsout et Sénènmout. En résumé, ces graffiti forment deux tableaux.

Le premier groupe représente un petit personnage ithyphallique (Sénènmout en l'occurrence), se dirigeant vers un personnage beaucoup plus grand que lui, et visiblement inaccessible. Celui-ci est, semble-t-il, coiffé du *khépéresh* royal, et illustrerait bien la notion populaire exprimée à l'époque, suivant laquelle l'acte d'amour dérisoire d'un homme avec le souverain qu'était Hatshepsout n'était pas concevable.

La seconde image résout le problème au moyen d'une action plus réaliste, qui se déroule entre deux personnages nus. Elle tend à démontrer que si l'homme s'attaquait à la femme, fût-elle reine (voir sa coiffure couvrant ses longs cheveux), mais dépouillée du décorum rituel d'un souverain, la nature du fougueux amant pouvait retrouver ses chances.

A suivre ces interprétations fondées sur des « arguments » visibles, on peut enfin envisager, pour cette femme hors du commun qu'était la reine, une aventure sentimentale, dépassant ces réalités évoquées, et propre à illuminer une existence certes fabuleuse, mais certainement cruelle à vivre sans le soutien d'un amour partagé.

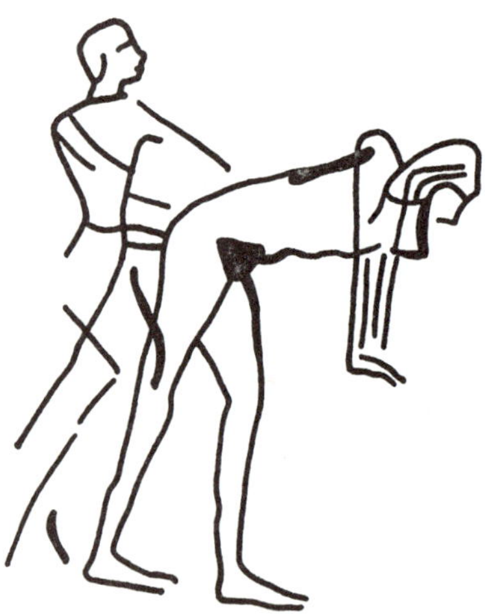

Le plus suggestif des deux graffiti concernant très probablement les relations intimes qui unissaient Hatshepsout et Sénènmout. Seule image érotique réalisée dans tout le site sacré de Deir el-Bahari et de la Vallée des rois.
(Cirque de Deir el-Bahari)

A la Cour, une naissance très discrète ?

Ici, j'aborde le domaine des suppositions, la seule liberté que je me permets de prendre au regard de l'étude parfaitement objective menée tout le long de l'histoire que je m'efforce de reconstituer. L'archéologue peut utiliser l'hypothèse dans la recherche conduite, dès lors qu'elle s'entoure des précautions d'usage : elle doit aussi offrir à ses lecteurs cette parcelle d'imagination nécessaire au rêve, souvent reflet d'une réalité...

Ainsi un détail m'a toujours frappée en analysant les portraits peints au trait de Sénènmout (par lui-même, très vraisemblablement). Ce sont ces trois rides marquées entre le nez et les commissures de la bouche : elles rappellent visiblement les scarifications, les *guénou* des textes [43], qui marquent le visage des Nubiens du Sud. Il serait assez probable que Sénènmout, issu d'une famille installée à Erment, comme certains des habitants de la région, ait été d'origine nubienne [44]. Au reste, le type nubien, très différent de l'ethnie soudanaise (koushite), est très proche de celui des habitants de Haute Egypte : nez mince, lèvres ourlées sans exagération, et teint brun foncé.

Or, était apparu dans l'entourage de la reine un petit personnage énigmatique, de type nubien, appelé Maïherpéra, élevé à l'école du Palais (le *kep*) avec les enfants royaux, comme l'étaient certains fils de chefs étrangers [45], dont un grand nombre de Nubiens, ainsi Hékanéfer, condisciple de Toutânkhamon, revenu au pays pour devenir le Maire de la ville de *Miam* (Aniba) [46].

Un « enfant du *kep* »

Maïherpéra avait dû naître aux environs de l'an X de Thoutmosis Ier [47], une année après la naissance de Néférourê, lorsque Hatshepsout était Epouse divine, mariée au futur deuxième Thoutmosis. Il venait d'avoir 4 ans au moment où le deuxième Thoutmosis abordait son règne si bref. Deux années après, avant que Thoutmosis-Âakhéperenrê ne meure, naissait la petite Mérytrê-Hatshepsout. La Grande Epouse royale s'était attachée à ce petit personnage, apparemment digne de toutes les

44. C'est encore le cas de nos jours en Haute Egypte, entre Erment et el-Mahatta.
45. Ou encore le Maire de Jérusalem sous Aménophis IV.
47. J'ai pu calculer l'âge approximatif de sa naissance en me fondant sur celui de sa mort, entre 20 et 21 ans d'après sa momie.

attentions, et en avait fait son « page » préféré, en lui attribuant le titre – et la fonction – de « Porte-flabellum à la droite du roi », qui revenait de droit aux fils royaux.

Rien, sauf son état d'« enfant du *kep* » et de Porte-flabellum, ne permettait de déceler la réelle identité de Maïherpéra. En l'an X de la corégence, au moment du mariage présumé de Néférourê et de Menkhéperrê, Maïherpéra devait donc aborder sa dix-septième année. Or, lorsque Hatshepsout atteignait sa quarantième année (vers l'an XIV de la corégence), Maïherpéra bientôt âgé de 21 ans allait mourir. Sa sépulture, découverte le 22 mars 1901 par l'égyptologue Victor Loret, livra la momie d'un jeune homme qui avait dû décéder quelque 3 360 années auparavant [48].

Emplacement de la tombe de l'*Enfant du kep* Maïherpéra. L'entrée de la sépulture est située à l'arrière du second petit puits, en bas, à gauche de la photographie. Vallée des Rois. (Photo M. Kurz, I.G.N.)

La mort du Porte-flabellum

J'estime que la découverte présentait un très grand intérêt, puisque cette sépulture avait été exhumée dans la Vallée des Rois, la nécropole royale qu'Hatshepsout venait de fonder et où l'on continuait d'aménager son immense caveau. Certes, un peu plus tard la reine fit déposer dans cette même vallée la dépouille de sa noble nourrice, mais cette nécropole était avant tout destinée aux souverains. Qui pouvait inaugurer avant la souveraine cette nécropole royale, si ce n'était un membre de la famille royale ?

La momie, protégée par deux sarcophages momiformes emboîtés, avait été déposée dans une cuve rectangulaire en cèdre. Un troisième sarcophage momiforme avait dû être utilisé pour véhiculer le corps au moment de l'enterrement et, ne pouvant être déposé dans la cuve qui contenait déjà les deux premières enveloppes, fut placé au centre de la chambre funéraire.

Dans la tombe, visitée par les voleurs, nombre de bijoux et la majorité des objets de métal avaient été prélevés. La momie, qui mesurait 1 m 64, encore enveloppée de 60 m de bandelettes de lin, avait été attaquée à la hache par les pillards ayant cherché à prélever les bijoux, dont il restait encore des traces sur certaines parties du corps du jeune Maïherpéra. Rite inconnu : une poignée d'orge germée fut trouvée sous l'aisselle gauche. La fente ménagée sur le flanc droit pour l'éviscération était recouverte par une plaque d'or. Les mains étaient petites et soignées, le menton légèrement fuyant.

Un des quatre vases canopes du riche équipement funéraire de Maïherpéra. Ce récipient destiné à recevoir les viscères, au cours de la momification, et le couvercle, évoquant le visage du défunt, étaient enveloppés dans un tissu de lin qui devait, symboliquement, le protéger. (Musée du Caire)

Des soins royaux

L'intérieur et l'extérieur du sarcophage étaient enduits de bitume. La tête, encore recouverte du plastron funéraire, possédait un visage doré orné d'un bandeau d'or. Les yeux incrustés de jaspe blanc portaient toujours le point rouge à l'angle interne. Le « scarabée de cœur » était de jaspe vert.

La cuve et le coffre de bois contenant les vases canopes (pour recevoir les viscères), aussi peints en noir, étaient ornés d'inscriptions hiéroglyphiques composées de feuilles d'or découpées. Les images de divinités, d'or également, apparaissaient rehaussées de traits rouges [49]. Les éléments de la vaisselle en terre cuite, pour la plupart, avaient été épargnés, des offrandes animales « momifiées », des vases d'onguent, de même qu'une très belle coupe en terre vernissée bleue à décor noir, ornée d'une gazelle et son petit, et un énorme poisson. Cadeau certainement royal, une bouteille en verre émaillé multicolore avait échappé au pillage. Proches d'un « lit rituel d'Osiris [50] » gisaient encore des bijoux d'or et de jaspe, des amulettes, des tubes en or, deux boîtes à tiroir du jeu *sénèt*, à double face.

Des éléments typiques révélaient encore la parenté nubienne du jeune noble, de même que son nom. Tout un équipement d'archer, certainement fabriqué entre la 1re et la 2e Cataracte : carquois, brassards d'archer, collier de cuir, tout était décoré de bandes de cuir rose pâle, vert pâle, noir, du travail typique du pays de *Ouaouat* (Nubie). Tout près, on n'avait pas oublié de déposer des flèches de roseau.

Les pains d'offrande et les gâteaux étaient aussi très bien conservés, les bouquets, les rameaux de sycomore, rien n'avait dû manquer de ce qui avait été proche de Maïherpéra, pas même un des colliers de son animal familier, portant cette inscription :

« La chienne de sa maison, appelée Ta-niout *("la citadine"). »*

Un type quasi royal ?

G. Daressy, qui a étudié la momie de Maïherpéra, rapporte que sa tête rasée était couverte d'une perruque frisée. Il n'avait pas de barbe [51]. Sa peau était brun foncé, mais non noire en dépit de tous les baumes utilisés pour sa momification : « *Son type rappelait beaucoup celui des Thoutmosis et devait être de Haute Egypte, région entre Edfou et Assouan, où le mélange des Egyptiens et des Nubiens produit ce type métis de coloration foncée sans toutefois présenter aucun caractère nègroïde*[52]. »

Une dizaine de grandes pièces de toile de fils de lin étaient pliées et posées sur le corps du jeune flabellifère. Elles mesuraient toutes 4 m 80 de longueur, sur une largeur qui variait entre 1 m 25 et 1 m 40 [53]. Détail essentiel : la plus grande pièce de lin, posée à même la momie, présentait sur un angle une inscription, mi à l'encre, mi-brodée [54].

Au centre de ce groupe de signes, les images des Deux Dames « divines » (Nékhabit le vautour et Ouadjit le cobra) étaient posées sur leurs corbeilles. A gauche des déesses, trois signes avaient été tracés :

– le signe *néfer*, signifiant « beau, bon, vigoureux, sain » ;
– le signe *ânkh*, la vie ;
– la plume de *Maât*, l'équilibre cosmique.

A droite des Deux Dames, on peut distinguer le cartouche royal contenant le nom de couronnement de Maâtkarê.

Ainsi, trouvé dans la Vallée des Rois, Maïherpéra avait bien été enterré en cette nécropole royale par ordre de la reine, et sa momification puis son ensevelissement avaient bénéficié de l'attention d'Hatshepsout, ayant sans doute veillé à ce que le linceul destiné à envelopper le corps du jeune homme porte son propre nom de couronnement (le quatrième nom), précédé de la mention des Deux Dames (déesses), lesquelles précédaient aussi le troisième nom du protocole. Ces déesses tutélaires, ces « Deux Dames » Nékhabit et Ouadjit,

Un des tissus de lin recouvrant la momie de Maïherpéra. Il portait tissé et aussi tracé à l'encre des signes de protection, l'image des Deux Mères primordiales assurant la renaissance royale et le cartouche de la reine : Maâtkarê. (Musée du Caire)

au front des images royales mortuaires, aidaient à sa reconstitution éternelle [55]. Les trois signes introduisant la mention des Deux Déesses pouvaient avoir été tracés pour exprimer :

– le signe *néfer*, la vigueur retrouvée (comparer Osiris *Ounènnéfer*, Osiris éternellement renouvelé) ;

– le signe *ânkh* : vivant ;

– le signe *Maât* : justifié (devant le tribunal du dieu), en accord avec la loi cosmique.

Qui était donc Maïherpéra ?

Qui était ce « page » d'Hatshepsout ? Le magnifique papyrus funéraire retrouvé dans sa tombe allait-il révéler son secret ? D'une longueur impressionnante de 11 m 75, haut de 0,355 m, et d'une rare qualité [56], il est recouvert de 26 parmi les plus importants chapitres du *Livre des Morts*, écrits en caractères rétrogrades. On peut voir Maïherpéra debout, la peau foncée, un collier de chien autour du cou, coiffé de la petite perruque bouclée semblable à celle qui coiffe la tête de sa momie, illustrant certaines des vignettes du papyrus, par exemple celle où il adore les sept vaches grasses personnifiant les sept bénéfiques années d'inondation, escortées par le taureau fécondateur. L'image est complétée par son seul titre : « l'enfant du *kep* Maïherpéra ». Rien d'autre. Nulle part, en aucune place de ce fastueux *Livre des Morts*, illustré de magnifiques tableaux polychromes, le nom d'éventuels parents n'est indiqué [57]. Que doit-on en déduire ? Jadis, Maspero avait avancé que Maïherpéra pouvait être le fils d'un roi et d'une reine noire.

Après l'exposé des arguments en faveur de son identité, je propose à mon tour de reconnaître en la personne du jeune prince le fils de la reine Hatshepsout et du Nubien Sénènmout, Grand Intendant d'Amon. Sa procréation aurait pu se tenir entre la naissance de Néférourê, durant les dernières années du premier Thoutmosis, et la venue au monde de Mérytrê-Hatshepsout, au cours de l'an III du deuxième Thoutmosis, Âakhéperenrê. C'était au temps où la princesse Hatshepsout était devenue Grande Epouse royale de son demi-frère.

L'anonymat de cet enfant, confié au *kep* peu de temps après sa naissance, plaide en faveur de la haute lignée de sa mère. A la place qu'elle occupait, cette naissance ne devait pas être révélée puisqu'elle survenait alors que sa mère, Hatshepsout, avait pour époux officiel, son demi-frère Âakhéperenrê ! Assurément, elle ne pouvait le reconnaître sans avouer sa trahison vis-à-vis du souverain.

Il me semble avoir avancé un nombre suffisant d'éléments en faveur de cette hypothèse pour me permettre de la présenter maintenant. La première rencontre amoureuse d'Hatshepsout et de Sénènmout aurait pu se dérouler entre la fin du premier Thoutmosis et l'avènement de son fils le malheureux Thoutmosis-Âakhéperenrê. Depuis plus de 12 ans, Sénènmout régnait dans l'ombre avec les pleins pouvoirs, auprès de sa très aimée reine, lorsque celle-ci fit célébrer l'union de Néférourê et de Menkhéperrê, en l'an X de la corégence : celui qui pouvait être leur fils, Maïherpéra, n'avait plus que quatre années à vivre.

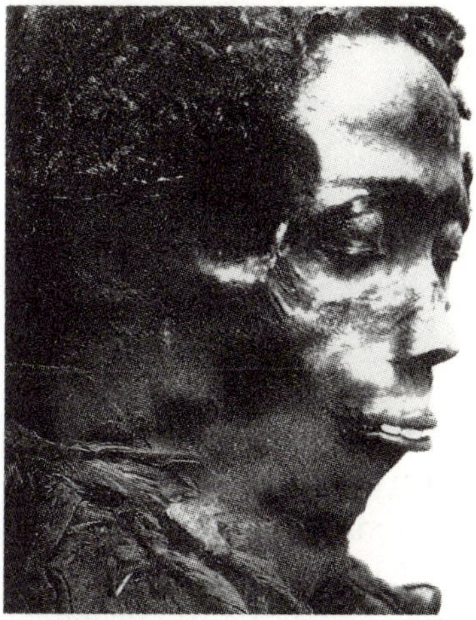

La tête de la momie de Maïherpéra
(Musée du Caire)

La même tête dont les muscles ont été reconstitués.

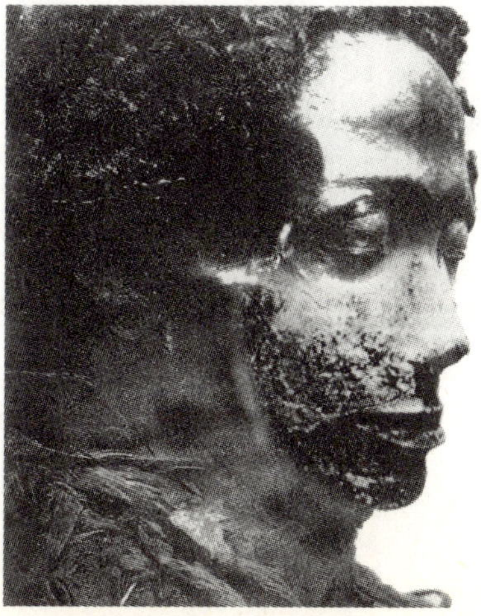

Profil du visage d'Hatshepsout adolescente. (Musée de Boston)

XV

SÉNÈNMOUT, L'AUDACIEUX THÉOLOGIEN

Investi de toutes les fonctions du royaume, à l'exception des prérogatives visibles du souverain, Sénènmout ne fit jamais précéder ses titres de la mention « scribe », ce qui est assez surprenant pour ce prêtre de Maât, auteur de cette radicale déclaration :

> *« Ayant pénétré tous les écrits des prophètes, je n'ignore rien de ce qui est arrivé depuis le premier jour* [1]*. »*

Très proche du clergé amonien de Thèbes, il avait certainement eu la possibilité de pénétrer dans la Maison de vie d'*Ipèt-Sout* (Karnak) [2], lorsqu'il accompagna, pour un temps, l'éducation du jeune Thoutmosis. Ainsi, sa connaissance du dogme amonien est bien prouvée par la citation qu'il fit des « Litanies du dieu », sur une de ses statues[3]. En revanche, ses adresses au maître d'Abydos, Osiris, sont presque inexistantes, alors que des passages des textes funéraires royaux, tels le « Livre de l'*Imy-Douat* » [4] et le « Livre des Portes », – dont la rédaction complète n'apparaît que sous Horemheb, – laissent supposer l'intérêt avec

4. Comprendre le « Livre de ce qu'il y a dans l'au-delà ».

lequel il en suivit probablement la composition, et dont il fit profiter les murs de son caveau à Deir el-Bahari[5].

Le « Livre des Morts », alors en complète élaboration, avait été sûrement pour lui une source de réflexion sur le devenir de l'être humain après le trépas. Cependant l'enseignement osirien, succédant aux « Textes des Sarcophages » du Moyen Empire, tel qu'il apparaissait des compositions réunies par le clergé d'Abydos, l'avait conduit à sélectionner les « gloses » et à s'abstenir d'adopter les professions confuses, quasiment occultes.

Deux statues révélatrices

Aussi avait-il choisi la plus dynamique de ses effigies d'éternité [6], celle où on le voit marchant tout en tenant dans ses bras Néférourê, pour faire graver sur le dos de sa statue celui des chapitres du « Livre des Morts [7] » qui s'appliquait le mieux à son concept de la survie : *« Je suis un qui est sorti du flot, et à qui a été donnée l'inondation, au moyen de quoi j'ai pouvoir sur le Nil [8]. »*

Une autre statuette de Sénènmout, conservée au musée du Louvre – où l'Intendant d'Amon est représenté en arpenteur [9], devant l'énorme cordeau de sa profession – d'une part, et par ailleurs l'inscription de la fameuse « stèle de la famine », ont permis à Paul Barguet de comprendre à quelle manifestation divine

L'inscription qui vient d'être citée est gravée au dos de la seule statuette du Grand Majordome, figuré dans une attitude dynamique.
(Field Museum de Chicago)

6. Ces statues, déposées dans les temples, avaient évidemment pour but d'entretenir le souvenir impérissable de leurs sujets.

Sénènmout s'était aussi fait figurer présentant le cordeau de l'arpenteur, posé sur le signe de l'or. (La tête du bélier d'Amon dominant le cordeau, victime des martelages « amarniens » fut postérieurement remplacée par un visage humain.)
Quartzite rouge. (Musée du Louvre)

Sénènmout avait l'audace de se comparer : il s'agissait de Khnoum-Shou, l'arpenteur par excellence, qui préside à l'Inondation.

Ainsi, dès son existence terrestre, Sénènmout pensait-il bénéficier de cette énergie surhumaine qui habite les eaux en crue ?

Les cénotaphes du Gebel Silsilé

Il n'est donc pas étonnant de retrouver dans la création des 32 cénotaphes aménagés dans la falaise de grès du Gebel Silsilé [10] la marque de l'Intendant d'Amon. Il existe en effet, au nord d'Assouan, un lieu appelé dans l'Antiquité *Khénou*, là où le Nil s'engouffre dans le spectaculaire rétrécissement de ses deux rives, avant de pénétrer réellement en Egypte.

C'était le lieu de prédilection pour la vénération du fleuve qui avait « fabriqué » le pays, et qui continuait à le faire vivre. A la période des eaux les plus basses – à l'étiage – les prêtres venaient jeter au Nil des rouleaux de papyrus recouverts de prières, et des statuettes du « génie » de Hâpy [11], afin que la crue puisse arriver aussi régulière que bénéfique. A l'arrivée de l'Inondation, si fiévreusement attendue, le bouillonnement des eaux, la force extrême qui les pousse dans le rétrécissement et les rend d'autant plus tumultueuses, avaient naturellement frappé la sensibilité et l'imagination des riverains, enclins à reconnaître le divin dans les manifestations de la nature, et surtout celles de leur fleuve en crue, dont ils dépendaient tous. Il est donc certain que ces eaux miraculeuses véhiculaient les aspects bienfaisants du créateur. Par ailleurs, le site présentait des falaises de grès, pierre solaire par excellence, dont Thoutmosis le Premier[12] avait déjà fait tailler les statues osiriaques de sa salle *Iounit*, appelée par la suite *Ouadjit* du temple d'*Ipèt-Sout*, pierre dont Hatshepsout ne manqua pas de faire ériger son VIIIe pylône et tous les sphinx qui ornèrent son *Djéser-djésérou*.

La falaise rocheuse du Gebel Silsilé avant le goulet d'étranglement. Le cénotaphe de Sénènmout porte le n° 16. (D'après James et Caminos)

Ci-dessous : Entrées de quelques cénotaphes du Gebel Silsilé.

Très probablement sur l'initiative de Sénènmout, et désirant bénéficier leur vie durant et après leur trépas du rayonnement de cet endroit particulièrement sacré, les plus hauts dignitaires contemporains de la reine et du troisième Thoutmosis, d'Aménophis II également, reçurent la permission de se faire aménager une petite chapelle rupestre, doublant la chapelle funéraire de leurs tombeaux [13], créant, en quelque sorte, leur cénotaphe. Ces chapelles étaient creusées à pic en hauteur dans la falaise, et n'étaient accessibles que par bateau à l'époque des hautes eaux, pour que l'« eau pure » de cette « Lointaine [14] », cette arrivée du flot fertilisant, dépose les éléments qu'elle véhiculait sur le sol de ces cénotaphes [15].

Durant ces instants bénis, les fervents du Nil pouvaient communier avec l'Esprit qui déferlait vers eux, et les Grands du royaume devaient alors visiter, en bateau, leurs cénotaphes : Hapouséneb, Premier prophète d'Amon, le vizir Ousèr et son père Amétou, Thoutiy le Scribe du trésor, Ménekh l'Intendant de la reine, Néhésy qui conduisit la glorieuse expédition au pays de *Pount*, Séninéfer, Chef du département de la Grande Maison, Ahmès, Scribe contrôleur des travaux, Nakhtmin, Scribe royal et Intendant des greniers de Haute et Basse Egypte, Néferkhâou le Chef de la police (*médjaÿ*), naturellement Sénènmout, etc.

Le concept funéraire osirien

Aux pèlerinages qui étaient effectués au Gebel Silsilé, on mesure la différence fondamentale qui existait avec la visite traditionnelle

Ramsès Ier, à droite, fait offrande à l'emblème d'Osiris en Abydos. A gauche, son fils Séthi Ier exécute un rite analogue. Cet emblème appelé *Insou* était le reliquaire contenant la tête du dieu martyr, qui demeure sous la protection d'Isis la grande, mère du dieu et d'Hornedjitef.

aux lieux saints d'Abydos, aux cénotaphes des Grands et au dépôt des stèles funéraires « auprès de l'escalier du grand dieu », Osiris. Au Moyen Empire et durant encore la période précédant l'invasion hyksôs, ces lieux avaient connu une vogue inégalée.

En ce site osirien d'Abydos, tout Egyptien devait avoir accompli son pèlerinage au moins une fois dans sa vie, et tout convergeait vers le tombeau du dieu martyr privé de vie, tout était consacré à Osiris, la première momie, qui présidait à l'Occident, à la région des morts.

Son secret était impérieusement gardé, et ceux qui avaient été autorisés à participer aux mystères n'étaient pas autorisés à en révéler la nature, sous peine de punitions redoutables.

On devinait que ces mystères devaient révéler le secret du dieu au corps morcelé par le Malin, et dont la tête était conservée en Abydos.

On savait même que le drame du dieu était mimé dans des luttes où les deux principes du bien et du mal s'affrontaient. On connaissait bien l'existence de la barque *néshémèt* du dieu, qui devait ramener, voilé sous une chape, le visage sacré, mais le mythe devait demeurer impénétrable, et les « élus » étaient contraints au silence.

Moyennant l'observation disciplinée de cette piété – et naturellement l'application de la loi morale indiscutable prônée par l'enseignement osirien, les défunts pouvaient espérer l'accès à la vie future éternelle… mais par quel miracle si longtemps et si âprement caché ?

La quasi-absence d'Osiris

Tout différent était le mythe inspiré par la fréquentation du Gebel Silsilé, sans doute repris par Sénènmout, et visiblement encouragé par la corégente (son image figure à deux reprises dans le cénotaphe du Majordome d'Amon), réservé durant cette période d'innovation – et d'essais – à l'élite du royaume.

A l'étude du cénotaphe de Sénènmout, un des plus discrets parmi ceux des bénéficiaires de cette prérogative, on peut deviner que son propriétaire désirait très visiblement ne plus tabler uniquement sur le facteur du mystère pour accéder au bénéfice de l'éternel retour. Ce phénomène, il l'associait à celui, très tangible, de l'Inondation. Dans son esprit de « réformateur » (avant Aménophis IV-Akhénaton), il avait envisagé que le destin *post mortem* de l'Egyptien ne devait plus dépendre du « secret osirien ». Il entendait démontrer par une approche visible, riche en symboles, que chaque entité divine, donc cosmique, participait du grand Tout, contribuait au renouveau du cycle éternel, de la renaissance universelle.

Aussi, les formules d'offrandes tracées sur les murs des cénotaphes – dont les seigneurs bénéficiaient en supplément de l'action attendue de leurs chapelles funéraires de la métropole – s'adressaient-elles à de multiples forces véhiculées par Hâpy. Osiris y figurait naturellement, mais rarement, escorté de Geb et de Nout ; on rencontrait dans ces proscynèmes la mention des aspects cosmiques primordiaux, Atoum, Noun (ou *Nouou*), père des dieux, suivis de Sébek, Khnoum, Satèt, Anoukèt des cataractes et de Nubie, Horus le grand, Anubis, et « tous les dieux de *To-méry* », sans oublier Rê-Horakhty et « la grande ennéade qui est dans le *Noun* ».

Osiris n'est donc plus régulièrement seul évoqué [16] pour obtenir la destinée future. Les disciples de Sénènmout, ainsi initiés, s'appuyaient sur des notions tangibles, écartant le mystère entretenu, et pouvaient compter sur « toutes les forces qui sont dans l'eau pure », tous les « dieux » qui sont dans l'Inondation, auprès desquels, après leur trépas, ils pourraient aussi s'intégrer au cœur du flot nourricier et créateur [17].

Il ne devait donc plus être nécessaire pour eux d'aller consacrer une stèle, ou encore une petite chapelle dans le domaine d'Osiris, le si vénérable sanctuaire des rois fondateurs. Hatshepsout, la première, ne paraît pas avoir témoigné un fervent hommage au maître de l'Occident. Il semble même qu'elle n'ait pas laissé de traces en Abydos, où pourtant ses ancêtres les valeureuses reines du début de la dynastie avaient été honorées.

Le cénotaphe de Sénènmout

Pour être assuré des convictions de Sénènmout lorsque, par le truchement de la statue citée plus haut, il déclarait avoir « le pouvoir sur le Nil », il convient de pénétrer dans son cénotaphe (n° 16) du Gebel Silsilé. Les murs de cette grotte aux reliefs en creux d'une haute tenue ont été systématiquement et méticuleusement martelés, avec un zèle particulier [18]. D'abord, en ce qui concerne les deux silhouettes de la reine à peine décelables, et les images du maître des lieux. L'élément le plus important est la représentation de Sénènmout lui-même, en ronde-bosse, dans la niche occupant le centre du mur occidental [19].

Sénènmout présentant le sistre hathorique en l'honneur de Mout, parèdre d'Amon. Le torse du Grand Intendant est marqué par des seins épais et tombants rappelant ceux du Noun, Père des dieux, le Grand Océan Primordial. Granit noir. (Musée du Caire. Ph. R. Antelme)

G. Legrain, qui le premier étudia cette figuration [20], la dépeint comme « une statue mutilée, un peu obèse, assise ». Il ajoute [21] que « la statue (conservée au Caire) découverte par Miss Benson, dans les fouilles du Temple de Mout à Karnak, nous montre Senenmout gras muni de pectoraux évoquant des seins épais et tombants ». Le fait que, dans son cénotaphe, Sénènmout se déclare *Mèr-pèr hémèt-nétèr*,

18. Le cénotaphe de Sénènmout est situé entre la grotte de Amétou et celle, fastueuse, de Hapouséneb.

« Majordome de l'Epouse divine [22] », a incité certains auteurs à identifier les vestiges de l'image de Sénènmout dans son spéos du Gebel Silsilé à une éventuelle statue-cube, tenant devant lui la petite Néférourê [23].

Il est évident que cette statue de Sénènmout avait été minutieusement observée par G. Legrain au début du siècle dernier – sans doute était-elle aussi un peu moins détériorée que de nos jours. J'ajoute que la comparaison faite avec la statue de granit noir [24] citée par le même G. Legrain, sur laquelle il indiquait la présence de gros plis de graisse pendant sur l'abdomen, est la bienvenue, en contribuant ainsi à la meilleure interprétation que je propose de cette statue exceptionnelle.

A gauche de l'image svelte d'Atoum, celle du Noun, père des dieux, présente le torse alourdi de mamelles pendantes évoquant la richesse fécondante de l'Inondation. (Gebel Silsilé. Cénotaphe de Sénènmout)

Il me paraît certain, maintenant, que dans le fond de son cénotaphe – sa profession de foi – Sénènmout s'était fait représenter avec des mamelles pendantes et des plis de graisse. Or, sur les murs Sud et Nord de ce même cénotaphe, deux groupements de

24. Il est à remarquer que plusieurs grandes statues de Sénènmout possédaient des répliques miniaturisées, souvent exécutées en quartzite rouge.

figures divines sont encore visibles, et parmi elles, d'après les termes mêmes de Caminos et de James, qui ont méticuleusement étudié les représentations, ils avaient reconnu la silhouette de Noun, représenté à deux reprises [25] et muni de mamelles pendantes.

Ainsi Noun, incarnant aussi naturellement les eaux de l'Inondation, est confondu avec « celui qui est sorti du flot et à qui a été donnée l'inondation, au moyen de quoi (il avait) pouvoir sur le Nil, lui, Khnoum-Shou l'arpenteur, qui préside à l'inondation [26] ».

Supérieur à tous, Sénènmout désirait être intégré à l'entité suprême, ou se déclarait devenu (ou mieux, « s'être fondu avec ») le Noun, le père des dieux, « de tous ceux qui sont dans l'onde » et qui arrivent ou reviennent avec l'Inondation, l'évocation même du fleuve en crue.

Etait-ce un souhait ? ou une affirmation ? Quoi qu'il en soit, deux de ses statues parvenues jusqu'à nous (celle de Brooklyn et celle du temple de Mout) affirment, par l'image et par le texte, ce que la statue et les reliefs de son cénotaphe démontraient.

C'était faire au clergé osirien une grave offense, difficilement pardonnable. Pourtant, les tentatives de « réforme » du Grand majordome vis-à-vis de certaines positions métaphysiques des temps passés ne se bornaient pas à ce seul aspect.

Sénènmout l'astronome et l'an 1463

S'il était théologien, Sénènmout n'oubliait pas pour autant qu'il incarnait un des savants certainement les plus avertis de son époque. En effet, l'œuvre architecturale de la reine, à laquelle il prit une part prépondérante, ne portait pas uniquement sur l'effet de la pure esthétique, car cette notion allait de pair avec l'application d'une harmonie savamment calculée. De surcroît, la démonstration personnelle et bien tangible de ses connaissances d'astronomie apparaît dans le décor du plafond de son caveau funéraire à Deir el-Bahari : il y fit représenter la sphère céleste figurée par ses deux parties méridionale et septentrionale, comme jamais elle n'avait été évoquée aux époques précédentes [27].

Dans la partie Nord, terminée par la Grande Ourse dont les sept étoiles semblaient dessiner une cuisse terminée par la tête de

27. L'étoile Sothis (Sirius), Orion et la Grande Ourse étaient déjà apparues en compagnie des décans, sur la face intérieure des couvercles des sarcophages en bois rectangulaires du Moyen Empire.

taureau, il avait été tracé douze cercles répartis en trois groupes différents qu'il faut lire de droite à gauche, en haut, puis de gauche à droite, en bas.

Quittant le Gebel Silsilé, il nous reste en tête l'arrivée de cette inondation miraculeuse. Nous la retrouvons ainsi, ramenant l'année et la vie au pays. Depuis la nuit des temps, l'année solaire (le cycle entre deux inondations) avait été partagée en douze mois de trente jours, auxquels étaient ajoutés cinq jours épagomènes appelés par les Egyptiens les « supplémentaires ». Le 1/4 de jour manquant dépendait de Thot, maître du calendrier [28].

Véritable pivot de la vie, en Egypte plus qu'ailleurs, parce qu'il était « attaché » à l'inondation, le calendrier avait constitué une des préoccupations majeures de Sénènmout. Il désirait naturellement que l'image bienfaisante de ce phénomène essentiel l'accompagnât pour son éternelle odyssée *post mortem*.

Au ciel de son caveau [29], chacun des douze mois était évoqué et marqué de 24 rayons symbolisant les 24 heures constituant leur premier jour, lequel donnait son nom au mois (jour éponyme). Cette année égyptienne était découpée en trois saisons de quatre mois chacune, répartition en accord avec le rythme agraire.

Les quatre premiers mois, en haut à droite, évoquent la saison de l'inondation, correspondant à la période inscrite entre mi-juillet et mi-novembre. Puis vient le groupe de gauche, formé par quatre cercles : ce sont les mois de l'hiver-printemps, mi-novembre à mi-mars. Enfin les quatre derniers cercles, en bas, à droite, représentent la montée de la grande chaleur, mi-mars à mi-juillet. Les cinq derniers jours « supplémentaires » étaient réputés très dangereux, causes de désastres, d'épidémies, pendant lesquels la « dangereuse » Sekhmet pouvait procéder à tous les ravages [30].

Dans l'hémisphère austral, deux barques sont dessinées au centre des figurations célestes : elles véhiculent à droite Orion (Rigel) et à gauche Sothis (Sirius). A gauche de Sothis, et un peu plus bas, ont été tracées les images de deux autres nacelles [31] véhiculant deux nouveaux génies : ce sont Jupiter et Saturne. Tout à fait à gauche, on voit encore Vénus, illustrée par un phénix. *La planète Mars manque exceptionnellement, alors que plus tard, elle figure sans exception sur toutes les autres cartes égyptiennes du ciel* ! Quelle leçon tirer de ces images ?

31. Les Egyptiens ont utilisé la barque pour évoquer le mouvement.

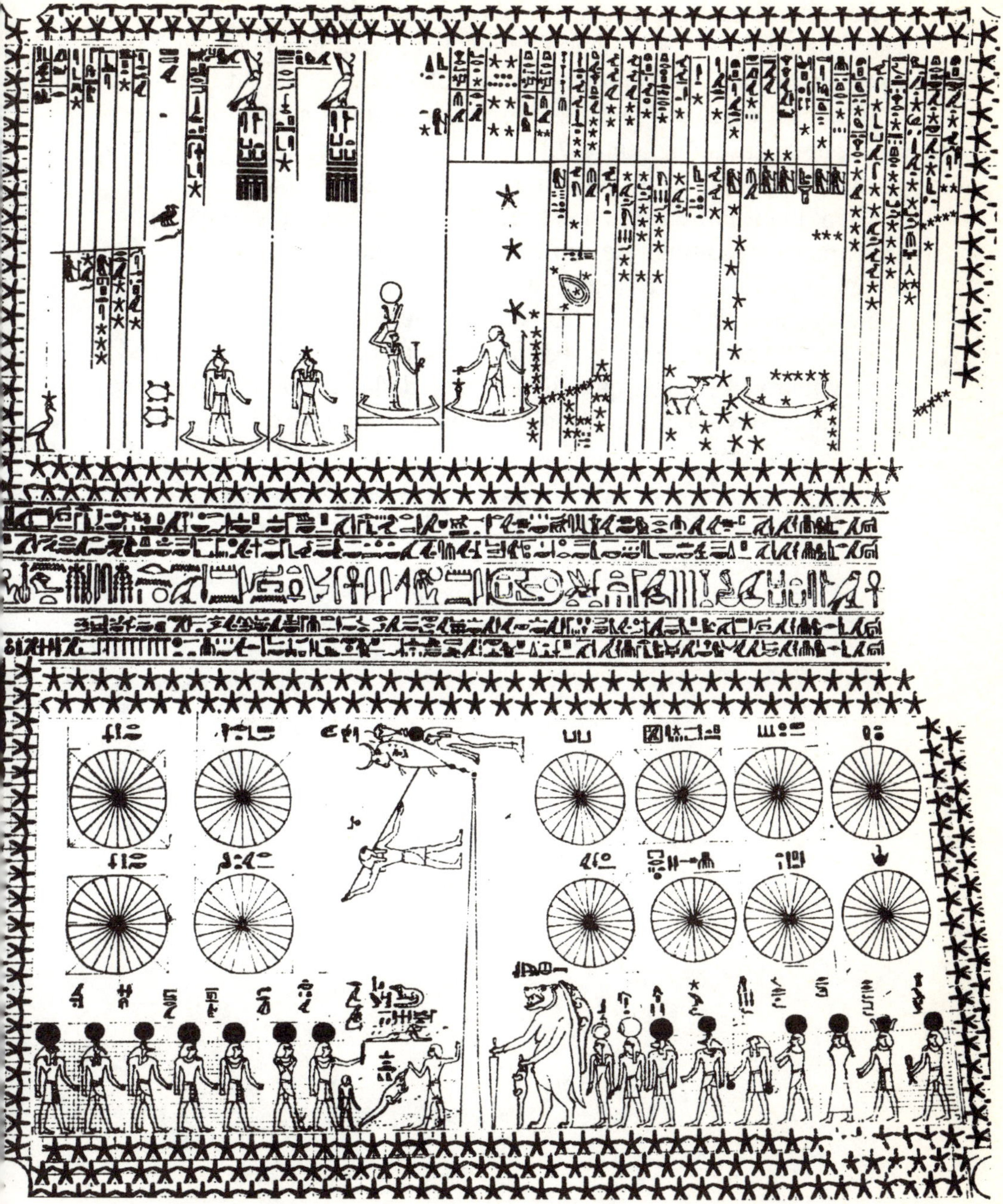

Les deux hémisphères du ciel, au plafond du caveau de Sénènmout. Au registre inférieur, le calendrier de 12 mois. Au sommet, l'hémisphère austral. Il manque la planète Mars, dans le ciel. Ce détail, joint à l'ascension droite de Jupiter, a permis de fixer à l'an 1463 avant notre ère l'époque où cette carte du ciel fut tracée. (Deir el-Bahari)

Les astronomes alertés par ce plafond unique en ont déduit que Mars n'était pas visible dans l'hémisphère austral pendant la nuit représentée par Sénènmout sur ce plafond. Christian Leitz [32], constatant d'après ses précises observations que l'ascension droite de Jupiter était située entre 73° et 95°, et sachant que la période pendant laquelle vécut Sénènmout peut être placée entre 1505 et 1455 avant notre ère, en est arrivé à fixer l'année évoquée par Sénènmout au sommet de son caveau. Il s'agit de la seule période durant laquelle Jupiter connut, dans la nuit du 14 au 15 novembre, une ascension droite, entre 73° et 95°, alors que Mars n'était pas visible : c'était en l'an 1463 avant notre ère, qui correspond approximativement à la quinzième année de la corégence, au début de la saison des semailles [33] (préparation du jubilé royal).

33. Le premier des quatre mois d'hiver-printemps, regroupés à gauche dans l'hémisphère boréal.

XVI

HATSHEPSOUT ET LA SYMBOLIQUE DES TEMPLES

Retour en Moyenne Egypte

A l'aube de ce premier jour du troisième mois de la saison *Pérèt* [1], quatre mois après le retrait des eaux de l'inondation dans la campagne égyptienne, les semailles allaient assez rapidement fournir les premières récoltes. Le soleil donnait une phosphorescence argentée aux épis encore teintés d'un vert tendre, la toison des sycomores devenait volumineuse ; les éternels mimosas répandaient leurs senteurs et, surtout, dans les jardins d'Amon, les arbres à oliban de *Pount* étaient florissants.

Hatshepsout revenait de sa province de Moyenne Egypte, où s'était arrêtée l'occupation hyksôs. Les sanctuaires avaient souffert du pillage et de l'abandon des prêtres. La région avait été complètement désorganisée et la sécurité en avait beaucoup pâti. Démoralisés, paysans et bourgeois avaient connu les vols, les rapines – voire des agressions. Les efforts du vizir et les palabres

1. Ce qui correspond au milieu du mois de février.

n'avaient pas suffi, et des agitateurs sévissaient toujours. Alors, la reine avait employé la force armée : tout venait de rentrer dans l'ordre. Mais les magnifiques chapelles funéraires des nomarques de la région en avaient pâti, les temples et les chapelles n'étaient encore que murs délabrés, colonnes effondrées, sanctuaires anéantis.

Avant que la souveraine ne regagne Thèbes, elle avait prévu de rejoindre le nouveau clergé lentement reconstitué, et surtout son homme de confiance Thoutiy. Ce dernier, affairé à faire remonter et élargir le grand temple de Thot, seigneur de *Khéménou*[2], « la ville des Huit », désirait lui commenter ses plans de rénovation.

Le temple de *Khéménou*

Un problème se présentait avant tout à propos du premier grand pylône. Il s'agissait, pour Thoutiy, de traduire à nouveau par des éléments architecturaux appropriés le chiffre symbolique 5, celui de l'étoile des prêtres savants, celui-là même auquel il était fait allusion dans le titre du Grand-prêtre des lieux, « le plus grand des cinq ».

Naissance de la Lumière, figurée par l'enfant solaire que deux génies mâle et femelle font apparaître au-dessus du signe de l'Orient. A gauche et à droite on voit le défilé des quatre éléments mâles et des quatre éléments femelles aquatiques, encore dans les ténèbres. Fragment d'un sarcophage de bélier sacré. (Musée du Caire)

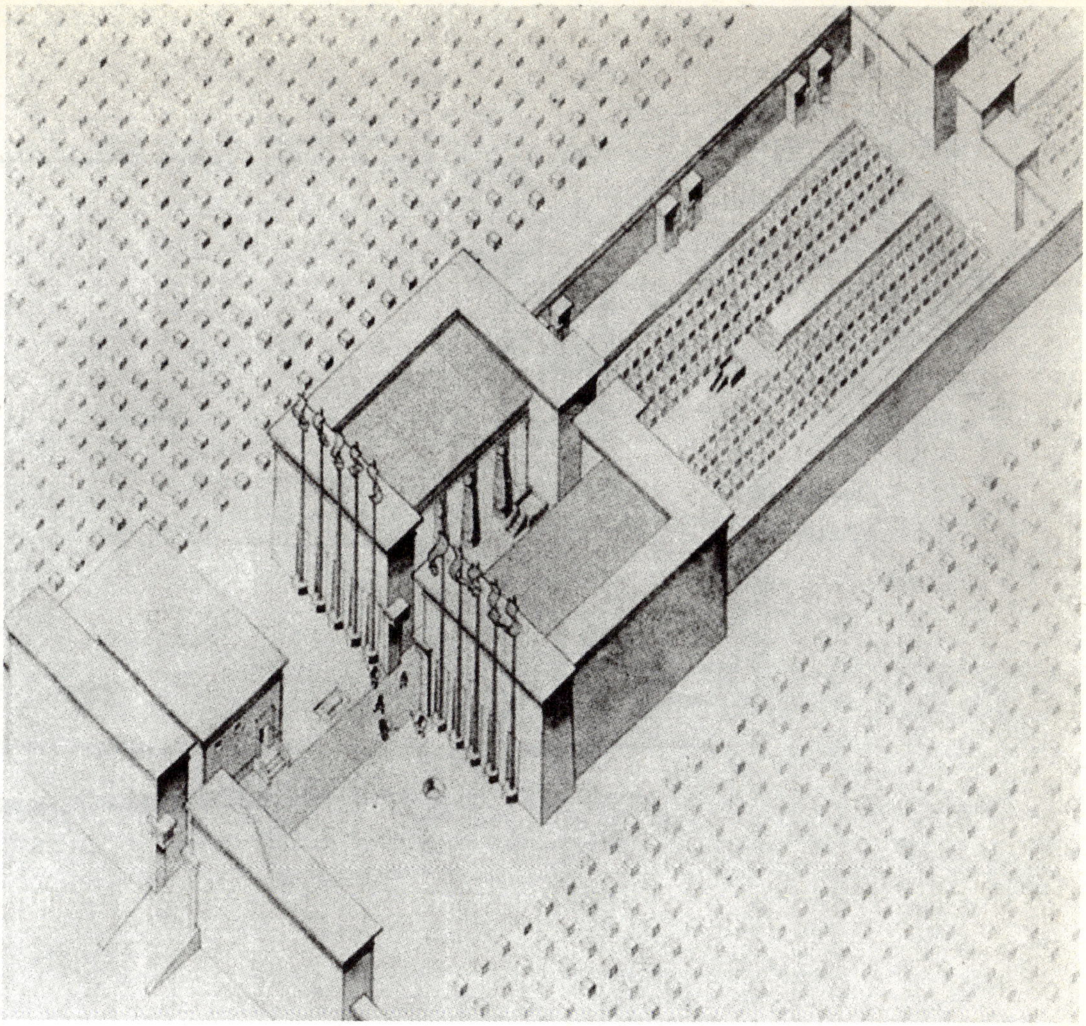

Axonométrie du Temple solaire amarnien dont les deux tours du pylône sont munies, chacune, de 5 mâts symboliques. (Reconstitution de Pendlebury)

Les disciples de Thot attribuaient à ce chiffre tout le mystère de l'apparition de la lumière sortie de l'abîme primordial. Ainsi, de génération en génération, les serviteurs de ce haut lieu de la science vénéraient les quatre éléments mâles et les quatre éléments femelles formant une « ogdoade », hantant les ténèbres aquatiques. Après un temps indéfini, chacun des groupes de quatre prit conscience de son entité, qui se manifesta alors en un cinquième élément où se trouvaient fondus les différents principes, mâles et femelles, donnant alors naissance au jaillissement de la lumière, sous la forme du radieux enfant solaire [3].

En définitive, le choix du symbole recherché et tant discuté avec les principaux membres du haut clergé fut tranché par la reine, soucieuse d'honorer les esprits primordiaux des abîmes,

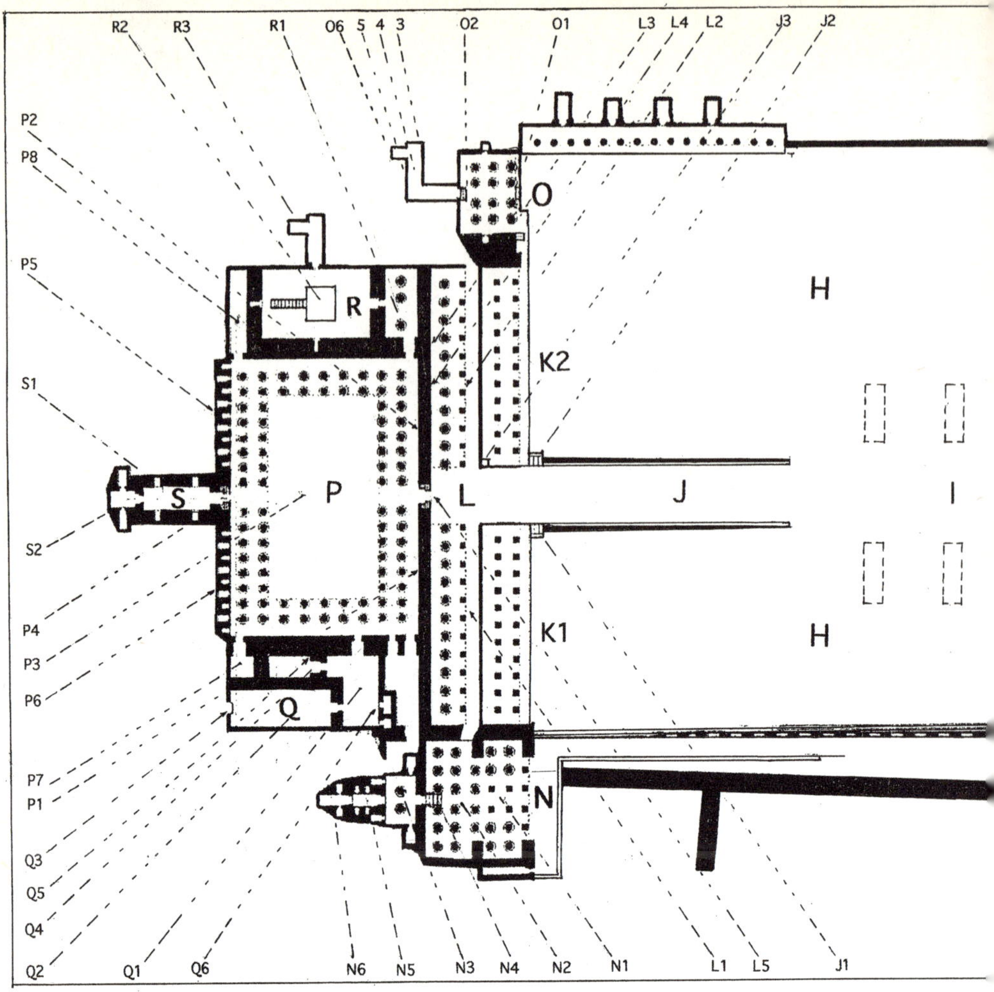

A. Dromos, allée de 120 sphinx conduisant du quai du Canal d'accès au mur d'enceinte du temple.
B. Les deux arbres *persea*.
C. La première cour et son jardin.
D. Allée de 7 paires de sphinx de la reine.
E. Deux bassins en forme de T.
F. Première rampe : décor au lion.
G. Terrasse inférieure double portique : 1 et 2. 1ère rangée de supports mi-piliers, mi-colonnes. 3. Sud. Transport des obélisques. 4. Nord. Scènes religieuses et prophylactiques. 5 et 6. Piliers osiriaques de 7 m 25 de haut.
H. La deuxième cour (sans plantations).
I. Trois paires de sphinx colossaux.
J. 2e rampe : 1 et 2. Sphinx à crinière. 3. Faucon
K. Terrasse intermédiaire : 1. Portique Sud : expédition au pays de *Pount*. 2. Portique Nord : scènes de la théogamie.
L. Terrasse supérieure : 1 et 2. Piliers osiriaques de 5 m 50 de haut. 3. Texte du couronnement. 4. Magnifique relief de Thoutmosis III. 5. Porte monumentale aux noms des corégents.
M. Entrée indépendante de la Chapelle d'Hathor.
N. Chapelle d'Hathor : 1. Vestibule à piliers hathoriques centraux. 2. Salle hypostyle : hommage de la vache. Festivités. 3. Hall creusé dans la montagne. 4. Porte magique à colonnes hathoriques. 5. La vache qui allaite la reine en transformation. 6. Image inattendue de Sénènmout.

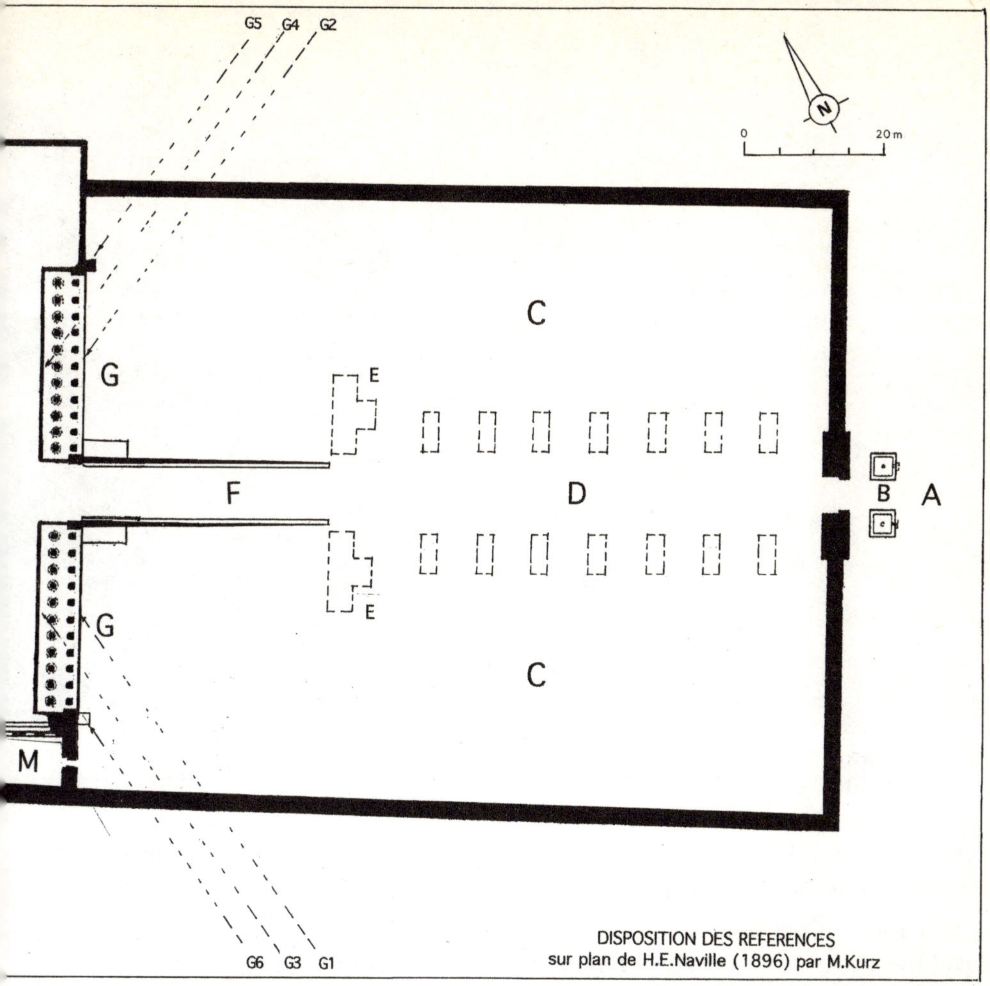

O. Chapelle d'Anubis : 1. Salle hypostyle (colonnes à 15 pans). 2. Descente de quelques marches. 3. Montée de quelques marches. 4. La reine dialogue avec Osiris et surtout Anubis et Amon. 5. La nébride d'Anubis. 6. Anubis et Hathor. 7. Anubis et Hatshepsout. 8. Colonnade Nord-Est de la Renaissance.

P. Cour à portique : 1 et 2. Scènes de la « Belle Fête de la Vallée ». 3. Allée centrale jadis bordée de statues d'Hatshepsout. 4. Porte du sanctuaire aux noms des corégents. 5 et 6. 10 niches contenant chacune des statues osiriaques (3 m). Entre chacune d'elles, une statue de la reine assise, en costume féminin . 7. Salle aux onguents et parfums. 8. Hommage à Amon-Min.

Q. Appartements jubilaires : 1. Cour. 2. Chapelle du culte d'Hatshepsout. Voûte en encorbellement - 12 heures de nuit - 12 heures de jour. 3. Hatshepsout sur la barque divine. 4. Chapelle du culte de Thoutmosis Ier, au mur rituel d'offrandes. 5. Image inattendue de Sénènmout. 6. Les 7 vaches et le taureau de l'Inondation.

R. Autel solaire. : 1. Antichambre. Image intacte de la reine. 2. Autel solaire. 3. Chapelle - Anubis - Nébride pour Thoutmosis Ier, Hatshepsout et leurs ancêtres.

S. Sanctuaire d'Amon : 1. Le Saint des Saints, salles rupestres voûtées, adoration de la barque d'Amon par la famille royale. 2. Niche pour Amon-Min agrandie à l'époque ptolémaïque (Ptolomée II) pour Imhotep, fils d'Hapou.

Le cirque de Deir el-Bahari, dans sa splendeur, dominé par la cime thébaine. (Photo J. L. Clouard)

parmi lesquels le couple Amon-Amonèt figurait, et rendait sans doute possible le message par lequel son père divin s'était exprimé à l'origine des temps [4]. Ainsi, les deux tours du grand pylône du temple de *Khéménou* seraient chacune munies de cinq hautes niches, destinées à recevoir les cinq mâts surmontés d'oriflammes. Ailleurs et même à Karnak, les pylônes pourraient, suivant leur importance, recevoir un, deux et même quatre mâts, mais jamais un autre groupement [5].

Hatshepsout et la notion du temple jubilaire

Revenue à Thèbes, elle savait que son Temple des temples, le « Sublime des sublimes », le *Djéser-djésérou*, attendait sa visite. A plusieurs reprises déjà, elle avait suivi les progrès de la construction, en parfait accord avec les idées maîtresses avancées par le Grand Majordome. Il fallait maintenant en constater la réalisation. En cette XIIIe année du règne, alors que le très secret Maïherpéra venait d'être inhumé dans la « Grande Prairie [6] », Hatshepsout aspirait plus que jamais à retrouver le terrain de son temple jubilaire, où par les rites et la force des formes et des images serait entretenue l'éternité de sa *gens*, et partant celle des humains.

Sénènmout, l'inspirateur-réalisateur des travaux, l'accompagnait. Sur le grand chantier, Thoutiy, chargé d'en diriger l'exécution [7], devait les attendre, entouré des nombreux chefs de travaux qui s'étaient déjà succédé depuis l'an VII. Avec Pouyemrê à qui s'étaient parfois joints Hapouséneb et Néhésy, devaient être présents Minmès, l'Intendant des greniers qui avait participé au transport des deux premiers obélisques pour Karnak, avec Sénènmout, Ouadjrènpout, Péhékamen dit Bénya, Péniaty, Douaouynéheh. Auprès des nobles et des simples particuliers ayant fourni la main-d'œuvre se trouvaient aussi les groupements des citoyens des villes, les institutions, les corporations [8] : tous avaient envoyé près du débarcadère de la rive gauche leurs représentants pour saluer la souveraine.

Parmi eux, il ne fallait pas oublier Néferhotep fils de Rénény, maire d'el Kab, le voisin de la jeune princesse Hatshepsout lorsqu'elle venait rendre visite à ses demi-frères, chez son premier précepteur Ahmès Pen-Nekhbet. Ainsi, le scribe Néferhotep était-il responsable de 13 ouvriers d'el Kab, affectés au travail dans le *Djéser-djésérou*. Un autre scribe avait à lui seul procuré pour le travail 25 ouvriers. Tel autre bourgeois, sans titre, venait de mettre à la disposition du chantier 8 travailleurs. Agissant comme un simple citoyen, Thoutmosis-Menkhéperrê, déjà âgé de 17 ans à cette époque, n'avait pris en charge que 12 hommes (des spécialistes semble-t-il) [9]. Naturellement, tous les hommes de corvée pour l'extraction et le transport des matériaux étaient levés parmi les paysans libérés pendant les mois où l'inondation se répandait sur toutes les terres arables.

Partis de l'embarcadère du temple d'*Ipèt-Sout*, la « Tête du canal », la reine et le Grand Intendant voguaient sur le magnifique vaisseau à voile rectangulaire, afin de traverser le Nil et de regagner, sur la rive gauche, presque en ligne droite, le débarcadère gardé par la petite citadelle (ou le bastion) nommée *Khéfet-hèr-nébès* [10].

Le *Djéser-djésérou*

Arrivé près de la berge, le navire ne fit pas d'arrêt et aborda immédiatement le canal creusé dans l'axe du lointain sanctuaire de Karnak, répondant à celui du *Djéser-djésérou*. Le soleil déjà

10. Ce qui veut dire « Celle qui est devant son maître ».

monté à l'horizon accusait doucement les ombres sur le fin calcaire des trois gradins successifs élevés grâce à la magnifique pierre extraite de la proche carrière, située immédiatement au Nord-Est. En débarquant du canal qui prenait fin là où le domaine désertique commençait, Hatshepsout porta son regard sur l'ensemble de son « monument d'éternité », son « temple de millions d'années », que le splendide cirque rocheux embrassait de sa draperie minérale.

L'impression d'ensemble

Ainsi, contemplant de face l'ensemble, dans l'axe des portes d'accès, l'effet était surprenant. Le volume des deux grandes cours semblait ne plus exister, leurs deux rampes successives, si distinctes l'une de l'autre, paraissaient se succéder sans aucune rupture. Les trois terrasses à portiques superposés et à piliers semblaient n'être plus éloignées que d'un subtil retrait. Pour la gloire d'Amon et d'Hathor, leurs concepteurs avaient-ils cru pouvoir évoquer ainsi secrètement les lointains « escaliers de *Pount* » ?

L'impression de calme et d'équilibre, d'harmonie inégalée, était saisissante, émanant de ces structures de calcaire à la douce et chaude teinte d'ivoire jaillissant de leur rude écrin minéral doré de soleil et buriné par des millénaires. La souveraine demeurait figée, sans voix, les yeux embués, répétant cette formule tant de fois rencontrée dans les inscriptions louangeuses, mais qui pour la première fois correspondait vraiment à ce qu'elle voulait exprimer :

La grande porte de granit qui ouvre sur la terrasse supérieure et les chapelles de culte.

« Rien de semblable n'a jamais été fait depuis le temps du dieu ! »

Les progrès, dans la construction, étaient sensibles aux yeux de la reine : elle pouvait maintenant apercevoir, dans l'axe de la terrasse supérieure, la magistrale porte de granit rose encadrée de deux murs latéraux, limitant l'endroit où les lieux de culte, en hémi-spéos, étaient en voie de construction et d'excavation [11].

Certes Sénènmout, qui surveillait presque journellement l'immense chantier, s'était inspiré du monument jubilaire voisin, au Sud, érigé au début du Moyen Empire (XIe dynastie) par Nebhépètrê-Monthouhotep II. Cependant, le *Djéser-djésérou* avait été doté de plus de gradins, aux portiques très différents, et s'était épanoui dans le cirque montagneux en proportions idéales car ses différentes parties constitutives avaient été aménagées, rectifiées, améliorées à la suite des visées faites de différents angles sur le terrain. Sénènmout prenait, sur place, des notes, faisait des croquis pour indiquer à ses architectes les modifications à apporter pour atteindre à l'harmonie. Sans doute doit-on à ces rectifications sans cesse apportées à l'œuvre les frottoirs, les pierres à polir trouvées encore au sol, sur lesquels avait été écrit :

« réaliser (ou accomplir) les (desseins) secrets [12] *d'Amon, par l'intendant du Double Grenier d'Amon, Sénènmout »,*

ou encore :

« accomplir les (desseins) secrets d'Amon, par l'Intendant des Prophètes de Monthou, Sénènmout [13]. *»*

Ces deux textes font sans doute allusion aux lois qu'il appliquait, pour obéir à l'expression symbolique poursuivie dans la construction des différents éléments du monument. D'autres fragments de calcaire surtout, quelques-uns en quartzite, trouvés dans les ruines de la petite chapelle du débarcadère, de même que dans les fondations et les murs d'enceinte, portent inscrit le nom de Maâtkarê. Ils étaient dédiés, par des citadins de Thèbes, aux fonctionnaires en charge de la construction : c'était semble-t-il des ex-voto [14].

Instructions royales

Dès le début des travaux, la reine avait bien précisé qu'elle entendait édifier à la gloire d'Amon, de même que pour son bien-aimé père terrestre, et aussi pour ses propres et innombrables jubilés, le monument (*ménou*) du plus pur calcaire thébain. Le granit et

---

12. « Secret », en égyptien *shétaou*.

le grès devraient y traduire certains éléments architecturaux, et d'innombrables statues y animeraient bientôt les lieux de culte.

Rien ne saurait heurter les lignes pures, les façades des portiques où, seuls, se joueraient les lumières et l'ombre. Aucun ornement ne pourrait apparaître en saillie agressive ; les reliefs, sous les portiques, devraient apparaître comme ciselés dans la pierre et enluminés de teintes vives convenant à la douce pénombre.

Le monument ne serait plus exclusivement orné de scènes religieuses traditionnelles, où le dialogue se déroulait éternellement entre l'image divine et le souverain. Il importait maintenant de traduire dans la pierre les scènes mythiques de la royauté (théogamie). Il faudrait y introduire le commentaire mystique « dédramatisé » de certains phénomènes religieux (les chapelles annexes). Il convenait d'y figurer le déroulement des plus grandes panégyries de l'année. Il était souhaitable, enfin, d'éterniser certains hauts faits marquants de la souveraine, aussi spectaculaires que pacifiques (transport des obélisques, expédition au pays de *Pount*).

En descendant sur le débarcadère du canal, Hatshepsout et Sénènmout étaient partis à pied pour gagner le petit monument périptère édifié pour recevoir la barque portative d'Amon, qui serait transportée par les prêtres au cours des processions religieuses[15]. Puis ils allaient passer devant le bâtiment où la souveraine pourrait être amenée à venir se reposer. Entre le débarcadère et la porte d'entrée de l'aire du temple, alors que le transport des granits d'Assouan et des grès du Gebel Silsilé avait cessé, un somptueux dromos menant au temple venait d'être constitué.

Cette allée [16] de 800 m de long était bordée de 120 sphinx [17] à corps de lion. La tête était celle de la reine, coiffée principalement du *némès* et de l'étoffe empesée appelée *khât* [18].

Afin que nul ne l'ignore, la reine avait fait préciser dans les inscriptions :

> *« Elle a fait (ce) monument pour son père Amon, seigneur du Siège des Deux Terres, dans ce lieu qui lui est consacré, en belle pierre de calcaire, dès l'origine* [19]*. »*

Il paraît évident que l'aire présentait tous les éléments pour constituer un lieu consacré « dès l'origine », puisque son mur de fondation croisait en diagonale les vestiges du temple de

16. Cette allée a maintenant complètement disparu.

Monthouhotep, et que ses structures même reposaient en partie au-dessus de la sépulture de l'épouse de Monthouhotep-Nebhépètrê [20].

La première cour

Hatshepsout et Sénènmout pouvaient voir devant eux les deux vastes cours à rampes et à portiques en gradins, dominés par les constructions abritant les sanctuaires, en partie taillés dans la montagne. Devant la porte d'entrée, entourée d'un mur de trois assises en calcaire au couronnement arrondi, avaient été plantés deux perséas (*Mimusops shimperi*) [21].

En pénétrant dans la première cour, d'une profondeur de 100 m environ, Hatshepsout eut la joie de constater que les palmiers, les arbres fruitiers et la vigne (?) avaient déjà été plantés (dans des cavités remplies de terre végétale), de même que des mimosas. Une nouvelle allée de sept paires de sphinx monumentaux, coiffés du *khât*, en grès peint, occupait le centre de la cour sur presque 50 m, et menait à une rampe en grès placée exactement dans l'axe des constructions supérieures du temple et des deux perséas de l'entrée [22].

Cette rampe de grès de 50 m de long, en pente douce, donnait accès à un double portique. Son point de départ était flanqué, à la base, de deux bassins en forme de T, entourés de fleurs. Ils évoquaient le port d'arrivée de tout voyageur fluvial aussi bien dans le monde des vivants que dans celui des morts [23]. Hatshepsout avait voulu que ces bassins marquassent ainsi, au point de départ de l'ascension évoquée par la composition architecturale, l'heureuse arrivée royale dans le monde où ses transformations jubilaires allaient s'opérer, car ce temple devait être utilisé pour ses renouvellements terrestres et *post mortem*. Des rites prophylactiques seraient consacrés : les bassins seraient plantés de papyrus où pourraient nicher les oiseaux des marécages, sur lesquels des bois de jet seraient lancés afin de détruire les démons qui pourraient les habiter [24].

Un autre gardien des lieux était évoqué par la magnifique image du lion royal [25] sculpté à la base des deux côtés de la rampe. Royalement dressé sur ses pattes antérieures et posé sur un socle, le fauve se tenait majestueux, la queue levée en une large et harmonieuse courbe. Il protégeait ainsi le nom gravé de la reine. Un petit mur, d'environ une coudée et demie, bordait cette rampe de 10 m de large. Au centre de son plan incliné avaient été taillées de légères marches.

Le lion protecteur de la rampe inférieure. (Photo J. Livet)

La première terrasse

En gravissant cette rampe, la reine allait arriver à la hauteur des deux premiers portiques flanquant le palier. Leurs murs du fond s'appuyaient sur le début de la deuxième cour en terrasse : ces portiques mesuraient chacun 25 m de long. En les contemplant de près, Hatshepsout constata que leur façade ne perdait rien en légèreté. Comme prévu, la lumière jouait à travers la double rangée des supports qui maintenaient leur couverture à corniche horizontale. Sénènmout avait réalisé cet aspect sobre et élégant, évitant tout chapiteau floral. Rien n'entravait la montée des lignes verticales et, dans cette apparente uniformité, la variété des supports en deux plans introduisait une vie intense à l'intérieur des portiques. En effet, la reine pouvait d'abord voir la façade Est de chacun des onze piliers carrés. Puis, s'approchant, elle s'aperçut que la face Ouest de ces piliers était traitée en colonne « protodorique »,

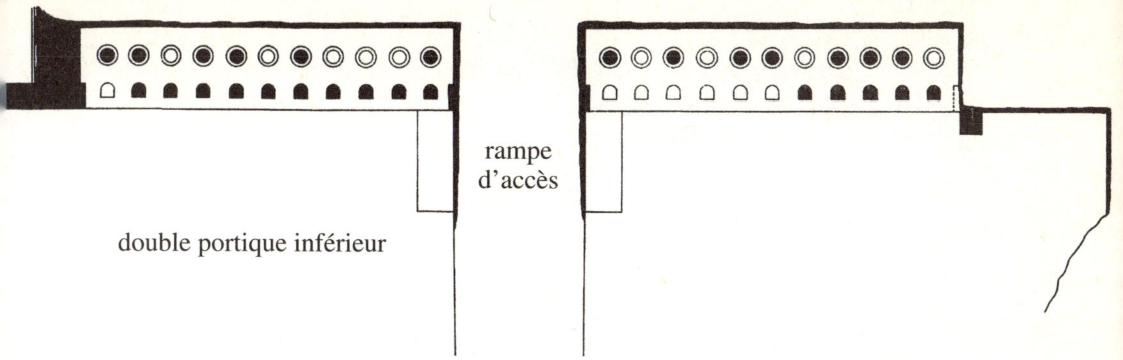

Le portique inférieur nord. A noter la première rangée des supports, mi-piliers, mi-colonnes à 8 pans. (D'après Naville)

présentant un aspect semi-circulaire taillé de huit pans ! Une innovation qui conférait à toute la rangée interne de ces piliers-colonnes une luminosité tamisée mais réelle, que n'auraient jamais provoquée les surfaces planes et absorbantes des piliers.

La deuxième rangée, composée de colonnes à seize pans, également au nombre de onze, apportait encore à l'atmosphère réalisée et laissait assez de recul pour que la reine puisse contempler le décor du mur du fond (Ouest), venant d'être tracé au trait rouge sur une hauteur de 7 m. Un maître-dessinateur – « scribe des contours » – était affairé à y porter des retouches en noir, pour que dans la suite « l'homme au ciseau » vienne donner le délicat relief, en attendant l'œuvre finale du peintre-enlumineur.

Dominant l'architrave, la corniche coiffait le sommet de ce double portique : la reine vérifia que les gargouilles à tête de lion, chargées de déverser les rares mais parfois torrentielles eaux de pluie, n'avaient pas été oubliées [26].

Façade du portique nord, limité au nord par un colosse à pilier osiriaque. Au premier plan, à gauche, une gargouille à tête de lion.

Le portique des obélisques [27]

Partout, contremaîtres et ouvriers étaient au travail : à l'arrivée de la souveraine, suivie de sa respectueuse escorte, devant le portique Sud de ce premier niveau, les ouvriers se mirent à entonner un chant, rythmé par l'un d'entre eux, battant régulièrement des mains. Les louanges à la reine et les allusions au travail réalisé dans la belle pierre blanche de calcaire étaient émaillées par le rappel du fabuleux transport des obélisques extraits des carrières de Séhel – scène que le « scribe des contours » était aussi affairé à tracer sur le mur occidental du portique. Hatshepsout se remémorait le jour où Sénènmout lui avait annoncé l'événement, du temps où elle portait encore le titre de Grande Epouse royale. Sénènmout avait veillé à ce que l'orientation des décors prévus soit strictement en rapport avec la signification des thèmes illustrés. Ainsi, sur le portique Sud, on pouvait voir le départ de la péniche quittant les carrières méridionales de Séhel, près d'Assouan.

Le portique de la défense magique

Les dessins n'avaient pas encore été tracés sur le mur du fond du portique Nord (correspondant à la zone mythique des marécages). Cependant Thoutiy, ayant en main les rouleaux de papyrus portant les décors prévus, fut heureux de les commenter pour sa souveraine. Suivant la volonté exprimée par cette dernière, Sénènmout avait veillé à ce que certaines cérémonies du culte, assurant la sécurité du splendide monument, soient évoquées sur le premier mur septentrional de ce portique.

Ainsi, avaient été sélectionnées la foulée du sol par les quatre veaux multicolores rituels (afin de bien enfouir la tombe d'Osiris), la vénération bénéfique dont elle faisait montre pour son divin père Amon (qu'il fallait dès l'abord évoquer) ; la procession de ses cinq statues (en vue de la consécration des offrandes), et surtout son image victorieuse et monumentale de reine sous l'aspect du sphinx piétinant les neuf potentiels agresseurs du royaume [28] (*cf.* page 159). L'élégance et la majesté du dessin présenté la comblaient de bonheur : le calme impérieux de la lionne à visage humain, en pleine action, était d'autant amplifié par le grand diadème de Monthou, maître des armes, posé sur sa coiffure. La facilité avec laquelle l'animal semblait dominer tous ses assaillants, bras levés demandant grâce, ou terrassés, battant l'air de leurs membres désemparés, se

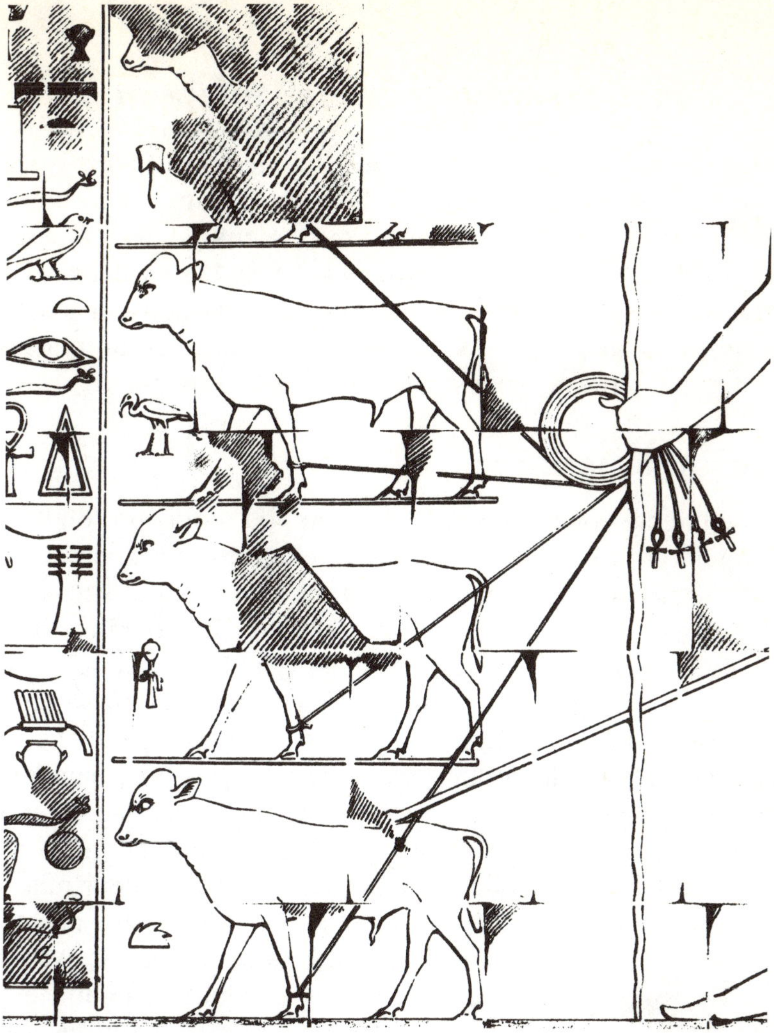

Terrasse inférieure, portique nord : procession des 4 veaux rituels : le noir, le blanc, le rouge et le moucheté. (D'après Naville)

culbutant, en faisait un chef-d'œuvre dans l'originalité du rendu, où le mouvement avait atteint le paroxysme de la bousculade, étranger aux lois régissant l'art officiel, un peu trop compassé.

Le thème auquel Hatshepsout avait désiré que le plus grand soin soit réservé devait traduire, sur le plan symbolique, la protection de l'édifice contre toute agression, et celle qui concernait l'intégrité physique de la souveraine tout au long de son permanent jubilé, dans ce « Château de millions d'années ». Le réseau prophylactique était généralement assuré par la scène séculaire montrant le sujet sur un léger esquif archaïsant, pêchant et chassant dans les marécages – en vue de supprimer l'action du Malin, et permettant le cheminement du « mutant [29] », – tableau figurant à profusion dans les chapelles funéraires civiles à toutes les époques.

En sortant de ce premier portique, Sénènmout proposa à la

reine de redescendre sur la rampe en vue de contempler, grâce à ce recul, la manœuvre dirigée par les contremaîtres, exécutée en son honneur. C'était la mise en place de deux de ses colossales statues osiriaques, au corps pris dans le linceul. Aux deux angles extérieurs Sud et Nord du double portique, Hatshepsout put voir les effigies royales de 7 m 25 de hauteur, que les hommes de Haute Egypte redressaient avec leur dextérité proverbiale.

La terrasse intermédiaire

La deuxième cour en terrasse était un peu moins profonde que la première et, d'un aspect plus carré, elle mesurait approximativement 90 m sur 100 m [30]. Ce qui frappait le plus la souveraine était la quasi-nudité de toute l'aire du fond de laquelle, en une lumineuse apparition, surgissaient deux doubles portiques superposés, à nouveau striés de piliers et de colonnes, et où se renouvelaient les jeux de lumière. L'esplanade était vide, sans aucune végétation. Devant le groupe qui entourait la reine, seulement d'immenses socles rectangulaires bordant le passage central attendaient les trois paires de sphinx, au minimum, en granit rose et munis de la barbe royale ; Thoutiy était chargé de leur mise en place. Partant du centre de la cour, toujours dans l'axe exact du sanctuaire, une nouvelle rampe avait été aménagée pour conduire au double étage de la troisième terrasse. Sur les deux flancs de la rampe était déjà sculpté le long corps sinueux d'un monumental cobra, dont l'avant dressé ornait le départ de la rampe. Au sommet de cette dernière, la pose d'un faucon solaire en ronde bosse était prévue [31]. A l'entrée de cette terrasse intermédiaire, deux sphinx à crinière flanquaient le passage.

Faucon prévu pour orner le sommet de la seconde rampe.

Chacun des deux portiques de la terrasse supérieure comportait une double rangée de piliers carrés et déjà ornés de reliefs. Sur la face Est, visible de l'extérieur, apparaissaient les images en pied de Maâtkarê, habillée en souverain, auxquelles avait été donnée une grande noblesse, alors que sur les flancs Sud et Nord des mêmes piliers, la surface était réservée à la présence du souverain corégent Thoutmosis le Troisième. A l'extrémité Nord et Sud des portiques, une nouvelle paire monumentale de statues osiriaques de la reine serait érigée.

Les doubles portiques surélevés

Les deux terrasses superposées présentaient ainsi quatre portiques à piliers et colonnes. Les portiques du premier plan étaient formés de deux séries de toujours onze supports répondant au dispositif des portiques de la première terrasse, faits de piliers-colonnes au premier plan, et de colonnes fasciculées au second rang. Contre les piliers du premier rang, les carriers et les architectes étaient affairés à dresser les monumentales statues osiriennes de la souveraine, tenant en chacune de leurs mains deux sceptres différents. Leur polychromie n'avait pas encore été appliquée. La hauteur totale de ces statues était de 5 m 50 (un peu plus de dix coudées). A l'arrière des portiques supérieurs – devant lesquels un espace était ménagé pour la circulation – un mur épais et élevé avait déjà été dressé. Le passage, en son centre, était orné de la superbe porte monumentale de granit rose aux noms des

Les piliers osiriaques de la reine évoquent celle-ci dans le suaire osirien et coiffée du *pschent*. Les mains tiennent fermement à la fois les emblèmes osiriens et les signes solaires.
(Photo M. François)

Chapelle d'Anubis. Intérieur de la première salle aux 12 colonnes fasciculées.

deux souverains corégents : protocole de la reine au Sud, de Thoutmosis au Nord. La porte n'était pas encore couverte de polychromie, aussi brillait-elle magnifiquement au soleil.

De cette place élevée, la vue était unique sur la fertile vallée thébaine. Au loin, toujours dans l'axe, le domaine d'Amon demeurait parfaitement visible. Sur la droite, autour d'*Ipèt-résèt* (temple de Louxor), la ville de Thèbes s'étendait [32], composée de petites rues étroites bordées de maisons à deux ou trois étages au plus, aux façades revêtues de couleurs tendres, parfois groupées en îlots, ou bien entourées de petits jardins car il ne fallait pas trop empiéter sur le terrain arable très mesuré. Le niveau du Nil avait légèrement baissé, on ne pouvait plus voir le miroitement des eaux à la surface des canaux. En revanche, des bancs de sable apparaissaient sur le Nil [33]. La saison s'avançait, la chaleur allait bientôt s'imposer.

L'épais mur du fond limitait ainsi réellement la partie visible que la souveraine entendait offrir à la vue – et à la compréhension de ses sujets. Au sommet derrière cette clôture était situé le sanctuaire proprement dit, qu'Hatshepsout avait décidé de partager avec son père – et les membres officiels de sa famille – et avec le tout-puissant, l'omniprésent Amon. La face Est (extérieure) de ce

Vue prise du sommet de Deir el-Bahari montrant les vestiges de l'immense *dromos* partant de la limite des terres cultivées où aboutissait le canal perpendiculaire au Nil.

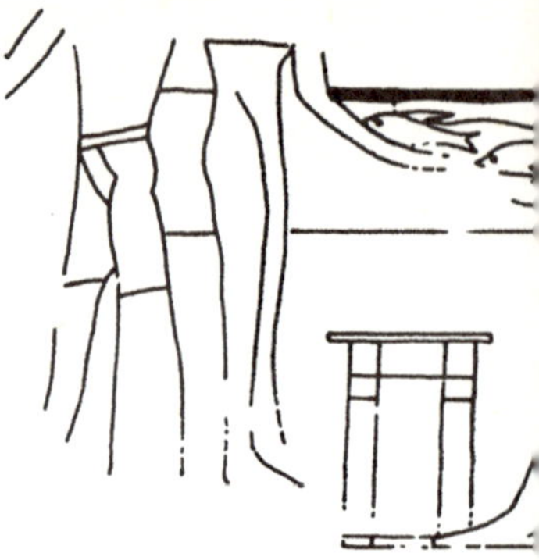

mur de clôture portait déjà quelques reliefs de grande taille : on commençait à sculpter, sur la porte Sud, le dais royal posé sur une base ornée de deux signes *ânkh* et *ouas*, près desquels figurait maintenant le signe *djed*, symboles du complet renouvellement cyclique. Au Nord (région toujours affectée à la naissance, à la jeunesse, à l'héritier, etc.) avait été réservée l'apparition de Thoutmosis, en splendide costume comportant l'image des deux ailes bleu-vert d'Horus, croisées sur la poitrine. Haute canne en main, auréolé de sa jeune majesté, il paraissait s'avancer vers le dieu. Derrière, face à la vallée, allait être gravé le texte de couronnement d'Hatshepsout, certainement en texte rétrograde, comme pour certains écrits d'une très religieuse importance.

Le portique de la théogamie

Revenant sur ses pas, Hatshepsout désirait voir la mise en place des décors prévus pour le mur du fond du deuxième portique Nord [34]. Nul ne devrait plus désormais ignorer sa miraculeuse naissance, ni les sources divines qui alimentaient ses droits au trône des Deux Terres. Les différentes séquences constituaient le résultat des savantes recherches de Sénènmout dans les archives

Frise des signes *ânkh*, *djed* et *ouas*, posés sur la corbeille *neb* de l'or, et évoquant le cycle parfait.

Evocation d'une rue à Thèbes, bordée de maisons indiquées par leurs façades et animée par ses habitants : scribes, porteurs de denrées, hommes et femmes commerçant. (D'après Ch. Nims)

du temple d'Héliopolis. Le spectacle se terminait par l'évocation des instants où, après avoir été reconnue par les sanctuaires du Nord et du Sud, et par les Grands du royaume, lorsque très jeune encore, elle accompagna son père dans toute l'Egypte, et que celui-ci la présenta au pays entier comme son héritière [35].

Le portique de *Pount*

Quant au portique Sud, il abritait la relation imagée – et écrite – de l'aventure la plus marquante de la IXe année de la corégence : l'expédition au pays de *Pount* [36]. Les dessinateurs, mis au travail par Thoutiy et Néhésy avaient relevé avec une fidélité remarquable, assortie de poésie et d'humour, les seuls instants qui, pour l'époque, étaient d'importance : le but essentiel de l'expédition envisagée, et son retour glorieux ! Peu importaient l'étrangeté et le danger, ou encore les difficultés rencontrées et les prouesses exécutées. Seule l'évocation de ces lointains horizons, comblait la fille de Thoutmosis-Âakhéperkarê, assurée dorénavant des contacts directs (et commerciaux) établis avec la Terre du dieu et de l'oliban, domaine d'Hathor, lointain berceau du roi des dieux.

XVII

LE TEMPLE JUBILAIRE (SUITE)

Hatshepsout, à son tour théologienne

Cette visite d'Hatshepsout dans son temple jubilaire, dont les secteurs essentiels étaient en partie déjà réalisés, l'avait satisfaite au-delà de ses espérances. Cependant, en songeant aux détails de la deuxième terrasse et de ses portiques, il lui était apparu qu'il n'était pas suffisant d'exposer, à la vue de tous, son nouveau concept de l'image osirienne en voie de révélation ainsi traduit dans le complexe jubilaire. Encore fallait-il entourer les nouveaux symboles trop abstraits de commentaires moins impénétrables.

Ceux qui viendraient admirer son image gainée dans le suaire osirien savaient bien que le dieu mort, transformé en momie, était promis à la résurrection, puisque le temple « de Millions d'années » avait pour fonction d'assurer l'éternel renouvellement royal. Mais par quel moyen cela se produisait-il ? Comment le faire comprendre ? A partir de sa complète inertie, comment le dieu mort deviendrait-il l'incarnation de l'énergie solaire ? La première étape était comprise. Le contemporain de la reine connaissait bien les figurations d'Osiris sur les innombrables stèles funéraires où depuis le Moyen Empire le « maître des Occidentaux », le chef de

Pour expliquer le cheminement de l'être promis à la renaissance éternelle, la reine a glissé dans les mains de son image osirienne, non seulement les sceptres classiques d'Osiris, le fouet et le crochet, évoquant le cycle annuel de l'Inondation, mais le *Ânkh* et le *Ouas*, traduisant le parcours apparent du soleil. (Photo M. François)

ceux qui étaient enterrés sur la rive gauche – là où se couche le soleil – était couramment représenté sur son trône, tenant en main ses insignes traditionnels, le fouet (*nékhakha*) et le crochet (*héka*). Ces deux sceptres évoquaient, sans ambiguïté possible, les symboles d'Osiris, l'ancêtre de tous les rois d'Egypte [1]. Quant à l'aboutissement du voyage, rappelé par la seconde paire de sceptres, il faudrait, par des images accessibles à tous, en suggérer le cheminement. Il s'agit du signe de vie *ânkh*, accompagné du sceptre *ouas*, à tête de chien (?), deux signes solaires par excellence et toujours tenus en main par les formes divines agissantes. Ils évoquent en quelque sorte le souffle de vie, l'action solaire.

Voici pourquoi Hatshepsout avait voulu, pour évoquer sa renaissance jubilaire, se faire représenter par cette image d'Osiris-soleil, en contradiction avec ce qui était enseigné par le dogme osirien [2]. Deux entités en une seule, et non pas deux entités étrangères, en conflit : la force assoupie, en léthargie (le soleil à son coucher) et l'énergie libérée (l'astre à son réveil). Le symbole était encore amplifié par la double signification de *ânkh* et *ouas* qui, par un rébus cher aux Egyptiens, signifiait aussi le mot « lait ». Le lait, cette source de vie, premier aliment essentiel de l'enfant, nécessaire à tout germe de vie [3].

Sur-le-champ, Hatshepsout décida de remanier la décoration des murs des deux groupes latéraux de salles prévus et complémentaires de la terrasse intermédiaire et d'amplifier leur architecture, afin de commenter, par le moyen de symboles accessibles, le mécanisme de la transformation résumée par cette image contractée d'Osiris-soleil.

Le dernier niveau – le sanctuaire

La souveraine désirait terminer l'inspection des travaux afin de pouvoir, dès son retour au palais, se consacrer à l'étude des compléments qu'elle jugeait, maintenant, indispensables à l'effectif fonctionnement de sa fondation « de Millions d'années ». Passée la centrale porte de granit rose appelée *Amon aux splendides monuments*, elle allait pénétrer dans la partie à la fois la plus retirée et la plus élevée du temple, loin du monde des humains, pour se retrouver sous la tutelle d'Amon, entourée des « mânes » de ses proches ancêtres et en présence des derniers membres vivants de sa famille. C'était Néférourê, son aînée, son héritière, c'était aussi celui dont elle n'avait jamais contesté les droits au trône, et dont elle allait continuer à suivre avec soin la croissance : Thoutmosis-Menkhéperrê [4].

La vaste terrasse supérieure rectangulaire en construction était déjà entourée des bases destinées à recevoir une double rangée de colonnes, sur ses quatre côtés [5]. Hatshepsout emprunta l'allée centrale prévue pour être bordée par huit de ses statues colossales la représentant à genoux, offrant les vases globulaires de vin. Elle se dirigea ainsi vers le mur du fond, à l'Ouest, où les pièces du saint des saints devaient être creusées dans la montagne, en suivant toujours l'axe du temple. De part et d'autre de cet axe, les carriers étaient affairés à creuser les niches de culte (cinq grandes

Les niches du fond de la terrasse supérieure contenaient alternativement les statues osiriennes de la reine et ses images féminines assises. (Deir el-Bahari)

et quatre plus petites) destinées à recevoir dix statues osiriaques de 3 m de haut (pour les plus grandes niches) et huit statues assises, également de la souveraine (pour les niches moins hautes). Hatshepsout [6] songeait déjà, en regardant la façade ébauchée, aux portes en bois des pays du Sud qu'elle ferait poser pour fermer ces chapelles précieuses.

La souveraine prévoyait aussi le moment où, les travaux des sculpteurs étant achevés, les « scribes des couleurs » viendraient enluminer les colosses osiriaques. Elle voulait là encore appliquer la symbolique. Ainsi, les statues osiriaques ornant les portiques de la terrasse supérieure devraient présenter le visage rouge des statues viriles. Les têtes des effigies osiriaques contenues dans les niches du fond de la terrasse devraient être teintées de la couleur jaune-orangé, se rapprochant de la couleur prêtée à la statuaire évoquant une transition. Enfin, quatre statues, osiriaques encore, étaient prévues pour encadrer le socle destiné à recevoir la barque portative d'Amon, la *Outèsnéférou*, lorsque le sanctuaire serait aménagé en vue de l'accueillir les jours

L'allée centrale, conduisant à la porte du sanctuaire d'Amon, était bordée de statues d'Hatshepsout agenouillée, faisant l'offrande du vin.

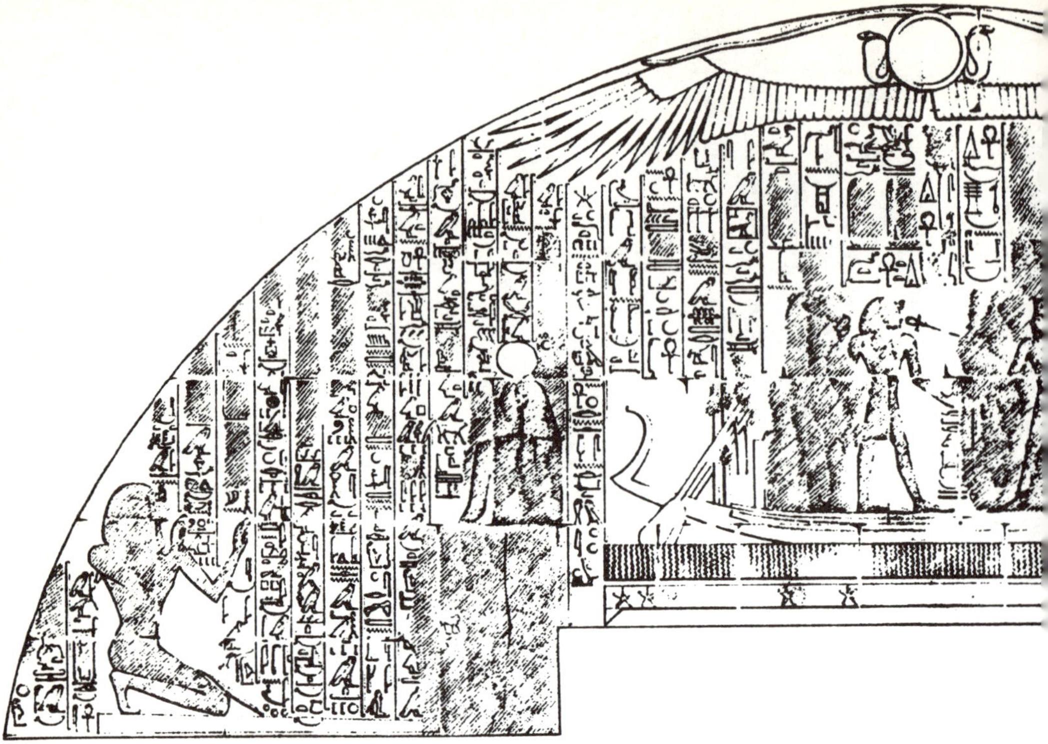

Dominant la niche creusée dans le mur occidental de la « chambre » de la reine, le cintre traduisait le plus haut degré de ses aspirations. Au centre, passée dans la zone céleste, évoquée par le signe du ciel, Hatshepsout a pris place dans la barque de Sokar : Amon lui transmet la vie par le signe *Ânkh*. Cette barque, voguant sur l'océan céleste, se dirige vers le monde de la nuit, évoqué par une femme dominée par une étoile. Elle est, à l'extrême droite, adorée par la reine. A gauche, ayant achevé son périple des 12 heures nocturnes, la barque va

Les murs de la chambre jubilaire de la reine sont recouverts des images rituelles. Ici, on trouve une allusion aux scènes du culte royal exécuté par les prêtres ritualistes et des scènes de sacrifice.

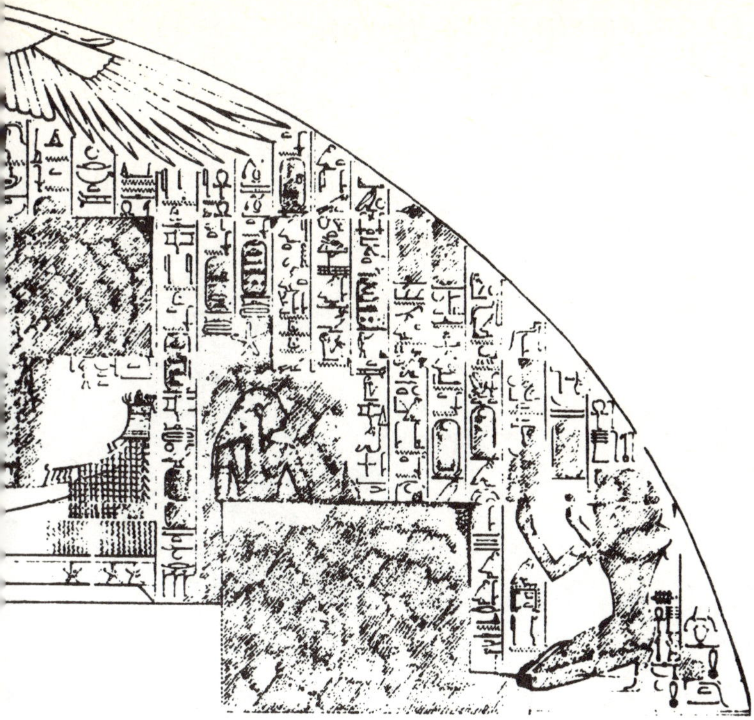

réapparaître à l'aube, évoquée par une femme coiffée du soleil. Derrière la reine, on devine, en dépit des martelages, l'image de Nephthys, et derrière Amon, presque disparue, la divine Maât est indiquée par l'inscription qui la domine. Cintre ayant subi les martelages contre la reine, puis ceux des partisans d'Akhénaton. (D'après Naville)

Les porteurs d'offrandes sont innombrables de même que leurs présents : animaux, végétaux, fleurs, fruits, étoffes, etc. traduisent tous les produits du ciel, des eaux et de la terre... quel sens décoratif !

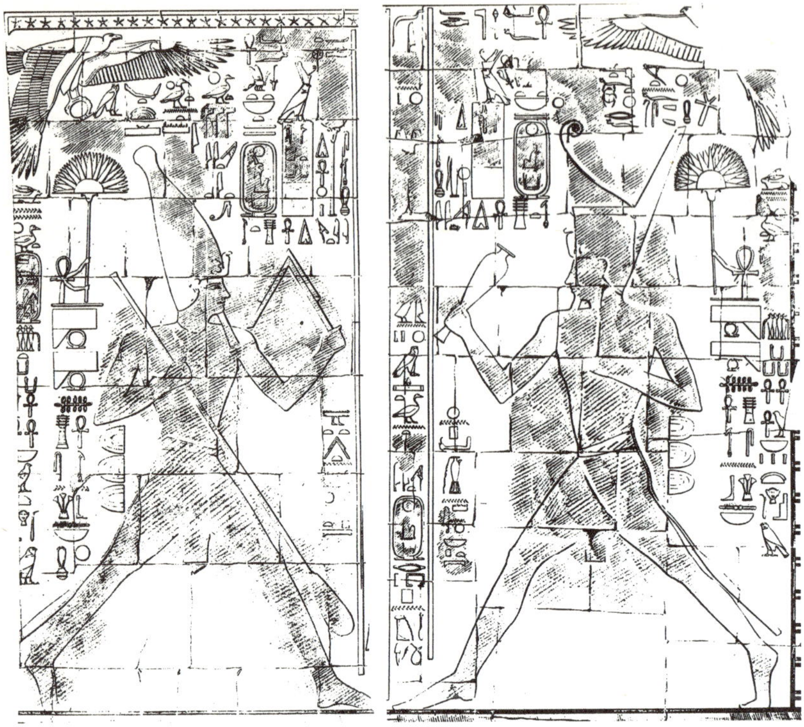

A l'issue des grandes cérémonies, Hatshepsout doit exécuter les courses rituelles, la plupart du temps en rapport avec le renouveau cyclique. L'action de la reine est presque toujours doublée par celle de son corégent, le troisième Thoutmosis, représenté en adulte, en dépit de son jeune âge. (D'après Naville)

Dominant la porte menant à la crypte centrale d'Amon (Terrasse supérieure), les corégents sont représentés vénérant Amon, en tant que roi du Sud et roi du Nord. Le soleil ailé domine la scène. On peut voir que l'image de la reine a été martelée.

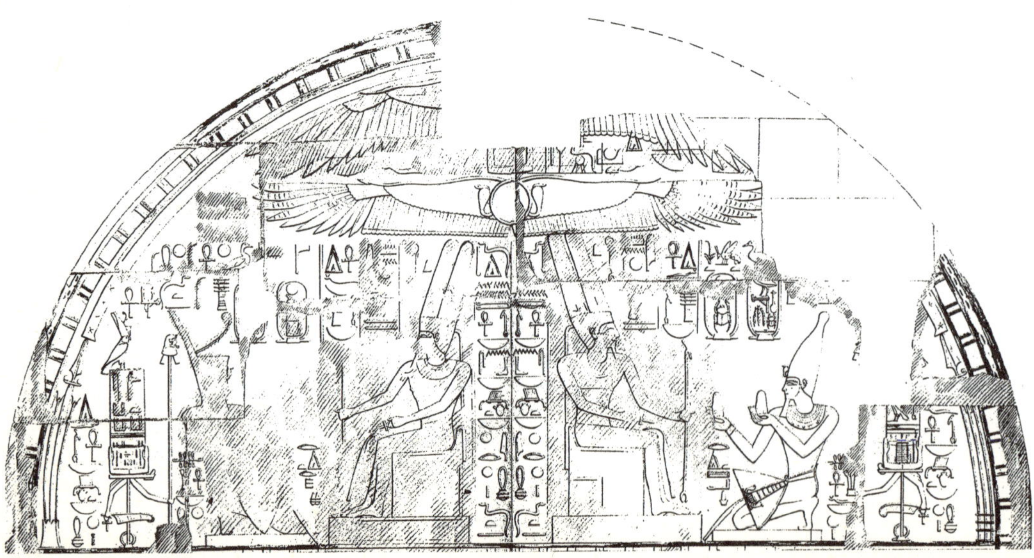

Dans la crypte centrale d'Amon, au registre inférieur, les jardins rituels d'Amon sont évoqués : ils comprennent les 4 bassins de lait dans lesquels, à l'issue des rites, des torches étaient éteintes.
(D'après Naville)

de fête. Le visage des statues d'Hatshepsout devrait être coloré de jaune pâle, et esquisser un léger sourire tout en étant muni de la barbe recourbée, bleue de même que ses sourcils [7].

C'était bien pour son père Amon, sous toutes ses formes, qu'elle avait fait réserver ce dernier lieu sacré central, dont elle était aussi, naturellement, bénéficiaire avec lui.

Le point culminant était destiné à recevoir l'arche d'Amon. Sous un ciel taillé en voûte, l'arche serait déposée pour la grande fête, sur son support alors appelé « Lac d'or ». Les reliefs et les textes devraient préciser que la *Outès-néférou* (« Celle qui exhausse la force incarnée (divine) ») serait alors entourée aux angles de (quatre) bassins de lait [8] et de (quatre) torches :

« Maâtkarê allumera un flambeau à son père Amon, comme offrande journalière afin qu'elle soit vivante à jamais [9]. »

Sur les murs de cet appartement d'Amon seraient bientôt sculptés les reliefs où le tout-puissant recevrait les hommages, et où la famille royale rendrait le culte à la barque sacrée, la *Outès-néférou*. Au Nord, Hatshepsout et Thoutmosis le Troisième [10], tous deux agenouillés, accompagnés de Néférourê debout, habillée comme une jeune femme, devront faire l'offrande à la barque sacrée. L'acte sera renouvelé pour les images de Thoutmosis Ier suivi par la reine Ahmès et la petite Néféroubity [11], tous trois défunts. Sur le mur Sud, les souverains corégents, également avec Néférourê (encore enfant et figurée nue), présenteront du vin à la barque divine [12].

A l'arrière du spéos devait être creusé un petit local destiné à recevoir très probablement un naos précieux pour la statue divine.

La Belle Fête de la Vallée [13]

De nombreuses panégyries étaient célébrées au cours de l'année et la plupart du temps elles comprenaient une parade nautique, principalement lorsque les défilés religieux devaient se rendre de la rive droite à la rive gauche du Nil. Mais la plus célèbre de toutes ces festivités religieuses, sur la rive gauche, et qui mobilisait le pays entier, une fois l'an – débutant à la nouvelle lune du 2e mois de la saison *Shémou* (l'été), le mois de *Pakhons* – était la « Belle Fête de la Vallée » (ou « du Prince »). Elle durait onze jours [14] et était célébrée à Thèbes depuis au moins le règne de Monthouhotep II. Le point central était le voyage de la statue d'Amon, sortant de son domaine de Karnak en très grande pompe, afin de rendre visite aux défunts glorieux enterrés sur la rive gauche. La population entière y participait. La nuit, les nécropoles étaient illuminées et, dans les villages, des petites lampes brillaient devant les portes des maisons. La barque du dieu était portée sur des chemins jonchés de fleurs. On chantait, on dansait, on festoyait en l'honneur d'Amon et de la permanence de la royauté. Hatshepsout avait naturellement désiré que le faste [15] de ces événements soit évoqué et introduit dans la zone de son temple réservée au culte.

La mise en place du décor était achevée avant qu'il ne soit sculpté. La reine revint donc sur ses pas et fit face aux deux longs murs qui clôturaient à l'Est la terrasse supérieure. Les dessins évoquaient l'immense cérémonie se déroulant de chaque côté

Au cours de la Belle Fête de la Vallée, les statues de la reine et du défunt Thoutmosis (II)-Âakhéperenrê étaient transportées sur la rive gauche, à Deir el-Bahari, où elles recevaient un culte. Au registre inférieur, défilé de la « suite » de la reine. (D'après Naville)

de la porte, Hatshepsout pouvait reconnaître deux remorqueurs halant deux bateaux sacrés. Le registre inférieur était réservé aux défilés des courtisans, hauts fonctionnaires, prêtres, aux soldats, aux danseurs, et aux sacrifices des animaux.

Sur le mur Sud, la reine allait détailler les deux remorqueurs s'apprêtant à accoster : vingt rameurs, de chaque côté, étaient debout pour évoquer la manœuvre ; les danseurs, également transportés, se tenaient accroupis derrière eux. Rituellement, Thoutmosis III [16] maniait l'aviron-gouvernail pour diriger le cortège fluvial. La première embarcation remorquée était celle du défunt deuxième Thoutmosis. L'avant de son bateau était orné par l'image du taureau combattant… qu'il fut peut-être ? Pour l'heure on pouvait le voir figuré sous l'aspect d'un souverain en costume de fête *sed*. Le scribe avait bien indiqué :

> *« Aborder à l'Ouest avec joie. Tout le peuple se réjouit dans cette belle fête du dieu. Ils se réjouissent, ils adorent le roi, le seigneur des Deux Pays. »*

Après avoir lu ces mots, la souveraine fit ajouter :

> *« Adoration donnée par les danseurs de la péniche du roi de Haute et Basse Egypte Âakhéperenrê (Thoutmosis II), appelée "Etoile des Deux Terres". Ils disent : "C'est l'heureuse fête du souverain dans laquelle Amon apparaît et multiplie les années de son fils, le roi de Haute et Basse Egypte Menkhéperrê (Thoutmosis III), qui est assis sur le trône de l'Horus des vivants, comme Rê, éternellement." »*

Le second remorqueur halait la grande barque d'Amon, la *Ousèr-hat*, à la proue et à la poupe faites d'une magnifique tête

de bélier dont le cou, à l'occasion de ces festivités, était orné d'un lourd gorgerin d'or et de pierres semi-précieuses. Ce vaisseau transportait la statue d'Amon et celle de la reine [17], en costume de jubilé (le corps serré dans une étoffe qui dégageait les jambes).

Tous les registres des deux grands murs n'étaient pas encore complètement revêtus de dessins. Cependant, au Sud, Hatshepsout pouvait contempler le rythme donné au défilé des nobles, grandes cannes en main, et qui précédaient le transport de son trône d'apparat, couvert d'électrum du pays de *Pount*, et orné de têtes et de pattes de lion. Ce magnifique siège, fort lourd, était porté au moyen de deux longs brancards soutenus par douze solides officiants. Ce qui avait été le plus agréable aux yeux de Sa Majesté était d'apercevoir, après deux porteurs d'éventails et de hautes tiges de papyrus, l'image de ses deux magnifiques guépards familiers, ramenés du pays de *Pount*, tenus en laisse, au-dessus desquels avait déjà été inscrit [18] :

« Deux guépards vivants, apportés parmi les merveilles des pays étrangers : ils sont (toujours) à la suite de Sa Majesté. »

La reine savait que la présence dans le défilé de ces animaux protecteurs était une nouvelle attention de Sénènmout ; il n'avait pas, en effet, échappé à ce dernier que, depuis le retour de la fameuse expédition, elle avait adopté ces deux superbes félins [19] qui ne la quittaient plus, et se permettaient même, avec une certaine désinvolture, de faire leurs griffes non rétractiles sur tous les bois du palais… !

Les sanctuaires du culte

Les salles du Sud

Restait maintenant pour la reine à interroger Sénènmout et Thoutiy sur les emplacements où seraient célébrées, dans le plus grand secret par le haut clergé, les cérémonies jubilaires. Pour répondre à l'antique symbolique, il avait été prévu d'aménager, au Sud, un ensemble de trois pièces principales composant les appartements jubilaires de la souveraine. Dans la pièce principale, Hatshepsout serait représentée sur son trône, recevant l'accumulation la plus désirable des offrandes et des

Cette stèle ornait le mur occidental de la chambre jubilaire dédiée par Hatshepsout à son père Thoutmosis-Âakhéperkarê. Elle a été ramenée en Europe au XIXe siècle. Musée du Louvre. (D'après Naville)

La seule représentation de la reine qui, à Deir el-Bahari, ait échappé à ceux qui en poursuivaient les images. Terrasse supérieure, Nord.
(D'après Naville)

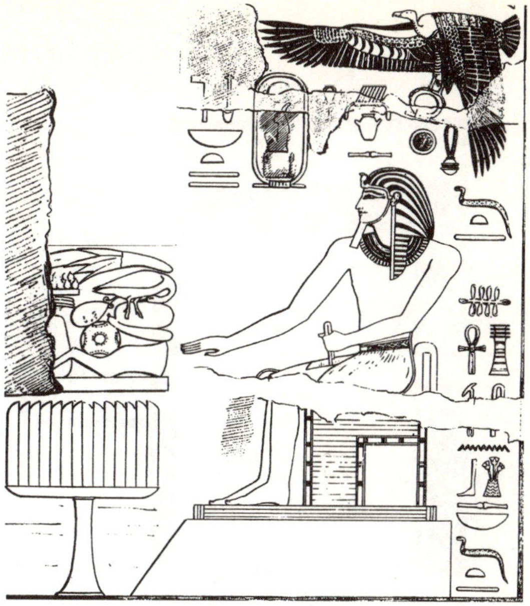

sacrifices animaux. Le fond de cette chapelle en partie creusée dans la montagne devait contenir la stèle dominée par une voûte en encorbellement ornée de 24 cases pour recevoir, à gauche, l'image des heures du jour, et à droite, celles de la nuit [20]. Entre la douzième heure du jour et la première heure de la nuit figurerait la barque solaire contenant Maâtkarê, accompagnée de Nephthys, devant Amon, suivi de Maât [21]. Le vestibule [22] commun donnerait accès à une plus petite salle réservée au culte de Thoutmosis-Âakhéperkarê. Au fond de cette seconde chapelle serait dressée la stèle du culte du père royal [23].

Les salles du Nord

Cette partie Sud-Ouest, consacrée au souverain corégent (Hatshepsout) et à l'ancêtre de la famille, avait comme contrepartie le Nord, début du périple pour la renaissance affirmée par l'apparition du jour au Nord Nord-Est, et au réveil à la vie [24].

Projet d'autel solaire au Nord

Au Nord serait prévu un grand espace à ciel ouvert, au centre duquel un grand autel à corniche permettrait la célébration des rites [25] réservés à l'entretien de l'éternel renouveau royal. Au soleil levant, le prêtre de la reine aurait alors, pour y accéder, à gravir les dix marches de l'autel. C'était reprendre le culte solaire révélé par les monuments de la Ve dynastie d'Abou Gourob.

A l'Est de la cour solaire, un petit vestibule à trois colonnes serait réservé à la mémoire éternelle du deuxième Thoutmosis-Âakhéperenrê. Le « politique » Sénènmout savait qu'il fallait ne pas négliger la mémoire du père de Menkhéperrê ; il savait surtout

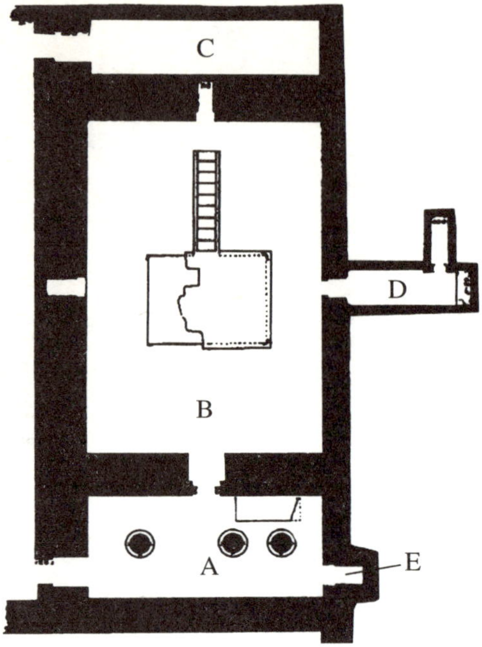

Autel solaire au niveau supérieur (Nord) du *Djéser-Djésérou* :
A : vestibule.
B : salle contenant l'autel en plein air muni d'un escalier pour la montée du prêtre.
C : salle des offrandes.
D : chapelle d'Anubis : Hatshepsout et son père avec leurs ancêtres : la nébride d'Anubis (martelée).
E : niche où subsiste la seule image d'Hatshepsout, épargnée.

La salle en plein air et l'autel solaire.

que sa souveraine tenait à respecter les sentiments de son corégent. On verrait sur le mur l'effigie du roi mort, Thoutmosis II, introduit par Amon et Rê-Horakhty [26]. Cependant une niche, à l'angle Nord-Est, devrait recevoir l'image d'Hatshepsout, radieuse de la jeunesse solaire [27].

Hommage aux parents de la souveraine

Une ouverture ménagée dans le mur Nord de la cour solaire pourrait être prévue pour donner accès à une petite chapelle [28], au plafond voûté, et constituée de deux pièces disposées à angle droit. Ce serait, avant tout, la présence surprenante en cet endroit d'Anubis et de sa « nébride [29] » qu'il faudrait évoquer. Thoutmosis le Premier et Hatshepsout, flanqués de leurs mères respectives, seraient sans nul doute les bénéficiaires de son action bienfaisante. L'image du vieux roi [30] serait accompagnée de celle de sa mère, Séniséneb [31], alors que l'image d'Hatshepsout figurerait à côté de celle de sa mère, Ahmès [32]. La reine devrait prendre dans ses bras la statue d'Amon-Min [33], pour recevoir de lui « la royauté de Rê et le gouvernement du Double Pays ». Puis, la double course, comme roi du Sud et du Nord, exécutée par Hatshepsout devant « Amon-Rê de Karnak, qui réside dans le *Djéser-djésérou* », lui permettrait alors de remettre au dieu la rame et le *hépèt* [34] arrivant du Sud, et les vases d'eau fraîche [35] venant du Nord. La seconde petite salle devrait être destinée aux scènes d'hommage rendu au divin chien noir [36], Anubis.

En quittant le *Djéser-djésérou*, la souveraine exprima sa satisfaction : ces agencements si logiques paraissaient conformes à ses désirs. Elle souhaitait que cette très canonique orientation des locaux jubilaires, reconstitués – et améliorés depuis l'époque des pyramides – puisse être appliquée désormais à toutes les demeures divines. Cependant, elle désirait aussi y apporter encore des enrichissements.

Le message de la reine

Depuis sa déterminante visite au *Djéser-djésérou*, Hatshepsout n'était pas sortie de son palais. Elle s'était fait apporter des rouleaux de papyrus, sur lesquels elle avait tracé elle-même des plans et des images. Elle avait aussi fait venir les plus savants clercs de la Maison de vie, porteurs de textes fondamentaux, et était restée de longues heures en conciliabules avec eux. Elle avait ensuite présenté à Sénènmout deux projets concernant, respectivement, l'amplification des deux sanctuaires encadrant la partie supérieure de la deuxième terrasse : au Sud c'était un sanctuaire pour Hathor, au Nord un autre tout différent, dédié exceptionnellement à Anubis.

Le premier devait concerner le phénomène des mutations par lesquelles passerait la souveraine sitôt le début des mystères du jubilé (concernant la mort apparente) ; le second devait être au service des dernières épreuves subies avant la résurrection solaire. Ces deux lieux sacrés posséderaient trois points en commun :

– Les sanctuaires devraient être conçus en hémi-spéos et présenteraient un caractère en partie chthonien.

– La transformation de la reine, dans les deux cas, serait exprimée avec des symboles animaux familiers à tous (vache et chien).

– Les structures intégrées dans le temple devraient être accessibles aux pèlerins et aux dévots.

Le sanctuaire d'Hathor

Le symbole du lait

Il fallait, avant tout, ajouter un ensemble cultuel explicatif concernant le rôle essentiel joué par la grande Hathor, vénérée depuis la préhistoire sous la forme de la vache sacrée – la mort et l'amour

Chapelle d'Hathor. Un des deux panneaux de l'entrée où Hathor sous la forme de la vache divine vient rendre efficaces les rites du Jubilé, en dispensant le lait à la reine. (D'après Naville)

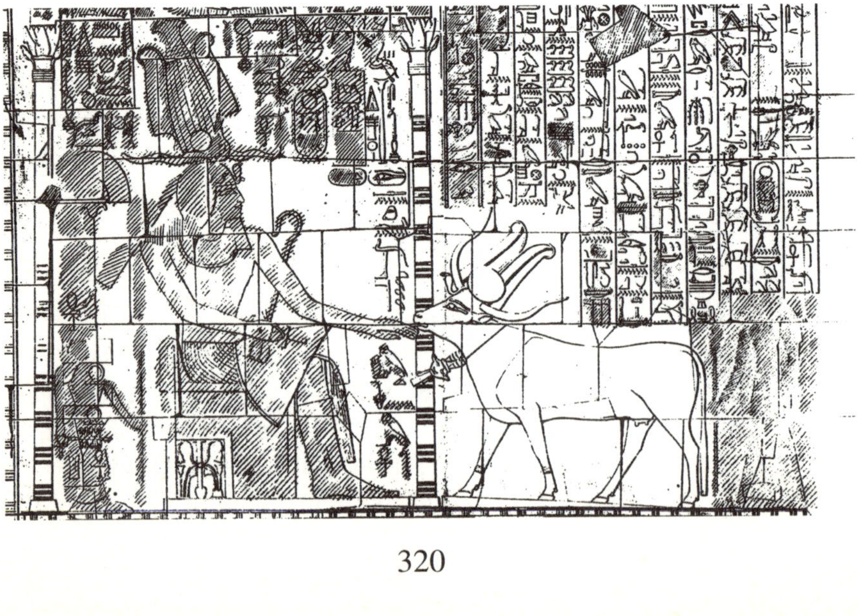

personnifiés, – la matrice universelle, mutée en une irrésistible amante : elle avait pour rôle d'embrasser le défunt [37], réel ou mythique, arrivé dans son domaine, pour qu'il la féconde. Alors, reprenant l'aspect de la divine vache, Hathor devrait nourrir de son lait le « germe » de l'enfant divin ainsi conçu, remis ensuite au monde, sous l'aspect du veau solaire ou du roi revivifié par les rites [38].

L'Egyptien saura transposer : si la sainte vache évoque le giron de la mère, le lait (solaire) qui s'écrit avec les deux signes *ânkh* et *ouas* (tenus également par les statues osiriennes du temple) n'est autre que la nourriture fournie par le placenta. A l'entrée de la chapelle destinée à la déesse, la reine fera représenter cette bonne mère arrivant auprès d'elle et lui léchant les mains [39] pour montrer les soins dont elle l'entourera pendant toute la gestation. Au reste, les paroles qu'elle prononcera devront décrire clairement la signification de la scène : « Rassasier le roi avec du lait [40]. »

Le symbole de la vache

Plus avant, la vache devra figurer sur les murs de son sanctuaire. Elle sera vénérée par la souveraine, aussi bien que par Menkhéperrê-Thoutmosis. Cependant, en vue d'évoquer le séjour nécessaire dans le sein de la déesse afin d'être promise à la

Apparition, sur sa barque, de la vache divine, au fond de la chapelle. La reine s'alimente au pis de l'animal pour évoquer, en réalité, son état d'embryon dans le sein de l'animal, préparant, ainsi, sa renaissance. Image martelée. (D'après Naville)

renaissance, il ne pourrait être question de représenter réellement le fonctionnement interne des organes de l'animal. Aussi Hatshepsout devrait choisir le symbole le plus proche de la nature : accroupie sous le pis de la vache, on la verra se nourrissant du lait divin [41] : image visible du fœtus alimenté par le placenta !

Le symbole de la grotte

Dès son enfance, Hatshepsout savait que la grotte était la demeure de la déesse. Lorsque la dame Sat-Rê l'emmenait parcourir la Vallée du grand Monthouhotep, elle avait assisté aux pèlerinages de la Belle fête du Prince (ou de la Vallée). Elle avait entendu parler de la grotte du dernier repli de la montagne, vers le Sud, où les miracles se produisaient parfois après les grandes chutes de « l'eau du ciel [42] ». Mais on n'avait jamais pu lui expliquer les raisons profondes du lien qui unissait la Grande Mère à la grotte mystérieuse.

Il s'agissait de la grotte qui domine le fond de la Vallée des Reines que j'avais mise au jour au cours de la « rénovation » de cette vallée en 1986-1988. Ce vaste local rocheux de 25 mètres de hauteur matérialise l'image du giron de la vache sacrée. Son sol avait été taillé en forme d'une longue cuvette, peinte en ocre rouge, épousant la forme de l'utérus de la vache à qui ces lieux étaient consacrés. Leur providentielle efficacité se manifestait au moment des rares pluies d'orage, tombant en cascade du haut de la grotte, et qui remplissaient le bassin. C'était alors, en zone désertique, le miracle des eaux de la naissance, annonçant la réapparition des illustres défunts de la région.

Le dévot partait alors pour son pèlerinage, vers Hathor, depuis le parvis (*ouba*) de la petite grotte naturelle, antre de la déesse, étant ainsi entré dans la *Djéséret*, c'est-à-dire le site entier des sanctuaires de Deir el-Bahari, alors que le temple d'Hatshepsout n'était pas encore édifié. Puis, il devait passer devant le sanctuaire d'Aménophis Ier et de Ahmès-Nofrétari, appelé : *Men-sèt,* pour se diriger vers l'impressionnante grotte du fond de la Vallée des Reines, la *Ménèt*, où il allait demeurer toute la nuit, en incubation.

A l'aube, il allait accomplir, dans le bassin contenant « l'eau du ciel », les rites de régénération, dont celui du « bris des vases rouges ». Puis, après avoir bu l'eau sainte, il quittait la grotte dont l'ouverture était bordée par de grosses protubérances rocheuses (des « jeux de la nature ») à l'image de la tête de la sainte vache divine et de Taouret, l'hippopotame bénéfique, protégeant la renaissance.

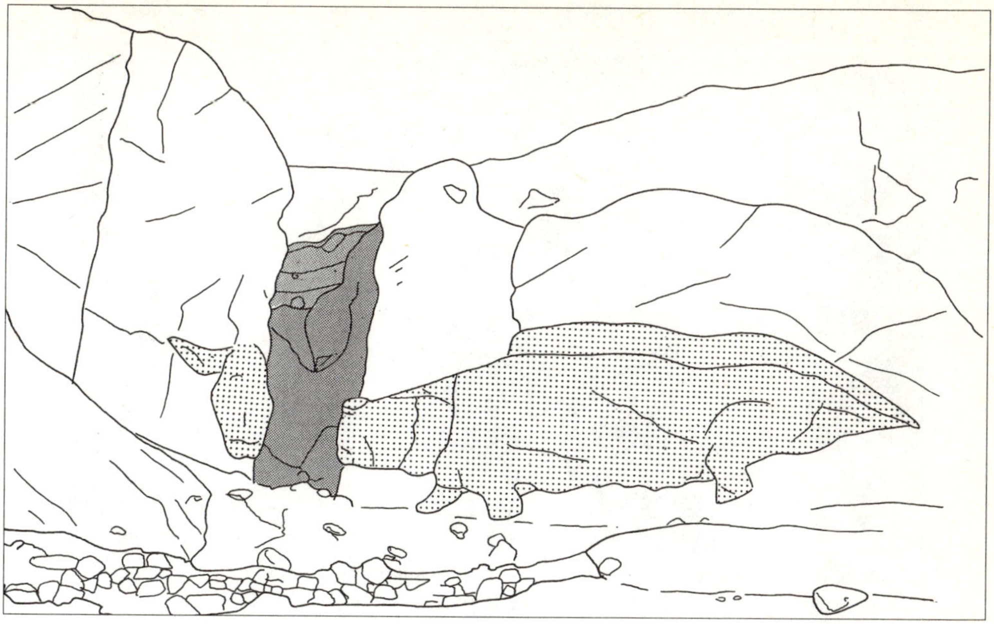

L'immense grotte au fond de la Vallée des Reines. En sombre : entrée de la grotte qui recevait par cascade les eaux des *Ouadis* supérieurs. L'entrée est encadrée de deux rochers, « jeux de la Nature ». A gauche, la tête de la divine vache ; à droite, l'hippopotame de Thouéris, patronne des naissances. (Croquis J. Cl. Golvin)

Le dévot terminait son pèlerinage en allant offrir les lotus bleus du réveil solaire, dans la grotte de Ptah, à la sortie nord-est de la Vallée des Reines (appelée dans l'Antiquité : la place des lotus soit la *Set-Néférou*). Ainsi, au cours de minutieux dégagements de la grotte, avais-je pu retrouver les indices qui m'avaient permis de reconstituer ce phénomène aux racines millénaires du culte populaire : aux murs de la grotte figuraient encore des graffiti préhistoriques de la vache et de la femme figurant, déjà, Hathor ; mais aussi certaines dates se rapportant à la chute de ces pluies miraculeuses dans le Gebel égyptien[42 bis].

Hatshepsout était maintenant éblouie par la logique du mythe et la grandeur de son enseignement, dont elle avait discuté avec les sages de la Maison de vie. Elle ne voulait surtout pas que ses contemporains puissent demeurer dans l'ignorance. Aussi allait-elle faire aménager la petite grotte de Deir El-Bahari pour la dévotion populaire qui existait encore immédiatement au Sud de son temple, à la hauteur de la seconde terrasse, et l'équiper surtout d'un vestibule, sorte de parvis, et d'une salle hypostyle pour y recevoir l'illustration nécessaire à cette « initiation ».

Ainsi serait honorée, et maintenant « commentée », la plus ancienne des formes féminines de la divinité, la Dame de *Pount*,

Chapelle d'Hathor : vestibule orné des 4 colonnes à chapitaux hathoriques, dominés par le sistre. A l'arrière, la montagne thébaine. (Photo Desroches Noblecourt)

qui depuis des siècles demeurait la patronne de toutes les femmes, et pour cause ! Elle n'était pas moins vénérée par les hommes d'Egypte, à commencer par Sénènmout, dont les témoignages de dévotion à son égard sont parvenus jusqu'à nous [43]. En définitive, Hatshepsout décida de consacrer la statue de sa chère nourrice Sat-Rê, dans la chapelle d'Hathor [44].

Le pilier hathorique

Parmi tous les objets réservés au culte d'Hathor figurait un des deux sistres (bâton de culte) orné du visage féminin de la déesse, mais dont les oreilles de bovidé rappelaient son aspect primitif animal. Dès le Moyen Empire les chapiteaux des colonnes des chapelles, ou même des objets consacrés à la déesse présentaient, sur leurs deux faces opposées, le visage d'Hathor : Hatshepsout désirait que la nef centrale du vestibule de la chapelle de la sainte vache soit ornée de six piliers à chapiteaux hathoriques [45]. Mais ces chapiteaux seraient de surcroît dominés par la partie supérieure du sistre évoquant une façade architecturale [46] entourée de deux hautes volutes (encore une innovation de la reine).

Sur les côtés on devrait admirer l'image du papyrus rappelant les marécages traversés par l'animal durant toute la gestation, et évoquant le liquide amniotique par lequel l'être en devenir était entouré [47].

Sénènmout, très impressionné par la démonstration de sa reine, allait dresser les plans de la chapelle ainsi prévue définitivement

Chapelle d'Anubis : les colonnes protodoriques.
Façade orientale de la salle aux 12 colonnes fasciculées. (Dessin de H. Carter)

en hémi-spéos. Il projetait de prêter la même attention à la représentation des festivités du Jour de l'An, devant également être sanctionné, après une fastueuse parade nautique, de joyeux défilés des jeunes « recrues » portant des rameaux de saule (l'arbre *tshérèt*), et de prouesses acrobatiques.

Le sanctuaire d'Anubis [48]

Il revenait encore à la reine d'évoquer, par la seconde annexe architecturale agrandie au Nord, le panorama de son dernier cheminement dans la zone des mutations jusqu'à sa réapparition comme un soleil. Elle avait confié à Sénènmout ses hésitations, ses hypothèses, afin de doubler l'aspect d'Osiris momifié, nécessaire point de départ du voyage, mais non pas

Chambre d'Anubis flanquant la chapelle solaire. Au registre supérieur : les deux chiens d'Anubis, martelés. En bas, Thoutmosis Ier-Âakhéperkarê devant la nébride, martelée. (D'après Naville)

image des derniers avatars. Finalement, le Grand Intendant et la reine étaient tombés d'accord : il fallait bien faire appel à l'efficace agent de transformation, le protecteur aussi, chargé de veiller sur le roi défunt, ou encore, vivant son jubilé annuel. C'était Anubis.

La nature d'Anubis

L'imagerie traditionnelle le figurait sous l'aspect du chien noir (et non du chacal), ou encore celui de l'homme à tête de chien, couramment compris comme le guide des trépassés : il devait demeurer auprès d'eux durant tout le trajet nocturne, alors qu'à l'aube, il lui fallait se retirer. Le symbole qui complétait l'image d'Anubis, noir comme les ténèbres, était la « nébride[49] », sorte de peau d'animal ayant contenu réunies toutes les parties du corps démembré d'Osiris, et qui, une fois vidée, était enroulée autour d'un pieu planté dans un pot. C'était donc, en réalité, l'enveloppe abandonnée par le sujet même des rites de transformation, destinée à le protéger pendant toutes les étapes du « passage ».

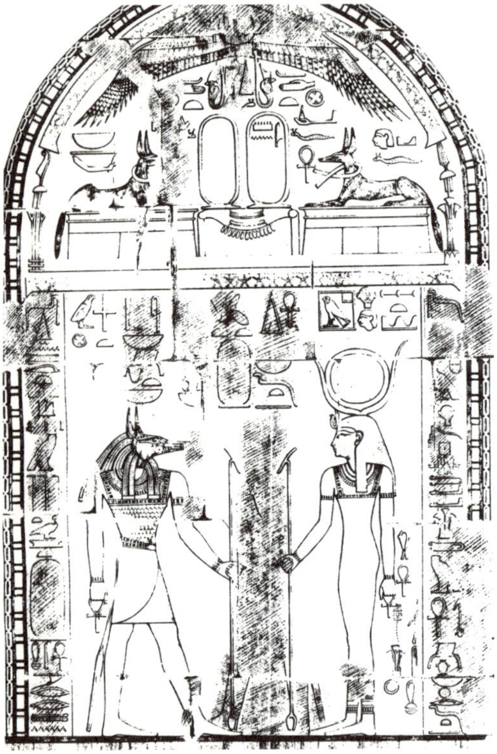

Chapelle d'Anubis. Salle du fond : les images d'Anubis ont été épargnées mais la silhouette (?) d'Hatshepsout, ou bien la nébride, est martelée. A droite : Hathor. Terrasse intermédiaire. (D'après Naville)

Au Nord du second portique, Hatshepsout avait donc décidé d'agrandir la chapelle prévue pour la manifestation d'Anubis, où ne seraient absents ni Sokar, ni Ptah, agents de la résurrection d'Osiris, également honorés dans ces lieux. Cependant, ces trois aspects de la force en léthargie n'en seraient pas les seuls. Anubis devrait être le maître dynamique des lieux, sous la présence éternelle d'Amon. Anubis, qui n'est en réalité que la reine elle-

Chapelle d'Anubis : Osiris n'est pas évincé mais complété par d'autres « agents funéraires » lesquels, plus tard, feront corps avec lui. Ils reçoivent, ici, la libation de la reine. A gauche : Ptah ; au centre : Sokar ; à droite : Osiris. (D'après Naville)

même, en mutation au cours de ses dernières métamorphoses. Cette subtile mise au point une fois établie, la sublime aventure synthétisée par d'humbles symboles animaux devait maintenant apparaître sur les murs de la chapelle.

L'hémi-spéos

Ce sanctuaire devrait continuer à s'ouvrir à l'angle Nord de la seconde cour du *Djéser-djésérou*, mais, transformé en une magnifique salle à douze colonnes fasciculées (les douze mois de l'année), ouverte sur la terrasse. Contre le mur Sud, une niche serait réservée à l'image d'Osiris. En face, le mur Nord devrait être percé d'une niche pour Anubis, entouré des deux mères primordiales Nékhabit et Ouadjit. La reine devrait être représentée à maintes reprises, et Thoutmosis-Menkhéperrê participerait au culte. Un dispositif très original devrait compléter, en plus développé, ce qu'Hatshepsout avait fait ajouter au Nord de la chapelle solaire pour son père et les deux mères royales. Ainsi, trois salles creusées dans le rocher devraient être aménagées à partir de l'angle Sud-Ouest de l'hypostyle.

Ce serait d'abord un long espace rectangulaire orienté vers l'Ouest, au fond duquel, sous un plafond voûté, serait représentée la nébride d'Anubis, allusion à une (ré)apparition imminente. Une seconde pièce perpendiculaire, orientée Sud-Nord, serait également terminée par une niche au plafond voûté, là où devraient figurer les images de la reine (sous forme de nébride) [50] devant Anubis et Hathor, les facteurs essentiels de sa mutation. Les murs Ouest et Est de la pièce devraient perpétuer le dialogue de la souveraine avec Anubis et Ptah, alors que Thoutmosis-Menkhéperrê serait présent devant Sokar. Enfin, à l'angle Nord-Ouest serait aménagée, toujours dans le roc, une petite pièce surélevée de la hauteur de trois marches, au fond de laquelle le face-à-face d'Anubis et d'Hatshepsout serait prévu [51].

Après ce trajet, brisé à angle droit, l'ombre d'Anubis [52] s'estomperait dans les ténèbres, au terme du cheminement de la reine renaissante, en son glorieux corps solaire [53].

Dernières instructions

Hatshepsout avait alors arrêté ses plans et ses explications : elle confiait à son Grand Intendant le soin d'imaginer le complément architectural par lequel il pourrait exprimer la trajectoire lumineuse de sa réapparition.

Avant de clore cette longue séance de travail, la reine voulait encore souligner certains détails auxquels elle tenait particulièrement.

L'accès à la grotte d'Hathor

Afin de faciliter l'accès permanent des dévots à la chapelle d'Hathor, qui depuis bien longtemps, dans son aspect primitif, recevait les pèlerinages [54], la reine précisait qu'une entrée, indépendante de la seconde cour, devrait être aménagée au Sud du mur d'enceinte : ce serait une rampe menant à la chapelle, en pente douce.

Chapelle d'Anubis

Elle précisait que les murs des salles disposées en ligne brisée, derrière l'hypostyle de la chapelle d'Anubis, seraient aussi dominés par la frisc (cryptographique) conçue par Sénènmout, et chère à son

Eléments de la célèbre frise cryptographique de la reine, ornant le sommet de nombreux murs, à Deir el-Bahari. Le signe des deux bras levés : *Ka*, sur lequel repose l'uræus : Maât, dominée par le soleil : Rê a été intentionnellement martelé. (D'après Naville)

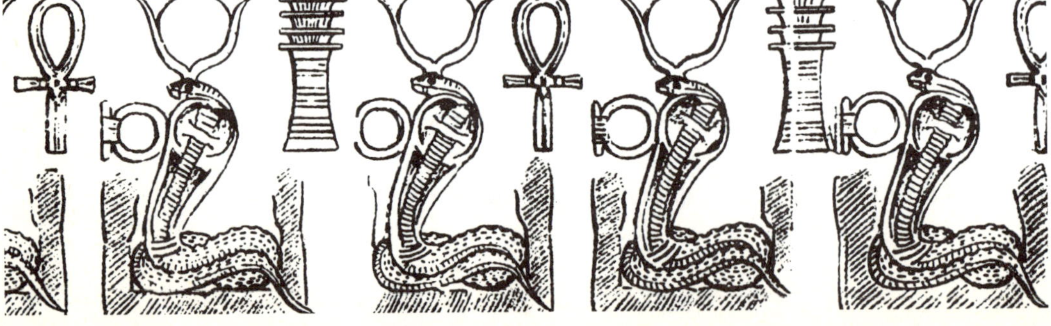

Chapelle d'Anubis. Entre le sommet des colonnes proto-doriques, le plafond est couvert d'étoiles. (Photo Desroches Noblecourt)

cœur, composée de son nom de couronnement, Maâtkarê, écrit par le cobra dressé et disqué contenu dans les deux bras levés.

Dans le vestibule, la course rituelle déjà apparue à la IIIe dynastie, du temps du roi Djéser, devrait naturellement figurer : Thoutmosis-Menkhéperrê illustrerait la course à la rame où la reine consacrerait le terrain, tenant en main la huppe et les trois sceptres [55].

La fête du Nouvel An

Les fêtes du Nouvel An étant étroitement liées au jubilé royal, il était essentiel d'évoquer dans la chapelle d'Hathor cette cérémonie, comprenant notamment la traversée du Nil. Les barques royale et divine, reconnaissables aux figures de proue et de poupe, en forme de têtes de vache, de bouquetin [56], de faucon, transporteraient les acteurs de la cérémonie, les danseurs, les jeunes recrues de Thèbes et de Nubie. L'objet du culte y serait véhiculé : il s'agissait de cette coupe à pied, au profil parfois dentelé, contenant la statuette de la divine vache entourée des lotus bleus de la renaissance [57]. Elle désirait, de surcroît, que sa belle déesse Hathor soit figurée sous ses deux aspects, féminin et animal.

Enfin, Amon toujours omniprésent régnerait avec Hathor et la reine au plus profond du sanctuaire d'Hathor.

La grande procession de la fête d'*Opèt* empruntait le Nil et visitait la chapelle d'Hathor. Les détails apparaissent sur les murs de son vestibule. Figure de proue, au bouquetin célébrant ainsi la nouvelle année, et figure de proue à tête d'Hathor. (D'après Naville)

Hommage à Sénènmout

Dernière ligne des instructions : « Le Grand Majordome Sénènmout est, par volonté de Maâtkarê, autorisé à se faire représenter, sculpté en adoration, derrière la porte du saint des saints » de la chapelle d'Hathor [58].

La réponse de l'artiste

Sénènmout admirait, une fois de plus, l'audace, l'esprit original et réformateur de sa reine, sa précision également. Il n'en ignorait pas moins les difficultés qu'il allait rencontrer dans l'exécution de ces plans pour la chapelle d'Anubis. Le premier obstacle était l'élargissement de la seconde cour vers le Nord, afin d'y intégrer le volume de la chapelle pour Anubis. En conséquence, l'axe des deux cours n'allait plus se trouver dans l'axe des rampes et des portiques.

Il fallait encore trouver le moyen de faire oublier l'aire supplémentaire gagnée à l'Est de la cour. Il importait surtout de pouvoir, au mieux, évoquer l'élan de l'éveil solaire demandé par la souveraine. Sénènmout allait réaliser ce vœu en un trait de génie qui consistait à doubler le pan de la montagne cernant la cour, au Nord-Nord-Est, par la création d'un simple portique au ciel bleu, piqué de scintillantes étoiles jaunes, et soutenu par quinze élégantes colonnes « protodoriques ». Il masquait ainsi la paroi rocheuse, par une vision harmonieuse, aérienne et lumineuse, qui préfigurait, mille ans à l'avance, les plus belles perspectives de l'Hellade.

Deir el-Bahari : terrasse intermédiaire : colonnes du portique Nord-Est, vues de la colonnade Nord-Est. (Photo Desroches Noblecourt)

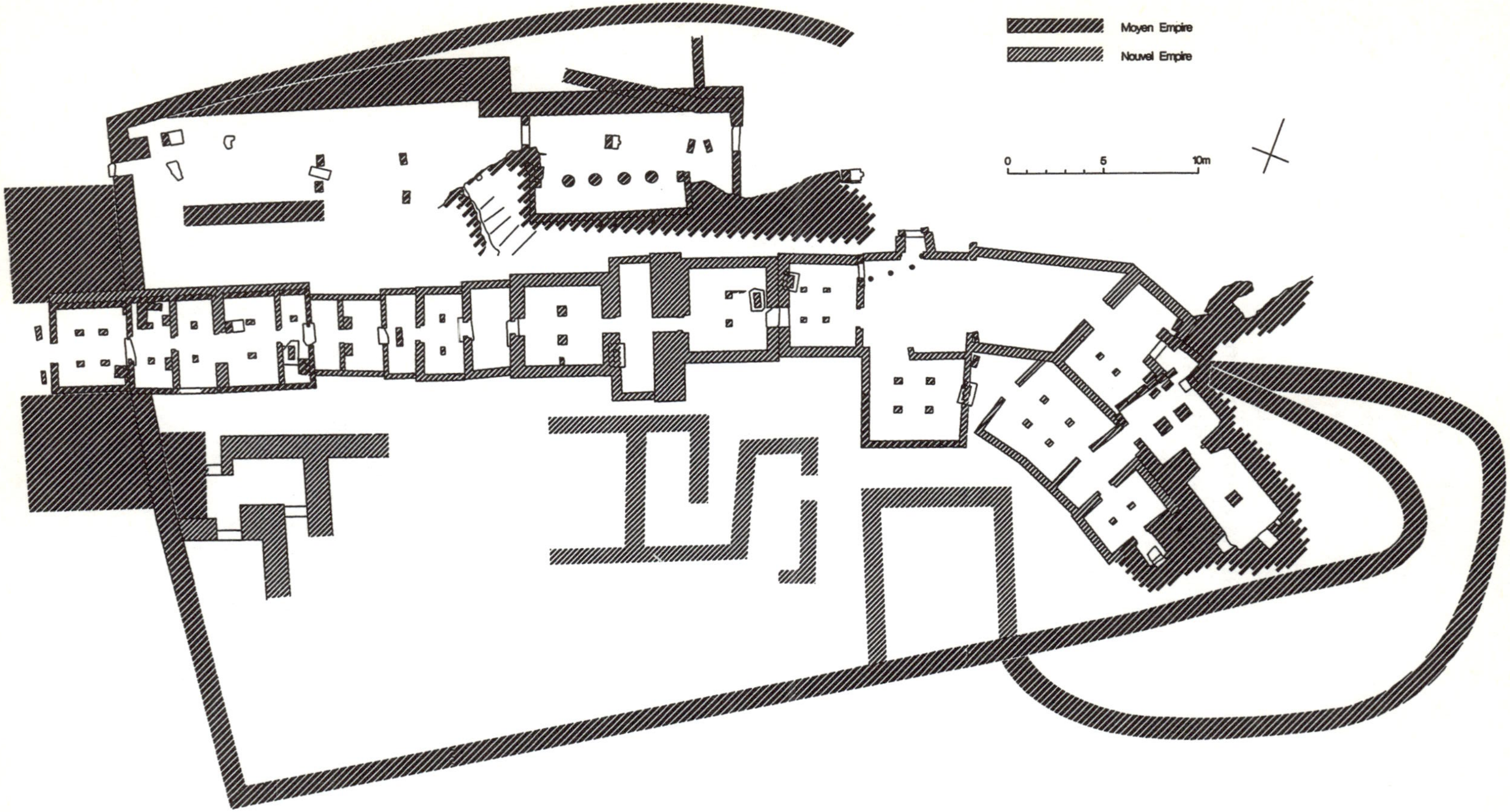

Plan du grand temple dédié à Hathor à Sérabit el-Khadim, au Sinaï.
Entourée du mur d'enceinte et de bâtiments annexes, remontant au Moyen Empire, l'enfilade de salles et de cours enrichie au Nouvel Empire, aboutit aux chapelles en spéos d'Amon et d'Hathor. (D'après Ch. Bonnet et D. Valbelle)

XVIII

LES ANNÉES XIII À XV DE LA CORÉGENCE

En cette même treizième année du règne, l'immense chantier du *Djéser-djésérou* n'éloignait pas le Palais de son constant devoir de vigilance aux frontières. Il faut désormais comprendre par « Palais » la réunion des deux maisons des corégents, c'est-à-dire en égyptien *Per-âa*, « Pharaon », ainsi que les textes de Deir el-Bahari viennent de le faire apparaître [1].

Vers le Sud

L'année précédente, en l'an XII, les corégents avaient dû déléguer une force armée au-delà de la Deuxième Cataracte, à Tangour, parce qu'une fois de plus, des troubles avaient été provoqués par les gens de *Koush*, dont les textes égyptiens font toujours suivre le nom par les termes « la vile » ou « la lâche ». Une inscription sur les rochers, au nom d'Hatshepsout et de Thoutmosis-Menkhéperrê, en faisait foi [2]. Il n'avait pas été nécessaire d'attendre les instructions de la reine, Thoutmosis s'était immédiatement proposé pour prendre la tête du détachement militaire.

Ruines du grand temple d'Hathor à Sérabit el-Khadim. Au premier plan, quelques-unes des hautes stèles. A gauche, au fond, le monticule abritant les salles en spéos.

Le chemin vers cette région – prolongé même jusqu'à la Quatrième Cataracte – était connu des armées royales depuis le temps du premier Thoutmosis. La prestigieuse aventure vers *Pount* avait ensuite certainement amélioré les conditions du trajet. Cependant, cette expédition paraît n'avoir été qu'une simple action punitive, propre à démontrer que la vigilance de la grande Hatshepsout ne s'était en rien ralentie, sur le précieux chemin de *Pount*.

Au Sinaï

Il en était tout autrement pour la presqu'île du Sinaï, principalement vers le centre, dans les sites du Ouadi Maghara et de Sérabit el-Khadim. On sait que, dès le début du règne, la reine avait déjà fait rouvrir certaines mines délaissées par les souverains mais exploitées par l'occupant hyksôs. Il importait, maintenant, d'en chasser les bédouins, de réparer et d'agrandir le temple dans cette région des mines, dédié naturellement [3] à la belle

3. J'écris « naturellement », car la déesse régnait sur les mines (donc les métaux, les pierres semi-précieuses), les grottes aussi, images de l'espace fermé d'où surgit la vie.

Hathor, en ajoutant des salles aux pièces déjà existantes ; ce temple prenait ainsi progressivement l'allure assez étrange d'un large ruban constitué de constructions se succédant [4].

Néféroure au Sinaï

En l'an XI, Hatshepsout avait délégué Néféroure, qui souhaitait tenir efficacement son rôle de princesse héritière, Epouse du dieu et mariée au souverain corégent, pour affirmer à nouveau la présence royale dans cette région, véritable « maquis » pour les bédouins, où l'on trouvait la turquoise mais également la malachite, le feldspath vert et surtout le cuivre essentiel à la fabrication des instruments et des armes de bronze, maintenant couramment utilisés par les Egyptiens [5].

Escortée par une troupe armée qui allait rejoindre les gendarmes-gardiens de l'exploitation minière, Néféroure était, comme on l'a vu, accompagnée de Sénènmout. En l'honneur de leur passage, une stèle avait été consacrée [6], où la fille de la reine apparaissait vêtue d'une longue tunique moulante, uræus royal au front, et la tête dominée par les deux hautes plumes de l'épouse du roi. Le Grand Majordome, derrière elle, portait l'éventail officiel orné des plumes d'autruche.

Les ouvriers au travail

Après avoir rendu le culte à la déesse Hathor, maîtresse des lieux, dans son temple, Néféroure avait voulu se renseigner sur le statut des ouvriers, libres travailleurs égyptiens et étrangers engagés par le roi, experts en extraction de minerais. Elle avait visité une des galeries creusées dans le rocher, ornées de piliers assez rugueux réservés dans la pierre : l'ensemble évoquait, en très primitif, les premiers spéos aménagés pour la bonne déesse, sur le sol métropolitain.

Dans ces magnifiques montagnes du Sinaï, aux vallées qui s'entrecroisent, le paysage strictement minéral aux teintes chaudes et variées était sauvage, grandiose. La princesse avait aussi visité les groupements de huttes en pierre sèche, destinées aux ouvriers affectés au travail d'extraction et de traitement des produits, sur place. Pour obtenir la matière première propre à façonner leurs

5. Les premiers bronzes apparaissent au Moyen Empire.

Sérabit el-Khadim. Graffito évoquant l'arrivée d'un trio de bédouins (une famille ?), venant très probablement se faire embaucher pour participer au travail de la turquoise.

outils, par exemple, ils plaçaient le minerai dans des chaudrons chauffés au charbon de bois. Ils en tiraient le cuivre d'abord, qu'ils pouvaient travailler au marteau. Quant à la turquoise, elle était extraite délicatement de sa gangue par les spécialistes. La plus magnifique turquoise, au bleu lumineux, venait d'être offerte à la princesse par le chef des ouvriers sémites. C'était le très efficace talisman souhaité par cette délicate Epouse du dieu, toujours anxieuse, s'interrogeant perpétuellement sur le destin tracé par les sept Hathors le jour de sa naissance, mais qu'elle n'entrevoyait pas.

Le travail dans les mines de turquoise n'était heureusement pas comparable à celui rencontré dans les mines d'or du Ouadi Hammamat, sur le chemin de la mer Rouge en Egypte, lorsque pour s'y rendre on partait de Coptos.

Il était aussi très différent de celui des mines nubiennes du Ouadi Allaki, où bien souvent la besogne était imposée aux condamnés de droit commun.

Le temple d'Hathor [7]

Néférourê, habituée à la sobriété et à l'harmonie des temples qui l'entouraient dans la province de Thèbes, était un peu déroutée par certaines structures qu'elle abordait, encore sous le charme des élégantes colonnettes polychromes apparues à Karnak – dès l'époque de son grand-père –, habituée aux étranges et magnifiques chapiteaux de la chapelle d'Hathor, au *Djéser-djésérou*, elle était choquée par le manque de soin avec lequel certaines « répliques » hathoriques, traînant au sol, avaient été taillées. Non loin, des stèles et même des petits sphinx, assez gauchement exécutés, portaient des signes d'inscriptions qui ne ressemblaient en rien aux beaux hiéroglyphes, ni même aux écrits hiératiques auxquels les scribes du Palais l'avaient initiée.

La naissance du « protosinaïtique »

« *Ce sont les copies des reliefs et les écrits, exécutés par les ouvriers sémites voisins, les bédouins du désert et du* Réténou, *les adorateurs de Baâl, celui qui ressemble à notre Seth, l'adversaire d'Osiris* », lui expliqua Sénènmout. « *Depuis le temps des Sésostris, ils ont pris l'habitude de travailler aux mines de* Méfékat [8]. *L'hiver, ils viennent signer un contrat avec les émissaires du roi, pour se joindre aux mineurs égyptiens. Au moment de la grande chaleur, qui ferait mourir la turquoise une fois extraite, lorsqu'il faut abandonner le travail, ils remontent vers le nord auprès des "escaliers de la côte* [9]*", au climat plus tempéré. Ce que tu ne peux pas lire est le résultat de l'enseignement dispensé par les scribes du Palais, les contremaîtres, les comptables et même les médecins de l'exploitation. Ce sont les signes de notre "écriture du dieu* [10]*", qu'ils ont choisis, et malheureusement déformés, pour la seule valeur phonétique de la première lettre de chacun d'eux* [11]*, et grâce auxquels ils écrivent les mots de leur propre langage. Les hommes des "escaliers* [12]*" ont trouvé, à leur tour, ce système beaucoup plus accessible que le difficile emploi des signes en forme de clous* (le cunéiforme), *utilisé par les Babyloniens, et l'ont adopté. Tu vois, ô Princesse* », conclut le savant mentor, « *que sur ce sujet encore, la terre de* Kémèt *a su donner l'exemple et stimuler la curiosité créatrice de ses voisins* [13]. »

Thoutmosis au Sinaï

En l'an XIII, de nouvelles infiltrations bédouines perturbèrent les travaux de reconstruction et d'exploitation dans la zone du temple de Sérabit el-Khadim, aussi bien que dans le quartier des mines. C'était pour le bouillant et sportif jeune souverain corégent

8. C'est le nom de la turquoise, qui a donné son appellation à la région même de ces mines.
9. Ce sont les actuelles « échelles du Levant ».
12. Ce sont les Levantins, les futurs Phéniciens.
13. Cette écriture, qui a été déchiffrée en partie depuis une cinquantaine d'années, est appelée le « protosinaïtique ».

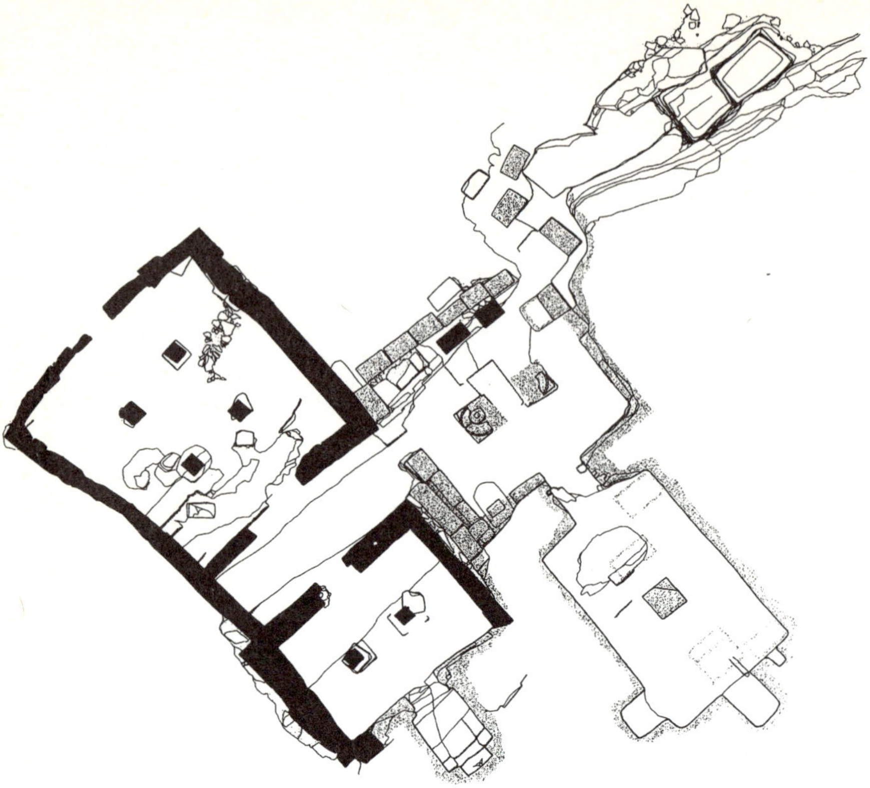

Partie souterraine du sanctuaire dédié à la Grande Hathor, Maîtresse de la Turquoise. Les deux salles (cernées de noir) les plus vastes remontent au Nouvel Empire ; l'entrée des deux précédentes date du Moyen Empire : des stèles avaient été placées pour obstruer leur entrée. (D'après Ch. Bonnet et D. Valbelle)

l'occasion de démontrer tous les talents de sa dix-septième année. Il s'était immédiatement chargé de rétablir l'ordre, et ramena très rapidement la tranquillité dans cette zone vulnérable. Il avait su avec efficacité, et à la tête de sa troupe, poursuivre les agresseurs dans les secrets replis de la montagne et les avait chassés avec efficacité, comme le rappelle sur sa propre stèle « un officier qui a suivi son maître en ses pas… en (ce) pays étranger [14] ».

Au retour de l'opération répressive, le troisième Thoutmosis-Menkhéperrê devait, alors, se rendre au temple érigé, dès le Moyen Empire, par Sésostris Ier, et que la corégente, après déjà une première intervention, avait pris soin de faire restaurer.

Bien que protégé par sa longue enceinte, l'enfilade si particulière de salles et de portes, jalonnée de hautes stèles conduisant, en ligne droite, aux salles du sanctuaire, avait à nouveau souffert des déprédations de bédouins marginaux. Thoutmosis remit alors les ouvriers à la tâche afin d'agrandir les antichambres du lieu de culte. Puis, à l'extrémité de la fondation, terminée presque à angle droit, sous un tertre, il fit aménager un second et plus vaste spéos dédié à Amon, à côté de celui du Moyen Empire réservé à Hathor. Il le dota alors d'une salle d'introduction à quatre piliers réservés dans le rocher.

Pour célébrer cette action royale, Thoutmosis fit ériger sur place une stèle, au nom de la corégente Maâtkarê et en son nom propre, Menkhéperrê. Le registre inférieur de la stèle était réservé à la reine, présentant l'offrande à la déesse Hathor [15]. En parallèle, le registre supérieur reçut l'image du roi corégent honorant Amon de son offrande [16].

Les travaux pour la fête d'*Opèt*

Les grandes festivités à Thèbes n'avaient pas seulement lieu de l'autre côté du Nil, sur la très spectaculaire rive gauche, bordée par la montagne thébaine, dominée elle-même par la pyramide naturelle de rocher. Une des manifestations rituelles populaires les plus importantes de l'année se déroulait sur la rive droite du fleuve, entre Karnak et Louxor. C'était encore au cours de onze jours, pendant le second mois du calendrier après le début de l'Inondation, du quinzième au vingt-sixième jour du mois appelé *Paophi*, nom tiré de celui de la fête même, *Pa-ipèt* : *Pa* (« celle » = la fête de) *Ipèt* (« du harem (du dieu) »), la fête d'*Opèt* [17].

Chaque année, à cette époque, la barque d'Amon devait quitter son sanctuaire de Karnak, pour rejoindre le temple de Louxor où il allait consommer son hymen avec sa parèdre Amonèt. C'était la sublime célébration du *ka* [18] royal, la complète réanimation de ses ardeurs génésiques.

Il fallait reprendre le rituel un peu négligé depuis la libération, et surtout réserver à la barque d'Amon, durant tout son trajet entre les deux sanctuaires, des étapes dignes de sa grandeur, afin que le peuple de Thèbes puisse admirer ses beautés.

Le grand pylône [19] sur lequel Hapouséneb, le Premier Prophète d'Amon, veillait, constituait maintenant la porte méridionale du « Trône des Deux Terres » en direction du temple de Mout, sur le chemin d'*Ipèt-résèt*, « le harem du sud ». Les stations de la barque *Outès-néférou* (« le support des splendeurs ») seraient désormais

19. De nos jours le huitième pylône de Karnak.

Chapelle rouge de Karnak. Lorsque la barque d'Amon quittait son sanctuaire, elle était portée en grande pompe par des prêtres qui lui étaient affectés. (Photo Andrew Ware)

Pour toutes ses sorties, la barque d'Amon était escortée par les deux corégents. Chapelle rouge de Karnak. (Photo Andrew Ware)

fixées en des points déterminés [20]. Hatshespout avait ordonné la construction de petites chapelles très élégantes [21], en « belle pierre de calcaire », dominées par la corniche classique, aux cloisons latérales ouvertes et aux issues encadrées de deux statues osiriaques la représentant. Ces effigies rappelaient en tous points celles du dernier grand portique supérieur du *Djéser-djésérou.* Elles évoquaient la reine tenant en main les deux jeux de sceptres osiriens (le sceptre *nékhakha* et le crochet *héka*) et de sceptres solaires (le *ânkh* et le *ouas*). Ainsi, les festivités d'*Opèt* étaient une nouvelle occasion d'affirmer la complète double nature de la souveraine, vouée à l'éternité. Désormais, les deux corégents pourraient officier devant les six chapelles à l'occasion de la fête d'*Opèt*, sur tout le parcours de la procession. Une fois de plus, Hatshepsout innovait, et les corégents allaient inaugurer le nouveau parcours.

Les stations-reposoirs

La *Outès-néférou*, à proue et à poupe en têtes de bélier, était véhiculée et escortée hors du « Grand Siège » par neuf prêtres portant la peau de guépard :

> *« en procession hors de Karnak par la majesté du dieu auguste, dans sa navigation de chaque année ».*

A chaque station, la barque était placée dans son reposoir : elle recevait encensement et libation des corégents, alors la foule pouvait venir vénérer la statuette qu'elle contenait. Chapelle rouge. (Photo Andrew Ware)

Très vite, le cortège allait atteindre la première station, pour laquelle Hatshepsout avait fait édifier une première chapelle. Les deux corégents se placèrent devant la barque, l'un et l'autre encensant la nef sacrée (la reine fit représenter toute la cérémonie sur la chapelle rouge de sa barque à Karnak). Devant l'image de Thoutmosis, elle avait fait graver :

> *« Il est à la tête des* kas *de tous les vivants, étant apparu sur le trône d'Horus. »*

Le premier reposoir ayant ainsi reçu la barque, portée au moyen de deux brancards, fut appelé *« L'escalier d'Amon, en face de la Maison du Coffre* [22] ». Il était édifié à l'Ouest de l'entrée du temple de la déesse Mout. Les autres édicules des stations divines étaient tous, semble-t-il, conçus sur le même modèle [23]. Pour célébrer cette si importante cérémonie de l'année, Hatshepsout avait revêtu le pagne au large devanteau triangulaire, et avait paré son visage de la large barbe droite [24]. Elle était suivie de son *ka*. L'image royale était définie par un texte analogue à celui qui qualifiait Thoutmosis :

> *« Elle est à la tête des* kas *de tous les vivants. »*

Le nom de la seconde station [25] était « [*Maâtkarê est*] *prospère de fondations* ». La troisième station faisait allusion à la proche parenté de la reine et de son dieu : « *Maâtkarê est unie aux beautés d'Amon.* »

A la suite de nouvelles prières, la nacelle devait arriver à la quatrième station, appelée « *Maâtkarê est celle qui rafraîchit la parole (?) d'Amon* ». La cinquième station destinée à recevoir la *Outès-néférou* avait pour nom « *Maâtkarê a reçu les beautés d'Amon* ». Enfin, la sixième et dernière chapelle de station s'appelait « *Amon est glorieux d'escalier* ».

Chaque arrêt devant les chapelles provoquait l'encensement de la barque par chacun des corégents, avant que la foule n'entonne les louanges et les chants. La réelle extase était atteinte devant la porte du « Harem du Sud », où les danses sacrées acrobatiques, rythmées par les prêtres-officiants et les joueuses de sistre, les « Recluses du temple », étaient accompagnées par le joueur de harpe aveugle, chantant :

---

24. Cette barbe était divinisée sous le nom de *Doua-our*.
25. Bien que détérioré, le nom a pu être reconstitué.

Arrivée devant l'esplanade de Louxor, la barque était accueillie par les chants, le son des sistres et de la harpe, les danses rituelles acrobatiques, car elle contenait l'image visible du dieu qui venait dans son *Ipèt*, régénérer son état de « Taureau Puissant ». Chapelle rouge. (Photo Desroches Noblecourt)

« Je suis venu auprès de toi, dieu, mâle des dieux, existant à l'origine des Deux Terres. Exalté de bras, Amon, maître des deux grandes plumes, pour que tu protèges le roi de Haute et de Basse Egypte, Maâtkarê, comme Rê [26]. »

L'arrivée au temple de Louxor

Sur tout le trajet de la procession, des offrandes avaient été présentées ; de petites guinguettes couvertes de feuillages présentaient, à l'étal, des gâteaux de fête dont les célèbres *shât* (les « sablés »), des fruits et des fleurs, sans oublier la non moins célèbre bière, très appréciée des badauds. Des notables apportaient aussi des dons pour le dieu, déposés à la porte de son Harem du Sud. C'est ainsi que l'Intendant des bœufs d'Amon, Amenhotep, offrit à cette occasion « un bœuf de sept coudées de long [27] » !

Alors les prêtres pénétrèrent sur la grande esplanade du temple, afin de déposer la *Outès-néférou* dans le reposoir aménagé pour recevoir la barque divine. C'était une chapelle fermée, devant laquelle des colonnes de granit papyriformes, à chapiteaux fermés, déjà apparues à Karnak, supportaient un auvent de calcaire [28].

Pendant que la statue portative du dieu résidait dans son « harem » du temple, la barque, en attente, dans sa chapelle de Louxor, recevait l'imposante « Grande offrande » présentée par les corégents. Ici l'hommage rendu par la reine. Chapelle rouge. (Photo Andrew Ware)

Loin des chants, du bruit, de la foule, et des regards indiscrets, la statuette sacrée fut prélevée de l'*Outès-néférou* par le Premier Prophète lui-même, Hapouséneb, et conduite dans le saint des saints du temple, où la reine et Thoutmosis l'installèrent sur le trône qui lui était préparé à côté de l'image d'Amonèt. Les souverains et les prêtres ne troublèrent plus davantage l'intimité du couple divin, et se retirèrent pour que « le caché » (*Imèn*) exerce sa dynamique puissance sur le *ka* royal.

A la fin de son mystérieux séjour dans le secret du « harem », à l'aube du onzième jour, la statue d'Amon replacée dans la *Outès-néférou* allait être ramenée vers le Grand Siège, par le Nil. Les prêtres l'embarquèrent sur la majestueuse *Ousèrhat*, remorquée par le vaisseau royal marqué de l'œil prophylactique *oudjat*. Le cortège regagna ensuite l'embarcadère du temple par le petit canal perpendiculaire au Nil.

Une visite au temple de Mout

Après les cérémonies d'*Opèt* de l'an XIV, la reine devait vérifier l'avancement des travaux entrepris dans le temple de Mout, au Sud-Est de Karnak, et dont elle avait aperçu le chantier, de loin, au niveau de la première station, alors qu'elle inaugurait la grande fête. Mout, compagne d'Amon, était un autre aspect d'Hathor (si proche de la reine). Sénènmout était, comme on le sait, un de ses fervents. Il ne cessait de lui témoigner des hommages, et lui avait consacré une petite chapelle près de l'entrée du temple ; il réservait aussi tous ses soins à ses bâtiments. Très féru du mythe de la Lointaine, il savait que la déesse aux quatre aspects réunissait en sa personne à la fois toutes les expressions du féminin, et aussi le rythme de l'annuel cycle des saisons [29]. Les fureurs de la maîtresse de l'amour revenant du lointain pays de *Pount* pouvaient être tempérées par les bouillonnements de la Première Cataracte. Il lui fallait plus encore pour retrouver son calme et dispenser à nouveau sa bienveillance aux humains. Sénènmout avait suggéré à la reine de faire aménager à l'arrière du temple un large bassin en forme de croissant, en rapport avec les organes féminins (?) : le bassin *ishérou* [30], dans lequel la Lointaine calmerait définitivement ses ardeurs, avant de résider dans les sanctuaires judicieusement préparés pour son retour si anxieusement attendu. La reine fut acquise à la couleur étrange des eaux du

Vue aérienne (par ballon) du lac sacré du temple de Mout, évoquant son symbole féminin. (Archives CEDAE)

lac, à la forme et aux proportions données par Sénènmout à cet *ishérou*. Elle fit convoquer pour le lendemain, au lever du jour, toutes les chanteuses et les joueuses de harpe et de sistre du temple, pour qu'elles accompagnent de leur aubade rituelle la lustration sacrée qu'elle allait recevoir en ces lieux, afin de fêter le retour de la déesse et « communier » avec sa bienfaisance retrouvée.

L'hommage au père : le prétexte

La vénération portée par la reine à son père l'avait naturellement incitée à réserver dans son propre temple de Millions d'Années l'importante chapelle située au sud de la terrasse haute du *Djéser-djésérou*, voisine de la sienne propre [31]. Au nord de la même terrasse, les petites pièces pour Anubis, disposées à angle droit et accrochées à l'annexe de l'autel solaire, rappelaient le rôle prêté à cette ultime forme chthonienne du vaillant Thoutmosis.

Aussi Hatshepsout devait-elle maintenant matérialiser l'acte complémentaire à celui qu'elle venait d'accomplir pour son père, en le faisant bénéficier des cérémonies du culte rendu dans son propre temple jubilaire [32]. Le moment était arrivé maintenant de lui réserver une place dans la montagne même où son propre caveau était en partie aménagé (commencé en l'an VIII). Elle avait déjà fait creuser en droite ligne la galerie par laquelle elle désirait que ses carriers puissent atteindre l'arrière du *Djéser-djésérou*.

La tombe de la reine (Vallée des Rois n° 20)

Par malheur, après les cinquante premiers mètres, le dur calcaire présentait une structure délitée, de peu de cohésion. Hapouséneb, qui semble avoir dirigé les travaux [33], fut alors contraint de contourner l'obstacle et d'imposer au plan prévu pour la longue galerie, aboutissant à la chambre funéraire, la forme d'une immense « anse de panier » de 213, 25 m de long, sur presque 100 m de dénivellation [34]. Ce trajet était coupé par deux salles à escalier. La chambre funéraire (93 m de profondeur) à deux piliers était abordée après avoir traversé une antichambre et un long escalier (ensemble qui rappelait celui de sa première tombe du Ouadi Sikkat Taquet ez-Zeïd).

On demeure sans voix devant cet inimaginable tour de force à propos duquel aucun témoin dans l'Antiquité n'a laissé de commentaires, et qui en moindre proportion se manifesta également

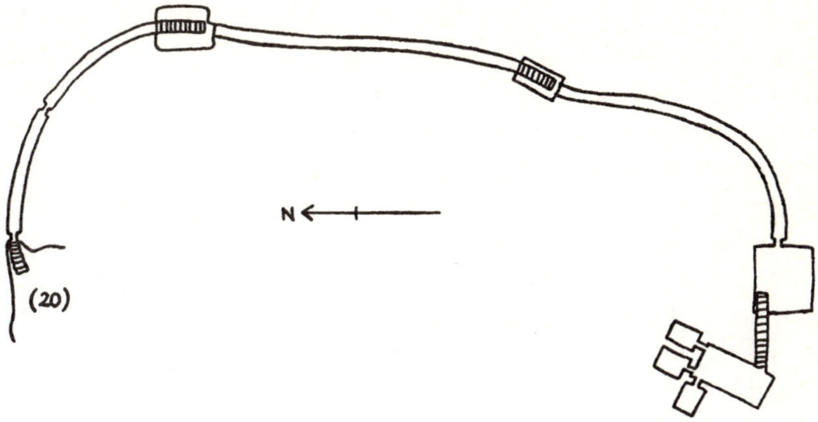

Plan de l'immense corridor menant au caveau funéraire d'Hatshepsout souveraine, creusé dans la falaise de la Vallée des Rois, à l'arrière du temple jubilaire de Deir el-Bahari.

dans le percement de la syringe de Sénènmout. Les Egyptiens n'avaient-ils pas réellement acquis des techniques beaucoup plus avancées que celles que nous leur prêtons, lorsqu'ils exécutaient des travaux devant lesquels, sans utiliser les moyens actuels, nous buterions ?

Pourtant, le village des ouvriers de la nécropole royale de Thèbes, dépendant directement du vizir – la *Sèt-Maât*, la « place de l'équilibre vital », la moderne Deir el-Médineh – est bien connu des égyptologues, et maintenant de nombreux touristes : ses ruines et ses écrits nous ont révélé un panorama inattendu. En effet, rien d'essentiel sur leur vie journalière ne peut maintenant être ignoré, quoique plus modeste, évidemment, à la XVIIIe dynastie que sous les premiers ramessides de la XIXe dynastie (leurs écrits sont très nombreux sous les Ramsès). Archéologues et philologues ont pu reconstituer le rythme de leur travail et son organisation. On connaît les naissances et les deuils, les querelles du village, les amitiés, les procès même, la rétribution des ouvriers et les services qu'ils recevaient, en nature, de l'administration. Mais aucune allusion au travail pénible rencontré dans les tombes. En revanche, sur les documents laissés par les contremaîtres, on découvre que ces derniers se plaignaient parfois des absences trop répétées de certains ouvriers, et pour des causes assez futiles [35].

On sait avec quelle habileté les carriers travaillaient, au moyen d'outils nous paraissant bien rudimentaires : ciseaux de silex (utilisés le plus couramment) [36] et de bronze, coins de bois que l'on mouillait pour faire éclater la pierre, sel répandu sur les lampes à huile pour éviter que ces dernières ne répandent de la fumée... L'évocation de ces moyens assez déroutants donne le vertige, au regard des prouesses exécutées dans le sous-sol de la montagne. Comment, dans la poussière de calcaire, en plein travail de forage, ne pas suffoquer par manque d'air dans une galerie de plus de 200 m de profondeur, sans aucun dispositif d'aération ? Et sur une dénivellation de presque 100 m ? Et pourtant, des tours de force analogues ont été réalisés en Egypte, à maintes reprises, à toutes les époques !

La reine se souvenait que son père avait été enseveli dans des sarcophages de bois [37]. Elle décida sans tarder que cette vénérable dépouille, privée de ces sarcophages momiformes emboîtés, trop encombrants, allait être déposée directement dans le sarcophage-cuve de quartzite rougeâtre, déjà préparé pour sa propre et nouvelle tombe, et qui portait la date de l'an VIII [38] (les transformations apportées à l'intérieur de la cuve laissèrent par la suite deviner un travail hâtif et peu soigné). Ce sarcophage, affecté à la momie de Thoutmosis, était différent de celui de la première tombe de la Grande Epouse royale, resté dans le Ouadi Sikkat Taquet ez-Zeïd. En conséquence, Hatshepsout allait faire tailler un nouveau et troisième sarcophage à son intention, dans la même splendide pierre de quartzite rougeâtre. Mais elle lui fit donner la forme complète du cartouche royal [39].

La seconde sépulture du père

Le savant Inéni avait jadis caché en grand secret, « loin des yeux » dans la montagne, le caveau préparé pour recevoir la momie de son roi, puis on avait fait disparaître la trace de l'entrée de la tombe après les obsèques, réellement confidentielles. Inéni ne vivait plus, mais son contemporain Ahmès Pen-Nekhbet s'occupait encore paisiblement de ses propriétés d'el Kab. Hapouséneb s'empressa de se rendre auprès de lui pour recevoir la confidence si bien gardée. Ce fut alors une bien rude épreuve pour le Premier Prophète. Le vieux sage lui opposa de nombreuses réticences, assorties d'interminables palabres, avant de préciser la faille précise, dans la chaîne montagneuse au Nord de Deir el-Bahari, où son compagnon d'armes avait espéré connaître son dernier et silencieux repos.

Lorsque les murs de la salle funéraire du caveau de la reine seraient recouverts des dalles de calcaire décorées du livre sacré des heures de l'*Imy-Douat*, les secondes funérailles d'Âakhéperkarê pourraient se dérouler. La momie du roi allait alors résider sous la cime sainte et le *Djéser-djésérou* [40], entourée de son viatique funéraire.

Le but de l'opération

En agissant de la sorte, le but de l'opération envisagée par la reine présentait plusieurs aspects. Certes, son attachement, sa vénération pour le fondateur de la dynastie étaient indéniables. Cependant, l'action visée répondait à des préoccupations politiques, auxquelles la momie du père aurait servi d'instrument. Le second mobile de la reine aurait ainsi visé la justification de l'héritage royal paternel [41].

Hatshepsout n'oubliait pas, en effet, la règle imposée au candidat habilité à monter sur le trône : celle de procéder à l'enterrement de son père, et d'accomplir lui-même les rites funéraires. Or, au décès de Thoutmosis le premier, toutes les cérémonies avaient été célébrées par le deuxième Thoutmosis, Âakhéperenrê, son fils et successeur éphémère. De même, à la mort de ce dernier, les funérailles furent conduites au nom de l'enfant-roi Menkhéperrê, intronisé, et non officiellement par Hatshepsout.

Pour consolider encore davantage sa position sur le trône, et surtout pour bénéficier d'un grand jubilé, tant désiré, qu'elle projetait de faire organiser prochainement, Hatshepsout devait réensevelir celui qui l'avait procréée, en bénéficiant ainsi définitivement de la transmission du pouvoir royal [42]. La cérémonie se terminerait dans le caveau de la souveraine, à l'issue du long et pénible cheminement à travers les entrailles de la montagne thébaine. Ainsi, Thoutmosis Âakhéperkarê partagerait, avec celle qu'il avait toujours destinée à la couronne sans y être réellement parvenu, le premier caveau de la grande nécropole conçue pour à recevoir les souverains des trois dynasties du Nouvel Empire, de la XVIIIe à la XXe dynastie [43].

Une impérieuse raison

Enfin, un troisième facteur incitait la souveraine à sacrifier avec tant d'ardeur – et si tardivement – à l'ancestral rituel. Son dernier déplacement en Moyenne Egypte – région des savants intellectuels, mais aussi des éternelles contestations – lui avait fait sentir à nouveau l'existence d'un certain relâchement de l'administration et des services de sécurité, un peu trop éloignés de l'autorité centrale, en dépit de la vigilance du vizir. De surcroît, elle devait prendre garde au clergé d'Abydos dont l'hostilité devenait sensible. Et puis, certains troubles avaient été réprimés dans les milieux opulents du Delta, considérablement nantis durant l'occupation hyksôs. Elle avait donné ordre de taxer les possédants. Aussi les protestations s'étaient-elles élevées contre la régente, qui ne connaissait même pas – ou si peu depuis sa jeunesse – les provinces du Nord, mais dont les fastueux monuments, en amorçant la reconstruction, ornaient, en premier, la région thébaine [44].

Il était donc grand temps d'agir pour faire connaître publiquement son combat, l'œuvre entreprise avec tant de pugnacité, d'efficacité aussi, pour redresser le pays, le défendre, le rendre productif, créatif, et l'embellir, lui donner la joie de vivre. Elle allait, en quelque sorte, exposer le bilan de son action, inspirée une fois de plus par Amon, mais confortée par le lucide Sénènmout.

Cela se passerait dans le domaine d'une autre forme de la Lointaine, celui de la féline Pakhèt aux griffes acérées, avatar d'Hathor, dont le sanctuaire allait être creusé, en grotte, à la sortie d'un ouadi de Moyenne Egypte.

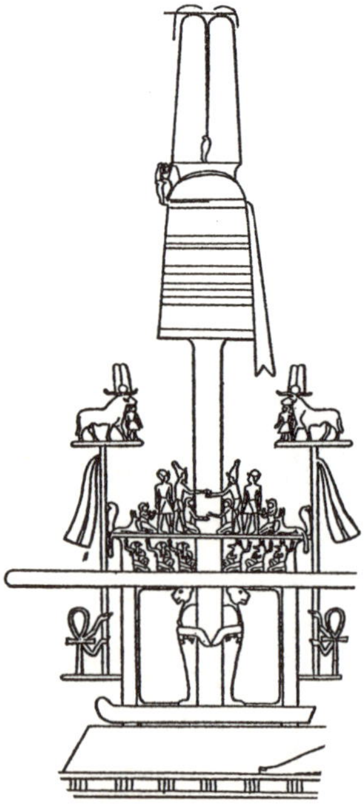

Le « fétiche » Osirien vénéré dans les cénotaphes d'Abydos dont l'image n'est pas évoquée sous le règne d'Hatshepsout. Il s'agit de la tête du dieu martyr, recouverte d'une chape et dominée par deux hautes plumes de faucon. Devant le front, les 2 uræus évoquent les deux mères tutélaires. Cénotaphe de Séthi Ier en Abydos. (D'après H. Winlock)

XIX

LE « SPÉOS ARTÉMIDOS [1] » OU LE BILAN DU RÈGNE

Avant de quitter le temple de Thot, à *Khéménou*, et son très savant collège de prêtres au contact desquels Hatshepsout avait beaucoup appris, la souveraine avait bien saisi que son action dans les régions dévastées ne devait plus se limiter à restaurer et à reconstruire les monuments victimes d'une aussi longue négligence après les combats de libération, puis, en définitive, abandonnés. Il fallait impérativement se rapprocher du génie naturel de la région, dont l'attention populaire semblait s'être détournée, et de surcroît, sans plus tarder, s'adresser directement à la population, ce qui ne s'était jamais produit auparavant. Il importait de prendre la peine de l'informer, lui expliquer, lui donner les détails probants, ce faisant lui démontrer qu'elle œuvrait pour tous… son charisme ferait le reste.

La Vallée du Couteau

Sur la rive Est du fleuve, face au grand sanctuaire de *Khéménou*, aboutissait la « Vallée du Couteau [2] », profond ouadi d'où dévalaient les dangereux torrents formés par des pluies diluviennes assez fréquentes en ces lieux. Pakhèt, la lionne, maîtresse de la

L'imposante entrée du « Ouadi du Couteau » et le spéos de Pakhèt. (Photo S. Bickel)

vallée, incarnait la fureur dévastatrice des colères du gebel. C'était une des formes locales de la tempétueuse Hathor. Elle régnait naturellement aussi sur les tombes creusées dans sa montagne. Dans les nécropoles voisines, et depuis avant le Moyen Empire, les prestigieux notables de la province s'étaient fait enterrer à Béni Hassan, à el-Bersheh... Mais la déesse subissait, en contrecoup, les blessures introduites dans ses flancs rocheux, lorsque les carriers de Sa Majesté en exploitaient la « belle pierre blanche de calcaire », pour réédifier ses monuments anéantis.

Il fallait, sans doute, se la concilier [3] en raison des continuelles contributions ainsi obtenues de ses généreuses entrailles, mais aussi parce que sa protection de fauve vengeresse devait être sollicitée pour éviter d'éventuels et nouveaux troubles, néfastes à la province sur laquelle elle régnait, et dont la population avait souffert.

Pour bien comprendre aussi l'action menée par la reine, il fallait se rappeler que les habitants de la province thébaine et ceux du sud de la Haute Egypte, protégés par les rois libérateurs [4] ayant chassé l'occupant hyksôs du Nord et jugulé les envahisseurs du Sud, avaient en quelque sorte vécu « en vase clos » depuis cette époque maintenant révolue.

La récente génération, contemporaine des Thoutmosis, avait alors bénéficié, depuis le début de la corégence, des efforts redoublés et de l'œuvre déjà accomplie par Hatshepsout pour rendre à ce pays son lustre d'antan. Ainsi avait-il fallu qu'Hatshepsout entreprenne, plus au Nord, la reconstruction des fondations religieuses – pivots de l'Etat – victimes des terribles destructions dans cette zone frontalière des 14e, 15e et 16e nomes, où s'étaient affrontés, puis côtoyés, les occupants et les occupés. Précisément autour d'Hermopolis, un peu au Sud de la ville de Cusae (la moderne el-Kusiyéh) :

« Nous avons Eléphantine et tout le territoire jusqu'à Cusae »,

déclarait le libérateur Kamosé [5].

Mais, un peu plus au Nord, la ville de *Néférousi*, non loin de Kom el-Ahmar, avait été le lieu d'une sanglante bataille contre l'occupant. Pire encore, Kamosé avait eu à lutter contre le premier « collaborateur avec l'occupant » connu, un certain Téti, fils de Piopi [6]. Kamosé l'avait vaincu, avait détruit ses bâtiments, ses biens, ses gens, sa propre épouse... qui n'avait pas « échappé au Nil » ! L'armée du libérateur avait tout pillé, d'autant qu'elle était appuyée par les rudes et efficaces *Médjaÿ* [7] du désert de l'Est.

Ces luttes fratricides, quoi qu'il en soit, avaient laissé de profondes traces dans une région où on n'oublie pas : les prêtres de Thot avaient averti la reine de cette « vendetta » poursuivie depuis plusieurs générations par les descendants des mauvais citoyens qui avaient « *transformé* Néférousi *et sa région en un véritable nid d'Asiatiques* ». Cette province abritait encore en elle certains éléments de trouble, héritiers des partisans du « Criard [8] », ainsi que la reine définissait elle-même le dieu Seth, favorable aux partisans des Hyksôs qu'elle était arrivée à réduire au silence, mais qui s'étaient longtemps encore manifestés par un sentiment d'hostilité à son égard :

> « *Ma force étant répandue à travers les vallées pour réjouir le cœur de la foule, j'ai ordonné de ramener le calme au milieu des provinces. Toutes les cités sont en paix, j'ai accompli les desseins de celui qui m'a créée* [9]. »

Création du premier temple-spéos

Ainsi, pour célébrer Pakhèt, protectrice de la région, destinée à s'opposer à tout adversaire susceptible d'oser troubler la paix retrouvée, Hatshepsout avait songé à s'inspirer de l'antre

Façade du Spéos Artémidos, ornée des piliers hathoriques inachevés, dominés par la grande inscription d'Hatshepsout. (Photo Jéquier)

archaïque et vénérable d'Hathor, agrandi par ses soins en une vaste chapelle, au Sud du *Djéser-djésérou.* Ce lieu de culte prévu se présenterait sous forme d'une vaste grotte creusée dans le flanc Sud de la montagne au débouché de la Vallée du Couteau. Ce serait le premier réel temple rupestre.

A l'aboutissement du ouadi, le spéos s'ouvrirait sur l'extérieur par son vestibule-pronaos, rectangulaire [10], muni de huit piliers carrés réservés dans le rocher, sur deux rangées. Les quatre premiers piliers, en façade, transformeraient ce vestibule en une sorte de narthex lorsque les portes seraient ouvertes. Le mur Nord de ce vestibule serait percé d'un petit couloir, fermé par une porte précieuse [11] conduisant au sanctuaire réservé à la statue de Pakhèt, flanquée de deux parèdres.

Un nouveau message

La nouveauté n'était pas seulement la création de ce lieu de culte en spéos, complètement aménagé dans le rocher, appelé par Hatshepsout « *la Demeure divine de la Vallée* », mais ce dernier serait enrichi de piliers dont les faces Nord devraient être sculptées à l'effigie d'Hathor, et les faces Sud ornées de l'image

En utilisant le Spéos Artémidos, bien après la proscription de la reine, Séthi le Premier se fit représenter à la place de la reine en train de recevoir d'Amon la couronne *hénou*, protégée par Pakhèt. (D'après S. Bickel et J. L. Chappaz)

d'Osiris dans son suaire. Sur les côtés des piliers les images de Thoutmosis devraient apparaître [12]. Hatshepsout poursuivait aussi sa réforme liturgique au plus profond des vallées : cette grotte, dédiée à une entité divine féminine, avec laquelle elle s'assimilait, allait simultanément contribuer à protéger la région et participer à son renouvellement jubilaire. On ne pourrait s'y tromper : elle avait ordonné que, sur un des murs du pronaos, soit figuré le tableau de son couronnement, renouvelant ainsi l'oracle d'Amon (auquel un texte faisait allusion). Le dieu, sur son ancestral trône, imposerait sa main sur la coiffure de la reine agenouillée devant lui, mais en totale confiance, lui tournant le dos. Devant Hatshepsout, Pakhèt debout, jouant le rôle de la « Grande de magie », coiffée d'un

Exemple d'une restitution talentueuse. J. L. Chappaz et S. Bickel ont pu déceler sous l'image agenouillée les traces presque imperceptibles, mais certaines, du décor antérieur représentant Hatshepsout agenouillée.

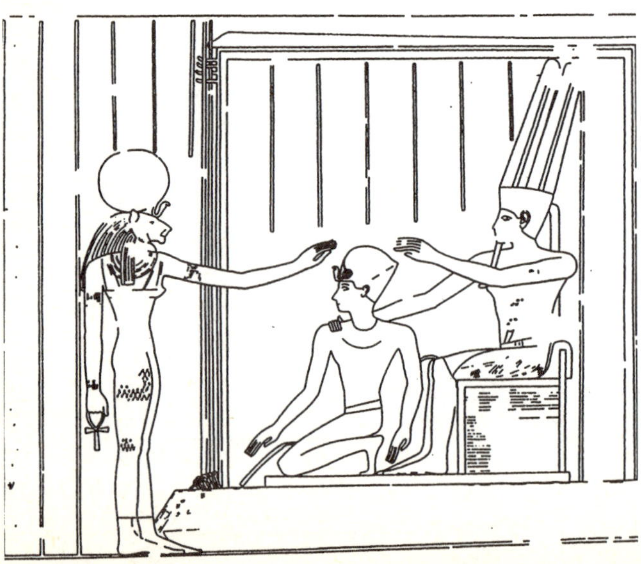

Avec le soin, la précision et la patience voulus, ils ont pu restituer la silhouette de la reine, à l'époque coiffée du *khépéresh*, agenouillée également devant le dieu, mais lui tournant le dos, comme sur toutes les autres représentations du couronnement, sous le règne de la souveraine. (D'après J.L. Chappaz et S. Bickel)

imposant globe solaire, présenterait le signe de vie au visage de la reine, alors que son autre main devrait se poser sur le chef de la corégente, ainsi bénie par cet attouchement, pour faire jaillir l'uræus protecteur au front.

Le temple de Cusae

Des mois s'étaient passés depuis la dernière intervention de la reine auprès des prêtres du maître de *Khéménou*. Entre-temps, Hatshepsout avait tenu à se rendre à Cusae, l'extrême pointe de l'avancée hyksôs au Sud de *Khéménou*, où jadis les combats avaient été décisifs. Elle avait voulu juger par elle-même des travaux concernant :

> *« Le temple de la Dame de Cusae, qui était tombé en ruine, la terre ayant englouti son noble sanctuaire, les enfants dansant même sur le sommet de l'édifice. La déesse Kérhèt n'effrayait même plus les mécréants qui avaient souillé les lieux. Les fêtes n'y étaient plus célébrées* [13]. »

Le temple maintenant complètement redressé, la reine pouvait le consacrer à nouveau. De surcroît, elle fit fondre la statue de la déesse-serpent pour qu'elle puisse veiller sur la ville, grâce à la procession de la barque sacrée destinée à véhiculer son image.

Tenue au courant des progrès de la reconstruction des autres temples de la région, à la fois centres administratifs, économiques et culturels, Hatshepsout était prête à revenir une fois encore en Moyenne Egypte et à payer de sa personne. Alentour, murs et façades étaient redressés ; une certaine allégresse parcourait la campagne. Au débouché de la Vallée de la Dame du couteau, les quatre piliers en façade du spéos présentaient déjà les visages hathoriques ébauchés. La souveraine pouvait faire connaître la date de son arrivée : c'était le début de la XVe année de la corégence.

Les préparatifs

Toujours restée en étroit contact avec les prêtres de Thot, ses meilleurs alliés en Moyenne Egypte, Hatshepsout en avait profité pour mieux connaître, par leur intermédiaire, les gens de la province, bien différents des habitants du *Saïd* [14]. On y côtoyait un

---

14. Le *Saïd*, nom donné de nos jours par les Egyptiens à toute la Haute Egypte. Ainsi, le *réis* Nasser était un *Saïdien*.

mélange de patriciens et de cultivateurs, de bédouins et de petits fonctionnaires, de bourgeois déchus, travaillés par une certaine propagande et quelques intellectuels penchés sur des textes tracés sur les vieux sarcophages en bois du Moyen Empire, dont ils faisaient l'exégèse.

La reine voulait leur parler, à tous, utilisant un langage direct, propre à les toucher. Elle désirait leur expliquer sans vanité aucune ses propres efforts au bénéfice du pays, mais aussi pouvoir s'exprimer au nom de l'agissante royauté de ses ancêtres immédiats, avec lesquels elle ne faisait qu'une seule et même personne.

Il fallait maintenant décider du lieu où il conviendrait le mieux de prononcer la justification de son action. Le collège des prêtres d'Ashmounein [15] connaissait mieux que personne la configuration de la région. Sénènmout, demeuré à Thèbes, fort affairé à la préparation du grand jubilé, avait incité la souveraine à s'assurer, auprès d'eux, du meilleur endroit où il conviendrait de marquer l'événement, et où réunir le plus grand nombre de témoins devant lesquels serait prononcée son audacieuse harangue.

Il n'y avait pas à hésiter, c'était non loin de là, sur le rive Est du Nil, à la limite de la zone cultivée, dans le domaine de Pakhèt, avatar d'Hathor, la bienfaisante, la dangereuse, la Lointaine. De surcroît, elle était la maîtresse de l'étoile Sothis, « *qui amène l'Inondation* ».

Hatshepsout persistait dans sa décision de s'adresser aux habitants de cette très vulnérable et si attachante région, comme « jamais cela ne s'était fait auparavant, depuis le temps du dieu ». Elle persistait dans sa folle idée de parler directement elle-même à la foule, et rien ne pouvait plus s'y opposer. Les Sages de Thot avaient grandement contribué à cette position. Ils avaient aussi réuni notables et fonctionnaires, et surtout les artisans des ateliers artistiques dont la reine avait encouragé la réouverture, et l'immense masse des paysans. Ils allaient tous être réunis au débouché du ouadi où le spéos de Pakhèt était en voie d'achèvement.

---

15. Nom moderne de *Khéménou*, la capitale du nome du Lièvre, et qui est tiré de sa déformation phonétique *Shmoun*.

L'événement

Devant la façade où les quatre piliers laissaient deviner leur décor évoquant le visage d'Hathor, un dais avait été dressé pour recevoir un vaste socle où deux trônes venaient d'être placés. Sur chaque côté du spéos les *Médjaÿ* [16], solides défenseurs de l'ordre, montaient une garde d'honneur. Les scribes étaient déjà installés : ils allaient être attentifs aux paroles royales, destinées à être reproduites sur le fronton de la façade du spéos. Dès le lever du soleil, et de toutes les directions, la foule arrivait et rejoignait l'estuaire du ouadi.

Soudain, on vit sortir du spéos le jeune corégent Thoutmosis, étincelant de jeunesse et de force [17] dans son costume de guerrier triomphant, au retour du Sinaï. Il se dirigea vers les trônes, accompagné de Néférourê, fine et royale Epouse du dieu, parée d'un très romantique charme.

Puis, arrivant du Nil au galop des deux chevaux de son char aux applications d'or, encadrée de ses deux magnifiques guépards de *Pount* courant à ses côtés, la souveraine corégente vint en une apparition fulgurante prendre place sur son trône. La reine corégente était coiffée du *khépéresh*, portait une imperceptible tunique à bretelles, sur laquelle avait été placé le pagne royal à large devanteau empesé [18]. Resté debout et silencieux, le corégent regagna le second trône et Néférourê vint se placer entre eux deux.

Alors la reine [19] prit sur-le-champ la parole, sacrifiant le plus brièvement qu'elle put au préambule rituel et pesant des allocutions officielles. Elle s'exprima d'une voix forte, qui surprit autant par sa majesté que par sa fraîcheur, devant un auditoire absolument interloqué. L'intonation du verbe était inattendue, le langage, bien que recherché, s'annonçait très imagé, très nouveau, parfois poétique. Elle utilisait des expressions qui savaient toucher les plus humbles. La sincérité émanant de cet exposé étonnant inspirait l'admiration et le respect.

A ce moment précis, le peuple découvrit ce qu'il ignorait en partie : l'étendue des efforts consacrés au culte des génies protecteurs de la région, l'enrichissement du pays par des moyens pacifiques, et néanmoins la constante vigilance aux frontières, les

---

17. Thoutmosis avait alors 19 ans, Néférourê 20 ans.

initiatives prises sur tous les plans pour assurer le bien-être de chacun, et surtout les problèmes multiples auxquels la souveraine avait dû faire face. Ainsi en vint-elle à déclarer [20] :

« La grande Pakhèt errait dans la Vallée de l'Orient. Les routes inondées de pluies étaient coupées. Il n'y avait plus de prêtres pour la libation d'eau. J'ai conçu son temple creusé (dans la montagne) et, pour son ennéade, je fis les battants des portes en acacia incrusté de cuivre. »

Un autre point saillant, qui motivait le discours d'Hatshepsout, concernait son intervention au bénéfice du sanctuaire de *Khéménou* :

« Thot le Grand, issu de Rê, m'a instruite... Je lui ai offert un autel d'argent et d'or, des coffres d'étoffes et toutes sortes d'éléments du mobilier, bien installés à leurs places.

Celui qui peut (se placer) face à face avec le dieu, qui devait conduire en procession l'ennéade divine entière, ignorait ce qu'il fallait faire. Il n'y avait plus personne qui comptait dans sa maison. Les pères divins avaient la tête vide... pour remplir leur office auprès du dieu, (alors) Ma Majesté rendit le discernement (?) aux porteurs du dieu.

J'ai reconstruit son grand temple divin en beau calcaire de Toura [21], ses portes en albâtre de Hat-Noub [22], les battants en cuivre d'Asie, leurs sculptures (?) en électrum, splendides sous Celui-aux-hautes-plumes... J'ai fait resplendir la majesté de ce dieu en ses fêtes de Néhebkaou, *la fête de Thot, je l'ai instituée pour lui à nouveau... (Les fêtes), elles ont lieu maintenant dès l'ouverture, et non seulement au début de la saison, avec un seul prêtre pour conduire la fête. J'ai doublé pour lui les offrandes divines, en plus de ce qu'il avait auparavant. Je l'ai fait pour les huit dieux, pour Khnoum en ses apparences, pour Hékèt, Rénénoutèt, Meskhénèt, qui se sont unies pour façonner le genre humain, pour Néhémèt-aouây, Néhebkaou et celle qui est dite « Le-ciel-et-la-terre-sont-en-elle », et pour celles qui sont dans leur ville en fête.*

J'ai instruit (les gens ?) de ce qui était complètement ignoré. Les plafonds étaient effondrés, je les ai remontés. J'organisai les fêtes. Je rendis les temples à leurs possesseurs, afin que chacun d'eux parle pour moi de ce qui sera fait pour l'éternité depuis qu'Amon (m'a) fait apparaître en roi à jamais sur le trône d'Horus [23]. »

Un des sphinx à crinière de *Maât-Ka-Rê*, au temple de Deir el-Bahari. (Caire)

A

B

C

Ci-dessus :
Deir el-Bahari : le Temple jubilaire de la reine pendant les travaux de reconstitution.

Page de gauche :
A. Un des rares modèles connus de la *nébride.* (Trésor de Toutânkhamon - Musée du Caire)

B. Sénénmout muni des « mamelles » du *Noun.* (Musée du Caire, photo R. Antelme)

C. Gebel Silsilé : entrées de quelques Cénotaphes.

Tête d'un pilier osiriaque de la reine à Deir el-Bahari. (Métropolitan Museum de New York)

Une des rares statues retrouvées de la reine, en costume féminin. Elle a été reconstituée. Deir el-Bahari (Metropolitan au Museum de New York)

Détail de la porte magique intérieure de la chapelle hathorique à Deir el-Bahari.

Partie supérieure d'un chapiteau hathorique de Deir el-Bahari.
(Chapelle d'Hathor)

Défilé des « recrues » et de la jeunesse de Thèbes à l'occasion d'une fête.

Ci-dessus :
Nékhabit protectrice, chapelle d'Anubis à Deir el-Bahari.

Façade et partie supérieure de la grotte sacrée de la *Vallée des Reines*.

Vue générale du Temple d'Hathor au Sinaï.

Le VIIIe pylone
d'Hatshepsout.
(Karnak.)

Grande colonnade
Nord-Est de
Deir el-Bahari.

Ci-dessus :
La vache Hathor et sa chapelle consacrées par Thoutmosis III à Deir el-Bahari.

Détail de l'héritier à naître, tirant sa nourriture pré-natale du « pis » de la vache.

Couvre-perruque d'une épouse « syrienne » de Thoutmosis III. Dans son trésor, figuraient des bijoux donnés par Hatshepsout.
(Metropolitan Museum de New York)

Ci-dessous :
Allusion aux deux obélisques d'électrum érigés pour Thoutmosis III par son orfèvre Puyemsrê.
(Tombe thébaine)

Sarcophage momiforme extérieur de Mérytamon, petite-fille d'Hatshepsout. (Caire)

Relief de Thoutmosis III, remontant à l'époque du « jubilé » de la reine. (Deir el-Bahari)

Image d'Hatshepsout en majesté, méticuleusement martelée. (Deir el-Bahari)

Puis Hatshepsout aborda d'emblée l'analyse des mobiles qui l'avaient fait agir :

« Ma conscience divine pense à l'avenir car le cœur d'un roi considère l'éternité, suivant la proclamation de celui qui a inauguré l'arbre ished [24]. *J'ai glorifié Maât qu'il (le dieu) apprécie, car je sais qu'il en vit. C'est mon pain dont j'avale la saveur, de sorte que je suis un seul corps avec lui* [25]. *»*

La souveraine revint au bilan de son action, faisant allusion aux acquis matériels de son règne :

« Réshaout *et* Youou [26] *ne sont plus cachées de mon auguste personne, et Pount resplendit pour moi sur les champs, ses arbres portant l'oliban frais. »*

Et puis, plus prosaïquement, elle précisa :

« Mon armée, qui demeurait sans équipement, est maintenant chargée de richesses, depuis que je suis apparue en roi [27]. *»*

Vint le moment où la reine perçut que son auditoire était réellement conquis. Comme enflammée, elle se leva et, debout, se prit à souligner avec audace et fermeté la noblesse de son action, dont ne pouvaient découler que ses droits au trône :

« Ecoutez, vous tous les patriciens ou gens de (mon) peuple, autant que vous êtes !

J'ai fait cela spontanément, et sans m'abandonner à la négligence. J'ai fait refleurir ce qui était détérioré. J'ai redressé ce qui était écroulé, depuis que les Asiatiques étaient à l'intérieur de la Terre du Nord, à Avaris, *et parmi eux (se trouvaient) des Bédouins démolissant ce qui avait été fait : ils gouvernaient dans l'ignorance de Rê.*

On n'agissait plus suivant le commandement du dieu, jusqu'à ce qu'arrive Ma Majesté. (Alors) j'ai été établie sur le trône de Rê, et il m'a été annoncé [28] *de longues périodes d'années, comme un conquérant-né* [29], *étant la Fauconne, l'Horus (déesse) unique, l'uræus consumant mes ennemis.*

J'ai éloigné du grand dieu l'abomination [30] *et la terre a emporté la trace de leurs sandales.*

---

24. L'inscription des noms du roi sur les fruits de l'arbre *ished* apparaît à cette époque, et se fait en présence d'Amon.
26. *Réshaout* et *Youou* sont deux mines de turquoise du Sinaï.
30. « L'abomination » (*bout*), ce sont les Hyksôs.

Ce fut la règle du père de mes pères, venus en leur temps, comme Rê. Il n'y aura jamais de dommage à ce que j'ai ordonné. Mon programme est durable, Aton brille, il répand ses rayons sur la titulature de Ma Majesté [31]. *Mon faucon domine ma bannière royale pour l'infini de l'éternité* [32]. »

La foule médusée demeura un instant immobile, parfaitement muette, puis jaillirent des cris d'enthousiasme, des louanges sans fin :

« Que vive Maâtkarê ! Notre souveraine ! Que la Dame de la Vallée protège la Grande Maison [33] ! Aussi longtemps qu'Amon est à la tête de l'ennéade, aussi longtemps Maâtkarê sera à la tête des vivants ! »

Plan du Spéos Artémidos au « Ouadi du Couteau » : à l'extrême gauche, la chapelle rupestre appelée Batn el-Baggara. (Plan relevé par P. Zignani)

Le peuple de la région ne doutait plus de l'autorité du Palais. Les notables s'étaient précipités aux pieds de la reine, la foule dans l'allégresse dansait et chantait : il fallut un long moment pour que le trio royal se décide à quitter l'estrade, devant tant de ferveur ainsi manifestée, pour disparaître, à regret, dans le spéos.

Le petit spéos de Batn el-Baggara

La souveraine et sa suite regagnèrent le temple de *Khéménou* et la demeure du « Grand des cinq », où le repas du soir devait être célébré. Thoutmosis et Néférourê avaient été fortement impressionnés par la cérémonie si bien orchestrée par la reine. Aussi avait-il été

Chapelle appelée Batn el-Baggara.

Côté gauche : la reine (image martelée) adore Pakhèt, Hathor et Horakhty.

Côté droit : Thoutmosis Menkhéperrê vénère Pakhèt, puis, il est « embrassé » par Khnoum.

Mur du fond : Le relief, très martelé, laisse deviner l'hommage des deux corégents et de l'Epouse divine Néférourê rendu à Pakhèt, Dame de *Sérit* (Couteau).

décidé que la famille royale rendrait grâce à Pakhèt et à ses associés de l'heureux déroulement de la périlleuse prestation royale. Cette reconnaissance allait se traduire par le creusement d'un minuscule spéos [34], une profonde niche, tout au fond du ouadi, sous l'endroit où coulait en cascade une partie des eaux des orages.

Cette petite grotte devrait encore constituer une allusion au sein de la grande Hathor, régnant dans la montagne sous la forme de Pakhèt, patronne de la nécropole montagneuse où l'écoulement des eaux annonce la (re) naissance (le folklore populaire, après des millénaires, ne s'est pas trompé en nommant encore de nos jours cette partie du ouadi *Batn el-Baggara* : « le ventre de la vache » !).

Sur les murs de cette niche rocheuse rectangulaire (1,58 m de profondeur), les trois membres de la famille royale figureront. A droite Thoutmosis, coiffé du *khépéresh*, consacrera la grande offrande pour la déesse Pakhèt, Dame du *Sérit* (« Couteau »), « *qui réside dans la nécropole* ». Au fond du tableau, le roi-corégent sera à nouveau figuré, mais alors coiffé de la couronne blanche, accueilli par Khnoum seigneur de *Hèr-our*, une des localités voisines [35].

Le mur de gauche devra être réservé à la reine. Elle ne sera représentée qu'une fois sur ce panneau, toujours devant la grande offrande dont elle fera bénéficier trois formes divines : Pakhèt, la Dame des lieux, suivie d'Hathor, serrant contre sa poitrine le grand sceptre à tête de papyrus ; Horakhty, « Grand dieu, seigneur du ciel, à la tête de tous les dieux », accompagnera les deux déesses solaires. Fait exceptionnel, Amon ne figurera pas en ce lieu !

Au fond de la niche sera évoqué l'hommage de la reine et probablement de Thoutmosis à la résidente de la vallée : Pakhèt, « *maîtresse de Sérit, maîtresse du ciel* », assise sur son trône. Néféroure ne sera pas oubliée, elle figurera derrière sa mère, debout, portant sur sa perruque le long corps de l'uræus, tête dressée sur son front. La petite taille de la fille royale sera compensée par la dimension des hiéroglyphes servant à écrire le bref texte qui la dominera : « *L'Epouse du dieu, Néféroure* ».

Les temps ont changé. Hatshepsout a tenu à souligner désormais la présence grandissante, auprès d'elle, de ses héritiers ; sa fille figurera désormais, mais encore discrètement, dans les cérémonies officielles publiques, et Thoutmosis ne représentera plus le corégent présent « pour mémoire ». Le voici, dans cette grotte, qui célébrera le culte, à deux reprises sur le même panneau, porteur des deux couronnes essentielles de la royauté, le *khépéresh* et la couronne blanche de Haute Egypte.

Acceptera-t-il longtemps encore la corégence ? La célébration du jubilé envisagé par la reine mettra-t-elle fin à son effacement politique ? Le fait que le Grand du *Réténou* annonce l'arrivée de trois séduisantes princesses [36] pour la Maison de Thoutmosis ne marque-t-il pas, plus que tout, l'attention grandissante portée par les voisins de l'Egypte à la personne du valeureux corégent ?

XX

LES ANNÉES XV-XVI-XVII
LE GRAND JUBILÉ

Un nouvel hommage pour Amon

A la veille de l'insigne événement annoncé par la Haute Maison, Hatshepsout voulait auparavant, une fois de plus, honorer son divin père Amon, dont les oracles lui avaient fait gravir toutes les étapes de son étonnante destinée.

Un sanctuaire en équilibre

Elle ne pouvait, sur la rive occidentale du fleuve, faire dresser de grandes aiguilles de granit, monuments strictement solaires, qui puissent aussi dépasser en hauteur le pyramidion naturel de la Sainte-Cime, la *Déhénèt*. Mais elle allait tenter d'ajouter, encore, à son temple de la rive gauche du Nil un autre sanctuaire à la gloire du seigneur du « Siège des Deux Terres », capable de dominer, à la fois, le monument (jubilaire) du grand ancêtre Monthouhotep et le *Djéser-djésérou*.

Ainsi avait-elle chargé le talentueux et indispensable Thoutiy d'ériger au sommet des deux monuments, sur l'emplacement le plus

Plan des trois sanctuaires jubilaires de Deir el-Bahari.
(D'après C. Graindorge)

Les trois sanctuaires de Deir el-Bahari vus du Sud (au premier plan, le temple du grand Monthouhotep). (Photo J. L. Clouard)

Les ruines des trois temples dans le cirque rocheux de Deir el-Bahari. Au sommet entre les deux principaux bâtiments, le *Djésèr-akhet* (achevé par Thoutmosis III) est encore recouvert de gravats, avant la récente fouille. (D'après C. Graindorge)

élevé, au demeurant très étroit et bien difficile d'accès, un nouvel édifice appelé « Le grand siège d'Amon », le *Khâ-akhèt* [1]. Les portes de cèdre devraient être ouvragées de cuivre.

Pourtant, cette véritable fièvre d'accomplir pour son dieu de réels prodiges n'avait pas encore atteint son terme : Hatshepsout allait concevoir un tour de force encore plus inimaginable à l'occasion de la fête *sed.*

Le jubilé annuel

Phénomène providentiel et divin, le retour tant attendu de l'inondation délimitait pour le riverain du Nil, on le sait, une période fixe et régulière de 365 jours 1/4, dans laquelle s'inscrivaient les trois saisons du cycle annuel.

Aussi le premier jour de l'année solaire – le Jour de l'An – sanctionnait-il à la fois le réveil promis de la nature, et le renouvellement des forces vitales du souverain, garant de la prospérité du pays. C'était le jubilé annuel [2].

La fête *sed*

Il paraît très vraisemblable que dans la plus haute Préhistoire – de même dans d'autres endroits du Globe, et surtout en Afrique – au bout d'un laps de temps déterminé, un chef à la vigueur défaillante, ne pouvant plus affronter les épreuves de force imposées, était l'objet d'une radicale suppression.

Sans doute cette expéditive solution, soldée par la mise à mort du chef, fut-elle, sur cette terre bienveillante d'Egypte, assez rapidement remplacée par des procédés magiques de « revigoration ». On constate, en effet, dès la Ire dynastie, l'apparition d'une cérémonie magico-religieuse propre à revitaliser vigoureusement l'énergie éventuellement amoindrie du souverain, lorsqu'il avait atteint sa trentième année [3] de règne. Ce fut l'institution de la fête *sed*.

La fête *sed* (?) d'Hatshepsout

Hatshepsout n'ignorait rien de ces conditions. Pourtant, en cette quinzième année de la corégence de son neveu, pendant lesquelles elle gouverna effectivement le pays, il lui paraissait essentiel d'affirmer, une fois de plus, ses « indiscutables » droits au trône, en bénéficiant de cette cérémonie trentenaire et, de surcroît, en respectant strictement le calendrier.

Si loin qu'elle pouvait rechercher dans les archives royales du Moyen Empire – qu'elle revendiquait comme siennes – les bénéficiaires éventuels de ces rites remontaient d'abord au règne du grand Monthouhotep (II), qui avait largement dépassé les trente années de règne. Par la suite venaient Sésostris Ier, 45 années de règne, puis Amenemhat II, 38 années de règne, et enfin Amenemhat III, 46 années sur le trône.

Elle croyait, maintenant, être la première des grands souverains, depuis que les princes thébains avaient ouvert l'ère de la libération, à pouvoir se prévaloir d'une telle prérogative, puisque aucun n'avait connu trente années de règne. Mais ce n'était pas sans utiliser, néanmoins, une très astucieuse combinaison… En effet, voici les savants calculs auxquels il semble qu'elle se soit livrée.

Relief représentant Sésostris Ier, durant les cérémonies de la fête *sed*, en costume jubilaire, dans le double kiosque rituel. (Musée du Caire)

Le stratagème ?

Il lui suffisait, d'abord, de se référer au premier oracle d'Amon qui l'avait désignée à la royauté dès l'avènement de son père (au plus tard dès l'an II). Les inscriptions qui revêtaient ses monuments le rappelaient clairement. Une fois de plus, Hatshepsout s'efforçait de rattacher son règne à celui de son père, comme une sorte de première corégence, et à sa véritable prolongation durant l'éphémère passage sur le trône de son défunt époux. Elle décomptait alors un peu plus de quatorze années. Il ne lui suffisait plus, après avoir additionné les règnes des deux premiers Thoutmosis, qu'à ajouter les seize années de corégence vécues aux côtés de son neveu, et en « aidant » un peu les circonstances, afin d'atteindre les trente années nécessaires pour bénéficier des honneurs et des avantages du parfait grand jubilé [4].

Ainsi, par ce que l'on pourrait définir de nos jours comme un « tour de passe-passe », Hatshepsout la futée pensait arriver à ses fins et jouir définitivement de l'aura d'un souverain à part entière. Elle ne voulait cependant pas manquer d'associer son corégent à ces cérémonies, en rappelant sa participation : la nécessité s'en imposait-elle à ce point, ou voulait-elle, tout simplement, témoigner à son corégent les égards effectivement bien mérités ? En définitive, elle ne pouvait agir autrement puisque pour atteindre les trente années elle empruntait les seize premières années du règne de son corégent.

Les problèmes de la corégente

Les préparatifs de ce nouvel événement, essentiel dans l'existence d'un souverain, allaient-ils se dérouler sans faille pour Hatshepsout, si désespérément attachée à prouver une légitimité qu'au demeurant, elle avait largement gagnée ?

Plusieurs circonstances devinées, plutôt que reconstituées, laissent supposer les difficultés graves rencontrées par la reine. L'échafaudage fort astucieux d'arguments assez contestables pour atteindre les trente années nécessaires sanctionnées par la fête *sed*, serait-il accepté par tous les notables, et surtout allait-il recevoir l'aval du très prudent Grand Majordome de la Haute Maison [5] ? Sénènmout n'était-il pas excédé de constater qu'après la sublime réalisation du *Djéser-djésérou*, sa reine ait jugé opportun d'entreprendre l'édification du *Khâ-akhèt* [6], qui devait d'une manière inattendue autant qu'inesthétique surplomber les deux temples de Deir el-Bahari ?

La folle idée, le dangereux projet que sa reine venait de lui exposer n'était pas supportable. Sans doute ne pouvait-il pas s'opposer à ces nouveaux plans, mais il se devait de n'en être pas complice. En effet, ne lui avait-elle pas déclaré, maintenant, que les deux nouveaux obélisques prévus pour commémorer les festivités, et dont l'extraction avait été confiée par Sénènmout au fidèle Amenhotep, ne seraient pas dressés devant les deux autres paires de monolithes, dans la grande cour de Karnak ?

Hatshepsout, en vue de justifier définitivement ses prétentions au jubilé – et comme pour « gommer » l'illégalité de sa prise de

6.Ce *Khâ-akhèt* fut, après la disparition de la reine, adapté puis transformé et baptisé *Djéser-akhèt*.

pouvoir en l'an VII – ordonnait à Sénènmout cet acte insensé d'introduire les deux monolithes, de plus de 300 tonnes chacun, au cœur même de la *Iounit*, la grande salle à piliers où son père, son époux et son neveu avaient été couronnés et initiés aux suprêmes secrets, ainsi qu'elle-même, mais pour une partie des rites seulement.

Sénènmout croyait vivre un cauchemar devant une telle impudence, une telle inimaginable violation des lieux sacrés. Il ne voulut pas abandonner sa souveraine, mais renonça à demeurer l'Intendant de la Haute Maison, et à suivre l'organisation des festivités [7]. Le poste fut immédiatement confié à Amenhotep, celui qui, à Séhel, menait à bien l'extraction de la nouvelle paire d'obélisques, en tant que Directeur des travaux dans la Grande-Maison-du-granit-rouge [8]. Ainsi ce dernier devait, dès l'arrivée des monolithes à Thèbes, préparer et réussir la presque impensable manœuvre d'introduire les deux obélisques dans la salle, à piliers supportant sa couverture-terrasse de dalles de grès, et possédant contre ses murs les colosses osiriaques d'Âakhéperkarê.

Amenhotep, nouveau Grand Intendant

Le nouveau Grand Intendant de la Haute Maison [9] aurait également à charge d'assumer la responsabilité des festivités jubilaires : il devait assister Hapouséneb, le Premier Prophète d'Amon, à la santé désormais chancelante.

Les cérémonies jubilaires pourraient-elles se dérouler suivant le rituel complet, ou bien se limiteraient-elles aux séquences générales de la cérémonie, en omettant les ultimes instants d'initiation, comme cela avait été observé pour le simulacre du couronnement de la corégente en l'an VII ?

Le Premier Prophète d'Anoukèt, Amenhotep, en charge des cérémonies jubilaires de la reine. (Graffito de Séhel)

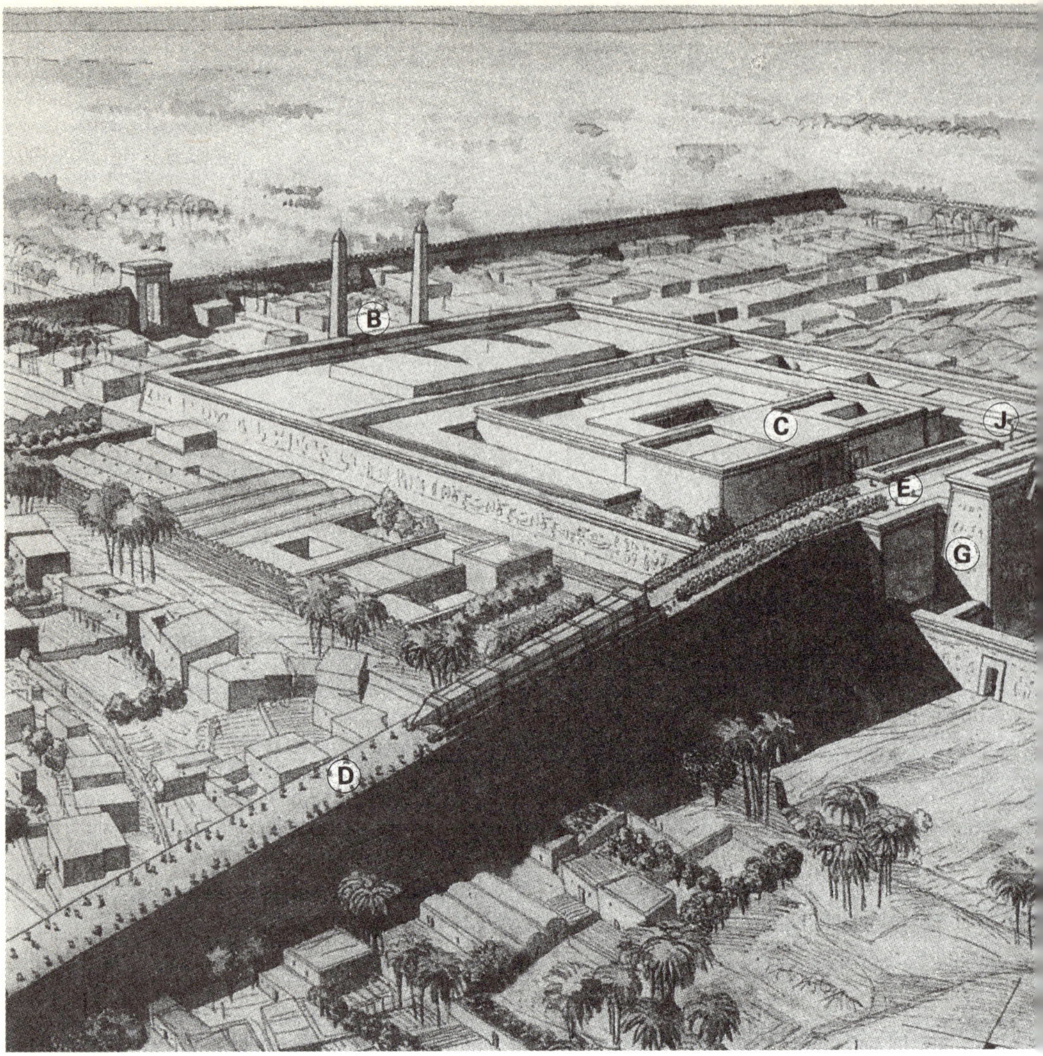

Il n'en demeure pas moins qu'Hatshepsout, dans ses écrits et sur les bas-reliefs de ses temples, fit allusion à l'événement sans décrire ni représenter les instants typiques du jubilé lui-même ! Ainsi, lorsque dans un texte il est question de cette cérémonie, le hiéroglyphe du kiosque double, utilisé pour ce rituel, est tracé (*cf.* p. 382), mais il n'apparaît pas que la souveraine ait pris la liberté de se faire représenter en bas-relief, siégeant dans cet édicule jubilaire, ainsi que son grand ancêtre le premier Sésostris avait été habilité à le faire (*cf.* p. 369).

La préparation de l'événement

En dépit de ces incontournables restrictions, Hatshepsout tint à exposer à la postérité les circonstances dans lesquelles ce jubilé

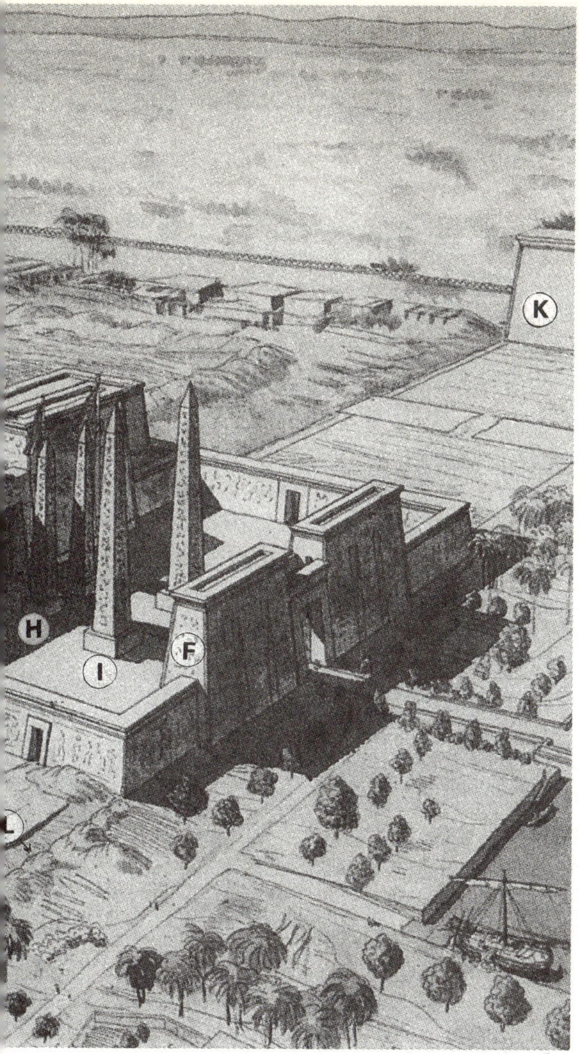

Evocation du grand temple de Karnak dans son mur d'enceinte, à l'époque d'Hatshepsout.
- A. Lac sacré.
- B. Temple de l'Est.
- C. Le Palais de Maât et la « Place du cœur d'Amon » (la chapelle).
- D. Rampe pour manœuvrer les obélisques.
- E. Terrasse de la *Iounit*.
- F. IVe pylône.
- G. V^e^ pylône.
- H., I. Obélisques de Thoutmosis I et II
- J. VIe pylône.
- K. Vers le VIIIe pylône.
- L. Vers le Palais de la Reine.

(Reconstitution de J. Cl. Golvin)

fut conçu par elle, préparé et sans doute en partie aménagé et ainsi célébré [10], passant sous silence qu'elle n'avait pu être la bénéficiaire des prérogatives strictement canoniques et royales. Voici comment la reine conçut son action : elle fit graver le récit de l'aventure sur le socle de son obélisque septentrional (celui qui demeure encore en place).

> *« C'était quand je me trouvais dans le palais et que je songeais à celui qui m'avait créée. Mon cœur m'induisit à faire pour lui deux obélisques en électrum, aux pyramidions se confondant avec le firmament, dans l'auguste* Iounit [11]*, entre les deux grands pylônes du roi, taureau puissant, le roi de Haute et de Basse Egypte Âakhéperkarê, l'Horus juste de voix (= défunt).*

Alors, mon esprit s'agita [12]*, imaginant ce que diraient les hommes qui verraient ce monument dans la suite des temps, et (qui) parleraient de ce que j'ai accompli.*

Gardez-vous de dire : "J'ignore, vraiment, j'ignore pourquoi cela a été fait : forger une montagne d'or tout autour, comme si cela était tout naturel." Aussi vrai que je suis aimée de Rê,... Aussi vrai qu'Amon, mon père, me favorise, aussi vrai... en ce qui concerne ces deux grands obélisques, travaillés avec de l'électrum par Ma Majesté, pour mon père Amon, afin que mon nom perdure dans ce temple pour l'éternité des siècles, ils sont (faits) chacun d'un seul bloc de granit dur, sans raccords et sans joints.

*Ma Majesté a ordonné de travailler à cela depuis l'année XV, le 2e mois de l'hiver (*Pérèt*), jour 1, jusqu'à l'année XVI, le 4e mois de l'été (*Shémou*), le dernier jour : ce qui fait sept mois coordonnés de travail dans la carrière.*

J'ai agi envers lui (Amon) en témoignage d'attachement comme (agit) un roi envers son dieu. C'était mon désir que de les faire fondus en électrum, (mais, comme c'était impossible,) je les ai plaqués d'électrum [13]*. Je pensais à ce que diraient les hommes, (que) "ma bouche était excellente à cause de ce qui sortait d'elle et que je ne revenais pas sur ce que j'avais dit"* [14]*. »*

Pour appuyer le bien-fondé de son action, Hatshepsout n'hésita pas à rapporter les paroles qu'Amon aurait prononcées en apprenant ce projet de faire aussi ériger deux monumentaux obélisques dans la *Iounit*, lors de ce qu'elle a décidé de considérer comme son premier jubilé :

« Est-ce ton père, le roi de Haute et Basse Egypte, qui t'a donné des instructions pour établir des obélisques, car Ta Majesté renouvelle cette fondation ? [15] *»*

Il n'est plus question de faire dresser des obélisques rappelant ceux qui avaient été érigés pour Thoutmosis-Âakhéperkarê ou pour Âakhépérenrê. Elle désire maintenant, en vue de célébrer une fête dont elle jouira des bienfaits, faire plaquer entièrement ces deux « rayons solaires pétrifiés » avec des feuilles d'électrum [16]. Elle précise même son intention première de couler entièrement ces obélisques en électrum, si elle en avait possédé une quantité suffisante (il semble que, par la suite, son neveu Thoutmosis réalisa ce projet [17]).

---

12. Le mot à mot pourrait se traduire : « mon cœur battit la chamade » !
13. Le mot à mot est : « j'ai placé leur surface sur leur fût ».

Quant à l'exploit d'introduire ces énormes aiguilles de granit dans cette étroite et longue salle, située entre deux pylônes, elle semble complètement ignorer l'extraordinaire difficulté rencontrée par l'exécution de cette fantastique manœuvre. Il ne lui paraît pas davantage sacrilège de porter atteinte à l'intégrité des lieux sacrés aménagés par son père pour son couronnement et son jubilé espéré, puis pour son neveu Thoutmosis, et même utilisés à son tour pour elle-même en l'an VII. Âakhéperkarê avait entouré cette *Iounit* de piliers osiriaques à sa propre image, dont il avait peut-être bénéficié avant le délai idéal pour la fête *sed*, mais en tout cas pour le jubilé annuel du Jour de l'An.

L'emplacement des obélisques

Hatshepsout insiste sur l'emplacement prévu pour dresser ces obélisques, dont il apparaît que l'érection devait sanctionner un jubilé [18]. La reine précise bien « entre les deux grands pylônes », c'est-à-dire entre le IVe et le Ve pylône. Ces obélisques allaient donc apparaître, sur le plan du temple entre deux pylônes, alors que leur localisation n'aurait posé aucun problème si elle les faisait ériger devant les quatre obélisques déjà en place dans la grande cour, en avant du Ve pylone.

On comprend les réactions de Sénènmout en présence de cette accumulation de nouveautés, à l'apparence irréalisable et il faut bien le dire, provocante. En définitive, Hatshepsout ne cherchait peut-être pas seulement à « sanctionner » son jubilé personnel avec la participation effective du corégent, mais tout simplement désirait-elle célébrer le trentième anniversaire de la dynastie des Thoutmosis, fondée par son père, et dans la salle de couronnement de l'ancêtre de la dynastie [19].

La manœuvre

Sitôt les obélisques débarqués à Thèbes, Thoutiy fut appelé « au chevet », si l'on peut dire, des deux monuments solaires, chacun toujours solidement fixé sur un robuste et gigantesque traîneau. Chaque obélisque, long approximativement de 28,50 m, pesait près de 374 tonnes. Lorsque les deux monolithes seraient redressés, il faudrait les décorer à leur sommet de huit registres de scènes d'offrandes, et marquer leur fût d'inscriptions verticales. Thoutiy avait porté tous ses soins à faire représenter sur

Pyramidion de l'obélisque gisant près du Lac Sacré : couronnement de la reine par Amon dont l'image fut martelée sous Akhénaton, puis restituée sous Ramsès II (?). (Photo Desroches Noblecourt)

les pyramidions la scène essentielle qui résumait à elle seule l'attribution des couronnes au maître de l'Egypte. Sur le mur du Spéos Artémidos, où la place n'était pas mesurée, Amon trônant affermissait sur la tête de sa « fille chérie » le *khépéresh* (trop longtemps et improprement appelé « casque de guerre »), porté régulièrement comme insigne de la royale fonction. La reine était agenouillée devant le dieu, mais lui tournait le dos, et devant elle la déesse-uræus veillait au couronnement, la « Grande-de-magie » complétait le geste d'Amon, sur le visage de la reine.

Les pyramidions d'Hatshepsout, au sommet des obélisques, étaient ornés de la même représentation, réduite aux deux personnages principaux, Amon et la reine (l'obélisque méridional a été fracassé mais son pyramidion a été placé près du lac sacré, où l'on peut encore admirer la splendeur de son relief). Ensuite, Thoutiy devrait faire procéder au revêtement des deux monolithes, ce qui allait nécessiter environ 60 kg d'électrum [20], pour recouvrir une surface totale de 210 m^2.

Mais auparavant, Amenhotep préparait l'introduction des deux monolithes dans la salle à piliers, la *Iounit*. Il avait d'abord été nécessaire de supprimer les piliers du centre de la salle, à la place desquels devaient être dressées les immenses flèches de granit. Les deux socles massifs qui devaient les recevoir étaient maintenant mis en place, recouverts des inscriptions dédicatoires de la reine. La manœuvre de l'introduction de ces obélisques dans la *Iounit* a fait l'objet de plusieurs hypothèses, au cours de plus d'un siècle, et naturellement les architectes français qui ont œuvré à Karnak depuis des décades se sont aussi penchés sur le problème. La dernière suggestion en date présente une opération démontrée très réalisable grâce à de multiples « simulations faites sur maquettes », à Karnak même [21]. Voici comment il paraîtrait qu'Amenhotep, ses contremaîtres et ses ouvriers auraient pu procéder.

Chaque obélisque, toujours solidement corseté et fixé sur son traîneau, celui-là même qui avait facilité son embarquement et son débarquement entre Assouan et Thèbes, allait continuer à toujours être véhiculé horizontalement. Amenhotep avait décidé d'introduire dans la *Iounit* – l'un après l'autre – les monuments,

Centre d'*Ipèt-Sout* et manœuvre représentée pour mettre en place les derniers obélisques d'Hatshepsout.

par le côté Nord de la salle, en les faisant glisser, leur base en avant, jusqu'au-dessus des socles prévus pour les recevoir, là où une ouverture avait été aménagée à cette intention.

Afin d'exécuter ce genre de manœuvre, il avait fait dresser une immense rampe en briques de terre crue, recouverte de sable et de limon du Nil, à humidifier pendant toute la période où les obélisques seraient halés par une multitude d'ouvriers, et ceci sur plusieurs centaines de mètres. Il avait été prévu d'élever ainsi les pierres à une « hauteur minimum équivalente aux deux tiers de celle de l'obélisque (une fois) debout », et ceci pour pouvoir basculer l'obélisque, toujours en position horizontale, par le vidage d'un réservoir de sable situé juste en dessous de la base de l'obélisque. Puis, en tirant sur des cordages, une rotation finale laissant descendre l'obélisque par la base sur son socle, marqué d'une encoche appelée rainure de pose, allait permettre de placer l'obélisque d'aplomb [22]. Une fois l'érection des monolithes terminée, la rampe d'accès avait été supprimée.

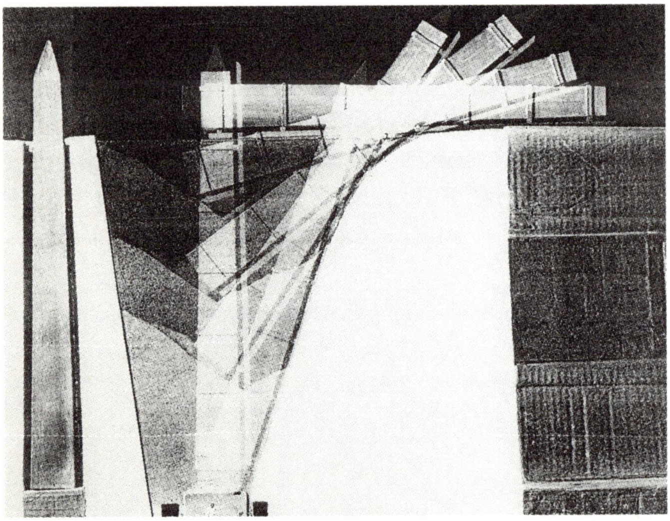

L'obélisque transporté, base en avant, une fois parvenu à l'aplomb de son futur socle, est lentement basculé à l'aide de l'écoulement d'un puits de sable. (Dessin de J. C. Golvin)

La *Iounit* devient *Ouadjit*

La position des rainures de pose a permis aux architectes de constater que les obélisques de la reine ont bien été introduits par le Nord, et que celui du Sud fut dressé avant celui du Nord. Ces obélisques ont dû passer à une vingtaine de mètres au-dessus de la *Iounit*, sur le plafond-terrasse : les piliers et les dalles de la couverture supportant ces immenses charges avaient dû être fissurés.

Aussi, après ces manœuvres qui s'étaient heureusement passées semble-t-il, sans inconvénient majeur, Amenhotep avait-il dû démonter le plafond-terrasse de la salle, et priver celle-ci de l'ensemble de ses piliers. Alors, il les avait remplacés par de hautes et fines colonnes papyriformes en bois également doré, qui donnaient une élégance extrême à cette salle dorénavant appelée *Ouadjit*, « salle aux papyrus (*ouadj*) », à laquelle préside Hathor, et qui baignait dans l'or de la déesse [23].

Combien de mois pour accomplir l'exploit ?

La reine a bien pris la peine d'indiquer le temps qu'il avait fallu pour procéder à la réalisation de son projet, depuis le premier jour où l'extraction des deux obélisques avait commencé dans les carrières de Séhel, jusqu'au jour où les obélisques avaient quitté les carrières, pour être dressés dans l'ancienne *Iounit* transformée en *Ouadjit*, revêtus d'inscriptions et plaqués d'électrum. Ils y furent inaugurés pour la fête *sed*. Je rappelle les indications qu'elle fit graver sur le socle de son obélisque septentrional, à la fin de toute l'opération :

> *« Ma Majesté a ordonné de travailler à cela depuis l'année XV, le 2e mois de la saison* Pérèt, *jusqu'à l'année XVI, le 4e mois de la saison* Shémou, *le dernier jour : ce qui fait 7 mois coordonnés de travail dans la montagne (carrière). »*

On sait que l'année solaire égyptienne comptait 12 mois de 30 jours, auxquels sont ajoutés 5 jours 1/4. Cette année de trois saisons de quatre mois commence par les quatre mois de l'Inondation (*Akhèt*, qui débute par le Jour de l'An, vers le 18 juillet). Vient ensuite la saison hiver-printemps (*Pérèt*) de quatre mois également. L'année se termine par les quatre mois de l'été (*Shémou*).

Du deuxième mois de *Pérèt* au dernier mois de *Shémou*, il y a bien sept mois pleins, comme l'indique la reine, pour travailler à extraire les deux obélisques dans la carrière. Voici pour l'an XV. L'année XVI débute par le Jour de l'An et l'arrivée de l'Inondation : les obélisques corsetés, ligaturés sur leurs traîneaux, furent chargés sur la péniche. Les eaux rapides et fortes de l'Inondation aidèrent à la descente du Nil jusqu'à Karnak. Il restait un peu moins d'une année pleine pour achever toute l'entreprise, puisque le dernier jour du 4e mois de la saison *Shémou* se trouve être le dernier jour de l'an XVI.

Au cours de cette seule année XVI, Amenhotep dut assurer le transport des deux monolithes, leur transbordement, la montée de chacun d'eux, l'un après l'autre, jusqu'au sommet de la *Iounit*, et leur descente successive, sur les bases préparées à l'avance. Il fallut alors transformer la *Iounit* en une *Ouadjit* aux charmantes colonnes papyriformes, en prélevant plafond et piliers brisés, et dorer les colonnes. Puis, grâce aux échafaudages alors dressés autour des deux obélisques, les décorer de reliefs et d'inscriptions. Alors, enfin, les plaquer d'électrum. La preuve est faite que le texte de dédicace a été mal interprété, et que le travail de sept mois s'applique bien à la seule activité dans la carrière, et non pas à toute l'opération, comme on l'a prétendu. Amenhotep a donc bien accompli cette extraordinaire et complète manœuvre en 19 mois et non en 7 !

Hathor la dorée, Dame de *Pount*, et le Seigneur de Karnak, Amon-le-caché, issu des lointains horizons de la Terre du dieu, se retrouvaient dans la miraculeuse *Ouadjit*. Au lendemain de la cérémonie, Sénènmout avait alors spontanément glorifié l'inspiration divine de sa souveraine bien-aimée.

La cérémonie fut-elle complète ?

Une fois les deux obélisques dressés et la salle transformée en un féerique fourré de papyrus, les festivités, préparées pour le « semblant » de jubilé, pouvaient commencer. Les preuves matérielles ne nous sont pas parvenues. Quelques allusions peuvent cependant nous éclairer en révélant certains détails du rituel.

Ainsi, un passage dans l'inscription gravée sur la face Nord du fût de l'obélisque encore en place à Karnak permet d'être assuré que l'inscription du nom des souverains, sur les fruits sacrés de l'arbre *ished*, figure parmi les séquences efficaces des cérémonies du grand jubilé.

« *Son père Amon éternise son Grand nom (de) Maâtkarê sur l'arbre* ished *auguste, ses annales seront (ainsi) pour des millions d'années réunies, en vie, stabilité, vigueur* [24]. »

L'*ished*, en Egypte, fleurissait sur les bords des canaux à l'arrivée de l'inondation, et était, par ce détail, en harmonie avec l'idée de renouvellement perpétuel. La cérémonie d'inscription du nom du souverain sur les fruits de l'arbre (et non sur les feuilles), fut confiée à Séshat (maîtresse des archives) et à Thot, le scribe des dieux. Il semble bien que ce rituel apparaisse au temps même de la reine [25].

Portique de la terrasse moyenne de Deir el-Bahari (côté Nord) portant des allusions à la fête *sed*. Image du corégent Thoutmosis-Menkhéperrê. Deir el-Bahari. (Photo A. Ware)

La scène de l'enregistrement des noms de la reine devait se faire en présence d'Amon qui devait posséder un lien étroit avec ce rite [26].

Les autres témoignages visibles, relatifs à la fête *sed* de la reine, se résument seulement aux images parallèles d'Hatshepsout et de Thoutmosis [27], sur les piliers du portique de la terrasse moyenne (côté Nord) de Deir el-Bahari, sur lesquels les corégents offrent à tour de rôle, à Amon, l'eau et le lait [28]. En retour, le maître de Karnak leur assure « de très nombreuses fêtes *sed* ». On a même considéré ce portique comme consacré réellement à la fête *sed*, car les inscriptions mentionnent effectivement « la première fois de la fête *sed* [29] ». En revanche, dans la chapelle

27. A noter que le nom de couronnement de Thoutmosis se présente parfois sous l'aspect Menkhéperkarê, qu'il abandonnera lorsque la corégence cessera.

d'Hathor [30] et dans celle d'Anubis [31], les souhaits concernant les multiples fêtes *sed* promises, sans précision, font partie des vœux pieux exprimés par ces divinités dans le temple jubilaire, dont le rôle comme pour tous les temples « de millions d'années » était de célébrer, chaque année, l'éternité de son fondateur.

Hatshepsout n'osa pas, sur les reliefs de la chapelle de la barque sacrée d'Amon consacrée à Karnak, mentionner, à propos

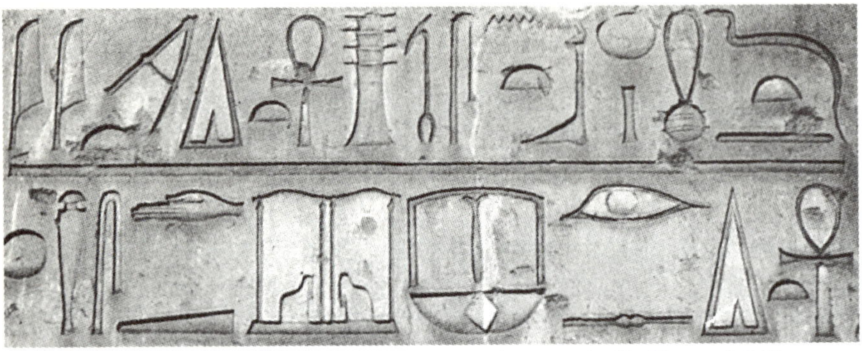

Registre inférieur d'une inscription mentionnant la 1ère fête *sed*. Pilier Nord du portique moyen. Deir el-Bahari. (Photo A. Ware)

des deux obélisques (cités et représentés parmi les réalisations de son règne), la raison de leur érection. Ainsi présenta-t-elle à son dieu deux obélisques de taille strictement égale, en ces termes :

« *Le roi, en personne, érige deux grands obélisques dans l'auguste* Ouadjit [32], *travaillés en électrum, très grandement, leur hauteur perçant le firmament, irradiant pour les Deux Terres, comme le globe solaire. Jamais on n'avait fait quelque chose de semblable depuis l'origine du pays. Elle (le fit), douée de vie, à jamais !* [33] »

Aussitôt, et en retour, Amon lui rendit l'hommage reçu mais, tout en répondant à l'attente de la reine, le terme de « fête *sed* » n'est pas prononcé par le dieu :

« *Ma fille, de mon flanc, Hatshepsout, je te donne la royauté des Deux Terres, et des millions d'années sur le trône d'Horus. Puisse-tu être stable, comme Rê, en récompense de ce que tu as fait.* »

Le tour de force exécuté par Amenhotep pour introduire les deux aiguilles de granit dans la *Iounit* se termine ainsi par la transformation de cette longue salle à piliers – et par la force des choses – en

31. Où il est question de « millions de fêtes *sed* », *Urk.* IV, 375, 17 = Naville, *DelB* IV, pl. XXXVII.

32. On peut remarquer, maintenant, qu'il n'est plus question de *Iounit*.

une salle à colonnes papyriformes, la *Ouadjit*. Cette *Ouadjit* demeure après les successeurs immédiats d'Hatshepsout la salle du sacre, également prévue pour le jubilé [34]. Elle constitue le premier exemple de salle hypostyle dont l'épanouissement le plus mesuré – bien que grandiose – sera celle dont Ramsès le second gratifiera son temple jubilaire, appelé de nos jours Ramesseum, à l'Ouest de Thèbes.

Quoi qu'il en soit Hatshepsout avait, une fois encore, réussi un exploit sans pareil : celui de faire dresser, contre toute attente, deux obélisques au cœur de son temple… et dans une salle fermée !

> *« On les voit des deux rives du fleuve, leurs rayonnements inondant les Deux Pays. Le globe Aton se lève entre eux, lorsqu'il apparaît à l'horizon du ciel [35]. »*

Amenhotep fut grandement récompensé par la reine. Il put dorénavant se glorifier du titre de « Grand des Grands dans le pays tout entier [36] ». L'accumulation de ses titres rivalise avec ceux d'Hapouséneb, le Second personnage du pays après Sénènmout. On reconnaissait en lui

> *« L'ami qui approche le corps divin, qui domine le pays tout entier, le grand confident de la maîtresse des Deux Terres, loué par la déesse incarnée, celui qui habite le cœur de la déesse des apparitions… Emplissant les oreilles de l'Horus avec Maât, celui qui suit ses démarches dans le palais royal… Celui dont la bouche parle à la maîtresse des Deux Pays… Celui à qui l'on dit ce qui pèse sur le cœur, celui pour qui on éclaire ce qui est caché [37]… »*

Inscription centrale du fût de l'obélisque encore dressé d'Hatshepsout, à Karnak, portant le protocole de la reine « aimée d'Amon-Rê, roi des dieux ».
(Ph. Desroches Noblecourt)

Un de ses plus grands titres de gloire fut certainement l'exploit relatif aux deux derniers obélisques de la souveraine. Aussi les fit-il représenter dans sa propre tombe [38], parmi toutes les parures, meubles et objets précieux qui furent offerts à la reine pour les festivités du Jour de l'An.

XXI

LES DERNIERS FEUX

Le *Djéser-sèt* (de Médinet Habou)

Thoutmosis-Menkhéperrê, maintenant très adulte corégent, prit à son tour l'initiative d'ériger un monument auquel il associa, naturellement, le nom de la reine ; les figures de son père Âakhéperenrê et de son grand-père le premier Thoutmosis y furent aussi associées [1].

Le jeune roi s'étant fait représenter à plusieurs reprises avec Hatshepsout, on pourrait supposer à juste titre que les reliefs datent du temps où régnait encore la corégence. Or, sur un des murs de l'édifice subsiste encore le tableau où Menkhéperrê, assis sur son trône, est évoqué en compagnie de sa très discrète Grande Epouse royale, Mérytrê-Hatshepsout [2].

Cette Mérytrê-Hatshepsout était bien devenue la Grande Epouse royale de Thoutmosis ; elle fut certainement représentée dans le sanctuaire, portant ce titre, après la disparition d'Hatshepsout, car la souveraine-corégente n'aurait pas supporté, dans son environnement immédiat, la présence et un partage du titre, aussi ténu soit-il, avec une autre Grande Epouse royale. Le même cas s'était produit lorsque Néférourê avait épousé Thoutmosis : elle n'avait

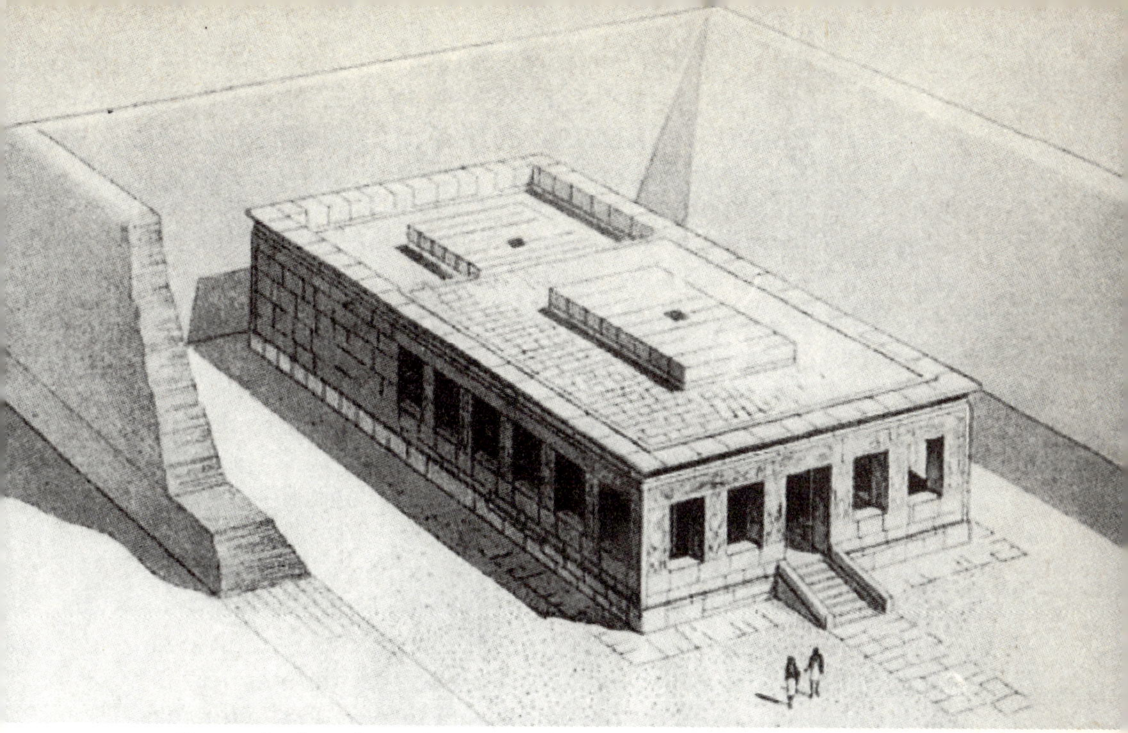

Reconstitution du petit temple de Médinet Habou (Hatshepsout et Thoutmosis III), dans l'état où il se présentait à la XVIIIe dynastie. (Reconstitution Oriental Institute of Chicago)

jamais pu recevoir le titre de Grande Epouse royale du temps de la corégente, et dut mourir avant sa mère [3], elle se contentait de son très important statut d'Epouse du dieu. Au vrai, on ne peut s'appuyer que sur des suppositions, aussi valables soient-elles. Comme toujours, l'environnement d'Hatshepsout n'est pas aisé à percer. Ainsi, Claude Vandersleyen ne peut se prononcer : « Le fait que Méryt-rê se soit aussi appelée Hatshepsout, écrit-il, n'implique pas qu'elle ait quelque lien familial avec la fille de Thoutmosis Ier [4]. »

Mérytrê, fille ou nièce ?

Mérytrê-Hatshepsout, Grande Epouse royale de Thoutmosis III, donna au roi une fille, Mérytamon, dont un des magnifiques sarcophages est la gloire du musée du Caire. Elle mit surtout au monde un fils : Aménophis II, ainsi donc, petit-fils d'Hatshepsout.

En se fondant sur les éléments dont on dispose, il est difficile de trancher d'une façon tout à fait définitive, puisque aucun texte n'indique précisément que cette Mérytrê était la fille d'Hatshepsout, cependant trois témoignages comme on le sait y font indirectement allusion. D'abord, Sénènmout [5] rappelle s'être

3. Voir le chapitre suivant.

occupé « aussi bien de la plus jeune fille (de la reine) Mérytrê que de l'aînée, Néférourê ». De même, l'autre précepteur Senmèn déclarait qu'il avait été Père nourricier d'une autre « Epouse du dieu » : Mérytrê [6]. L'existence de cette princesse à la Cour est appuyée par un passage de la biographie d'Ahmès Pen-Nekhbet. Lui aussi déclare avoir été le « Père nourricier de sa (celle de la reine) *fille aînée* (*our*), la fille royale Néférourê, juste de voix (décédée), alors qu'elle était une enfant au sein [7] ». On est donc en droit de déduire qu'Hatshepsout possédait une fille cadette, puisqu'il est aussi question de sa fille aînée.

Tout laisse cependant supposer que Mérytrê fut élevée au Palais comme une fille d'Hatshepsout, à moins que l'on n'utilise dans ce cas le mot « fille » pour exprimer « nièce », de statut égal, comme adoptée par la reine et élevée avec les enfants royaux, dont Thoutmosis son demi-frère ; elle aurait été alors, probablement, la fille de Thoutmosis II et d'Isis, mère de Thoutmosis-Menkhéperrê [8] ? Mérytrê ne serait pas apparue, pour cette raison, aux côtés d'Hatshepsout, pendant tout le règne, et ne figure réellement près de Thoutmosis que lorsque Néférourê sera décédée [9].

Telle semble être la destinée de ces deux princesses, qui auraient pu égayer la Cour de la corégente : elles furent probablement les camarades de jeu de Thoutmosis avant de devenir ses jeunes épousées.

La « Place du cœur d'Amon » [10]

Hatshepsout, bien que très affectée par le récent décès d'Hapouséneb [11], ressentait une satisfaction indicible après l'inauguration des deux nouveaux obélisques plaqués d'électrum dans la phosphorescente *Ouadjit* du domaine de Karnak. Elle se devait encore d'achever l'œuvre entreprise pour son père Amon : la *Outès-néférou*, véhicule et habitat de l'image sacrée voyageuse, ne trouvait pas encore, dans le domaine du dieu, au retour des pèlerinages les plus fameux, le refuge de paix et de grandeur digne de son inégalable prestige.

En ce début de la XVIIe année [12] de la corégence, elle avait décidé de clore définitivement le programme architectural qu'elle poursuivait avec tant d'ardeur en se consacrant à concevoir, puis à faire réaliser cet écrin divin, ce temple dans le temple, désirant le faire placer dans l'axe des salles de ce que l'on appelle : le

« La Place du Cœur d'Amon » (la Chapelle rouge), reconstitution récente de François Larché. (Musée en plein air. Karnak)

Palais de Maât derrière le IVe pylône mais non pas entre les deux obélisques aux noms de Thoutmosis II, érigés par Hatshepsout à la rencontre des deux axes essentiels Nord-Sud et Est-Ouest [13] comme on a pu le croire.

La pierre choisie, solaire par excellence, digne de la chair des dieux, serait la quartzite rose dont il faudrait encore aviver la couleur, rappelant le giron d'Hathor. L'édifice serait lui-même élevé sur un soubassement de diorite gris-noir. Sur le sol d'albâtre, seront incisés les trois signes *Ankh*, *Djed*, *Ouas*, correspondant à ceux qui avaient été réservés sur le sol de grès du « Palais de Maât » (communication janvier 2002).

Une fois de plus, la reine avait réuni plusieurs de ses architectes et de ses décorateurs, les plus jeunes et les plus dynamiques, en leur demandant de lui présenter dans les délais les plus brefs le projet qui conviendrait le mieux pour édifier la précieuse châsse destinée à protéger ce véritable trésor. Elle ne voulait pas trop se l'avouer, mais elle était lasse et craignait de ne pouvoir assister à l'achèvement de son œuvre.

Aussi n'allait-elle pas tarder à choisir parmi les suggestions qui lui seraient présentées.

Un nouveau type de construction

Les instructions préliminaires – et générales – portaient sur les décors qui devraient être assortis à la préciosité du local. L'intérieur et l'extérieur seraient ornés de reliefs miniaturisés. A l'extérieur, les scènes se rapporteraient aux grandes créations de la souveraine. A l'intérieur, l'illustration concernerait le culte et devrait évoquer l'essentiel de la théologie amonienne. Par la suite, elle préciserait les sujets à traiter en détail, et à exécuter en « relief dans le creux ». Un mot d'ordre : tous les personnages divins, royaux et sacerdotaux (prêtres porteurs de barque, danseurs sacrés), et naturellement ses propres images, devraient être dotés d'une anatomie svelte et élancée. Hatshepsout désirait qu'un « vent d'élégance » souffle sur tous les murs.

Les blocs de quartzite qui allaient composer les murs devraient tous mesurer une coudée de hauteur, et ils devraient aussi s'étager sur huit assises superposées pour tous les murs du bâtiment, formé de deux pièces de volume inégal, la plus grande étant la salle de la barque, la plus petite le vestibule destiné aux accessoires du culte.

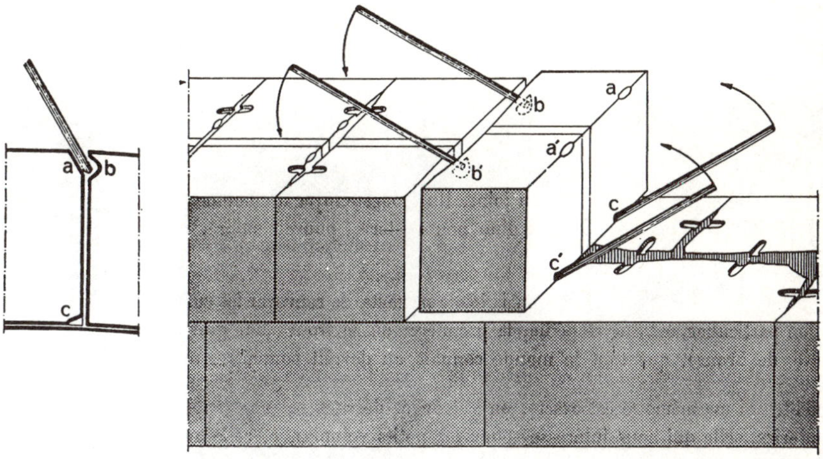

Croquis évoquant la manœuvre spéciale pour l'assemblage des éléments « préfabriqués » de la « Chapelle rouge ». (Dessin de H. Chevrier)

Parmi les projets de construction présentés, le plus original et à la fois le plus « opérationnel » fut celui qui proposait de préparer à l'avance tous les éléments de l'ensemble du bâtiment, en prévoyant la place exacte de chacun de ces blocs de quartzite devant être strictement jointifs, maintenus entre eux par des queues d'aronde (le ciment placé sur les flancs verticaux), et portant des encoches de manœuvre coordonnées. De surcroît, le décor ne serait pas sculpté sur les parois après leur élévation, comme à l'habitude. Chaque bloc devrait être décoré avant sa fixation. On imagine, alors, le soin extrême et l'infinie précision nécessaire pour un tel procédé, que l'architecte en chef de Karnak, F. Larché, après P. Lacau, qualifie justement de « premier exemple connu de préfabrication de pierre [14] ».

L'édifice serait muni de trois portes, toutes encadrées de linteaux et de montants en diorite gris-noir. La façade du vestibule devrait présenter une hauteur d'environ 7 m (en réalité 7,30 m), la façade du sanctuaire serait haute de presque 6 m. La longueur de la chapelle serait de 17,30 m et sa largeur d'environ 6 m.

Exemple du style de grande élégance, voulu par Hatshepsout dans l'exécution des bas-reliefs de la chapelle de la Barque : le baiser d'Hatshepsout pour Amon-Min.

Le décor des soubassements

Une fois le système de construction mis au point, Hatshepsout décida de sa complète et rituelle décoration. Le sol serait de calcite, marqué des signes *ankh*, *ouas*, *djed*, répétés sur le sol de grès des salles du Palais de Maât (découverte faite en janvier 2002). Les soubassements des murs extérieurs devaient être comme ceinturés par l'image répétée des redans (retraits et saillies) ornant les murs d'enceinte primitifs : la protection magique était ainsi assurée.

Au-dessus de la frise « à redans », la séquence des génies mâle et femelle représentent les richesses déposées par l'Inondation. (Photo A. Ware)

En revanche, à l'intérieur, les mêmes soubassements seraient illustrés par la longue frise des hautes laitues montées, plantes aphrodisiaques symboliques d'Amon-Min, le fécondateur [15].

Au-dessus apparaissaient les Nils et les processions géographiques évoquant les provinces et les fondations pieuses du pays qui viennent apporter leurs productions. La plus grande satisfaction de la reine fut alors de venir régulièrement dans le vaste atelier des sculpteurs pour admirer la virtuosité de ses artisans, qui ciselaient réellement dans la dure pierre de quartzite cette sélection des grandes étapes désignées par elle, avec une précision et une élégance encore jamais atteintes. Ces magnifiques reliefs étaient miniaturisés ; après avoir été peints en jaune, ils seraient ensuite dorés, dans cette chapelle orientée au soleil, Est-Ouest.

Ce jour-là, en arrivant dans l'atelier, le premier artisan qu'elle aborda était affairé à sculpter l'image royale, toujours en costume de roi (comme sur tous les murs des temples de la corégence), accueillie par Hathor qui allait l'introduire devant son père Amon.

L'illustration des murs extérieurs

Sur les murs extérieurs de la chapelle, Hatshepsout avait voulu faire représenter l'œuvre accomplie pour son père, et l'action du dieu à son endroit. C'est avant tout la place réservée aux cérémonies du couronnement, concernant ses étapes essentielles, car les images étaient assorties d'un long et très précieux texte [16] sculpté en écriture rétrograde, et figurant aussi au Nord de la troisième terrasse de Deir el-Bahari [17].

Hatshepsout se prenait à voir défiler une grande partie de l'œuvre de son existence, ainsi rapportée. Elle revoyait l'instant où son père, lorsqu'elle était encore si jeune, l'avait « mise en avant plus que celui qui est dans le Palais [18] ». Il avait fallu pourtant attendre, à son avis bien des années, avant qu'elle ne gravisse au cours d'un très lourd effort les marches du trône. Et pourtant ! Elle n'avait pas manqué de rappeler que son « élévation avait eu lieu alors qu'(elle) n'était qu'une enfant [19] ».

Une gestionnaire d'envergure

La reine revivait son émotion de l'instant où elle reçut les couronnes [20] de la royauté, et lorsque la « Grande de Magie » (l'uræus *Ourèt-hékaou*) lui avait déclaré : « *Je t'installe fermement comme le piquet d'amarrage de l'Humanité* [21]. » Ce programme, elle l'avait accompli, car elle avait tenu très ferme l'équilibre du bateau. Elle avait suivi les instructions de son dieu : « *C'est la joie du dieu que l'on améliore ses lois* [22]. » Elle avait su gouverner avec fermeté : « *Un roi, c'est une digue de pierre* [23]. » Il est bien vrai, elle s'était efforcée de faire bénéficier du rayonnement du Double Pays les hommes des terres lointaines moins favorisées : « *J'ai discipliné ceux qui étaient ignorés de l'Egypte, et que n'avait jamais atteint un messager royal* [24]. » Serait-ce une allusion à l'expédition vers le pays de *Pount* ? La discrétion serait un peu grande, appliquée à cet événement majeur du règne. On peut imaginer que, plus loin, devait exister un bloc concernant la merveilleuse aventure, et qui manque encore à l'appel.

---

16. Il en manque encore des passages, qui devaient figurer sur les blocs non encore retrouvés.

Trois des nombreuses scènes évoquant le « couronnement » d'Hatshepsout par son père Amon. Suivant la couronne imposée par le dieu suprême, l'identité de la forme féminine divine, qui insuffle la vie aux narines de la reine, est différente. En haut, à gauche, c'est Mout ; en bas, c'est Hathor ; en haut à droite, c'est Ouadjit. Chapelle rouge. (Photos A. Ware)

Au cours d'une de ses visites au chantier de la « Place du cœur d'Amon », Hatshepsout demanda à vérifier le texte relatif aux instructions initiales de son dieu, et concernant sa bonne gestion du Double Pays. Elle relut [25] :

> *« … que tu protèges le pays grâce à sa bonne administration, que la terreur que tu inspires saisisse celui qui agit hors la loi, que les fomentateurs de troubles soient sous le coup de ta puissance, que tu imposes ta force en ta qualité de maître de la vaillance. Et alors, cette Terre sera sous ton poing… Tu établis les lois, tu réprimes les désordres, tu viens à bout de l'état de guerre civile* [26]*. »*

Oui ! Elle avait bien suivi, avec détermination, les ordres de son créateur ! Elle avait été suffisamment forte pour triompher des embûches, des complots. Elle avait rétabli l'ordre. Elle avait annoncé cette action directe, menée en partie dans une des régions vulnérables, et l'avait fait inscrire au fronton du spéos de la Vallée du Couteau, voué à la belliqueuse Pakhèt. Elle pouvait maintenant en constater les effets, et répéter sa déclaration :

> *« Je me suis emparée du courage (de l'audace ?) du Criard (Seth ?), ma force étant répandue à travers les vallées pour réjouir le cœur de*

26. En égyptien, le mot se prononce *haÿt* .

la foule. J'ai ordonné de ramener le calme au milieu des provinces. Toutes les cités sont en paix. J'ai accompli les desseins de celui qui m'a créée [27]. »

L'importance de la barque du dieu

Toutes les autres scènes destinées à orner les murs extérieurs de cette divine « Place favorite d'Amon » étaient principalement réparties entre les grandes festivités de la province. La reine avait tenu à ce que les deux plus prestigieuses de la région thébaine bénéficient d'une place d'honneur sur les flancs même de l'écrin de la précieuse *Outès-néférou* [28] portée par les prêtres, et destinée aussi à voguer sur la magnifique *Ousèrhat*, pour la gloire d'Amon.

Les deux corégents, rendant ensemble le culte, peuvent porter une coiffure identique, même au cas où l'objet de l'offrande est différent. Ici, présentation de l'encens et du lait à la barque divine. Parfois, agissant en tant que rois du Sud et du Nord, ils sont coiffés respectivement de la couronne blanche et de la couronne rouge. Chapelle rouge. (Photo A. Ware)

La fête d'*Opèt*

Hatshepsout avait repris les vieux grimoires par lesquels elle avait appris que le *ka* royal était revigoré dans l'*Ipèt* du Sud (Louxor), par la grâce du dieu. Ainsi avait-elle donné un lustre encore jamais atteint à cet événement essentiel qu'était la fête d'*Opèt* (*Ipèt*). Il avait été prévu de faciliter l'accès de son peuple à l'image divine, en créant les six stations de dévotion qui dorénavant

Hatshepsout, en grande tenue, consacre les quatre coffres « Méryt », pour accueillir la barque d'Amon. (Photo Desroches Noblecourt)

scandaient le parcours de la procession, et dont elle désirait même préciser les appellations. A son retour vers Karnak, la nef n'était plus véhiculée par les prêtres, mais déposée dans l'*Ousèrhat* descendant le Nil jusqu'à Karnak. Alors la reine se tenait à l'avant pendant que Thoutmosis, pagayant rituellement, apparaissait à l'arrière. Il en était de même pour la Fête de la Vallée.

La « Belle fête de la Vallée »

Pour cette occasion encore, Hatshepsout avait interrogé les augustes archives concernant les hommages rendus aux défunts souverains du Moyen Empire, dans le voisinage du monument du grand Monthouhotep, à Deir el-Bahari. Dès le règne de son défunt époux Âakhéperenrê, elle avait participé à la fondation des premiers bâtiments du *Djéser-djésérou*. Puis elle avait repris le projet et l'avait transformé grâce aux remarquables avis de Sénènmout, en ce véritable « Versailles funéraire » qui éblouit encore de nos jours les pèlerins du monde entier. Désormais, en grande pompe, pour la Belle Fête de la Vallée, la statue voyageuse d'Amon quitterait le domaine du dieu pour séjourner, après un spectaculaire passage fluvial, dans son lieu d'accueil au sommet du *Djéser-djésérou*.

Les statues des deux corégents, en costume de jubilé, étaient représentées sur le vaisseau royal, entourées de tous les participants pour cette essentielle cérémonie. Les reliefs étaient achevés, sur la surface de quartzite encore avivée par l'adjonction d'une couleur rouge.

La fête du Jour de l'An

Il fallait aussi composer les tableaux concernant la fête du Jour de l'An, où la barque royale et ses occupants abordaient le quai de la rive gauche, gardé par la forteresse appelée Khéfèthèr nébès. Alors la procession allait monter vers la chapelle d'Hathor où l'image vivante de la vache Hathor, accompagnée d'un taurillon nouveau-né, attendait l'offrande de la coupe aux lotus bleus.

La course de la reine, accompagnée par le taureau, en l'honneur de l'arrivée de l'Inondation. Chapelle rouge. (Photo A. Ware)

Hatshepsout et la fête *sed*

Hatshepsout venait de donner ses instructions à Amenhotep et à Thoutiy : elle désirait maintenant faire assembler tous ces tableaux de pierre, qui illustraient ainsi ses activités thébaines, car ils constituaient déjà la matière à composer les cinq premières assises, parmi les huit prévues pour l'édification de la chapelle.

Restait encore à composer les séquences relatives à la récente érection des deux obélisques, destinés à célébrer l'éventuelle fête *sed*, dans les circonstances difficiles que l'on connaît. Elle pensait au différend survenu entre elle et Sénènmout à ce sujet, semble-t-il, heureusement dissipé. Elle avait suivi toutes les difficultés provoquées par la manœuvre si particulière en vue de l'introduction des monolithes dans la *Iounit*, et déploré l'effondrement des piliers : providentiel désagrément, grâce auquel avait été créée la flamboyante *Ouadjit*. La reine avait demandé que l'on réserve un tableau où les coffres figurés contiendraient un « très grand tas d'électrum », destiné à dorer les obélisques et la chapelle elle-même [29].

> *« Le roi, en personne, consacre l'or-*djam *(électrum) très grandement à Amon, maître des trônes des Deux Terres, (électrum) pris sur les prémices des tributs de tous les pays étrangers, afin de dorer les obélisques... et pour revêtir (aussi) la chapelle auguste. »*

Alors, en conclusion de ces cérémonies rituelles, Hatshepsout toujours représentée en costume de roi devrait être figurée consacrant pour Amon les deux derniers obélisques. Le texte serait gravé en inscription rétrograde, dont les termes, quoique laconiques, sont une source d'enseignement :

> *« Le roi, en personne, érige deux grands obélisques à son père Amon-Rê, à l'intérieur de l'auguste salle* Ouadjit*, travaillés en électrum, très grandement, leur hauteur perçant le ciel, irradiant les Deux Terres, comme le disque solaire [30]. »*

La reine déclare avoir fait ériger pour Amon deux obélisques recouverts d'électrum, dans la salle qui fut transformée en *Ouadjit*. Chapelle rouge, Karnak. (Photo A. Ware)

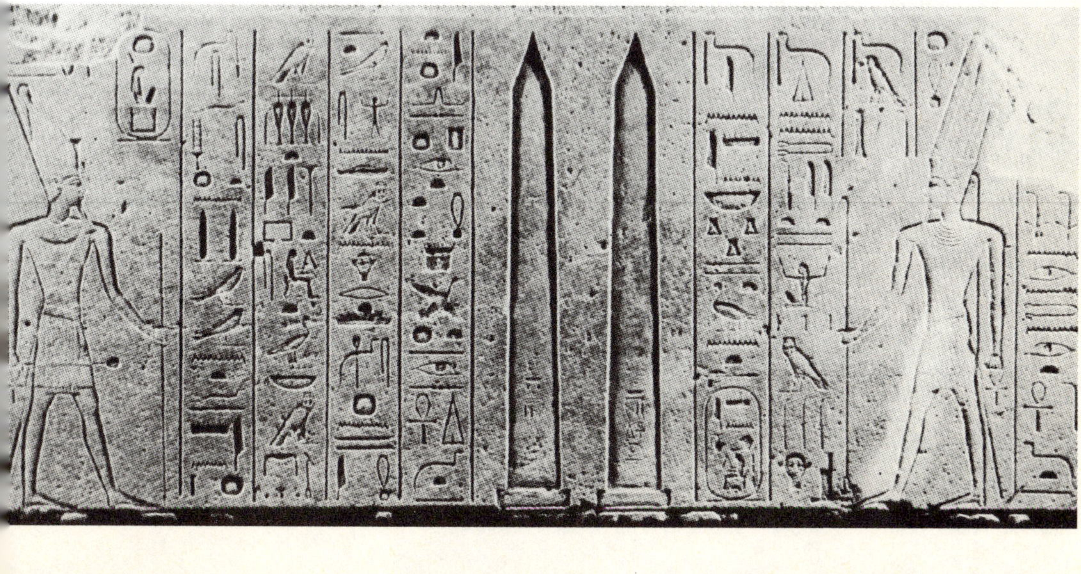

L'indication est bien donnée ici, ce que la base de l'obélisque Nord avait déjà révélé [31] : je suis assurée, maintenant, que la salle ayant reçu les deux monolithes plaqués d'électrum n'était plus une *Iounit*, mais s'appelait désormais la *Ouadjit*. De surcroît, une omission dans ce texte très officiel est révélatrice : la souveraine n'a pas cru bon, ou plutôt n'a pas pu préciser que ces monuments auraient pu être les témoins les plus spectaculaires de la première fête *sed* de son « règne ». Pourtant, ailleurs, la souveraine accomplit la célèbre course, accompagnée du taureau, en tenant des insignes variés, coiffée de diverses couronnes. Cette course est célébrée au cours de cérémonies diverses. Pour l'occasion, la reine peut porter la couronne blanche (du Sud), alors que Thoutmosis, supposé partager le rite avec elle, est coiffé de la couronne rouge (du Nord).

Un des éléments les plus marquants du futur septième registre était encore en composition sur le chantier : il concernait la consécration « d'un monceau d'or-*djam*, très abondant, pour Min-Amon [32] ».

La décoration des murs intérieurs

D'avance, Hatshepsout avait prévu le décor des murs intérieurs du sanctuaire de la barque sacrée : tous devaient se rapporter au culte. A l'intérieur de la chapelle, avant toute chose, elle désirait qu'en ce dialogue permanent avec le roi des dieux, elle figure seule, à l'exclusion de Menkhéperrê.

Hatshepsout embrasse Amon-Min ithyphallique.
Chapelle rouge, Karnak.
(Photo A. Ware)

Au premier registre inférieur, la figuration des oiseaux *rékhyt*, évoquant la population, faisait acte d'adoration.

Puis venait, au second registre, la présentation d'une série d'offrandes d'oliban dans la chapelle, à cet endroit appelé « Maâtkarê est la chérie d'Amon ». Il était nécessaire de faire aussi figurer la scène du rituel de fondation du monument : le piochage du terrain, suivi de la cérémonie du moulage de la première brique (de terre crue). Hatshepsout, alors, toujours représentée en souverain, face à la déesse Séshat, devait enfoncer dans le sol les deux piquets [33] limitant le terrain réservé au futur bâtiment, et reliés par une corde. Enfin, la reine allait répandre sur la structure achevée une poignée de grains *bésèn*, pour la purifier, en tournant autour à quatre reprises.

Frise d'oiseaux *rékhyt*, symbolisant les sujets d'Hatshepsout, en adoration.

Le troisième registre devait évoquer les cérémonies accomplies pour le Sud et le Nord : courses rituelles, sacrifice des quatre quadrupèdes (le jeune taureau *ioua*, le jeune taureau *néga*, le jeune oryx, la jeune gazelle). A cette occasion, il devait être rappelé que la belle Hathor, s'adressant à la reine, allait lui offrir les années d'éternité, « *en affermissant tes années sur l'*ished *d'éternité* [34] ».

Au quatrième registre, chargé d'un amoncellement d'offrandes, on devrait découvrir qu'Hatshepsout avait fait construire un nouveau meuble rituel : l'auguste barque *Séshem-khou* [35] en hommage à « sa mère Amonèt ».

33. Evoquant les quatre réels piquets qui devaient être enfoncés dans la terre aux quatre angles du futur édifice.

La « grande offrande » pour Amon-Min, complétée par la présentation finale du vin, par Hatshepsout. Derrière l'image du dieu, les plantes sacrées du dieu de la fécondation, constituant également dans la chapelle les éléments d'une longue frise décorative et symbolique. Chapelle rouge, Karnak. (Photo A. Ware)

Au cinquième registre, la reine apparaît avançant entre Horus et Thot, pour arriver devant la Grande Ennéade « afin de renouveler pour elle les jubilés ». Entourée de souhaits de vie et de bonheur, Hatshepsout reçoit :

Au sixième registre, d'autres offrandes, et entre autres les vœux de bonheur et de stabilité.

La marque du départ

Les septième et huitième registres, en partie retrouvés, présentent, surtout en ce qui concerne le huitième registre, une gravure bien mauvaise et marquée uniquement aux noms de Thoutmosis-Menkhéperrê.

Devant les derniers blocs destinés à composer le sixième registre du décor intérieur de la chapelle, on perçoit déjà le désintérêt porté par la souveraine à ce monument capital. Les jours avaient passé depuis l'an XVII, où la grande Hatshepsout décida de consacrer à son dieu, une dernière fois, un témoignage ultime d'amour : la « *Place du cœur d'Amon* ».

Déjà Hâpy s'était répandu à vingt reprises sur la terre d'Egypte, depuis le couronnement de Thoutmosis-Menkhéperrê. La grande reine avait assurément accompli l'œuvre dont Amon l'avait chargée. N'avait-elle pas, en conclusion de son action bénéfique sur le trône, et en guise de testament, exposé l'état du pays tel qu'elle allait le confier, grandement enrichi, à son neveu Thoutmosis, après en avoir hérité elle-même de son père ?

> « *Je fus son héritièr(e) bienfaisant(e), lorsqu'il me donna la royauté du Pays Noir et du Pays Rouge* [36]. *Tous les pays étrangers sont (maintenant) sous mes sandales. Ma frontière méridionale atteint les territoires de* Pount *et la Terre du dieu est dans ma poigne. Ma frontière orientale atteint les confins de l'Asie. Les peuplades du Nil moyen (?) sont dans mon étreinte. Ma frontière occidentale atteint les monts de* Manou. *Ma frontière septentrionale… J'ai gouverné la Libye, ma puissance s'est répandue sur l'ensemble des Bédouins.*
>
> *On m'apporte l'oliban de* Pount, *tout comme le blé, par bateau… Toutes les merveilles, toutes les choses précieuses de cette contrée sont successivement livrées à mon palais. Les Sémites ont fourni les turquoises de la région de* Réshaout *; ils m'apportent les sélections du pays de* Démou, *en cèdre (ou sapin) et en bois* mérou [37]*… et tous les beaux bois du pays de* Pount.
>
> *J'ai (également) amassé les tributs des Libyens, 700 défenses d'éléphant, entre autres, et de nombreuses peaux de panthère dont le dos mesurait 6 coudées et (le) pourtour 4 coudées. Des panthères du sud également, en plus de tous les tributs de ce pays étranger* [38]. »

Il n'y avait que le *Réténou* dont Hatshepsout laissait la surveillance à son successeur, car cette région avait montré peu d'agressivité sous son règne, tant son vénéré père l'avait terrorisée :

> « *Les Grands du* Réténou *sont encore sous l'épouvante du temps de ton père* »,

lui avait rappelé Amon [39].

XXII

LA PROGRESSIVE DISPARITION

Thoutmosis combat au Sinaï

Lorsqu'en l'an XVI, la reine s'apprêtait à créer pour son dieu la resplendissante demeure de la barque sacrée, Thoutmosis organisait avec un fidèle du Palais, Khérouef, une nouvelle expédition punitive contre les bédouins du Sinaï, dans les défilés du Ouadi Maghara, où les précieuses mines de la Dame de la turquoise étaient à nouveau en danger. Pour marquer une fois de plus son passage, le corégent fit graver, sur un rocher, la silhouette de la reine, coiffée du *khépéresh*, faisant offrande à l'Horus-*Séped*, seigneur du pays de l'Est, près de laquelle on pouvait le voir portant la couronne rouge du Nord, et présentant le pain à la déesse Hathor, maîtresse des lieux. Un texte commentait la scène :

> *« En l'an XVI, sous la Majesté du roi de Haute et Basse Egypte Maâtkarê, aimée de l'Horus-Séped, seigneur de l'Est (et sous la Majesté de) Menkhéperkarê, qu'il vive, soit stable et durable, éternellement, aimé d'Hathor maîtresse de la turquoise... Le roi s'est placé à la tête de ses soldats pour fouiller les vallées mystérieuses*

des possessions [1] *de Sa Majesté, (assisté du) Confident d'Horus-qui-est-dans-le-Palais* [2]*, Khérouef* [3]*.* »

Le roi commence à affirmer une certaine autonomie, mais il n'est toujours pas seul sur le trône : actif corégent, il marque encore cependant ses activités officielles aux noms jumelés de sa tante et belle-mère Hatshepsout, et en son nom propre.

Sénènmout surveille son caveau

Durant cette même année XVI, Sénènmout faisait poursuivre l'aménagement de son caveau souterrain, au Nord-Ouest, sous la première grande cour du *Djéser-djésérou* à Deir el-Bahari [4]. La dernière date enregistrée par les fouilleurs du Metropolitan Museum de New York, sur les murs de la tombe était celle de « l'an XIII, le 29e jour du 4e mois de la saison *Akhèt* (inondation) ». Le lourd sarcophage donné par la reine n'avait pas encore été introduit dans la sépulture et attendait toujours dans la chapelle de Gourna, où il avait été entreposé. Mais les textes religieux, aux murs, avaient été gravés avec un soin remarquable. Dans la première pièce l'image de Sénènmout, légèrement inclinée, rendait un hommage éternel aux noms de la reine : toujours célibataire, Sénènmout figurait, plus loin, assis entre son père et sa mère [5]...

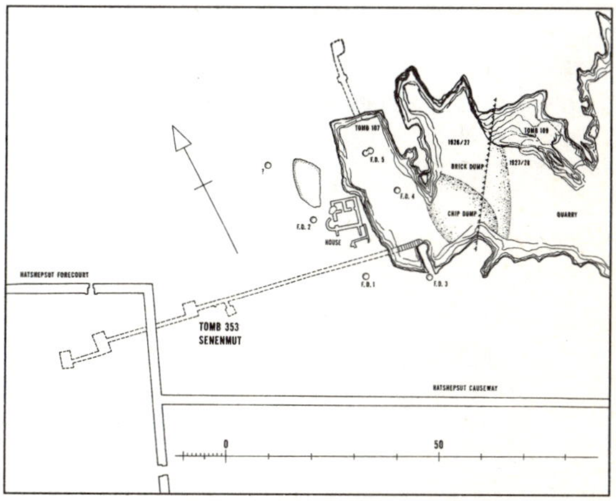

Les carrières au Nord du Temple de la reine où l'entrée de la sépulture de Sénènmout est aménagée, et l'emplacement souterrain de son caveau (à gauche), sous la première cour du Temple. (D'après Dorman)

1. Les carrières.
2. La reine.

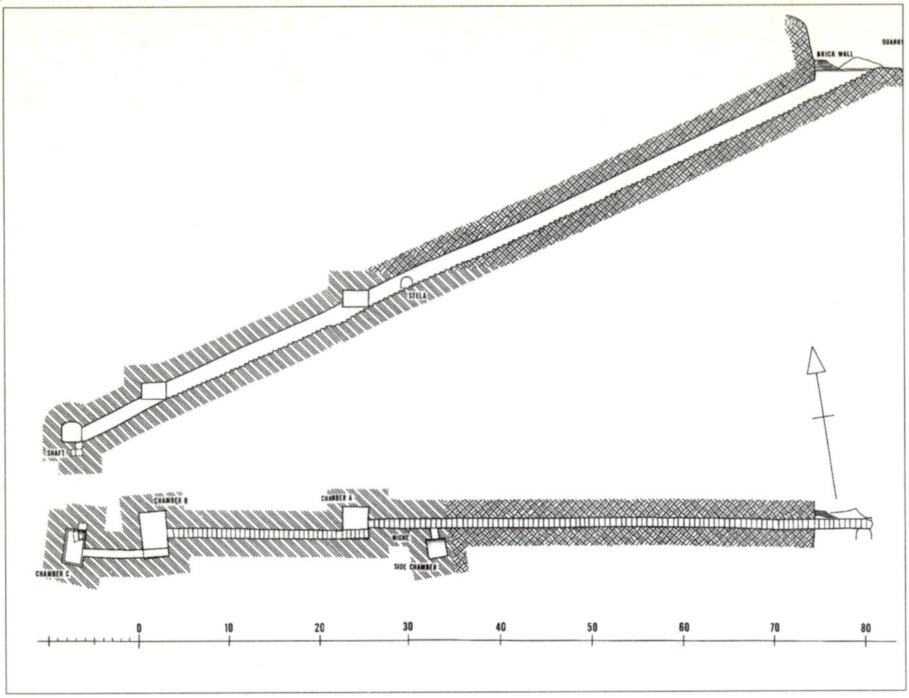

Coupe et plan de la tombe souterraine de Sénènmout, au Nord de Deir el-Bahari.

Ci-dessous : Détail des escaliers, des chambres et situation de la stèle funéraire.
(D'après Dorman)

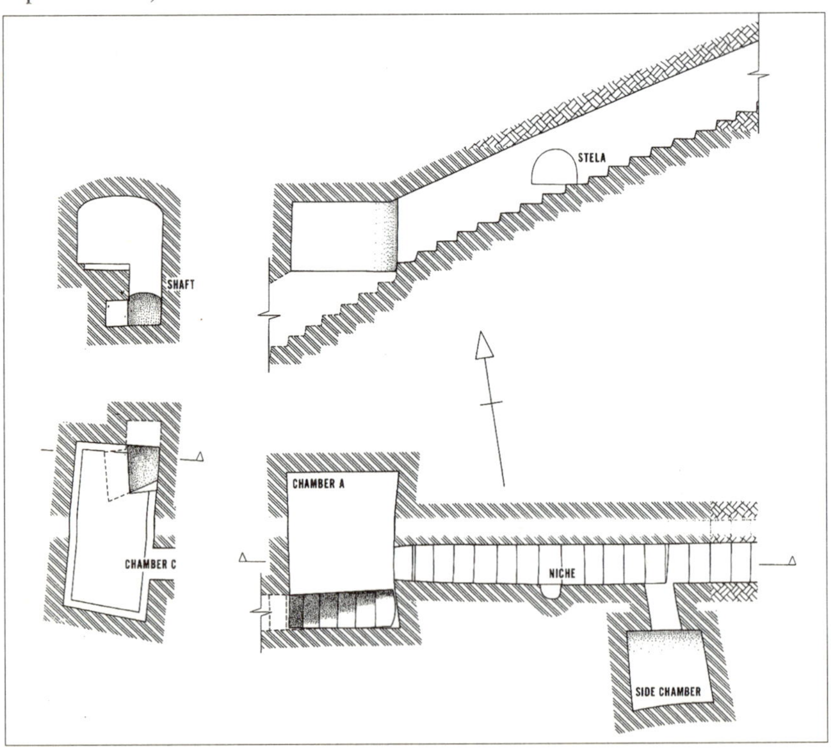

Axonométrie de la chapelle de Sénènmout à Gourna. (D'après Dorman)

Encore Thoutmosis, mais seul

Voici que, l'année XVI déjà entamée, à Shalfak du pays de *Koush*, Amenhotep, scribe du Vice-roi de *Koush* Amenemnékhou, traça sur une paroi rocheuse un graffito faisant allusion au troisième Thoutmosis. Pour la première fois, la citation du nom du corégent n'est pas accompagnée de celle de Maâtkarê [6]. Cela n'est pas suffisant pour évoquer, déjà, la disparition de la reine, mais incite à penser que le rôle de Thoutmosis était devenu prépondérant, et l'action de la reine probablement inexistante.

Les dernières mentions de la souveraine

Il faut attendre l'an XX de la corégence pour repérer les deux dernières mentions publiques d'Hatshepsout. La première demeure encore, située à Sérabit el-Khadim, dans le temple d'Hathor. Le scribe Nakht, en service auprès des travaux de la mine, avait tenu à marquer son passage en en gravant la date, mais sans accompagner la mention de l'an XX par l'indication du jour ou du mois. Il mentionna les noms des corégents et se contenta de graver après le nom de la reine la seule mention « vivante » (*ânkhti*) [7]. La seconde et dernière mention de l'an XX, se référant à la reine, constitue une véritable ironie du sort, car elle est située en Basse Egypte, où la souveraine semble n'avoir jamais fait acte de présence depuis que, toute jeune, elle avait accompagné son père dans les sanctuaires du Delta, ce dernier soucieux de la présenter comme son héritière ! On retrouve, alors, le même scribe Nakht, retour du Sinaï probablement, en visite « touristique » dans les monuments du roi Djéser, de la IIIe dynastie, à Sakkara. Il tint, suivant l'habitude, à laisser trace de son passage auprès d'un site fabuleux, où seules les premières colonnes « protodoriques » du vestibule d'entrée préfiguraient les gracieux supports architecturaux créés par Hatshepsout dans ses monuments de Haute Egypte et de Nubie.

Nakht avait une dernière fois – sans trop penser à l'importance de son témoignage – rendu hommage à la souveraine en traçant ces mots : « *Le 2e jour du 3e mois de Pérèt, année XX d'Hatshepsout et de Thoutmosis-Menkhéperrê* [8]. »

La disparition de la reine

Le mystère qui a toujours entouré Hatshepsout continue à sévir à partir de l'an XX où, pour la dernière fois il en est fait mention. Aucun texte retrouvé, en effet, ne signale le décès d'Hatshepsout. Le silence paraît complet. Cette situation est d'autant plus étrange lorsque l'on songe à l'œuvre extraordinaire et si vaste réalisée, dans tous les domaines, par cette femme digne des grandes dames du début de la dynastie, et dont l'action a été si bénéfique à son pays.

Une seule date

Un seul texte, à ce jour, pourrait guider la recherche. Il est malheureusement très dégradé. Il fut gravé sur une stèle provenant d'Erment : ses vestiges laissent supposer qu'il devait résumer les principales étapes du règne de Menkhéperrê. Seul le début est conservé, et bien que détérioré, il a pu livrer l'indication suivante : « *le 10e jour du 2e mois de* Pérèt (hiver-printemps), *an XXII* ». Les premiers éditeurs de ce texte [9] ont pensé qu'il pouvait s'agir – en considérant l'indication de l'année XXII, et par rapport à l'an XX, dernière mention de notre reine vivante – de la date à laquelle Thoutmosis commença à régner seul. Or, deux mois après, jour pour jour, Thoutmosis partait en Asie pour la première et la plus glorieuse – la plus importante aussi – de ses expéditions militaires : « l*e 16*e *jour du 4*e *mois de* Pérèt, *l'an XXII* [10] ». On pourrait déduire de la stèle d'Erment que la souveraine se serait éteinte le 9e jour du 2e mois de *Pérèt*, l'an XXII. Le corégent, pour éviter que le Malin ne s'introduise à la place laissée libre à ses côtés, aurait-il tenu à confirmer à nouveau et immédiatement sa présence sur le trône ?

La longueur du règne

Quoi qu'il en soit, les preuves sont bien maigres : devant ce silence, on pouvait seulement croire que la reine s'était discrètement retirée du pouvoir. Cependant, devant le mutisme absolu des officielles listes royales et des écrits contemporains, on bénéficie heureusement des recherches historiques exécutées à l'époque ptolémaïque par l'historien égyptien Manéthon [11] qui, sur la demande de Ptolémée II, entreprit de consulter les archives secrètes des temples les plus illustres, pour rédiger, en grec, l'histoire des pharaons. Rien n'avait échappé au scribe sacré : après le règne de celui que l'on reconnaît comme le second Thoutmosis, Manéthon avait écrit « *alors sa sœur Amessis, pendant vingt et un ans et neuf mois* » (en tant que cinquième souverain de la XVIIIe dynastie : Manéthon 101). Il était donc implicitement marqué, dans la mémoire des temples, que le « règne » de la reine aurait bien commencé à partir du moment où l'oracle d'Amon l'avait désignée pour monter sur le trône, ce qui en réalité correspond aux exactes prétentions d'Hatshepsout ! Ces 21 ans et 9 mois peuvent facilement s'inscrire entre l'an XX et l'an XXII, une marge de trois mois seulement existe entre les renseignements fournis par la stèle d'Erment et le texte de Manéthon.

La souveraine aurait ainsi pu s'éclipser vers le 1er ou le 2e mois de *Pérèt*, en l'an XXII du règne, comme pourrait le suggérer la stèle d'Erment.

Le mystère de la disparition

Pourquoi alors les listes royales des souverains (principalement établies par les premiers ramessides) ne mentionnent-elles pas son temps de règne – ou sa présence – sur le trône des maîtres de

10. En fait, après avoir quitté Thèbes, l'armée de Thoutmosis quitta Memphis le 25e jour du 4e mois de *Pérèt*, l'an XXII : *cf.* VdS, p. 296.

l'Egypte, et pourquoi, en revanche, les monuments souvent conçus et édifiés par ordre de la reine ont-ils été l'objet d'une certaine et tenace vindicte ? Pour reprendre les termes de Claude Vandersleyen : « cette fin de règne a été l'objet d'hypothèses très romancées. Il n'y a aucune mention de la mort de la reine en l'an 22, elle n'a pas été nécessairement "renversée" ou "abattue" ; il n'est pas exclu qu'elle ait cédé le pouvoir à Thoutmosis (Menkhéperrê) adulte et qu'elle ait fini ses jours sans bruit. Si vraiment elle est morte en l'an 22, il n'est pas nécessaire d'imaginer autour de cette mort une ambiance mérovingienne (je pense à la fin de Brunehaut) ni une explosion de haine. En fait, on ne sait pas [12]. »

Le problème porte donc sur le point précis de savoir si la reine mourut – ou disparut – au début de l'an XXII du règne de son neveu, et dans ce cas, comment n'a-t-on encore jamais pu retrouver une trace, fût-elle infime, de ses obsèques royales ? Ou bien avait-elle été frappée par l'épuisement, touchée par la maladie [13], victime d'un accident, objet d'un crime ?

Bien au contraire, avait-elle décidé de rendre à son neveu la charge du royaume dont il était parfaitement digne ? Elle avait vraiment atteint les limites du programme tracé en vue de servir au mieux les volontés d'Amon. Pourquoi n'aurait-elle pas alors désiré connaître l'insouciance d'une vie libérée de l'écrasante charge du trône ? Pourrait-elle, enfin, fouler cette Terre du dieu baignée dans les effluves grisants de l'oliban, d'où son père Amon, un jour, avait surgi ? Cette terre de *Pount* d'où la divine Hathor puisait encore et toujours l'humus destiné à entretenir le miracle des Deux Rives ?

La disparition de la première grande souveraine de l'Antiquité serait-elle si prosaïque, si différente de la brillance et du panache qui marquèrent son existence hors du commun ?

Un coup de théâtre

Un seul témoin jusqu'à présent m'est apparu comme porteur d'une indication laconique, mais sans doute indiscutable, et dont il semble qu'on n'ait pas tenu compte… Il s'agit, en effet, de la relation d'une vieille connaissance, rencontrée au début du « roman » d'Hatshepsout, lorsqu'elle se rendait à el Kab, chez son précepteur Ahmès Pen-Nekhbet. Ce vétéran, compagnon d'armes du père de la princesse, était digne d'avoir atteint les 110 ans de la sagesse, à prendre connaissance de sa biographie. Ce document, qu'il fit graver sur un des murs de son tombeau, nous révèle en quelques lignes[14] deux points précis de la première importance, sur la reine et son destin :

« J'ai accompagné les souverains dans les pays étrangers du Sud et du Nord, et en tous lieux où ils se sont manifestés :

Le roi du Sud et du Nord Nebpéhtyrê (Ahmosis), juste de voix (décédé).

Le roi du Sud et du Nord Djéserkarê (Aménophis Ier), juste de voix (décédé).

Le roi du Sud et du Nord Âakhéperkarê (Thoutmosis Ier), juste de voix (décédé).

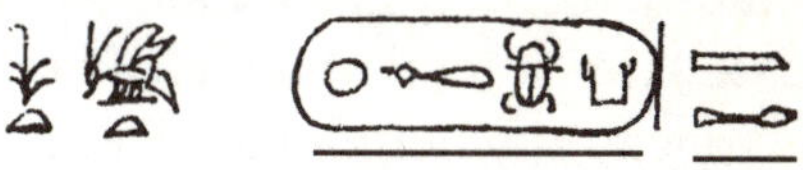

Le roi du Sud et du Nord Âakhéperenrê (Thoutmosis II), juste de voix (décédé).

Le roi du Sud et du Nord Menkhéperrê (Thoutmosis III), qu'il vive éternellement ! »

De ces cinq souverains, cités par Ahmès Pen-Nekhbet, quatre étaient décédés, mais le dernier, Thoutmosis-Menkhéperrê, était bien vivant, comme notre citoyen d'el Kab. Mais que faisait-il de son ancienne petite protégée, Hatshepsout, objet de son affection, de son admiration ? La suite du récit est un enseignement :

« J'ai atteint l'âge de la verte vieillesse [15], je suis en vie de par (la grâce) du roi. Je demeure dans les louanges de Leurs Majestés. Je suis dans l'amour du Palais. (Alors que) la Grande Epouse royale Maâtkarê, décédée,

*avait renouvelé pour moi ses faveurs (et que) j'avais « nourri » sa fille aînée (*our*), la fille royale Néférourê, décédée,*

une enfant (que j'avais tenue) serrée contre ma poitrine [16]. »

16. Mot à mot : « un enfant entre mes seins ».

Voici la fin du mystère : un fidèle d'entre les fidèles, un vieux fonctionnaire très traditionaliste, infiniment respectueux de la règle sacrée, savait bien que sa chère princesse n'avait pu être couronnée selon le sacro-saint rituel, puisqu'à la mort du deuxième Thoutmosis, Âakhéperenrê, le troisième et bien jeune Thoutmosis-Menkhéperrê avait reçu la véritable consécration des couronnes et l'initiation dans le saint des saints du temple.

C'est certain, il ne pouvait y avoir deux rois siégeant à la fois sur le trône d'Egypte !

Pour Ahmès comme pour tous les dignitaires et même pour une grande partie des fidèles de la reine [17], Hatshepsout était toujours demeurée la Grande Epouse royale, veuve de Thoutmosis le deuxième, celle que le savant Inéni avait officiellement définie au décès du deuxième Thoutmosis, et dont je rappelle ici les termes :

> *« Il (Thoutmosis-Âakhéperenrê) sortit vers le ciel et s'unit avec les dieux. Son fils se leva à sa place en roi du Double Pays. Il gouverna sur le trône de celui qui l'avait engendré. Sa sœur, l'Epouse du dieu Hatshepsout, dirigeait les affaires du pays selon sa propre volonté. On travaillait pour elle, l'Egypte étant tête baissée* [18]. »

Et pour souligner encore les qualités exceptionnelles de celle qui tenait la place du souverain sacré, Inéni d'ajouter, utilisant le langage des bateliers du Nil :

> *« La semence bénéfique du dieu, qui en est issue, la corde du gouvernail de la Haute Egypte, le piquet d'amarrage de la Basse Egypte, la maîtresse du commandement, dont les conseils sont excellents, les Deux Rives jubilent lorsqu'elle parle* [19]. »

Quand Hatshepsout mourut-elle ?

Vingt et une années s'étaient écoulées, au minimum, pendant la première partie du règne du troisième Thoutmosis. Pour suivre le texte d'Ahmès Pen-Nekhbet, et en remontant le temps, il faut donc compter environ 22 années pour le début du règne de Menkhéperrê, 3 années pour le règne du deuxième Thoutmosis. On doit alors additionner les 12 années minimum également passées sur le trône – ou plutôt à guerroyer – du premier Thoutmosis. On arrive, enfin, aux temps d'Aménophis le Premier, 25 années, et d'Ahmosis pendant 20 autres années. Cela fait un total de 80 à 85 ans, au plus court (22 + 3 + 12 + 25 + 20).

En supposant que le fameux guerrier qu'était Ahmès Pen-Nekhbet ait commencé à combattre auprès d'Ahmosis vers sa quinzième année, au moment du décès d'Hatshepsout le vieux précepteur royal était assez près de devenir « très » Sage ! Avant de passer dans l'éphémère royaume d'Osiris, il a bien voulu nous livrer matière à percer au moins deux des énigmes concernant l'existence de notre reine.

La mort de la reine

Hatshepsout ne fut certainement jamais complètement investie de l'ensemble des prérogatives royales, raison pour laquelle les listes royales contemporaines l'ont écartée [20]. La reine dut mourir entre les années XX et XXII du règne de Menkhéperrê, et avant le décès du vieux guerrier Ahmès Pen-Nekhbet.

A la disparition de la corégente, il ne fut donc même pas question de célébrer les cérémonies d'investiture d'un nouveau souverain, puisque Thoutmosis continuait à suivre naturellement l'enchaînement de ses années de règne.

L'événement n'impliquait pas davantage un enterrement royal, et n'imposait pas de préparer les importantes festivités d'investiture de son successeur qui n'avait pas lieu d'être, puisque le deuil célébré pour Hatshepsout n'était pas celui du roi en titre.

La sépulture de la reine

Hatshepsout fut effectivement enterrée dans le gigantesque caveau inachevé de la vallée funéraire royale qu'elle avait fait préparer (plus tard, sûrement à l'époque ramesside, les ouvriers appelèrent cette vallée « La grande plaine des souchets »). Thoutmosis-Menkhéperrê conduisit certainement les cérémonies funèbres.

Il accompagna sûrement l'équipement entourant la momie tout au long des quatre descenderies, coupées par trois chambres rectangulaires, qui aboutissaient à la grande salle de 11 m x 5,5 m x 3 m, au plafond soutenu par trois piliers centraux.

L'atmosphère était quasiment irrespirable et le dernier rituel récité à la lumière des torches dut être écourté. Le décor mural n'avait pas été achevé.

Gisant au sol, quinze plaques de calcaire destinées à revêtir une partie des murs étaient marquées à l'encre rouge et noire des chapitres du « Livre de la Salle cachée », ou livre de l'*Imy-Douat* [21]. La momie, d'assez petite taille si l'on en juge par l'intérieur de la cuve de la reine (qui devait de surcroît contenir les sarcophages momiformes emboîtés), allait ainsi reposer non loin de celle du grand Thoutmosis, le père, que la souveraine avait fait réenterrer dans sa propre future « demeure d'éternité ».

Les vestiges du mobilier funéraire de ce dernier subsistaient encore, en dépit de son nouveau déménagement et des pillages qui survinrent.

C'étaient d'abord les souvenirs de la grande ancêtre, la reine Ahmès-Nofrétari, consistant en deux de ses vases de pierre, brisés. Puis d'autres reliques de l'enterrement de ce père aimé : un vase au nom du deuxième Thoutmosis indiquant qu'« *il (l')avait fait comme son monument pour son père* ».

Les fouilleurs [22] trouvèrent, parmi les fragments de vases de pierre, des morceaux de bois provenant certainement des sarcophages momiformes de la reine [23]. Naturellement, il ne demeurait plus aucune trace de bijoux. Ainsi qu'on le verra, la tombe connut le sort des autres sépultures de la vallée, et fut par la suite complètement pillée.

Lorsque le caveau subit les derniers outrages des pillards qui, au XIXe siècle de notre ère, renouvelèrent les sacrilèges antiques, une partie de ce qui pouvait encore subsister fut proposé aux brocanteurs locaux de la rive gauche de Thèbes.

C'est ainsi qu'un *shaouabti* de la reine trouva un digne refuge dans une vitrine du musée de La Haye, et qu'un jeu de *sénèt* en terre cuite peinte bénéficia d'un asile respectueux au musée du Louvre, alors qu'un pion de jeu en forme de tête de guépard, au nom de la reine, est maintenant conservé au musée archéologique de Bâle.

---

21. Livre secret dont l'original figure, au complet, sur les murs de la tombe d'Ousèr, vizir de la reine.

Enfin, au musée du Caire, provenant de la « cachette royale de Deir el-Bahari », un coffret en bois de sycomore incrusté d'ivoire, aux noms de la reine (« *Le roi de Haute et Basse Egypte, Maâtkarê,... fils de Rê, Hatshepsout-khénémèt-Amon* »), contient un foie desséché (ou une rate ?) [24].

Isis assure le cycle de l'éternité pour Hatshepsout.
Relief figurant au pied du sarcophage
d'Hatshepsout au Musée de Boston.

XXIII

HATSHEPSOUT-MAÂTKARÊ LE PREMIER RÉEL PHARAON

Il importe bien peu que le mobilier funéraire – le trésor – de la reine se soit évanoui dans des mains impies. Qu'importe encore, si les flancs de sa syringe ont seulement pu recevoir un reflet incomplet de grands textes religieux, retrouvés entièrement intacts dans le caveau de son vizir Ousèr !

Qu'on ne s'attende pas davantage à un dramatique récit du décès de notre reine. Hatshepsout était une Egyptienne de Thèbes, Cléopâtre, elle, descendait des généraux macédoniens d'Alexandre !

Grâce à l'inscription, pourtant si laconique, d'Ahmès Pen-Nekhbet, j'ai été en mesure de préciser le statut si particulier de Maâtkarê. Il faut le répéter : depuis son union avec Thoutmosis le Second, elle ne cessa jamais d'être considérée, au regard de la législation royale, autrement que comme la Grande Epouse royale de son demi-frère, le second Thoutmosis, et régente du jeune prince héritier couronné à la mort de son père.

A considérer sa mort, et bien qu'investie d'un semblant de couronnement propre à lui conférer, aux yeux du peuple, l'état indiscutablement mérité de roi du Sud et du Nord, on constate donc qu'elle disparaît en tant que seulement corégente, alors que son neveu, déjà investi des réelles prérogatives d'un souverain d'Egypte, avait pris le deuil de son père depuis au moins vingt et une années. Il n'était donc pas question d'organiser les cérémonies d'investiture, encore moins les festivités d'un couronnement, puisque le roi en titre n'était pas décédé, et occupait le trône, continuant à assumer ses successives années de règne.

On peut cependant être assuré qu'Hatshepsout fut, avec tous les honneurs dus à son rang et en raison de son inégalable action, ensevelie dans la tombe qu'elle avait fait préparer à son intention dans la Vallée des Rois : les vestiges de son mobilier funéraire, retrouvés sur place et aussi à l'extérieur, en sont les plus sûrs garants.

Dans quelles circonstances Maâtkarê mourut-elle ? Voudrait-on pouvoir entourer sa mémoire d'un dernier acte regrettable, spectaculaire, tragique, imprévisible ? De telles circonstances, difficiles à imaginer, n'ajouteraient rien à son incomparable image. On a compris, aussi, que Menkhéperrê continua à la respecter et à s'inspirer de son action. De surcroît, le message laissé par elle au fronton du Spéos Artémidos dépasse en grandeur l'oraison funèbre à quoi aurait pu atteindre un romantisme très dépassé.

Le genre de la « chronique historique » n'était pas encore d'époque au moment où le vénérable Ahmès Pen-Nekhbet fit exceptionnellement allusion aux cinq rois sous lesquels il vécut. De surcroît, l'histoire de l'Egypte est bien souvent écrite grâce aux documents fournis par les temples et les tombeaux. Les villes et les bourgades, assurément riches en témoignages, sont envahies sous les dépôts successifs et les agglomérations modernes. L'apparition de documents civils, scientifiques, littéraires, personnels, tient du hasard.

Ainsi, l'absence de détails concernant le décès des souverains de l'Egypte est quasiment totale, mis à part l'assassinat d'Amenemhat Ier, au Moyen Empire, le 7e jour du 3e mois de la saison *Akhèt*, an XXX, et l'empoisonnement de Ramsès III, à la fin du Nouvel Empire. A l'exception de ces deux drames, dont le premier inspira à la fois un roman populaire (le *Conte de Sinouhé*), et le second (un complot de harem) provoqua un procès retentissant à la relation miraculeusement conservée sur papyrus [1], rien d'autre ne nous est parvenu.

On sait qu'une discrétion extrême plane toujours sur la vie privée des rois et reines d'Egypte (Néfertiti et Nofrétari demeurent toujours dans le mystère le plus complet). En revanche, Hatshepsout fut, encore une fois, novatrice en créant de vastes compositions illustrant ses très originales réalisations.

Le lecteur de ce récit, tiré en partie de l'ombre, pourrait regretter pareil manque d'informations plus personnelles, sans quoi il aurait probablement connu les circonstances au cours desquelles a disparu celle qui devint un jour égale à tous ses « sujets », et sans différence aucune, simplement un « Osiris », très vite intégré dans la nébride d'Anubis.

Car seule l'œuvre terrestre de la reine comptait ; ainsi, tout était achevé. Elle était passée dans le monde où toute action portait le poids de ses responsabilités. Aussi, après le passage suprême, a-t-elle été intégrée dans l'éternel périple de la glorieuse fille d'Amon .

Cette œuvre immense de la magnifique souveraine, dominée par elle avec hauteur, en dépit des attaques des hommes et du temps, s'impose encore aux yeux de tous et témoigne d'une personnalité qui, prenant en main les sceptres du pouvoir, sut innover avec intelligence et originalité, créant dans de vastes domaines les précédents dont ses continuateurs surent s'inspirer. Elle fut une femme de devoir à la perception et à l'imagination sans cesse en éveil, respectueuse de ses engagements envers son pays et des intérêts de son neveu, dont elle fit le grand Thoutmosis.

Suivant et précédant le cortège funéraire de la reine, sur tout le parcours de ses obsèques, les pleureuses exprimèrent avec intensité leur douleur. (Peinture thébaine)

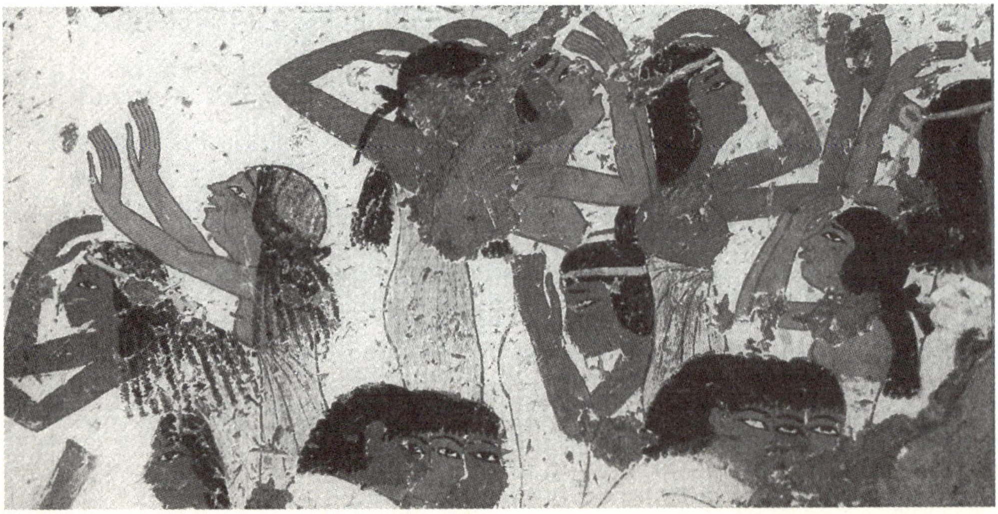

Les corégents ont toujours dû affirmer, en public, leur parfaite égalité. Hatshepsout, en tête, fait précéder son nom de couronnement par le titre : roi du Sud et du Nord. Le prénom de Thoutmosis-Menkhéperrê est la plupart du temps précédé du titre : fils du Soleil. Chapelle rouge. Karnak. (Photo A. Ware)

Consciente de ses responsabilités, rien ne la laissait indifférente. Elle sut veiller à la sécurité de l'Egypte, payant de sa personne pour donner l'exemple et veiller à maintenir la paix nécessaire à l'épanouissement de sa terre.

Elle aurait pu, avec véhémence et à juste titre, briguer les droits sur le trône, étant issue du parfait couple royal, et possédant de nombreux atouts pour appuyer sa légitimité. Mais elle sut probablement s'incliner devant la « raison d'Etat », au détriment de sa complète et personnelle ambition.

Devenue Grande Epouse royale, peut-être à son corps défendant, aux côtés d'un demi-frère probablement défaillant, elle fut obligée de conserver réellement cette condition, bien qu'elle ait tenté de bénéficier, pour des raisons politiques, de la transmission du pouvoir royal, jusqu'à renouveler les obsèques de son défunt père, pour le réensevelir dans son propre caveau, en digne héritière du trône !

Puis, elle sut, avec habileté, demeurer corégente auprès d'un bien petit prince, tout en exerçant avec détermination la responsabilité d'un « homme capable de payer de sa personne ». Alors, loyale à la couronne, elle réserva à son jeune corégent une assistance, des égards et surtout une formation digne d'admiration. Elle dut avec une certaine souplesse, mais avec son audace coutumière, s'opposer aux rébellions qui guettaient la paix du royaume à l'intérieur du pays, et contrer les agressions venues de l'extrême Sud. Sa subtilité dans toutes ces obligatoires manœuvres était digne de celle des plus habiles diplomates.

Elle fut, certes, aidée, soutenue pour affronter, dans les meilleures conditions, les épreuves du pouvoir, par un ensemble de hauts fonctionnaires exceptionnellement dévoués, créatifs et fidèles... mais elle avait su les choisir ! Le plus présent de tous, et le plus puissant, fut le mystérieux et omnipotent Sénènmout, qui exerça sur elle une présence journalière et une influence certainement très bénéfique. Tous l'entourèrent et partagèrent les efforts de redressement de l'Egypte, dont un des supports d'avenir fut une armée mieux organisée, et dont elle prit grand soin en songeant aux dangers susceptibles d'assaillir son successeur.

Sa remarquable conscience s'exerçait sur tous les problèmes abordés, aussi bien au sujet des cogitations philosophico-religieuses les plus subtiles que pour les détails matériels à ne pas négliger. Ainsi son attention fut-elle littéralement mobilisée pour mettre à la portée de ses sujets le début d'un dialogue avec le divin, mais aussi une meilleure pénétration du devenir *post mortem*, en commentant l'image osirienne tenant en main le secret de son message.

Ce phénomène, elle le démontra encore au moyen d'autres symboles, celui de la vache de la belle Hathor et du chien d'Anubis, qu'elle introduisit dans son temple « de millions d'années », appelé

« la Merveille des Merveilles ». Cette création unique en son genre, et même sans lendemain en Egypte, mérite à elle seule de définir l'œuvre de la reine. A Deir el-Bahari, comme en d'autres sites, elle créa les premiers sanctuaires-spéos, pour encore affirmer le message de la déesse-mère. Dans la montagne, elle ouvrit même la « Vallée des Rois », et en fit la nécropole des souverains, qui se perpétua jusqu'à la fin du Nouvel Empire.

Ses recherches à caractère cosmique – principalement solaire – auxquelles Sénènmout apportait le complément des secrets nilotiques, ne l'éloignaient pas de préoccupations plus terrestres mais tout autant créatrices. Les nouvelles formes architecturales, toujours symboliques, fondées sur l'utilisation de piliers et colonnes dont elle ornait ses façades et entourait ses monuments, ouverts à la vue de tous, aussi bien pour un lointain temple de Nubie (ainsi celui de Bouhen ou, plus près, à Eléphantine), que pour les splendeurs de Deir el-Bahari, en sont les plus belles démonstrations.

Rien n'était entrepris, par elle, sans l'aide providentielle d'Amon, son père divin. Il lui avait paru indispensable de précéder les grandes initiatives qu'elle eut à entreprendre, en les faisant garantir et renforcer par la puissance de ses oracles qui, par la suite, connurent une essentielle fortune. Ainsi donc, Amon, maître de Karnak, avait été le « moteur » ou la « courroie de transmission » de la

Encadrant les reposoirs de la barque sur son chemin vers Ipèt-Résèt, les statues momiformes de la reine tiennent les sceptres osiriens et solaires réunis, comme on les retrouve à Deir el-Bahari.

Les martelages n'ont pas seulement visé les images de la reine mais les monuments de certains de ses fidèles. Ils n'ont pas oublié d'attaquer les représentations d'Anubis et de la nébride d'Anubis, si étroitement mêlée à l'image de la reine en transformation.

théogamie, phénomène surnaturel dont Hatshepsout créa la « mise en scène » et dont l'écho s'est perpétué sous le ciel de l'Occident chrétien.

Amon l'avait couronnée, avait inspiré ses initiatives architecturales, jusqu'à même la laisser entreprendre le fol, l'impensable projet d'introduire dans une salle fermée du temple deux immenses obélisques plaqués d'électrum ! Amon lui dicta, par son oracle, l'exceptionnelle expédition à réaliser vers le pays de *Pount*, la terre de l'oliban. C'était à la fois la découverte d'un pays où des relations commerciales allaient être scellées, mais aussi la reconnaissance de cette Terre du dieu d'où Amon-Nil aux côtés d'Hathor semblait avoir surgi pour donner la vie à l'Egypte.

Hatshepsout s'était, à cette occasion, montrée une organisatrice volontaire et précise. Rien dans la préparation de cette première au monde expédition scientifique d'envergure n'avait échappé à la reine affairée à déléguer sous bonne protection ses géographes, ethnologues, hydrologues, botanistes, zoologues, ichtyologues, minéralogistes, métallurgistes… et naturellement, dessinateurs. Rien dans l'organisation de la fastueuse et dangereuse expédition de cinq magnifiques navires lancés audacieusement au-delà de la Cinquième Cataracte, ne fut laissé au hasard, pas même le menu du banquet prévu pour être offert par Thoutiy – l'envoyé exceptionnel de la reine – aux souverains de *Pount*, dès l'arrivée à la Terre du dieu !

Cette femme, portant officiellement les parures d'un roi, très féminine cependant, était d'un modernisme hors de son temps : elle se montra, plus encore que tous les autres souverains du pays, d'un mutisme absolu sur sa vie privée. Bien des documents manquent encore et rien de ce qui existait ne semblait pouvoir m'éclairer. Cependant, d'infimes détails – à bousculer le silence des reliques meurtries – permettent de découvrir le lien très brûlant tissé entre la reine et son Grand Majordome, un savant, un sage, mais aussi un homme d'Etat dont la discrétion égale celle de la reine. La vénération qu'il lui témoignait déborde pourtant de ses écrits, aidant ainsi à percevoir l'heureuse vision du mystère et sans doute du secret qui devaient les unir. Les mêmes doutes règnent sur la progéniture de la souveraine, au point qu'on a pu hésiter à reconnaître l'existence de sa seconde fille... Bénie, dès sa naissance, par les 7 fées Hathor, douée d'une rare intelligence, entreprenante et courageuse, la « chérie d'Amon » et de Âakhéperkarê, fondateur de la dynastie thoutmoside, Hatshepsout apparut à un poste clé à l'heure précise où son pays, libéré par les siens, était prêt à bénéficier de ses talents. Les multiples créations dues à son action décisive portent, au-delà des siècles, la marque de son génie propre, appliqué au vaste domaine où elle sut innover.

La corégence exemplaire – la seule semble-t-il du genre – qu'elle fut obligée de partager avec son neveu constitue la démonstration d'un gouvernement jumelé pendant plus de vingt années, et durant lequel elle sut former un digne successeur.

La mention de ce « tandem », en l'occurrence une habile solution partagée avec élégance en toute occasion officielle, par les deux princes, fit apparaître dans le protocole royal le mot « Pharaon » (*Per-âa*, « la Haute Maison »). Utilisé pour évoquer les corégents réunis, ce terme en arriva à désigner la reine seule, et après elle, l'actif défenseur des frontières orientales, Thoutmosis le Troisième, et puis dès lors tous les autres souverains d'Egypte.

Ainsi peut-on, après avoir rendu encore une fois hommage à la fille de Thoutmosis-Âakhéperkarê, cette femme exceptionnelle, assurer que le premier au monde et très glorieux pharaon est bien la corégente Hatshepsout, fille du soleil Maâtkarê, « *celle qui s'unit à Amon* ».

Le double cartouche de la reine. Le nom de couronnement et le nom de naissance.

Ce buste présente tous les éléments d'attribution à la jeune Hatshepsout au temps où elle devint l'épouse de Thoutmosis II. L'identification est confirmée par l'étude de Cyril Aldred : An Unconsidered Trifle, Mél. Dunham, pp. 11-13, Boston, 1981.
(Musée de Boston, n° 54 347)

ÉPILOGUE
L'HÉRITAGE

L'âge d'Hatshepsout

Lorsque la reine en vint à trépasser, elle avait à peine dépassé sa cinquantième année : depuis déjà cinq Inondations, aucune trace de Sénènmout n'avait été relevée. Beaucoup de leurs proches croyaient avoir décelé qu'un différend durable les avaient définitivement éloignés l'un de l'autre. Le silence de l'ancien Grand Majordome avait même laissé supposer que le plus puissant et le plus secret personnage du royaume était décédé.

L'achèvement de la chapelle

La ville de Thèbes avait respecté avec dignité le deuil de la reine. Puis, au retour de sa première campagne d'Asie, Thoutmosis, couvert de gloire, avait ordonné à ses architectes de procéder à l'achèvement du septième registre de la chapelle de la barque d'Amon, d'amorcer le huitième niveau [1], et de terminer son

Thoutmosis-Menkhéperrê - le-Conquérant. (Musée du Caire)

édification à son nom. Il entendait bien l'utiliser en remplacement de la chapelle d'albâtre jadis aménagée par Aménophis Ier pour la *Outès-néférou.*

Thoutmosis le continuateur

Etait-ce suffisant pour s'approprier la totale paternité de la dernière œuvre de la reine ? Dans le sillage d'Hatshepsout, il profitait de l'occasion pour rappeler avoir été élevé à la royauté par Amon, car il ne désirait certes pas déplaire au clergé thébain. Qui était dupe ?

> « *Voici que Ma Majesté a érigé pour lui une chapelle auguste (appelée) "la Place du cœur d'Amon dont le grand siège est l'horizon du ciel", (faite) en pierre de grès de la montagne rouge, et dont l'intérieur est travaillé en or-*djam *(électrum)* [2]. »

C'était, en quelque sorte, poursuivre l'œuvre de la reine en la faisant sienne ! A ce propos, ces déclarations devenaient de véritables hymnes de satisfaction :

> « *Paroles dites par Amon, maître des trônes des Deux Terres, à l'ennéade qui est dans Karnak : "[Venez] voir cette fondation belle, grande, [solide, parfaite], qu'a faite pour moi mon fils de mon flanc, le roi de Haute et Basse Egypte Menkhéperrê. Puissiez-vous donc (donner vie, stabilité), bonheur à Thoutmosis, lui que j'ai fait de la même chair que vous, qu'il soit joyeux après être apparu sur le trône d'Horus comme Rê, à jamais !... Il est vivant, le dieu incarné, le maître des Deux Terres, qui accomplit les rites, le fils d'A[mon], sur son trône, le roi de Haute et Basse Egypte Menkhéperrê. [Il a fait, en qualité de fondation pour son père], l'acte de lui ériger un sanctuaire auguste (appelé) 'Place du cœur d'Amon', en pierre noire et en grès de la montagne Rouge."* [3] »

Puis, discrètement, il prit la précaution de transformer, à son bénéfice, le nom donné par la reine à la chapelle intérieure de la barque. Celle-ci devint « *Menkhéperrê est le chéri d'Amon* ».

Une chapelle « personnelle »

Son devoir accompli et officiellement porté à son crédit, Thoutmosis décida cependant de démonter complètement la grande chapelle où, décidément, peu de place lui avait été réservée, et surtout parce qu'à l'intérieur il ne figurait pas. Il conserva uniquement pour son utilisation les deux grandes portes en granit [4] Est et Ouest, et les réutilisa pour l'aménagement de la salle des Ancêtres du temple même de Karnak.

La porte orientale, *Imen-our-baou*, « *Grande est la puissance d'Amon* », donna désormais accès à la série des salles Nord-Est du temple, et la porte occidentale de la chapelle, nommée *Imen-djéser-faou*, « *Illustre est la prospérité d'Amon* », fut placée à l'entrée de la petite cour, au sud. Les deux portes furent alors plaquées d'électrum [5].

Puis Menkhéperrê entreprit de faire construire une nouvelle chapelle pour la barque, à son nom propre, et composée de blocs de granit rose.

Le nouveau réenterrement du père

Un autre souci du roi fut de souligner, avec force, la lignée à laquelle il appartenait, et d'affirmer à nouveau ses droits d'héritier du premier Thoutmosis, dont il avait assumé jadis l'ensevelissement par personne interposée, durant sa tendre enfance. A cet effet, il fit prélever du caveau d'Hatshepsout la momie de son père, pour la faire déposer dans la tombe qu'il s'était fait creuser à l'autre extrémité de la grande vallée, ce qui constitue une réelle atteinte aux dispositions prévues par Hatshepsout [6].

Une erreur archéologique

S'inspirant de la légende dont la reine sut entourer les interventions d'Amon, Thoutmosis voulut à son tour évoquer les circonstances dans lesquelles il fut aussi désigné par l'Oracle d'Amon dans la « Salle du Couronnement », au temps où celle-ci était encore la salle à piliers de Thoutmosis Ier, la *Iounit* (*cf.* le « Texte de la jeunesse »). Ses conseillers et rédacteurs semblent avoir ignoré qu'à l'époque supposée, la salle n'était pas encore devenue la *Ouadjit*, ainsi que la désigne cette relation, très posthume, du couronnement de l'enfant Thoutmosis à la mort de son père, mais présentait, à cette époque, les caractéristiques architecturales d'une *Iounit* !

Une sévère modification

Il fut aussi un temps où Thoutmosis n'arriva plus à supporter la présence des deux obélisques dans la *Ouadjit* (suivant peut-être, en cela, la position de Sénènmout). Il prit alors la décision de les faire « chemiser » depuis leurs bases jusqu'à une hauteur de 16 m, ce qui les masquait complètement dans la salle. Seul, au-dessus du toit-terrasse, le sommet des monolithes continuait à resplendir sur Karnak. Plus tard encore, la *Ouadjit* fut victime de pluies diluviennes. Colonnes dorées et toit de bois furent remplacés par de l'architecture en pierre [7].

Le *Djéser-akhèt*

Sans plus enfreindre les décisions de la défunte, il continua à modifier les édifices sans doute encore inachevés à sa mort. Ainsi, lorsque ses campagnes asiatiques s'apaisèrent et qu'il put jeter un regard sur la « Merveille des merveilles », il décida, entre les années XLIII et IL de son règne [8], de modifier, pour la célébration de la Belle Fête de la Vallée, le temple *Khâ-akhèt*, érigé, encore une fois, en l'honneur d'Amon par Hatshepsout, au-dessus de la « Merveille des merveilles », et de le transformer en un *Djéser-akhèt* [9].

La réapparition de Sénènmout

Une découverte vraiment inattendue vint, en 1960, rappeler Sénènmout au souvenir des égyptologues : les membres de la mission égypto-polonaise en charge de la restauration du site, dans les ruines du *Djéser-akhèt* qu'elle était en train de déblayer, avaient mis au jour une statue de Sénènmout portant sur l'épaule droite non pas le cartouche d'Hatshepsout, mais bien celui de Menkhéperrê, statue qui, visiblement, avait continué à résider dans le temple une fois devenu le *Djéser-akhèt* [10].

La présence d'une statue de Sénènmout dédiée dans un *Djéser-akhèt* encore inconnu avait jadis déjà été signalée à Deir el-Bahari par Edouard Naville, qui avait trouvé une statue du personnage portant sur son pilier dorsal le nom de ce sanctuaire, mais, à cette époque non encore identifié, ni découvert. On ne connaissait donc pas l'emplacement du monument, pas davantage sa date. Ainsi, maintenant, deux statues pouvaient témoigner de la longévité de Sénènmout [11] (qui allait bientôt suivre l'exemple d'Ahmès Pen-Nekhbet !), bénéficiant de la complicité de Thoutmosis qui acceptait l'image de l'un de ses anciens précepteurs dans le nouveau sanctuaire [12].

De ces dernières preuves, on pourrait déduire que Sénènmout avait continué à vivre assez longtemps après le départ de la reine, sous le règne de Menkhéperrê. Quoi qu'il en soit, sa statue ou sa personne avait été tolérée dans le bâtiment du *Djéser-akhèt*. La « persécution » ne s'était pas encore exercée à cette époque.

La disparition de Sénènmout

Cela ne nous renseigne pourtant pas sur le moment où ce mystérieux personnage disparut, ni sur l'endroit où il fut enseveli. Le caveau préparé pour lui à Deir el-Bahari (n° 353), inachevé et contenant encore certains gravats, fut scellé sans avoir reçu sa cuve funéraire, toujours déposée dans sa chapelle. Aucune trace de mobilier funéraire n'y fut jamais déposée. En revanche, ce caveau reçut une visite au cours de laquelle l'image de son propriétaire fut soigneusement martelée au visage et aux bras, alors que le monumental cartouche contenant le nom de la reine, devant lequel il

Sénènmout rend hommage à la reine évoquée par le premier nom de son protocole : *Ousérèt-kaou* et ses deux derniers noms contenus dans les cartouches : *Maâtkarê* et *Hatshepsout-Khénémèt-Amon.*

s'inclinait, fut, pour une raison encore inexpliquée, respecté… Puis ordre fut donné aux derniers ouvriers de construire soigneusement un mur de briques à l'entrée du caveau [13].

Le cénotaphe-spéos de Sénènmout au Gebel Silsilé subit de graves et volontaires destructions, mais ces préjudices n'ont rien de comparable à ceux dont les monuments de la reine eurent à souffrir. Sur les statues du personnage qui ont été retrouvées, neuf, seu-

---

13. A songer au grave différend qui semble avoir surgi entre la reine et Sénènmout, je m'interroge sur l'identité de qui donna cet ordre…

Un des rares martelages du nom et de la silhouette de la reine, sur les éléments de la Chapelle rouge (parce que enfouis dans le IIIe pylône d'Aménophis III).

lement, ont subi des dommages alors que quatorze demeurent intactes. Ainsi disparut, sans laisser aucun repère, l'homme pour qui Hatshepsout trouva certainement la force de traverser bien des aventures et des épreuves, jusqu'au jour où un différend surgit pour transformer l'apparent attachement de la souveraine en une royale et semble-t-il cruelle disgrâce. A suivre P. Dorman, qui a consacré deux très sérieuses études à Sénènmout et à ses monuments funéraires, « la mort de ce grand serviteur et les motifs qu'elle cache derrière sa "persécution" demeurent l'énigme la plus déroutante qui entoure le courtisan le plus puissant d'Hatshepsout ».

L'héritage d'Hatshepsout

Loin de ces préoccupations, Thoutmosis semble n'avoir rien négligé de ce dont la reine avait pu enrichir le pays. Il bénéficia d'une armée mieux organisée, modernisée dans son armement. Il utilisa, en s'en inspirant, bien des initiatives prises par Hatshepsout dans certaines créations architecturales. De surcroît, les ateliers des sculpteurs bénéficièrent de l'élan donné par la reine et poursuivirent la recherche de l'expression de grâce et de finesse dans le rendu du visage royal [14]. Respectueux continuateur du culte hathorique, il fit même creuser, au pied du *Djéser-djésérou*, une petite grotte contenant une statue de la

14. Dont on sait qu'il servait évidemment de modèle pour les statues civiles.

Très vraisemblablement, voici les deux obélisques d'électrum massif consacrés à Karnak par Thoutmosis III, et les artisans-orfèvres qui les ont fondus, sous les ordres de Pouyemrê.
(Tombe de Pouyemrê à Gourna)

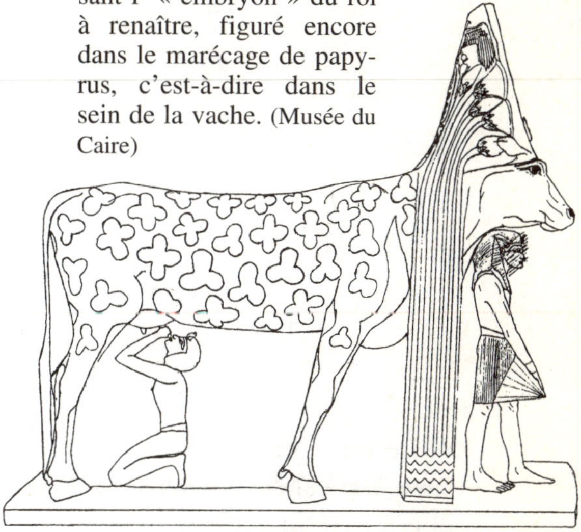

Dédiée par Thoutmosis III, la statue de la vache Hathor est figurée nourrissant l'« embryon » du roi à renaître, figuré encore dans le marécage de papyrus, c'est-à-dire dans le sein de la vache. (Musée du Caire)

vache divine, pour perpétuer sur sa propre descendance l'action de la Grande Mère, mise en relief par Hatshepsout.

Les expéditions vers *Pount* furent poursuivies, sans pourtant déployer le faste des manifestations du premier voyage officiel. La découverte de ce pays lointain et sa relation « pictographique » inspirée par l'esprit d'observation scientifique encouragé par la reine, incita Thoutmosis, au retour de ses expéditions d'Asie, à faire lui aussi reproduire, sur les murs de Karnak, son « jardin botanique ». Le rappel d'un certain environnement animal et végétal ne pouvait malheureusement pas lutter avec le talent de ceux qui, inspirés par la reine, avaient réalisé l'évocation charmante, inattendue et animée du pays de *Pount*. Les artistes de Thoutmosis, moins soucieux des détails historiques, avaient fait appel aux relevés exécutés par les spécialistes d'Hatshepsout, planches soigneusement conservées dans les archives, naturellement. On a, ainsi, pu remarquer la présence du *Cinnytis metallica*, ce fameux oiseau de *Pount* dont la queue se termine par trois longues plumes [15], et aussi de quelques plantes exotiques et des animaux d'origine africaine, qui semblent être extraits des relevés réunis par la mission de la reine, dans la Terre du dieu [16].

LA PROSCRIPTION ET LE SECRET D'HATSHEPSOUT

Le plus grand des mystères qui, à ce jour, voile encore le passage d'Hatshepsout sur la terre d'Egypte est cette proscription dont elle fut victime. Cette manifestation s'est traduite, un certain temps après sa mort, mais dans une période certainement limitée, par les essais de destruction systématique de ses effigies, de ses noms et de certains textes relatifs aux événements officiels concernant sa personne royale : théogamie, couronnement, culte divin…

La persécution de la reine

La plupart des martelages, très visibles sur les bas-reliefs ornant les parois, témoignent d'un travail soigné, cernant les images comme si l'on avait voulu souligner leur ombre, parfois même leur lecture, les murs étant soigneusement respectés. On devine, derrière le ciseau des exécutants, une volonté systématique et parfaitement étrangère aux martelages exercés sur nombre de monuments d'époques variées, à commencer par les témoins des destructions organisées sur les temples d'Akhénaton, le souverain d'Amarna.

Un ravage beaucoup plus cruel fut constaté sur les œuvres en ronde bosse représentant la souveraine, et regroupées dans la carrière au nord de Deir el-Bahari, où des centaines de sculptures furent entassées en milliers de fragments… Pendant des années, les commentateurs de ce phénomène se sont accordés à considérer Menkhéperrê-Thoutmosis comme le grand responsable du massacre. Ce malheureux prince aurait été écrasé sous la tutelle d'une horrible usurpatrice, prisonnier d'une autorité implacable, capable de l'avoir réduit au silence et à l'inaction. Par ailleurs Sénènmout, considéré comme le plus dangereux et ambitieux conseiller, aurait été l'objet de la vindicte du prince aspirant à la liberté… et des notables réduits à la passive impuissance.

Exemple d'un remaniement des représentations de la reine au cours de la Proscription : dans cette scène où Hatshepsout embrassait Amon-Min, on substitua à ses noms ceux de Thoutmosis II. Puis on fit disparaître la figuration de la souveraine et on la remplaça par une haute table d'offrandes. Cependant l'évocation de son *ka* subsiste derrière ce qui fut son image, et la trace de sa coiffure subsiste.

Les interprétations

Il ne suffisait pas d'accuser Hatshepsout de tous les maux ; il fallait encore expliquer les restaurations faites après la proscription, sur les murs où les noms martelés de la reine avaient été recouverts par ceux des trois Thoutmosis et dans un désordre incompréhensible : les noms de Thoutmosis-Âakhéperenrê, ceux du premier Thoutmosis, et parfois même ceux de Thoumosis-Menkhéperrê, le troisième, étaient indifféremment retracés sur ceux, martelés, d'Hatshepsout. Kurt Sethe, un très savant égyptologue allemand, établit alors une théorie tendant à expliquer ce va-et-vient de noms royaux, et démontrant que ce désordre aurait été provoqué par une discorde survenue entre les Thoutmosis, d'où leurs dépositions alternées ! Fort heureusement, William Edgerton reprit tout le problème, et grâce à ce brillant égyptologue de l'université de Chicago, la succession des Thoutmosis retrouva son rythme naturel.

Retour à la raison

Pourtant, la raison des martelages n'apparaissait pas clairement : il était toujours question de la haine de Thoutmosis-Menkhéperrê envers « l'usurpatrice ».

Depuis une quinzaine d'années des études moins subjectives, grâce à certains nouveaux documents exhumés, permettent de ne plus accabler la grande Hatshepsout de toutes les forfaitures. Certains archéologues déclarent toujours cependant que, sans un homme à ses côtés, une femme seule n'aurait pas été capable de mener à bien le règne brillant qu'il leur paraît pourtant difficile de contester maintenant… Récemment, enfin, des analyses plus objectives permettent aux plus audacieux (!) de considérer l'action d'Hatshepsout comme parfaitement digne et positive [17]. Il fallait demeurer aveugle pour nier l'évidence !

Le mobile de la persécution posthume

Cependant, Thoutmosis passe toujours pour susceptible d'avoir exercé ou laissé exercer une vengeance, mais certainement après l'an XLII de son règne, à partir duquel il aurait fait démanteler la chapelle de la barque d'Amon. Dans quel but, alors, avoir attendu une vingtaine d'années pour exprimer une haine ainsi contenue ?

Une autre piste de recherche existe cependant, si l'on veut bien constater certains manquements d'Hatshepsout aux convenances classiquement respectées. Ainsi, pourquoi la reine n'a-t-elle pas consacré dans le domaine osirien d'Abydos, et à l'image de ses prédécesseurs, une importante stèle de fondation, ou mieux encore un cénotaphe, non loin de l'escalier du grand dieu ? Pourquoi le silence règne-t-il, durant son règne, sur le rôle et l'activité du Grand Prêtre d'Abydos, Nébouaouy, contemporain de la reine, qui devait être l'opulent maître des pèlerinages et des profonds mystères en l'honneur d'Osiris, ce Grand Prêtre dont il est à peine question, à la fin du règne ?

La place d'Osiris

Au reste, les allusions au dieu Osiris – qui n'est pas supprimé, mais remis à sa juste place – sont rares à Deir el-Bahari où Ptah et Sokar lui sont adjoints et Anubis même substitué. Il fallut attendre de trouver un fragment de statue agenouillée de Sénènmout, pour rencontrer une prière à Osiris, grand dieu du *Djéser-akhèt* ! Et si, par ailleurs, un très important fonctionnaire d'Hatshepsout, Thoutiy [18], l'habile orfèvre, Confident de la reine, Directeur du Palais, responsable des bœufs d'Amon, honoré de nombreux autres titres, Prophète d'Hathor à Cusae, Prophète de Thot à Hermopolis…, est en effet Scribe et Intendant du Trésor d'Osiris, c'est pour bien contrôler cette institution [19] !

De surcroît, les cénotaphes des nobles, auprès du tombeau du Grand Dieu, (Osiris), semblent être absents en Abydos du temps d'Hatshepsout. En revanche, on constate une floraison de grottes-cénotaphes au Gebel Silsilé, haut lieu du culte au Nil [20], réservées en majorité par la souveraine aux très proches du trône : elle y apparaît elle-même, dans le cénotaphe réservé à Sénènmout [21].

Le fonctionnement des métamorphoses

Les génies locaux y sont vénérés, pourtant ces nouveaux cénotaphes sont dominés non plus par le concept impénétrable d'Osiris, mais par l'arrivée de Hâpy, le fleuve nourricier devenu Inondation et ramenant dans son flot les défunts, ces « pères qui sont dans l'onde » dont le retour éclaire, en réalité, le mystère d'Abydos. Sénènmout a même, ainsi que j'ai tenté de le démontrer, voulu commenter, à l'aide de sa propre image incorporée au *Noun*, la véritable identité *post mortem* de chacun des défunts.

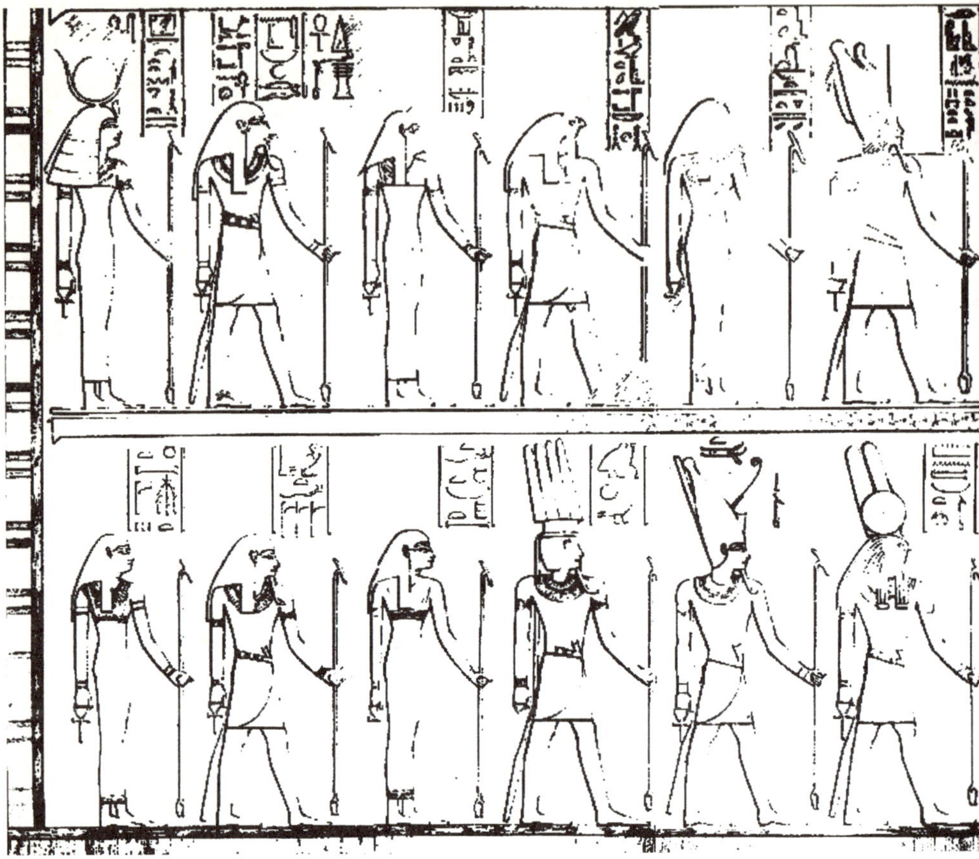

Sur les murs du temple de Deir el-Bahari la présence d'Amon en tant que dieu suprême est particulièrement mise en relief. Ainsi, Hatshepsout fit souligner son rôle de dieu créateur unique, devant lequel les autres formes divines n'étaient, en réalité, que ses auxiliaires, les membres de son corps. Sur ce mur, où Amon fut, à son tour, victime des martelages d'Aménophis IV, puis

Ces tentatives pour mieux faire saisir le secret de la nature, au moyen d'une « métaphysique accessible », ont été poursuivies par la reine, soucieuse à son tour de « diriger » les métamorphoses d'Osiris vers une entité solaire quasiment permanente, et en soulignant même cette « chimie » par l'apparition d'Anubis et de sa nébride : le cheminement nocturne vers l'immortalité dans le sillage d'Amon-Nil-le caché. La révélation de ce secret n'était pas acceptable pour les jaloux tenants des mystères abydéniens, d'où ils tiraient leur puissance [22].

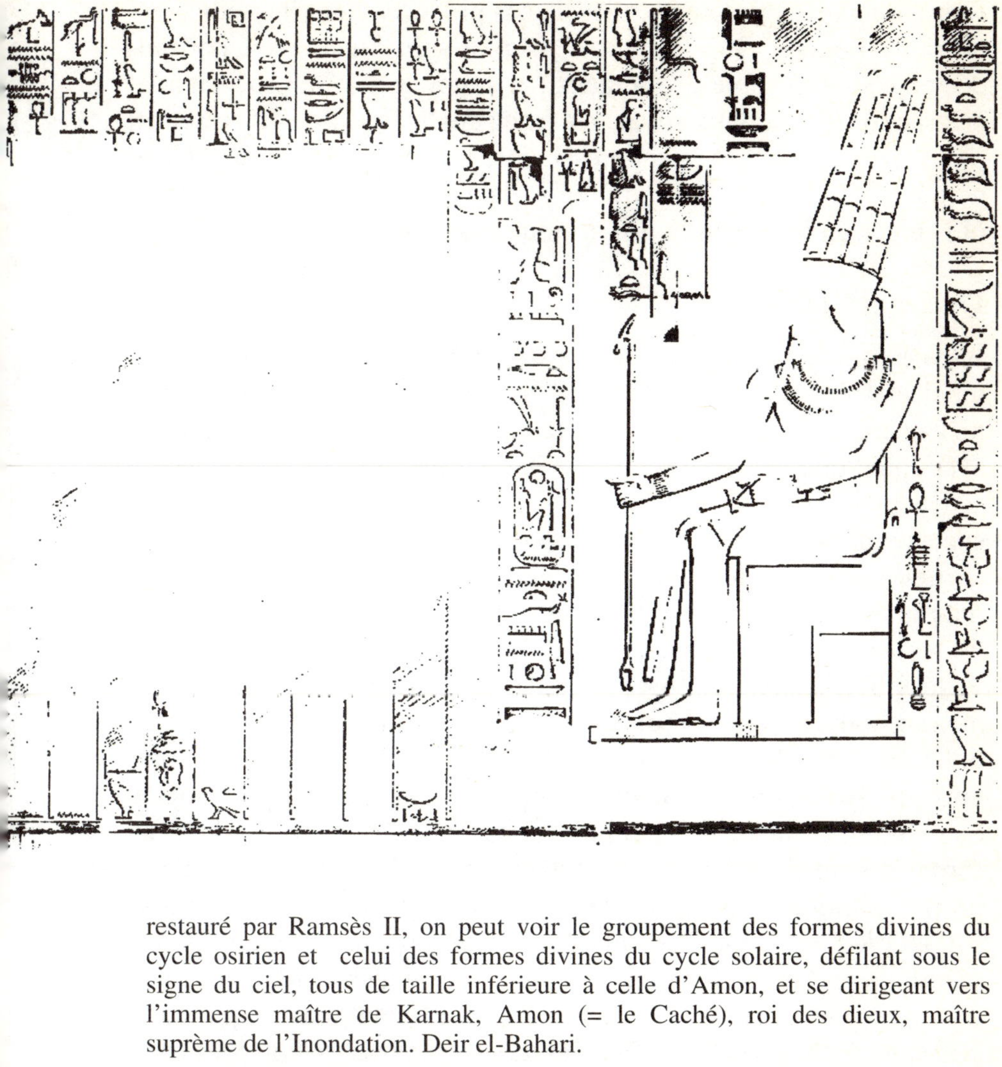

restauré par Ramsès II, on peut voir le groupement des formes divines du cycle osirien et celui des formes divines du cycle solaire, défilant sous le signe du ciel, tous de taille inférieure à celle d'Amon, et se dirigeant vers l'immense maître de Karnak, Amon (= le Caché), roi des dieux, maître suprême de l'Inondation. Deir el-Bahari.

La réaction du clergé osirien

Forcé de supporter ouvertement le courant « évolutionniste » habilement suggéré par la Couronne, le redoutable clergé d'Osiris ressentit probablement une très violente réaction, traduite sur tous les sujets de sa vindicte, à commencer par les colosses osiriaques, qui furent les premières victimes, en raison de l'« enrichissement solaire » de leurs symboles. Puis, la destruction des noms et des images de la souveraine, et de certains des fervents de la réforme, – Sénènmout le premier – fut entreprise. On se prit à remplacer les figurations de la reine par celles de ses prédécesseurs immédiats et de son corégent. On alla même jusqu'à substituer à son portrait des objets – une table d'offrandes par exemple [23] ! On procéda à la destruction de l'uræus royal, au front des effigies de la reine, et même – et surtout – à la suppression de la nébride d'Anubis ! Cela ne put se faire avant la fin du règne de Thoutmosis, ou sans doute plus précisément avant la disparition de Sénènmout.

Une autre agression

Une vindicte analogue – plus cruelle encore probablement – sévit un siècle plus tard par les soins d'Aménophis IV-Akhénaton, sans ménagement aucun, parce qu'il tenta d'imposer au grand jour et avec force une véritable réforme solaire, sans plus aucune nuance !

Dans son ivresse mystique, le « réformateur » s'en prit plus spécialement à l'image et au nom d'Amon, et en vint à les faire marteler sur tous les murs des temples. Ainsi, par ricochet, les monuments de la reine souffrirent de cette guerre aveugle partout où les allusions au maître de Karnak pouvaient figurer, et de nouvelles plaies couvrirent les parois des sanctuaires. Plus tard, revenus au pouvoir, les rois et les prêtres d'Amon firent réparer ces outrages. En Moyenne Egypte, le Spéos Artémidos ne fut pas épargné. Ainsi, lorsque Séthi le Premier décida de rétablir l'image du dieu réhabilité, il ne se contenta pas de seulement reproduire la forme divine d'Amon. Il alla jusqu'à faire figurer devant lui sa propre silhouette à la place de celle d'Hatshepsout [24]. Puis, Ramsès le Deuxième fit poursuivre à son tour la restauration des mentions d'Amon, avec moins de soins cependant. Il profita, aussi, du voisinage de Deir el-Bahari pour en emprunter quelques éléments architecturaux, afin d'en doter la partie Nord-Ouest des annexes de sa « Maison de millions d'années », le Ramesseum.

Les dernières épreuves du Temple des Temples

Alors, les monuments d'Hatshepsout tombèrent dans l'oubli. La carrière, d'où les blocs de calcaire avaient été prélevés pour édifier la « Merveille des merveilles », avait été entièrement comblée par les centaines de statues et de sphinx de la reine, fracassés, puis brisés comme on le sait en milliers et milliers de fragments.

Enfin, après le long millénaire d'assoupissement vécu, dans la région de Thèbes, les prêtres-bâtisseurs des époques tardives reprirent leur activité. La terrasse supérieure de Deir el-Bahari devint, alors, le sanatorium idéal pour ceux qui venaient demander leur guérison aux « saints » locaux, les architectes des époques glorieuses, Imhotep et Amenhotep fils de Hapou, transformés en patrons des médecins [25].

Le sanctuaire d'Amon, qui avait si souvent abrité la *Outès-néférou* du dieu, fut encore légèrement prolongé dans la montagne pour recevoir les images des deux grands personnages divinisés.

En dernier lieu, lorsque les premiers anachorètes abandonnèrent leurs petites cellules rocheuses, derrière les replis du gebel, les couvents couvrirent la terre d'Egypte à la suite de la conversion de celui qui devint Saint-Pacôme [26]. Alors, les moines de l'Egypte copte choisirent le temple d'Hatshepsout pour y installer les bâtiments du culte et leurs cellules. Ils contribuèrent encore, certainement, à de nouvelles destructions, en nivelant les dépôts déjà millénaires sur les ruines de ce qui fut sans aucun doute la joie et la fierté de la plus mystérieuse, émouvante et remarquable figure royale de l'Egypte pharaonique.

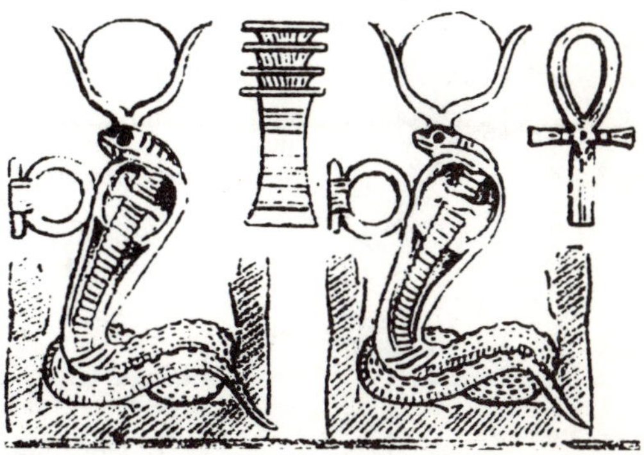

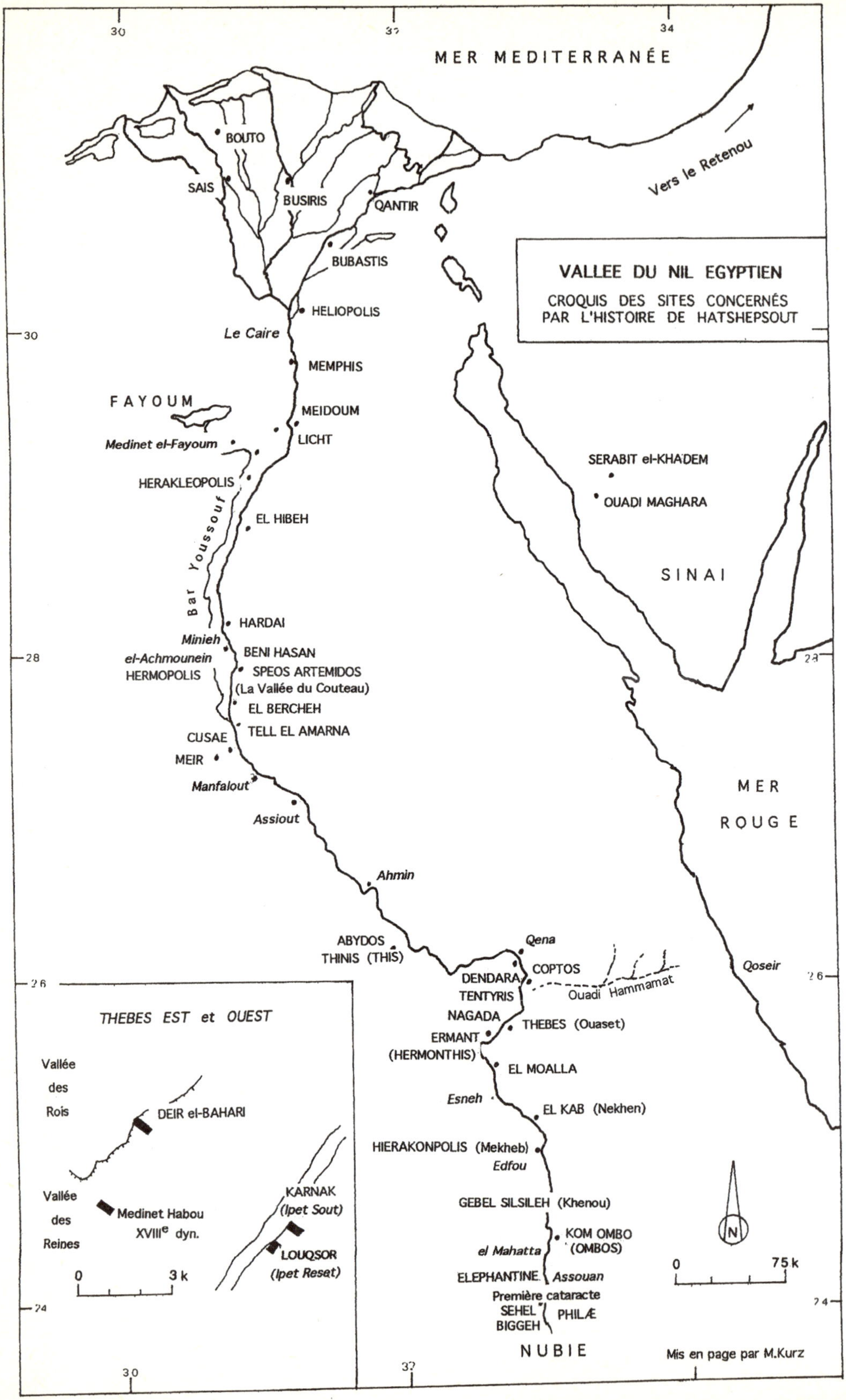
VALLEE DU NIL EGYPTIEN
CROQUIS DES SITES CONCERNÉS
PAR L'HISTOIRE DE HATSHEPSOUT
MER MEDITERRANÉE
Vers le Retenou
BOUTO
SAIS
BUSIRIS
QANTIR
BUBASTIS
HELIOPOLIS
Le Caire
MEMPHIS
FAYOUM
MEIDOUM
Medinet el-Fayoum
LICHT
HERAKLEOPOLIS
EL HIBEH
Bar Youssouf
SERABIT el-KHADEM
OUADI MAGHARA
SINAI
HARDAI
Minieh
el-Achmounein
HERMOPOLIS
BENI HASAN
SPEOS ARTEMIDOS
(La Vallée du Couteau)
EL BERCHEH
TELL EL AMARNA
CUSAE
MEIR
Manfalout
Assiout
MER
ROUGE
Ahmin
ABYDOS
THINIS (THIS)
Qena
DENDARA
TENTYRIS
COPTOS
Ouadi Hammamat
Qoseir
NAGADA
THEBES (Ouaset)
ERMANT
(HERMONTHIS)
EL MOALLA
Esneh
EL KAB (Nekhen)
HIERAKONPOLIS (Mekheb)
Edfou
GEBEL SILSILEH (Khenou)
KOM OMBO
(OMBOS)
el Mahatta
ELEPHANTINE
Assouan
Première cataracte
SEHEL
BIGGEH
PHILÆ
NUBIE
N
0
75 k
THEBES EST et OUEST
Vallée
des
Rois
DEIR el-BAHARI
Vallée
des
Reines
Medinet Habou
XVIIIe dyn.
KARNAK
(Ipet Sout)
LOUQSOR
(Ipet Reset)
0
3 k
30
32
34
28
26
24
Mis en page par M.Kurz

Abréviations bibliographiques

Certaines études citées dans cet ouvrage le sont en abrégé :

Breasted, *A.R.* II

James Henry Breasted, *Ancient Records of Egypt* II, Chicago, University of Chicago Press, 1906.

Champollion, *Monuments*

Jean-François Champollion, *Monuments de l'Egypte et de la Nubie*, 4 volumes de planches, Paris, 1835-1845.

Dorman, *Senenmut*

Peter F. Dorman, *The Monuments of Senenmut : Problems in Historical Methodology*, Londres – New York, 1988.

Dorman, *Tombs*

Peter F. Dorman, *The Tombs of Senenmut. The Architecture and Decoration of Tombs 71 and 353*, New York (*The Metropolitan Museum Egyptian Expedition*, vol. XXIV), 1991.

Hayes, *Scepter* II

William C. Hayes, *The Scepter of Egypt. A Background for the Study of the Egyptian Antiquities in the Metropolitan Museum of Art* II. *The Hyksos Period and the New Kingdom (1675-1080 B.C.)*, New York, MMA, 1959.

P. Lacau-H. Chevrier *et al.*, *Chapelle*

Pierre Lacau-H. Chevrier , avec la collaboration de Marie-Ange Bonhême et Michel Gitton, *Une chapelle d'Hatshepsout à Karnak*, 2 volumes, Le Caire, SAE et IFAO, 1977-1979.

Lepsius, *Denk.*

Karl Richard Lepsius, *Denkmæler aus Ægypten und Æthiopien*, 12 volumes, Berlin, 1849-1858, Leipzig, 1913.

Mél. Dunham

Studies in Ancient Egypt, the Ægean and the Sudan, Essays in honour of Dows Dunham on the Occasion of his 90th birthday, June 1, 1980, Boston, 1981.

Naville, *DelB*

Edouard Naville, *The Temple of Deir el-Bahari*, 7 volumes, Londres, EEF, 1895-1908 (détail des tomes au chapitre XVI, note 11).

PM

Bertha Porter-Rosalind Moss, *Topographical Bibliography of Ancient Egyptian Hieroglyphic Texts, Reliefs and Paintings*, 7 volumes, Oxford, 1927-1952, rééd. A partir de 1960.

Ratié

Suzanne Ratié, *La reine Hatchepsout – Sources et problèmes*, Leyde, Brill (*Orientalia Monspeliensia* I, Institut d'égyptologie, Université Paul Valéry), 1979.

Urk. IV

Kurt Sethe, *Urkunden der 18. Dynastie*, fasc. 1-16, Berlin, 1927-1930.

VdS

Claude Vandersleyen, *L'Egypte et la vallée du Nil, tome 2, de la fin de l'Ancien Empire à la fin du Nouvel Empire*, Paris, PUF (*Nouvelle Clio, l'histoire et ses problèmes*), 1995.

Par ailleurs, le lecteur désireux d'approfondir ses connaissances sur Hatshepsout consutera avec profit :

Marcelle Werbrouck, *Le temple de Deir el-Bahari*, Bruxelles, FERE, 1949.

Suzanne Ratié, *La reine Hatchepsout – Sources et problèmes*, Leyde, Brill (*Orientalia Monspeliensia* I, Institut d'égyptologie, Université Paul Valéry), 1979. (Base de références indispensables)

Roland Tefnin, *La statuaire d'Hatshepsout – Portrait royal et politique sous la 18e dynastie*, Bruxelles, FERE (*Monumenta Ægyptiaca* 4), 1979.

Luc Gabolde, « La chronologie du règne de Thoutmosis II, ses conséquences sur la datation des momies royales et leurs répercussions sur l'histoire du développement de la Vallée des Rois », *SAK* 14, 1987.

Jean-Luc Chappaz, « Un cas particulier de corégence : Hatshepsout et Thoutmosis III », *Mélanges égyptologiques offerts au Professeur Aristide Théodoridès*, Ath – Bruxelles – Mons, 1993.

Joyce Tyldesley, *La femme Pharaon*, Monaco, Editions du Rocher, 1997.

Les dossiers d'archéologie n° 187, « Hatshepsout – Femme Pharaon », novembre 1993.

Egypte n° 17, mai 2000

et en particulier :

Claude Vandersleyen, *L'Egypte et la vallée du Nil, tome 2, de la fin de l'Ancien Empire à la fin du Nouvel Empire*, Paris, PUF (*Nouvelle Clio, l'histoire et ses problèmes*), 1995.

REVUES ET SÉRIES

ÄA : Ägyptologische Abhandlungen, Wiesbaden.

ADAIK : Abhandlungen des Deutschen Archäologischen Instituts Kairo, Glückstadt – Hambourg – New York.

AH : Aegyptiaca Helvetica, Bâle – Genève.

AJSL : American Journal of Semitic Languages and Literatures, Chicago.

APAW : Abhandlungen der Preußischen Akademie der Wissenschaften, Berlin.

ASAE : Annales du Service des Antiquités de l'Egypte, Le Caire.

BdE : Bibliothèque d'Etude, IFAO, Le Caire.

BIE : Bulletin de l'Institut d'Egypte, Le Caire.

BIFAO : Bulletin de l'Institut Français d'Archéologie Orientale, Le Caire.

BMA : The Brooklyn Museum Annual, Brooklyn.

BMMA : Bulletin of the Metropolitan Museum of Art, New York.

BSFE : Bulletin de la Société Française d'Egyptologie, Paris.

CdE : Chronique d'Egypte, FERE, Bruxelles.

CGC : Catalogue Général du musée du Caire.

DE : Discussions in Egyptology.

HÄS : Hamburger Ägyptologische Studien, Hambourg.

JARCE : Journal of the American Research Center in Egypt, Boston.

JEA : Journal of Egyptian Archaeology, EES, Londres.

JNES : Journal of Near Eastern Studies, Chicago.

LÄ : Lexikon der Ägyptologie, Wiesbaden.

MDAIK : Mitteilungen des Deutschen Archäologischen Instituts, Abteilung Kairo, Berlin – Wiesbaden, puis Mayence.

MIFAO : Mémoires publiés par les membres de l'IFAO, Le Caire.

NAWG : Nachrichten der Akademie der Wissenschaften in Göttingen.

OLA : Orientalia Lovaniensia Analecta, Louvain.

OLZ : Orientalistische Literaturzeitung, Berlin – Leipzig.

RAPH : Recherches d'Archéologie, de Philologie et d'Histoire, IFAO, Le Caire.

RdE : Revue d'Egyptologie, Le Caire, puis Paris.

RHR : Revue de l'Histoire des Religions, Paris.
RT : Recueil de Travaux relatifs à la philologie et à l'archéologie égyptiennes et assyriennes, Paris.
SAK : Studien zur Altägyptischen Kultur, Hambourg.
SAOC : Studies in Ancient Oriental Civilization, OIC, Chicago.
Untersuchungen : Untersuchungen zur Geschichte und Altertumskunde Ägyptens, Leipzig – Berlin, puis Hildesheim.
ZÄS : Zeitschrift für Ägyptische Sprache und Altertumskunde, Leipzig – Berlin.
ZDPV : Zeitschrift des Deutschen Palästina-Vereins, Leipzig – Wiesbaden.

INSTITUTIONS

CEDAE : Centre d'Etudes et de Documentation sur l'Ancienne Egypte, Le Caire.
EEF/EES : Egypt Exploration Fund/Egypt Exploration Society, Londres.
FERE : Fondation Egyptologique Reine Elisabeth, Bruxelles.
IFAO : Institut Français d'Archéologie Orientale, Le Caire.
OIC : Oriental Institute of Chicago.
SAE : Service des Antiquités de l'Egypte, Le Caire.

NOTES
ET RÉFÉRENCES

CHAPITRE I : LES PREMIÈRES ANNÉES D'HATSHEPSOUT (p. 21 à 43)

1. Ce fleuve, le Nil, appelé communément *Itérou*, se transformait en Hâpy, l'Inondation qui recouvrait toutes les terres arables de l'Egypte, pendant quatre mois.

2. Nom du médecin, en égyptien.

3. Cette attitude semble être la position de la parturiente entourée de ses deux sages-femmes, telle qu'elle est déjà décrite dans un conte populaire relatant une naissance (papyrus Westcar, *cf.* G. Lefebvre, *Romans et contes égyptiens de l'époque pharaonique*, Paris, Maisonneuve, 1949, p. 86-88).

4. C'était la coutume de donner au nouveau-né un nom tiré des paroles prononcées par la mère au moment de la naissance. *Cf.* G. Posener, « Sur l'attribution d'un nom à un enfant », *RdE* 22, 1970, p. 204-205.

5. *Cf.* Ch. Desroches Noblecourt, *La femme au temps des Pharaons*, Paris, Stock-Pernoud, 1986, p. 243.

6. Sur Ahmès-Nofrétari, consulter M. Gitton, *Les divines épouses de la 18e dynastie* (Annales Littéraires de l'Université de Besançon 306, Centre de recherches d'histoire ancienne vol. 61), Paris, Les Belles lettres, 1984, p. 39-42, chapitre 3, et *LÄ* I, 1975, 102-109. Pour une statue posthume de la reine conservée au musée du Louvre (N 470) : G. Andreu, *La statuette d'Ahmès Nefertari*, Paris, Service culturel du musée du Louvre, 1997.

7. Sur le clergé d'Amon, cf. G. Lefebvre, *Histoire des grands prêtres d'Amon de Karnak jusqu'à la XXIe dynastie*, Paris, Geuthner, 1929.

8. Voir A. Moret, *Le rituel du culte divin journalier en Egypte, d'après les papyrus de Berlin et les textes du temple de Séti Ier à Abydos*, Paris (Annales du musée Guimet), 1902.

9. Comme toutes les maisons et même le palais royal.

10. Pour le mur d'enceinte en briques crues, ondulé, P. Barguet, *Le temple d'Amon-Rê à Karnak*, Le Caire, IFAO (*RAPH* 21), 1962, p. 29-40.

11. La Grande Nourrice Sat-Rê, dite Inèt, fut portraiturée après le couronnement d'Hatshepsout par une statue, actuellement très fragmentaire, conservée au musée du Caire (JE 56.264). On la devine portant sur ses genoux la petite princesse les pieds posés sur l'image des neuf arcs et celle du *Séma-Taouy*. Pour l'inscription, voir *Urk.* IV, 241, 6-8 : « Offrande pour qu'Osiris donne au *ka* de la Grande Nourrice qui a élevé la maîtresse des Deux Pays, des offrandes de bœufs, d'oiseaux, de mille choses bonnes et pures ». Lorsque Hatshepsout devint reine, elle fit statufier sa nourrice, et après sa mort l'aurait fait enterrer dans la Vallée des Rois, où sa momie a été découverte (M. Eaton-Krauss, « The Fate of Sennefer and Senetnay at Karnak and in the Valley of the Kings », *JEA* 85, 1999, p. 113-129, p. 123). Cela pourrait être seulement un réenterrement.

12. Voir page 26.

13. *Cf. Urk.* IV, 53. Les éléments de ce naos ont été retrouvés dans les ruines de Karnak, enfouis assise par assise dans le troisième pylône du temple, érigé par Aménophis III. Ils ont été remontés par les soins des architectes du Centre Franco-Egyptien de Karnak. Ce naos est actuellement exposé dans le « Musée de plein air » du temple. *Cf.* chapitre XXI.

14. *Cf. Urk.* IV, 73. Pour l'étude de ces arbres, consulter N. Baum, *Arbres et arbustes de l'Egypte ancienne : la liste de la tombe thébaine d'Ineni (n° 81)* (*OLA* 31), Louvain, Brill, 1988.

15. Il faut rappeler que l'année égyptienne était composée de trois saisons de quatre

mois de trente jours, plus cinq jours 1/4. Elle commençait par la saison *Akhèt* (Inondation), puis venait *Pérèt* (hiver-printemps). Elle se terminait par *Shémou* (l'été).

16. Suivant la formule dont un des premiers exemples se trouve dans le Conte de Sinouhé, remontant au Moyen Empire. *Cf.* G. Lefebvre, *Romans et contes égyptiens de l'époque pharaonique*, Paris, Maisonneuve, 1949, p. 5.

17. *Kémèt* : « la terre noire », couleur très foncée des alluvions déposées par l'Inondation depuis des milliers d'années.

18. *Urk.* IV, 81, 2-4.

19. Le rôle de la reine douairière fut de première importance durant le règne de son fils Aménophis Ier, et se prolongea jusqu'à l'époque ramesside où elle était encore vénérée avec son fils, comme la patronne des ouvriers de la nécropole royale, qui habitaient Deir el-Médineh. Le centre de son culte, sur la rive gauche de Thèbes, était un petit temple à déambulatoire appelé *Men-sèt*, à Drah abou'l-Naga. *Cf.* Ph. Derchain, « Débris du temple-reposoir d'Aménophis Ier et d'Ahmes Nefertari à Dra' Abou'l Naga' », *Kêmi* 19, 1969, p. 17-21.

20. Les grandes personnalités princières de la région thébaine devaient être très proches, et leurs familiers et serviteurs unis par le même combat contre l'envahisseur demeuraient fidèles aux mêmes familles. Un exemple parmi d'autres : un certain *Iouf* d'Edfou, qui nous est connu par sa stèle (Caire 238 : U. Bouriant, « Petits monuments et petits textes recueillis en Egypte », *RT* IX, 1887, p. 92-93, n° 72), était au service de la reine Iâhhotep, mère d'Ahmosis le libérateur (*A.R.*, p. 44). On retrouve le même *Iouf*, plus tard, au service de la mère d'Hatshepsout, la Grande Epouse Royale Ahmès, femme du nouveau roi Thoutmosis Ier.

21. Pour le Vice-roi Ahmès dit Touri, *cf.* L. Habachi, « Four Objects Belonging to Viceroys of Kush, and Officials associated with them », *Kush* IX, 1961, p. 201-214.

22. *Urk.* IV, 81, 4. Voir VdS, p. 247.

23. *Urk.* IV, 79-81. La stèle de Kouban est au musée de Berlin, n° 13.725.

24. *Urk.* IV, 34, 9 – 36 pour sa biographie. Voir aussi J.H. Breasted, *A.R.* II, 84.

25. Sous le règne d'Ahmosis, le valeureux guerrier avait ramené au moins « vingt-cinq mains » du champ de bataille, ce qui signifiait qu'il avait tué vingt-cinq ennemis.

26. *Urk.* IV, 107, où il est nommé *sa nésou tépy*, « fils aîné du roi ».

27. Voir page 32.

28. A.H. Gardiner, « New Renderings of Egyptian Texts », *JEA* V, 1918, p. 51.

29. Pour la biographie d'Ahmès fils d'Abana, dit Baba, *cf. Urk.* IV, 1-11.

30. VdS, p. 242-243.

31. Ces « mouches » ont été retrouvées dans le trésor funéraire de la reine par Mariette Pacha, et sont exposées au musée du Caire (JE 4694).

32. Le puits de Kala ?

33. Une distance d'environ 90 kilomètres.

34. A Kary, que le roi atteignit peut-être (VdS et *Urk.* IV, 50, 7-12).

35. Falaise rocheuse au Nord-Est d'Abou Simbel, dont le sommet a été épargné par les eaux du lac Nasser, et où des fouilles sont encore poursuivies.

36. Cette citation, gravée sur un mur du temple de Deir el-Bahari, ne peut être fictive. *Cf. Urk.* IV, 257, 7 ; Ratié, p. 108-112.

CHAPITRE II : L'ORACLE ET SES CONSÉQUENCES – UN MARIAGE INATTENDU (p. 45 à 56)

1. Exactement un an et sept mois après son avènement.

2. Cette inscription, gravée sur le bloc n° 287 faisant partie du mur extérieur de la « chapelle rouge » de la barque d'Hatshepsout à Karnak, est publiée par P. Lacau - H. Chevrier *et al.*, *Chapelle*, p. 133-134. Le passage cité a fait l'objet de diverses

interprétations, en raison d'une lacune bien regrettable dans le texte au moment où il est question de la présence éventuelle de Thoutmosis Ier, désigné une fois comme « dieu parfait », une seconde fois comme « roi bienfaisant ». La meilleure interprétation à propos de la date a été proposée par J. Yoyotte, « La date supposée du couronnement d'Hatshepsout, à propos du bloc 287 de la Chapelle rouge de Karnak », *Kêmi* 18, 1968, p. 85-91. Elle a été reprise dernièrement par Vandersleyen (VdS, p. 251). Tous les auteurs qui se sont penchés sur le problème estiment que le « dieu parfait » et le « roi bienfaisant » sont deux termes faisant allusion à Thoutmosis Ier. Cependant, si l'on se penche sur la date du départ de ce dernier pour son expédition en pays de *Koush*, on constate que l'oracle s'est passé quatre mois après, et dans la ville de Thèbes. En effet la saison de l'Inondation, au cours de laquelle Thoutmosis partit vers le Sud, est suivie par la saison *Pérèt*, au cours de laquelle a eu lieu l'oracle. Pour faire crédit à ce récit et le rendre plausible, il faudrait admettre que l'oracle s'est déroulé <u>en présence seulement de la statue du roi</u>, et non pas, ce qui est impossible, devant le roi lui-même.

3. Aucun document ne nous a livré à ce jour le nom du Grand-prêtre de l'époque. Parennéfer exerçait la fonction de Premier prophète du dieu sous Aménophis Ier. Hapouséneb en était le puissant responsable du temps de Thoutmosis III et d'Hatshepsout. Peut-être était-il déjà en fonction sous Thoutmosis Ier ?

4. Naville, *DelB* II, p. 49, et *Urk.* IV, 81, 16.

5. *Cf.* P. Lacau - H. Chevrier *et al.*, *Chapelle*, p. 135, 181. Hatshepsout insiste et ajoute : « Gardez-vous de dire : il n'en est rien... tout cela s'est véritablement produit... »

6. *Urk.* IV, 9, 2-6.

7. VdS, p. 256.

8. *Urk.* IV, 57.

9. *Urk.* IV, 56, 13-14.

10. *Urk.* IV, 107.

11. Ce naos est conservé au musée du Louvre sous le n° d'inventaire E 8074. *Cf.* Ch. Zivie, *Giza au deuxième millénaire*, Le Caire, IFAO (*BdE* LXX), 1976, p. 52-55.

12. « Texte de la jeunesse » : VdS, p. 250 ; Ratié, p. 108-112 ; PM II, p. 347, 16-17 ; *Urk.* IV, 241-242.

13. VdS, p. 250, propose de voir dans les deux fleuves auxquels le texte fait allusion, le Jourdain et le Litani ou l'Oronte plutôt que le Tigre et l'Euphrate.

14. *Urk.* IV, 1066, 10.

15. *Urk.* IV, 108.

16. Il fit inscrire au mur de la chapelle érigée pour le petit illuminé son titre de « Précepteur des enfants royaux du souverain du Sud et du Nord Âakhéperkarê ».

17. *Urk.* IV, 245, 13 et 250, 8. *A.R.* II, § 221-225 = E. Naville, *DelB* III, pl. LVII-LVIII.

18. Ch. Zivie, *LÄ* IV, 27-28 ; *LÄ* VI, 236 n. 20, et VdS, p. 250.

19. *Urk.* IV, 246, 12 – 247, 4.

20. En revanche, une dynastie plus tard, lorsque Ramsès II relate comment Séthi Ier, son père, l'a présenté à son peuple (ou aux « grands » du royaume ?) pour faire reconnaître son investiture, s'inspirant du récit de la reine, l'événement se passe dans le temple d'Abydos, dans le domaine d'Osiris. *Cf.* Ch. Desroches Noblecourt, *Ramsès II, la véritable histoire*, Paris, Pygmalion, 1996, p. 81-82.

21. Ratié, p. 53.

22. W. Hayes, *Scepter* II, 78. L'auteur suggère que « Moutnéférèt, princesse royale, était peut-être une jeune sœur de la reine ».

23. N° 15.699. Consulter aussi H.E. Winlock, « Notes on the Reburial of Tuthmosis I », *JEA* 15, 1929, p. 56-68 (p. 60).

24. *Cf.* L. Habachi, « An Inscription at Aswan referring to six Obelisks », *JEA* 36, 1950, p. 13-22. *A.R.* II, § 89, note c.

25. *Urk.* IV, 57, 3-16 et 58, 6-10 = *A.R.* § 106.

26. *Urk.* IV, 57, 3-5.

27. Pour la signification et la symbolique de ces cinq noms, *cf.* Ch. Desroches Noblecourt, *Amours et fureurs de la Lointaine*, Paris, Stock-Pernoud, 1995/1997, p. 47 à 92.

28. Pour le statut de l'Epouse du dieu (ou Epouse divine), *cf.* M. Gitton, *Les épouses divines de la 18e dynastie*, Paris, Centre de recherches d'histoire de l'Université de Besançon, 1984. C'est le titre auquel Hatshepsout semble avoir été le plus attachée, *cf.* VdS, p. 265 note 2.

29. *Urk.* IV, 140, 3.

30. T. Säve-Söderbergh, *Ägypten und Nubien*, Lund, 1947, p. 153.

31. *Urk.* IV, 140, 7-8.

32. Voir la belle étude de Luc Gabolde, « La chronologie du règne de Thoutmosis II – ses conséquences sur la datation des momies royales et leurs répercutions (sic) sur l'histoire du développement de la Vallée des Rois », *SAK* 14, 1987, p. 61-81.

Chapitre III : Hatshepsout Grande epouse royale et le deuxième Thoutmosis (p. 57 à 78)

1. *Urk.* IV, 58, 11-12. *A.R.* II, § 108.

2. Gravé sur des vases retrouvés dans la seconde tombe de la reine, qui y a fait déposer l'apparat funéraire de son père après son couronnement.

3. Ainsi, pour ne prendre qu'un exemple, W. Hayes (*Scepter* II, p. 78) suppose que Thoutmosis II aurait régné environ 18 années.

4. A consulter, la pertinente étude de Luc Gabolde, « La chronologie du règne de Thoutmosis II – ses conséquences sur la datation des momies royales et leurs répercussions sur l'histoire du développement de la Vallée des Rois », *SAK* 14, 1987, p. 72.

5. Cette parenté, on ne sait vraiment pas pourquoi, ne semble pas être admise par tous les égyptologues.

6. *Urk.* IV, 34, 18-20. *A.R.*, p. 143-144, § 344.

7. *Urk.* IV, 418, 15.

8. *Urk.* IV, 418, 16. Voir Lepsius, *Denk.* III, 25 bis g, et W. Helck, *Zur Verwaltung des Mittleren und Neuen Reichs* (*Probleme der Ägyptologie* 3), Leyde-Cologne, Brill, 1958, p. 478.

9. W. M. Fl. Petrie, *A History of Egypt* II. *During the XVIIth and XVIIIth Dynasties*, Londres, Methuen, 1896, p. 78 et p. 90. Voir aussi Ratié, p. 64.

10. *Urk.* IV, 36, 12-14 = *A.R.* II, § 124.

11. VdS, p. 265.

12. Voir page 62.

13. Cette tombe porte le n° 22 dans la montagne thébaine.

14. Voir page 62.

15. H. Carter travaillait pour le compte du Earl of Carnarvon. Pour le récit de sa découverte, H. Carter-A. Mace, *The Tomb of Tut-Ankh-Amen discovered by the Late Earl of Carnarvon and Howard Carter* I, Londres-Toronto-Sydney-Melbourne, 1923, p. 79-83 et pl. VIII. Elle fut faite dans des conditions rocambolesques.

16. Les nouvelles mesures ont été prises par L. Gabolde, qui a refait le périlleux chemin des voleurs.

17. W. Hayes, *Royal Sarcophagi of the XVIIIth Dynasty*, Princeton, 1935, p. 39-41, 155-156 pl. I. Compte-rendu : *CdE* 1936, p. 410-419.

18. Ce sarcophage est conservé au musée du Caire, sous le n° JE 47082.

19. Textes des Pyramides, § 777.

20. E. Baraize, « Rapport sur l'enlèvement et le transport du sarcophage de la reine Hatchopsitou », *ASAE* 21, 1921, p. 175-182 et figure 2.

21. *Contra*, P. Dorman, *Senenmut*, p. 42-45.

22. G. Daressy, « La chapelle d'Uazmès », *ASAE* I, 1900, p. 97-108.

23. Pour l'étude et les fouilles du petit temple, reprises 90 ans après sa découverte, consulter A.-M. Loyrette, *Memnonia* III, 1992, p. 122-140 ; G. Lecuyot, *Memnonia* VI, 1995, p. 85-93 ; A.-M. Loyrette-G. Lecuyot, *Memnonia* VII, 1996, p. 111-122.

24. A. Spalinger, « The Will of Senimose », *Studien zu Sprache und Religion Ägyptens* I : *Sprache* (Mélanges Westendorf), Göttingen, 1984, p. 631-659.

25. G. Daressy, *ASAE*, I, 1900, p. 97-108.

26. VdS, p. 251.

27. Le cas de Ouadjmès me fait souvenir du cas d'un de ces *sheikhs*, que je relate dans *La Grande Nubiade*, Paris, Stock-Pernoud, 1992/1997, p. 60-61. Il s'agissait d'un petit garçon du village d'el-Kab, le *sheikh* Abbas, vénéré dans la région et qui avait la particularité de posséder six doigts à chacune de ses mains (*cf.* le Pape de la Chapelle Sixtine). Coutumier de réaliser des miracles il avait jeté un mauvais sort à l'équipe de l'archéologue belge Jean Capart, parce que ce dernier n'avait pu offrir un tapis pour couvrir sa sépulture !

28. G. Dreyer, « Eine Statue Thutmosis'II. aus Elephantine », *SAK* 11, 1984, p. 489-499. Enregistrée dans l'inventaire de l'île sous le n° 1089.

29. A. Weigall, « A Report on some Objects recently found in the Sebakh and other Diggings », *ASAE* 8, 1907, p. 44.

30. *Cf.* VdS, p. 244.

31. Cette pierre de grès retient effectivement la chaleur du soleil.

32. Le cénotaphe de Sénènmout au Gebel Silsilé porte le n° 16.

33. R. A. Caminos-T. G. H. James, *Gebel es-Silsilah I, The Shrines*, Londres, Egypt Exploration Society, 1963, p. 53-56. On lit à la p. 53 : « To judge from the titulary above the entrance door, to the early days of the state career when she had not become a full sovereign… »

34. Le relevé complet de ce texte fut fait par G. Legrain, « Notes d'inspection III : la chapelle de Senmaout à Gebel Silsileh », *ASAE* IV, 1903, p. 193-197.

35. P. Dorman, *Senenmut*, p. 113-115.

36. VdS, p. 290, suppose lui aussi que la seule explication « serait que l'intérieur du monument a été remanié quand Hatshepsout est devenue roi ».

37. Sur Sénènmout, voir Ch. Meyer, *Senenmut. Eine prosopographische Untersuchung*, Hambourg (*HÄS* 2), 1982 ; P. Dorman, *Senenmut* (1988) et *Tombs* (1991) ; W.K. Simpson, *LÄ* V, 849-851 ; A.R. Schulman, « Some Remarks on the alleged « fall » of Senmut », *JARCE* 8, 1969-1970, p. 33-34 note 36, p. 47-48 ; W. Helck, *Zur Verwaltung des Mittleren und Neuen Reichs*, Leyde, Brill (*Probleme der Ägyptologie* III), 1958, p. 336-357 ; W. Helck, *Der Einfluss des Militarführer in der 18. ägyptischen Dynastie* (*Untersuchungen* 14), 1939, p. 43-45.

38. Ainsi que le prouvent la momie et son apparat funéraire, trouvés à Gourna ; alors que sa mère, enterrée à ses côtés postérieurement, fut traitée plus richement.

39. *Cf.* Ratié, p. 244.

40. *Urk.* IV, 399-10.

41. *Urk.* IV, 467, 8-17 (statue C 957), Ratié, p. 257.

42. Berlin n° 2296.

43. Caire 42114.

44. Caire 42116.

45. N° 173.988. Il faut noter, pour suivre Vandersleyen, que les titres de Sénènmout en relation avec Néférourê ne figurent que sur cinq des statues du favori, alors qu'on en compte, à ce jour, vingt-cinq.

46. Toutes ces statues sont invariablement marquées aux noms d'Hatshepsout et du roi, à l'exception de deux, fragmentaires. L'une d'elles, au Caire, porte le n° CG 42117 : elle est gravée seulement aux noms de Thoutmosis III et de Néférourê, et provient du temple jubilaire de Thoutmosis III à Deir el-Bahari, appelé *Djéser-akhèt*.

47. La statue présentant le sistre posé sur le signe-*tit*, trouvée dans le temple de Mout à Karnak, est conservée au musée du Caire, sous le n° 579.

48. La statue de Sénènmout présentant devant lui l'immense rébus du nom de la reine, comprenant l'uræus, porte le n° JE 34582 du musée du Caire.

49. La statue de Sénènmout présentant le cordeau enroulé de l'arpenteur est conservée au musée du Louvre, sous le n° d'inventaire E 11057.

50. *Urk.* IV, 404, 17 – 405, 9 = Breasted, *A.R.* II, § 368. Ratié, p. 64.

51. Sur presque toutes les statues de Sénènmout, il est question des faveurs extraordinaires dont il est l'objet. Ainsi, sur l'image de Sénènmout trouvée dans le temple de Mout à Karnak (Caire CG 579 : *Urk.* IV, 417, 17 – 415, 3 = Breasted, *A.R.* II, § 354), peut-on lire : « On ne cesse de lui donner l'or des faveurs. »

52. Ratié, p. 252 note 59.

53. *Urk.* IV, 409, 16 – 414, 12.

54. VdS, p. 290 ; W. Helck, « Die Opferstiftung des Sn-Mwt », *ZÄS* 85, 1960, p. 23-34.

55. *Urk.* IV, 59, 13 ; 60, 4. *A.R.* II, § 118. Ratié, p. 68-69.

56. La momie supposée être celle de Thoutmosis II porte, au musée du Caire, le n° CGC 61066. Elle présente « des signes d'une affection cutanée pathologique » (Ratié, p. 68-69).

57. G. Maspero, *Les momies royales de Deir el-Bahari*, Le Caire, IFAO (*MMAF* I), 1889, p. 511-787 ; Ratié, p. 68-69 ; VdS, p. 270 ; L. Gabolde, « La chronologie du règne de Thoutmosis II – ses conséquences sur la datation des momies royales et leurs répercussions sur l'histoire du développement de la Vallée des Rois », *SAK* 14, 1987, p. 61-87.

58. VdS, p. 270.

59. *Urk.* IV, 180, 15. A propos de la tombe prévue pour le roi, voir l'opinion de E. Hornung, « Das Grab Thutmosis'II. », *RdE* 27, 1975, p. 125-131.

60. W. Hayes, *Royal Sarcophagi of the XVIIIth Dynasty*, Princeton, 1935, p. 144.

Chapitre IV : Hatshepsout, Grande Epouse royale, couronne son neveu (p. 79 à 97)

1. Stèle sur le chemin d'Assouan : J. de Morgan *et al.*, *Catalogue des monuments et inscriptions d'Egypte antique* I, Vienne, Holzhausen, 1894, 3/4 = *Urk.* IV, 137-141.

2. Voir page 79.

3. Voir page 80.

4. Il est intéressant de noter que la mention d'Amon est maintenant, dans ce texte, complétée par celle de Rê-Horakhty.

5. G. Legrain, *ASAE* II, 1901, p. 274-279, et *ASAE* IV, 1903, pl. 3 = *Urk.* IV, 180, 7-17 = *A.R.* II, § 594-595.

6. Sur le mur extérieur, chambre Sud du sanctuaire du temple de Karnak.

7. Littéralement « Pilier de sa mère », allusion à la légende d'Osiris, où le petit Horus est destiné à « venger » son père et à protéger sa mère. La silhouette du *Iounmoutef* est toujours revêtue d'une dépouille de félin, il porte sur sa perruque la boucle de cheveux des princes royaux.

8. On verra, plus loin, que la salle du couronnement, à l'époque où Thoutmosis situe l'oracle précédant son couronnement, ne s'appelait pas encore la *Ouadjit*, mais au contraire, ornée de piliers *ioun*, était une *Iounit*. Le texte de Thoutmosis a donc été rédigé bien plus tard, après le jubilé de la reine, *cf.* chapitre 20, p. 377-399.

9. *Urk.* IV, 157, 13 sq. Ratié, p. 69, note 16.

10. Ainsi, sur le chemin de Louxor devait aussi se trouver un autre palais, non loin du temple de Mout, appelé « *Maâtkarê est aimée d'Amon, à la tête de la maison du Coffre* » (?). Le nom de ce palais est placé sur la tête du génie de l'Inondation (Chapelle rouge), au lieu d'être porté de la même manière par une forme féminine, qui évoque généralement un site habité.

11. Inéni, qui avait déjà aménagé le *grand lac* sur la rive gauche pour Thoutmosis Ier, raconte également qu'il s'était fait organiser « un jardin comme (celui du) roi, à l'Ouest de Thèbes ». Ratié, p. 237, pense que l'ensemble devait être proche du lac de Thoutmosis Ier (*Urk.* IV, 73). *Cf.* W. G. Northampton-W. Spiegelberg-P. E. Newberry, *Report on some excavations in the Theban necropolis during the winter of 1898-9*, Londres, Constable, 1908, p. 37, 60, fig. 23-29 et p. 36.

12. *Cf.* Ch. Nims, « Places about Thebes », *JNES* 14, 1965, p. 113-114.

13. Il est question à trois reprises de ce palais dans les inscriptions de la Chapelle rouge d'Hatshepsout : P. Lacau-H. Chevrier *et al.*, *Chapelle*, p. 78. Voir surtout M. Gitton, « Le palais de Karnak », *BIFAO* 74, 1974, p. 63-73.

14. Les vestiges de cette allée et du quai devraient se trouver de nos jours sous la colonnade centrale de la grande salle hypostyle de Karnak.

15. Le palais du roi se disait en égyptien *Ah en nysout.*

16. *Cf.* J. Yoyotte, « A propos de l'obélisque unique », *Kêmi* 14, 1957, p. 81-89.

17. Pour le graffito d'el-Mahatta, *cf.* la première copie qui en a été faite par J. de Morgan *et al.*, *Catalogue des monuments et inscriptions d'Egypte antique* I, Vienne, Holzhausen, 1894, pl. 41 n° 181 bis. Voir aussi L. Habachi, *JNES* 16, avril 1957, p. 94-95. Egalement L. Gabolde, « A propos de deux obélisques de Thoutmosis II, dédiés à son père Thoutmosis I et érigés sous le règne d'Hatshepsout-pharaon à l'ouest du IVe pylône », *Karnak* VIII, 1987, p. 143-158, et Id., « Les obélisques d'Hatchepsout à Karnak », *Egypte* 17, mai 2000, p. 41-49.

18. Grand ami : *sémèr ouâty* ; objet d'amour : *ny mérout.*

19. Cette scène de transport de deux obélisques – plutôt ceux qui furent érigés à l'Est de Karnak dès avant le couronnement de la reine (an VII-VIII de Thoutmosis III) – est bien représentée sur le mur de la colonnade inférieure Sud du temple de Deir el-Bahari, en accord avec la position géographique (Sud) des carrières d'où furent extraits les deux monolithes. *Cf.* E. Naville, *DelB* I, 1908, Part VI, p. 2-4 et pl. CLV, CLVI, CLVII et CLIX.

20. Je donne ici les mesures indiquées par Inéni à propos de la péniche construite en vue de transporter les deux obélisques extraits pour son maître Thoutmosis (Ier) Âakhéperkarê : voir *Urk.* IV, 56, 13-15.

21. C'est l'interprétation qui vient naturellement à l'esprit, et qui a été proposée par Edouard Naville. Néanmoins, si l'on tient compte des conventions du dessin égyptien, les deux obélisques pouvaient avoir été deposés côte à côte, perpendiculairement au pont du bateau, ce qui, d'après l'architecte Henri Chevrier, aurait donné une meilleure stabilité à la cargaison. *Cf.* H. Chevrier, « Notes sur l'érection des obélisques », *ASAE* 52, 1952, p. 309-313. Cette disposition correspond à la description faite par Pline du transport des obélisques : Pline, *Histoire naturelle*, XXXVI, 14.

22. La présence de quatre avirons-gouvernails ne semble pas forcément prouver que deux péniches, chargées chacune de deux obélisques, aient pu naviguer côte à côte comme on a pu le suggérer, et ainsi que P. Lacau le pensait, *cf.* P. Lacau-H. Chevrier *et al.*, *Chapelle*, § 373.

23. Pour le « Grand Vert », *Ouadj-our*, voir Cl. Vandersleyen, *Ouadj-our, un autre aspect de la vallée du Nil*, Bruxelles (*Connaissance de l'Egypte ancienne*), 1999.

24. Voir le dessin de reconstitution de la manœuvre proposé par l'architecte J.-Cl. Golvin, illustrant ce chapitre, et aussi R. Englebach, « The Aswan Obelisk, with some Remarks », Le Caire, SAE, 1922, p. 35-44.

25. Les deux obélisques prévus sous le règne de Thoutmosis II, et pris en charge par Hatshepsout, devaient ainsi être érigés devant les obélisques de Thoutmosis Ier, en avant du IVe pylône. Plus tard, Aménophis III les fit déplacer, et construisit à leur place les deux tours de son IIIe pylône. Ensuite, ils durent s'effondrer et furent fracassés, leurs fragments dispersés à travers tout Karnak et exploités ici et là dans plusieurs monuments devinrent des matériaux de remplissage, jusqu'à être encore remployés après

l'arrivée d'Alexandre en Egypte, dans la construction de la dernière chapelle de la barque, don de Philippe Arrhidée, frère de l'empereur. Voir L. Gabolde, pour qui chaque fragment des obélisques de Karnak n'a plus de secret : « A propos des obélisques de Thoutmosis II, dédiés à son père Thoutmosis Ier et érigés sous le règne d'Hatshepsout-pharaon à l'ouest du IVe pylône », *Karnak* VIII, 1987, p. 143-158.

CHAPITRE V : LA GESTION D'HATSHEPSOUT JUSQU'À SON COURONNEMENT (p. 98 à 121)

1. R. A. Caminos, *The Shrines and Rock Inscriptions of Ibrîm*, Londres, 1968, Chapel n° 3. Certains vestiges retrouvés dans les ruines, dominant encore le rocher de Kasr-Ibrim, laissent supposer l'existence d'un monument érigé par ordre d'Hatshepsout, mais impossible à reconstituer, faute d'éléments suffisamment importants.

2. H. W. Fairman, *JEA* 25, 1939, p. 142 n. 1.

3. *Urk.* IV, 192, 11. Les vestiges de cette statue (partie inférieure) sont exposés au musée de Khartoum. La reine y est citée, dans les inscriptions, comme étant encore « Grande Epouse royale, Epouse du dieu, Celle qui s'unit à la perfection de la Couronne Blanche (*Khénémet néféret hedjet*) ».

4. Voir R. A. Caminos, *The New Kingdom Temples of Buhen* I – *The Southern Temple*, *ASE* 34, Londres, 1974.

5. R. A. Caminos, *Semna-Kumma* I – *The Temple of Semna*, *ASE* 37, Londres, 1998. Les vestiges de ces temples sont maintenant exposés au musée de Khartoum.

6. R. A. Caminos, *op. cit.* II – *The Temple of Kumma*, Londres, 1998.

7. *Urk.* IV, 197, 12 – 198, 4. L'inscription est gravée sur le mur Est du temple. Voir également Dorman, p. 19.

8. Le mot « élevé » est rendu par le mot égyptien *rénèn*, qui s'emploie pour exprimer même l'allaitement d'un enfant que l'on berce, ainsi *rnn sw r Hr.*

9. Pour ces trois temples des citadelles de frontière, *cf.* Ch. Desroches Noblecourt, *Le secret des temples de la Nubie*, Paris, Stock-Pernoud, 1999, p. 107-117.

10. H. Chevrier, « La reine Hatschepsüt sous la figure d'une femme », *ASAE* 34, 1934, p. 159-176, pl. IV, et S. Schott, « Zum Krönungstag der Königin Hatshepsût », *NAWG* I, *Phil.-hist. Klasse*, 1955, Nr. 6, pl. III, mais surtout P. Lacau, « Sur la reine Hatschepsewe », *RHR* 143, 1953, p. 143.

11. A. H. Gardiner-E. Peet-J. Cerny, *The Inscriptions of Sinai* I, Londres, 1952, p. 175-176, pl. LVI-LVII.

12. De nombreuses traductions ont été affectées à ce nom. Certaines sont vagues, comme « True one of the Ka of Ra » (Gay Robins), ou « Truth is the (essential) attribute of Rê » (A. H. Gardiner, *JEA* 32, 1946, p. 48), « le *ka* de Rê est *Maât* » (Mathieu). « *Maât* est le *ka* de Rê » (Chappaz et Pécoil) est certainement plus près du sens profond. On comprendra, tout au long de cette étude, qu'Hatshepsout n'était pas hostile à se considérer elle-même comme l'image de *Maât*. Pour une étude récente des noms d'Hatshepsout, *cf.* Gay Robins, « The Names of Hatshepsut as King », *JEA* 85, 1999, p. 103-112.

13. Voir J. H. Breasted, *A.R.* IV, p. 87.

14. Cette stèle, très détériorée et remaniée à l'époque ramesside, fut découverte par L. Christophe (*Karnak-Nord III*, Le Caire, 1951, p. 88-89, pl. VI-XV) qui a lu « an 4 ». Lecture discutée par E. Brovarski, « Senenu, High Priest of Amon at Deir el Bahari », *JEA* 62, 1976, p. 67 n. 2, et par P. Dorman.

15. Ligne 5 de la stèle.

16. Voir page 103.

17. La lecture « an 12 », proposée par Tefnin (*CdE* 48, 1973, p. 236), est rejetée par Dorman, *Senenmut*, p. 29 n. 55, qui a examiné la stèle à Karnak en 1984, et propose les

lectures « an 2 » ou « an 3 ». L'inscription de la stèle a été remaniée, peut-être même à la XXVe dynastie !

18. Certains auteurs pensent que ce titre ne peut pas avoir été porté par Sénènmout avant le couronnement de la reine. Le contraire est maintenant prouvé, voir Dorman, *Senenmut*, p. 134 n. 5.

19. W. Pleyte-F. Rossi, *Papyrus de Turin* I *(n° 1828)*, Leyde, 1869, pl. I, et Dorman, *Senenmut*, p. 33 (chapitre 2), qui a étudié la date exacte de ce document. La cérémonie de l'intronisation du nouveau vizir, Ousèramon, est rappelée par une allusion dans les inscriptions de sa tombe thébaine (n° 131).

20. Pour le *shenpou*, *cf.* G. Legrain, *ASAE* 4, 1903, § 103 p. 211, et G. Maspero, « La vie de Rekhmara », *Journal des Savants*, septembre 1901, p. 539.

21. *A.R.* IV, 267.

22. Le texte de l'installation du vizir est représenté dans la tombe des vizirs de la XVIIIe dynastie, et se retrouve également dans la chapelle de Pasar (TT 106), principal vizir de Ramsès II. Il apparaît, c'est certain, en un volume plus réduit aux époques antérieures, et même bien avant le temps du roi Ahmosis. Hatshepsout a connu trois vizirs. Durant sa jeunesse, Ahmosis dit Amétou, qui débuta sous Aménophis Ier et portait naturellement, comme ses successeurs, entre autres titres celui, essentiel, de Prêtre de Maât (*Urk.* IV, 489-493 ; D. Redford, *History and Chronology of the Eighhteenth Dynasty of Egypt : Seven Studies*, Toronto, University of Toronto, 1967, p. 77 n. 101 ; Ratié, p. 280-281). Il bénéficiait d'un cénotaphe au Gebel Silsilé. Ousèramon ou Ousèr, son fils, qui lui a succédé et qui servit Hatshepsout durant toute son activité, laissa également sur les murs de son tombeau (TT 131) une partie importante des textes concernant l'installation et les devoirs du vizir. Il posséda deux tombes (n° 61 et n° 131 de la nécropole thébaine), et une de ses statues est au Louvre, très restaurée (A 127), une autre au Caire (n° 42.118 : G. Legrain, *CGC Statues* I, 1906, pl. LXIX ; C. Aldred, *New Kingdom Art in Ancient Egypt during the Eighteenth Dynasty*, Londres, Tiranti, 1961, pl. 38 ; Ratié, p. 281 ; voir aussi Dorman, *Senenmut*, p. 33-34 ; VdS, p. 214). Il posséda naturellement un cénotaphe au Gebel Silsilé. Pour les fonctions de ces vizirs en général, voir Breasted, *A.R.*, p. 267 sqq, § 663 sqq ; M. Lichtheim, *Ancient Egyptian Literature II : The New Kingdom*, Berkeley-Los Angeles-Londres, 1976, p. 21-22 ; W. Helck, *Die Berufung des Vezirs W sr*, Berlin (*Ägyptologische Studien. Veröffentlichungen* Nr. 29 – Mélanges Grapow), Berlin, 1955, p. 107-117 ; R. O. Faulkner, « The Installation of the Vizier », *JEA* 41, 1955, p. 18 sqq. ; plus récemment, voir G. P. F. Van Den Boorn, *The Duties of the Vizier – Civil Administration in the Early New Kingdom*, Londres-New York, 1988.

23. Ces rouleaux contenaient certainement un réel code de loi.

24. Une cérémonie analogue devait se dérouler pour le vizir du Nord, dont on perçoit l'existence véritablement à partir de cette époque. Saint-Simon, délégué par Louis XIV à la Cour d'Espagne, se serait moins étonné du strict protocole rencontré durant sa réception auprès des Grands, s'il avait eu connaissance des usages déjà observés à l'endroit des hauts dignitaires des maîtres de l'Egypte !

25. Cette expression est illustrée par la représentation du souverain portant, en principe, la coiffure du roi régnant, le *khépéresh*, recouvert probablement de peau d'autruche. On le voit élevant vers le visage du dieu Amon l'image accroupie et féminine de Maât, la tête ornée de la plume d'autruche qui sert à écrire son nom. Dès le milieu de la XVIIIe dynastie, cette scène illustre les murs des temples.

26. Breasted, *A.R.*, § 270-282.

27. En égyptien, les impôts : *ipou*, et les taxes : *bakou*.

28. Voir page 108.

29. Toutes tâches évoquées par Breasted, *A.R.* IV, § 681.

30. *Kémèt* veut dire « Terre noire », couleur produite par les très riches alluvions de la crue annuelle, principalement véhiculées par l'Atbara d'Abyssinie, et qui

recouvraient alors les terres arables. Les Grecs, découvrant l'Egypte et ses merveilles, empruntèrent le nom que les habitants donnaient eux-mêmes à leur pays (*Kémèt* > *Kémi* > Chimie), pour désigner la science qu'ils apprirent des Egyptiens.

31. A.H. Gardiner-E. Peet-J. Cerny, *Inscriptions of Sinai* I, Londres, 1952, p. 175-176, pl. LVI-LVII ; Dorman, p. 52.

32. A. H. Gardiner-E. Peet-J. Cerny, *op. cit.*, pl. LVL.

33. Voir plus loin le bilan de son action, exposé par la reine elle-même au Spéos Artémidos.

34. L. Habachi, *JNES* XVI, 1957, p. 99-104, fig. 6 p. 100. Cette inscription est gravée sur la colline nubienne appelée *Bibi-Tagoug*. *Cf.* aussi VdS, p. 280, et Ratié, p. 220.

35. Voir page 110.

36. *Néhèsyou* du Sud de la Nubie. Le mot signifie « les cuivrés ».

37. VdS, p. 280, rappelle aussi que, bien qu'ouvertement pacifiste, la reine recommença une répression dans ces mêmes régions en l'an XII, à Tangour (lieu très sensible), et en l'an XVIII, au Sud de la Deuxième Cataracte, à Shalfak.

38. Sur le mur de la terrasse inférieure, *cf.* E. Naville, *DelB* VI, pl. 165, pl. 8 n. 8.

39. Voir aussi D. Redforf, *History of Egypt*, chap. IV, p. 57-64, suivi par K. A. Kitchen, « Further Notes on New Kingdom Chronology and History », *CdE* XLIII n° 85, 1968, p. 314-316. En revanche l'action d'Hatshepsout en Asie n'est pas assurément prouvée.

40. *Cf.* Ch. Desroches Noblecourt, *Amours et fureurs de la Lointaine*, Paris, Stock-Pernoud, 1995/1997, p. 21-22, frontispice et fig. 22.

41. L. Habachi, « Two Graffiti at Sehel from the Reign of Queen Hatshepsut », *JNES* XVI, 1957, p. 88 pl. XVI A.

42. Les temples furent encore remaniés au cours des siècles, et leurs éléments réutilisés à nouveau à la Basse Epoque. Un nombre déjà important de blocs retrouvés au début du siècle par le Français Clermont Ganneau, puis récemment exhumés au cours des fouilles exécutées par Werner Kaiser, ancien Directeur de l'Institut allemand d'archéologie au Caire, ont permis la reconstitution sur place d'un édifice très original, où les parties du décor retrouvées ont été remises en place sur une structure moderne. Les quelques magnifiques blocs rapportés par Clermont Ganneau sont conservés au musée du Louvre (B 59 à B 73). Au début des travaux de reconstruction de W. Kaiser et au moment où je dirigeais le Département égyptien, leurs moulages ont été expédiés à Eléphantine et ont été intégrés aux endroits présumés où ils figuraient jadis. Pour ces temples, voir W. Kaiser, « Stadt und Tempel von Elephantine – 8. Grabungsbericht », *MDAIK* 36, 1980, p. 254-264, et « 21/22. Grabungsbericht », *MDAIK* 51, 1995, p. 99-187.

43. Tel était le nom du Grand Prêtre d'Amon, cet homme puissant qui régnait sur un monde de prêtres, de serviteurs innombrables et de trésors qui continuaient à parvenir régulièrement de Nubie et de toutes les propriétés appartenant au domaine du dieu, dont Sénènmout était maintenant devenu le très lucide Grand Intendant. Le titre officiel du Grand Prêtre d'Amon était simplement « Premier Prophète d'Amon ». En revanche, les Grands Prêtres des autres collèges étaient différenciés par des titres très particuliers. Ainsi, celui de Rê d'Héliopolis était appelé « Le Plus Grand des Voyants », celui de Thot d'Hermopolis portait l'appellation de « Plus Grand des Cinq ».

44. *Urk.* IV, 483, 8 et 11-13.

45. *Urk.* IV, 473, 1.

46. *Urk.* IV, 472.

47. *Urk.* IV, 476, 7-8.

48. *Urk.* IV, 475, 6, 476, 6-9.

49. *Urk.* IV, 474, 6.

50. R. A. Caminos-H. James, *Gebel es-Silsilah*, Londres, EES, 1963. Le cénotaphe d'Hapouséneb porte le n° 15, p. 42-52.

51. Le cénotaphe de Sénènmout porte le n° 16, op. cit., p. 53-56.

52. Le cénotaphe d'Ousèramon porte le n° 17, op. cit., p. 57-63.
53. Le cénotaphe de Sennéfer porte le n° 13, op. cit., p. 37-39.
54. Le cénotaphe de Nakhtmin porte le n° 23, op. cit., p. 74-77.
55. Le cénotaphe de Min porte le n° 5, op. cit., p. 19-21.
56. Le cénotaphe de Néhésy porte le n° 14, op. cit., p. 40-41.
57. Le cénotaphe de Ménekh porte le n° 21, op. cit., p. 68-72.
58. Dorman, *Senenmut*, p. 212-221.
59. PM II, p. 343, et VdS, p. 245.
60. H. Winlock, *BMMA* 23, février 1928 ; W. Hayes, *MDAIK* 15, 1957, p. 78.
61. W. Hayes, « A Selection of Tuthmoside Ostraca from Dèr el-Bahri », *JEA* 46, 1950, p. 30-31 ; VdS, p. 274.
62. *Urk.* IV, 60, 5-11 ; Breasted, *A.R.* II, § 341.
63. A. H. Gardiner, « Thutmosis III returns Thanks to Amon », *JEA* 38, 1952, 12-2 et p. V.
64. Ch. Desroches Noblecourt, « Les « Enfants du Kep » », communication faite au XXIe congrès des Orientalistes, Paris, 1947, comptes-rendus p. 68-70.

Chapitre VI : Les événements déterminants de l'an VII (p. 122 à 135)

1. A. H. Gardiner, « Tuthmosis III returns Thanks to Amun », *JEA* 38, 1952, p. 12 pl. V ; Ratié, p. 85.

2. Breasted, *A.R.* IV, 98-99 ; E. Naville, *DelB* III, p. 57-58 ; Ratié, p. 118-119, note 115. Voir également Breasted, *A.R.* II, 239-241 ; *Urk.* IV, 262, 7-8. « *Sa Majesté ordonna de faire venir les prêtres-lecteurs ritualistes pour proclamer ses Grands Noms, inhérents à la dignité de ses couronnes de roi de Haute et de Basse Egypte, et pour les inscrire sur tous les travaux de construction et tous les sceaux lors de l'Union des Deux Pays et de la course autour du mur. Il ordonna de parer tous les dieux pour la cérémonie de l'Union des Deux Terres. Il sait qu'une apparition en gloire est de bon augure le jour qui ouvre l'année pour un commencement des années pacifiées et pour qu'elle célèbre de très nombreuses fêtes* sed. »

3. E. Naville, *DelB* III, p. 7 l. 33.

4. Plusieurs allusions à des troubles ont été détectées, aussi bien dans les textes de Deir el-Bahari que dans ceux du Spéos Artémidos (voir plus loin). La reine y fait allusion dans la Chapelle rouge, lorsqu'après son jubilé elle présente la rétrospective de son action : « J'ai ordonné de ramener le calme au milieu des provinces. Toutes les cités sont en paix. » *Cf.* P. Lacau-H. Chevrier *et al.*, *Chapelle*, p. 144.

5. La reconstitution approximative de ces cérémonies m'a été possible grâce aux textes de la Chapelle rouge, et particulièrement aux textes conservés sur le bloc n° 287. Une version des événements supposés figurait sur le mur Nord du niveau supérieur du temple de Deir el-Bahari, soigneusement martelée, et également sur la face Sud du môle oriental du VIIIe pylône de Karnak, texte virtuellement disparu.

6. Voir R. Tefnin, « L'an VII de Thoutmosis III et d'Hatshepsout », *CdE* 96, 1973, p. 232-242.

7. Voir page 125.

8. Le « Château de Maât » était situé entre le VIe pylône et le sanctuaire, où se trouvait la barque sacrée du dieu.

9. Voir page 126.

10. Mot à mot : « la grande maison », à ne pas confondre avec *Per-âa* (« le haut domaine », voir plus loin). Le *Per-our* est l'habitat divin des premiers âges de Haute Egypte, en parallèle avec le *Per-nésèr*, « la maison de la flamme », sanctuaire divin primitif de Basse Egypte. *Cf.* Ch. Desroches Noblecourt, *Amours et fureurs de la Lointaine – clés pour la compréhension de symboles égyptiens*, Paris, Stock-Pernoud, 1995/1997, p. 83 et p. 160.

11. P. Lacau-H. Chevrier *et al.*, *Chapelle*, p. 235.

12. La reine est figurée dans cette attitude et cette position, au Spéos Artémidos. En revanche, à la XIXe dynastie, dans la même scène de couronnement, si le roi (Ramsès II par exemple) est agenouillé, il fait face à Amon.

13. A la Basse Epoque, pour la même cérémonie, dix couronnes sont citées dans le décret de Rosette.

14. La couronne du Nord, *nèt*, est aussi appelée *déshérèt*, « la rouge », ou encore *bity*, « celle qui appartient à l'abeille ».

15. Voir page 128.

16. Voir P. Lacau-H. Chevrier *et al.*, *Chapelle*, § 169, p. 116-119.

17. E. Naville, *DelB* III, p. 7 et pl. LXIII.

18. Consulter la dernière étude parue sur les noms d'Hatshepsout : G. Robins, « The Names of Hatshepsut as King », *JEA* 85, 1999, p. 103-112.

19. *Cf.* P. Lacau-H. Chevrier *et al.*, *Chapelle*, p. 127.

20. Voir aussi J. Yoyotte, « La date supposée du couronnement d'Hatshepsout à Karnak, à propos du bloc 287 de la Chapelle rouge de Karnak », *Kêmi* 18, 1968, p. 85-91.

21. Voir P. Lacau-H. Chevrier *et al.*, *Chapelle*, p. 121-122.

22. Voir P. Lacau-H. Chevrier *et al.*, *Chapelle*, p. 138.

23. Voir page 130.

24. Voir un aperçu de ce rituel, que j'ai évoqué pour un sacre un peu plus tardif, celui de Ramsès II, mais qui était traditionnel : Ch. Desroches Noblecourt, *Ramsès II – la véritable histoire*, Paris, Pygmalion, 1996, chap. V : le sacre, p. 99-123.

25. A ce propos, consulter Ch. Desroches Noblecourt, *Ramsès II, la véritable histoire*, Paris, Pygmalion, 1996, p. 99-119, chapitre V, le sacre.

26. Cette date, choisie sans doute avec l'appui de Sénènmout – comme on pouvait s'en douter dès le parti qu'il prit d'installer un cénotaphe au Gebel Silsilé – est en rapport direct avec le renouveau de *Kémèt* (l'Egypte) par la miraculeuse Inondation, car il faut, plus que jamais, reconnaître dans le *Séma-Taouy* (groupe décoratif fait du signe de la réunion entouré des plantes héraldiques de la Haute et de la Basse Egypte, le « lys » et le papyrus, l'expression imagée de l'Inondation prenant possession de toute l'Egypte, par la force de ce flot nourricier (*Hâpy*) avec lequel le roi est confondu. Voir Ch. Desroches Noblecourt, *Amours et fureurs de la Lointaine*, Paris, Stock-Pernoud, 1995/1997, p. 135-155. Quoi qu'il en soit, ce *Séma-Taouy* n'est pas une image politique, mais symbolique et religieuse, fondée sur la valeur « lys » = Sud, déesse tutélaire Nékhabit, papyrus = Nord, déesse tutélaire Ouadjit. De surcroît, il ne faut surtout pas confondre « lys » et lotus, comme cela est présenté dans H. Goedicke, « *Zm3-T3wy* », *Mélanges Gamal Eddine Mokhtar* I, Le Caire, IFAO, 1985, p. 308. Le même auteur, p. 318, propose de voir dans le titre si connu et si mal compris de « Celle qui court derrière le mur », appliqué à Hatshepsout, une allusion à une cérémonie où la reine passe derrière le mur (*i. e.* la montagne) qui sépare la façade de Deir el-Bahari de la Vallée des Rois (où reposeraient les dieux morts, c'est-à-dire les rois morts qui y seraient enterrés). Le *hic* est qu'avant Hatshepsout et la tombe qu'elle allait faire creuser dans la Vallée des Rois, il n'y avait pas encore de sépultures de souverains aménagées ! Hatshepsout ayant fait creuser la première tombe pour elle-même et pour son père.

27. Il s'agit de la longue barbe factice rectangulaire, assimilée à la divinité *Douaour*, fixée au menton par un lien, et non de la barbe tressée d'Osiris, à l'extrémité recourbée : la *Khébésout*. *Cf.* Ch. Desroches Noblecourt, « Une coutume égyptienne méconnue », *BIFAO* XLV, 1947, p. 185-232.

28. Suivant le conte rapporté par le célèbre papyrus Westcar, *cf.* G. Lefebvre, *Romans et contes égyptiens de l'époque pharaonique*, Paris, Maisonneuve, 1949, annexe au quatrième conte : la naissance des rois de la Ve dynastie, p. 86-90.

29. *Urk.* IV, 307, 11 ; 308, 4-5 ; 314, 316 et sqq.

30. Voir page 132.

31. *Per-âa* ne doit pas être confondu avec *Per-our*, « la grande maison », une des chapelles du temple où les couronnes étaient remises à Pharaon, et dont le nom rappelait l'antique chapelle primitive de la Haute Egypte.

CHAPITRE VII : L'AN VII, À LA DÉCOUVERTE DE SÉNÈNMOUT L'INSONDABLE (p. 136 à 147)

1. Voir page 136.

2. Voir page 136.

3. Dans sa chapelle de Gourna on peut encore distinguer, en dépit des destructions, la représentation de soldats nubiens (*Néhésyou*). *Cf.* W. Helck, *Der Einfluss des Militarführer in der 18. ägyptischen Dynastie* (*Untersuchungen* 14), 1939, p. 42 ; A. R. Schulman, « Some Remarks on the alleged « fall » of Senenmut », *JARCE* 8, 1969-1970, p. 47-48 ; P. Dorman, *Tombs*. Voir aussi *Urk*. IV, 399, 10.

4. C'est très probablement la raison pour laquelle son mobilier funéraire présentait un aspect plus soigné, et non pas parce qu'elle était d'une essence plus noble que celle de son époux.

5. La tombe des parents de Sénènmout fut découverte durant la saison de fouilles 1935-1936, par les égyptologues du Metropolitan Museum de New York (Winlock). Pour l'histoire de la découverte *cf.* W. C. Hayes, un des membres de la mission : *Scepter* II, p. 112 et sqq.

6. Un scarabée de cœur est l'image, sculptée dans une pierre rituellement assez sombre (du schiste le plus souvent), du coléoptère au repos, sous la base duquel un texte – reproduit au chapitre 26-28 du Livre des Morts – est composé de la supplique du défunt, adressée à sa mère, à laquelle il demande de ne pas l'abandonner le jour du jugement. En effet, le jour où les actes terrestres du défunt sont pesés sur la balance de Thot devant Osiris et son tribunal, le cœur du trépassé posé sur un plateau de la balance doit être plus léger que la plume de l'équilibre-justice, placée sur l'autre plateau. En un mot le cœur ne doit pas être « pesant », au risque d'être condamné à payer ses fautes.

7. Voir page 138.

8. Un ostracon (des ostraca), tiré du mot grec qui sert à définir un éclat de calcaire ou de poterie sur lequel les Egyptiens écrivaient pour économiser le papyrus, plus précieux. L'ostracon dont il est question ici a été découvert au début des fouilles, en 1920 : W. C. Hayes, *Ostracon and Name Stones from the Tomb of Sen-Mut (n° 71) at Thebes*, New York, 1942, p. 21 et p. 62 pl. XII, et du même auteur, « Varia from the Tomb of Hatshepsut », *MDAIK* 15, 1957, p. 79-80.

9. La tombe fut rouverte quelque temps après, pour recevoir les momies de six petites filles mortes, dont plusieurs étaient reliées entre elles.

10. Dorman, *Tombs*, p. 102. Au début de l'étude, cette chapelle (n° 71) avait été interprétée comme une tombe. Sur la colline de Gourna, elle est située entre les chapelles d'Amenhotep (n° 73) et de Senmèn (n° 252).

11. *Cf.* VdS, p. 279 qui, citant également cette statue « sculptée à même la roche », indique l'an III pour le commencement des travaux, non encore achevés en l'an XI.

12. P. Dorman, *Tombs*, p. 91, écrit : « Although the details of the statue are not even sketched in the presence of a small orb in front of the chin of the main figure indicates that the sculpture was intended to represent Senenmut with his ward Neferure. »

13. W. C. Hayes, *Scepter* II, p. 108.

14. A la fin du siècle dernier, Fl. Petrie avait déjà remarqué l'importance des inscriptions portées sur ces briques : « on the stamps on the bricks of the tomb (*sic*), we see that he was a priest of Aahmes and held offices for the younger daughter Hatshepsut (Meryt-Rê) as well as for the elder one Neferurê » (*A History of Egypt during the XVIth and XVIIIth Dynasty*, Londres, 1896, p. 90).

15. *Urk.* IV, 404, 17 – 405, 9 = Breasted, *A.R.* II, § 368.

16. Voir page 142.

17. Statue-cube conservée au musée de Berlin : W. Hayes, *Scepter* II, p. 111.

18. Voir P. Dorman, *Tombs*, p. 132 et pl. 82c.

19. Ces fragments, trouvés en 1930-31, ont d'abord été étudiés par W. Hayes, « The sarcophagus of senmemût », *JEA* XXXVI, 1950, 22 p. 19 et 23, et pl. IV-V-VIII, puis publiés par Dorman, *Tombs*. Longueur 233 cm, largeur 88 cm, hauteur totale avec le couvercle 107 cm (sans couvercle 82,3 cm).

20. Principalement les n° 72, 34, 45, 62, 86.

21. H. Winlock, « Notes on the Reburial of Tuthmosis I », *JEA* 15, 1918, p. 67.

22. *Cf.* W. Hayes, *Scepter* II, p. 197-198.

23. *Cf. Urk.* IV, 417, 17.

24. *Cf. Urk.* IV, 410, 11 – 411, 4, parmi les louanges citées sur la statue qui avait été déposée dans le temple de Mout près de Karnak, actuellement conservée au musée de Berlin.

Chapitre VIII : Des tombes et des chapelles (p. 148 à 161)

1. Voir page 150.

2. Dans le ouadi voisin, Hatshepsout avait fait creuser le caveau pour Néférourê lorsqu'elle était princesse. Une nécropole n'avait pas encore été constituée pour les dames royales avant la XIXe dynastie, et certaines de leurs tombes n'ont pas encore été retrouvées. En revanche, H. Winlock a découvert dans les mêmes parages le caveau de trois princesses syriennes, enterrées semble-t-il l'une après l'autre dans un même creux de la montagne. Leur mobilier funéraire, comprenant de fastueux « couvre-perruque » d'orfèvrerie, était aux noms de Merty, Menhèt et Ménoui. Parmi les objets du trésor se trouvaient quelques bijoux offerts par Hatshepsout, ce qui laisse penser que Thoutmosis III les avait épousées durant son adolescence. *Cf.* H. Winlock, *The Treasure of Three Egyptian Princesses*, New York (*The Metropolitan Museum of Art. Publications of the Department of Egyptian Art* X), 1948.

3. Voir à ce propos Ch. Desroches Noblecourt, *Amours et fureurs de la Lointaine*, Paris, Stock-Pernoud, 1995/1997, p. 56-58, 101-108.

4. Ch. Desroches Noblecourt, *op. cit.*, p. 25 et p. 73, qui illustre un des derniers chapitres du *Livre des Morts*.

5. Ch. Desroches Noblecourt, *op. cit.*, p. 24. Cette magnifique statue est conservée au musée du Caire.

6. J. Cerny – Ch. Desroches Noblecourt-M. Kurz, *Les graffiti de la montagne thébaine* I, 1 : *Introduction*, Le Caire, CEDAE (*Collection scientifique*), 1969-1970.

7. C'est ainsi que la vache Hathor est évoquée dans la chapelle qui lui est consacrée au sud du *Djéser-djésérou*. *Cf.* E. Naville, *DelB* I, pl. XIII. Pour la vache dans sa barque allaitant Hatshepsout : *DelB* IV, pl. CIV.

8. On a coutume d'écrire que le Grand-prêtre d'Amon Hapouséneb avait été chargé de l'exécution de cette tombe, en se fondant principalement sur l'inscription gravée sur la statue de ce fidèle de la reine (conservée au musée du Louvre, A 134), *cf. Urk.* IV, 472, 12. Une récente étude de Luc Gabolde permettrait d'établir qu'il s'agirait au contraire de la tombe de Thoutmosis II (le texte hiéroglyphique est très détérioré) : « A propos de deux obélisques de Thoutmosis II, dédiés à son père Thoutmosis I et érigés sous le règne d'Hatshepsout-pharaon à l'ouest du IVe pylône », *Karnak* VIII, 1987, p. 143-158.

9. Ramenés à Paris par Champollion, ces précieux éléments sont conservés au département des Antiquités égyptiennes du musée du Louvre. Une autre partie en est conservée au musée de Turin. Des fouilles, entreprises en 1903 par l'Américain

Théodore Davis, permirent d'exhumer un peu plus de 180 objets appartenant aux dépôts de fondation de la tombe. Beaucoup portaient le nom de la reine. Ils sont conservés au musée de Boston. *Cf.* W. Hayes, *Scepter* II, p. 102-103.

10. Voir page 153.

11. Mon interprétation est fondée sur la comparaison avec un objet parfaitement analogue, utilisé par les maçons de Haute Egypte encore de nos jours. Il a été employé par mes équipes de la Vallée des Reines, lorsque j'ai fait reconstituer la voûte qui protégeait la descenderie de la syringe de la reine Touy, mère de Ramsès II.

12. Ebauche d'une statue-cube devant très probablement représenter Sénènmout, Père nourricier de la princesse Néféroure.

13. Une magnifique aquarelle de Séniséneb, exécutée par Howard Carter, est reproduite dans E. Naville, *DelB* I, pl. XIII.

14. *Cf.* E. Naville, *DelB* V, pl. CXLIII. Le cartouche de Néféroure a disparu, mais ses titres « Fille royale, maîtresse des Deux Pays, souveraine du Sud et du Nord », laissent supposer qu'elle devait avoir épousé Thoutmosis III, derrière qui elle figure debout.

15. La reconstitution de cette statuette très détériorée, retrouvée à Deir el-Bahari, tient du miracle. Taillée dans le grès, elle était polychrome. Son identification fut faite par la recomposition de l'inscription qui l'ornait. *Cf.* H. Winlock, « The Egyptian Expedition 1930-1932 », *BMMA* 32-2, p. 510. La tombe de Sat-Rê, dite Inèt, fut découverte en 1903 par Carter dans la Vallée des Rois (TT 60), ce qui prouve l'attachement de la reine à celle qui veilla sur son enfance. Les fragments du cercueil sont conservés au musée du Caire.

16. Voir page 158.

17. Voir page 159.

18. E. Naville, *DelB* VI, pl. CLX. Le bas-relief, comme bien d'autres dans ce temple, a été entièrement martelé. Cependant, le travail a été fait avec un tel soin, les contours des formes si bien respectés, que la scène peut encore être nettement évoquée.

CHAPITRE IX : LA THÉOGAMIE (p. 162 à 179)

1. Les illustrations relatives au couronnement, conservées à Deir el-Bahari, sont très discrètes : E. Naville, *DelB* III, pl. LXI et sqq. La plus importante évoque la présentation d'Hatshepsout par son père aux notables du palais.

2. G. Lefebvre, *Romans et contes égyptiens de l'époque pharaonique*, Paris, Maisonneuve, 1949, p. 86-90.

3. En général, toutes les représentations de la reine ont été martelées. En dépit de ces graves déprédations, les parties endommagées ont pu être « reconstituées » ou interprétées.

4. Groupées en deux rangées superposées : au sommet ce sont les six entités du cycle osirien : Osiris, Isis, Horus, Nephthys, Seth et Hathor ; au premier rang figurent Monthou, Atoum, Shou, Tefnout, Geb et Nout, entités solaires du cycle héliopolitain. *Cf.* E. Naville, *DelB* II, pl. XLVI.

5. Voir aussi Ratié, p. 94. Il est question des pluies, dont les Egyptiens savaient qu'elles alimentaient les deux affluents du Nil depuis Khartoum : le Nil Bleu et l'Atbara. Ce détail, et l'allusion au « grand Nil », c'est-à-dire à une abondante inondation, prouve bien que l'espoir d'un bon règne dépend presque uniquement du régime du Nil, qui doit protéger l'Egypte des redoutables famines si l'irrigation du pays n'est pas surveillée par le chef.

6. Naville, *DelB* II, pl. XLVII gauche, et *Urk.* IV, 219, 10 – 221, 8.

7. Naville, *DelB* II, pl. XLVII droite.

8. Pour traduire ces termes très réalistes, le grand égyptologue américain J. H. Breasted, il y a un siècle, avait utilisé le « voile » du latin : *coivit cum ea*. De nos

jours, l'égyptologue anglaise J. Tyldesley, plus réaliste, traduit par « son pénis dressé devant elle » (p. 125).

9. Ratié, p. 96, rappelle que cette coutume passe en Israël (Genèse 35-18). *Cf.* E. Dhorme, *L'évolution religieuse en Israël* I. *La religion des Hébreux nomades*, Bruxelles, 1937, p. 273-274, et A. Barucq, *DBSV*, 1957, p. 434-442.

10. Voir page 168.

11. Voir page 168.

12. *Urk.* IV, 221, 9 – 222, 4. *A.R.* II, § 198.

13. *Cf.* A. Badawi, *Der Gott Chnum*, Glückstadt-Hambourg-New York, 1937, p. 57 pour Deir el-Bahari. S. Sauneron, *Les fêtes religieuses à Esna aux derniers siècles du paganisme (Esna* V*)*, Le Caire, IFAO, 1952, p. 93-97.

14. Naville, *DelB* II, pl. XLVIII.

15. Pour plus de facilité je rappelle que l'on traduit *ka*, en suivant Maspero, par « le double ». C'est évidemment une notion beaucoup plus complexe, concernant le reflet ou le potentiel divin de l'être, créé en même temps que lui, et naturellement invisible. Seul le souverain possède son *ka* sur terre. Quant à l'Egyptien, il doit mourir pour retrouver son *ka*, dans le monde vers lequel il aspire à parvenir.

16. Naville, *DelB* II, pl. XLVIII centre.

17. Naville, *DelB* II, pl. XLVIII droite.

18. Naville, *DelB* II, pl. XLIX.

19. Naville, *DelB* II, pl. LI.

20. Naville, *DelB* II, pl. LIV.

21. Naville, *DelB* II, pl. LIII.

22. Ce lait est appelé « l'eau de la vie », ou encore *ânkh-ouas*, écrit avec les deux signes que l'on trouve dans les petites mains qui terminent les rayons solaires, pendant la réforme amarnienne d'Aménophis IV-Akhénaton. Voir plus loin, sur les piliers osiriaques de la reine.

23. L'enfant divin et son *ka* sont représentés sous les vaches, en train de s'alimenter à leur pis. La scène a été, naturellement, martelée. Il en reste des traces presque illisibles.

24. Dans de nombreuses scènes symboliques, le soleil au moment de son apparition, est figuré comme un petit veau « à la bouche de lait », que la grande vache céleste vient de mettre au monde : *cf.* Ch. Desroches Noblecourt, *Amours et fureurs de la Lointaine*, Paris, Stock-Pernoud, 1995/1997, p. 121-127 et p. 223. Naville, *DelB* II, pl. LIII.

25. Naville, *DelB* II, pl. LIII.

26. Voir page 177.

27. Voir page 177.

28. L'Inondation qui, aux environs du 18 juillet, ramène chaque année le nouveau soleil avec le jour de l'an. *Cf.* Ch. Desroches Noblecourt-Ch. Kuentz, *Le petit temple d'Abou Simbel*, Le Caire, CEDAE (*Mémoires* I et II), principalement II, 1968, p. 109-124.

29. Cette théogamie, qui apparaît ainsi illustrée pour la première fois à Deir el-Bahari, a inspiré une scène analogue mais moins complète, reproduite à l'intérieur du temple de Louxor, édifié par Aménophis III. Plus tard, Ramsès II s'en inspira, et non seulement la fit représenter, mais lui consacra un petit temple complet, contre le mur extérieur Nord de la salle hypostyle du Ramesseum. J'ai eu la chance de pouvoir découvrir et reconstituer ce bâtiment complètement disparu, consacré plus particulièrement à la mère du grand roi, la reine douairière Touy. Une place était aussi réservée pour la Grande Epouse royale Nofrétari. *Cf.* Ch. Desroches Noblecourt, « Le mammisi de Ramsès au Ramesseum », *Memnonia* I, 1990/1991, p. 25-46. Cette scène de la théogamie, si bien évoquée par Hatshepsout, et placée dans un bâtiment spécial par Ramsès II, deviendra à l'époque gréco-romaine le sujet essentiel des mammisis accompagnant les temples durant la Basse Epoque, légèrement transformé et réservé à la naissance du jeune dieu confondu avec Pharaon. Voir tout l'exposé de S. Ratié, p. 93-108. Pour une

étude systématique de ces représentations au Nouvel Empire, voir l'excellent ouvrage d'E. Brunner-Traut, *Die Geburt des Gottkönigs. Studien zur Überlieferung eines altägyptischen Mythos*, *ÄA* 10, Wiesbaden, 1964.

30. Naville, *DelB* III, pl. LVI A.

31. Naville, *DelB* III, pl. LVI droite.

32. Naville, *DelB* II, pl. LV.

33. Ceux des archéologues qui se sont penchés sur ce disque y reconnaissent l'image de la lune. La seule objection que je puisse opposer à cette identification est qu'en général, l'image de la lune est représentée par les Egyptiens avec ses deux pôles légèrement aplatis. Dans cette scène, le disque, quoi qu'il en soit, serait un symbole cosmique de rajeunissement. Pour la lune en rapport avec l'écoulement du temps, *cf.* R. Parker, *The Calendars of Ancient Egypt*, *SAOC* 26, Chicago, 1951, chap. I-III. Pour le symbolisme de la lune, Ph. Derchain, *La lune, mythes et rites*, *Sources Orientales* V, Paris, 1962.

CHAPITRE X : HATSHEPSOUT ET SES TEMPLES – L'OUVERTURE À L'HOMME (p. 180 à 189)

1. Lorsque E. Naville fouilla et publia le portique du transport des obélisques, P. Lacau proposa à ce dernier de voir dans la présence de quatre avirons-gouvernails, à l'arrière de la péniche transportant les deux obélisques, l'indication de deux péniches, dont la présence n'aurait pu être signalée que par la paire supplémentaire d'avirons. L'opération de transport paraîtrait assez peu vraisemblable. Tout au plus pourrait-on envisager l'extraction jumelée, à cette époque, de deux paires d'obélisques dans les carrières de Séhel, dont les deux gigantesques aiguilles de 54 m de haut chacune. Elles auraient attendu dans la carrière que la reine les fasse quérir, le moment venu pour leur érection à l'est de Karnak. Ceci expliquerait alors le relief, appartenant à la même séquence, où l'on voit une façade où serait dressés quatre obélisques côte à côte, Naville, *DelB* VI, pl. CLVI et p. 6.

2. Ce Djéhouty, ou Thoutiy, très proche de la reine, est un orfèvre de premier ordre. Intendant du Trésor d'Osiris, il est supérieur des prophètes d'Hathor à Cusae et des prophètes de Thot à Hermopolis (*Khéménou*), d'où il est natif. A une époque, Intendant du palais, il déclarait : « La reine a permis que je dirige le Palais... Ma bouche garde le silence sur les affaires concernant le Palais » (*Urk*. IV, 422, 6). Il a contribué à incruster d'or, d'électrum et de cuivre une quantité de chapelles, de naos, de portes en bois et en bronze à Karnak, le grand siège d'Amon à Deir el-Bahari. Il a même incrusté d'or et d'argent un des sols du sanctuaire de Karnak. Il dénombre également tous les trésors qui s'accumulent dans le domaine royal, et est présent pour enregistrer tous les apports de *Pount*. Thoutiy a également fait la grande barque du « commencement du fleuve » appelée *Ousèrhat-Amon*, entièrement couverte d'or.

3. *Cf. Urk*. IV, 425, 16 – 420, 2, et *A.R*. II, p. 256, § 376.

4. Pour une explication claire et très documentée de cette partie essentielle du temple de Karnak, consulter P. Barguet, *Le Temple d'Amon-Rê à Karnak – essai d'exégèse*, Le Caire, IFAO (*RAPH* 21), 1962, p. 294 ; Id., « La structure du temple Ipet-Sout d'Amon à Karnak, du Moyen Empire à Aménophis II », *BIFAO* LII, 1953, p. 145-155.

5. Pour la découverte de ce sanctuaire, *cf.* A. Varille, « Description sommaire du sanctuaire oriental », *ASAE* 50, 1950, p. 137-172 ; J. Vandier, *Manuel d'archéologie égyptienne* II, 2, *Les grandes époques, l'architecture religieuse et civile*, Paris, Picard, 1955, p. 797-798 et III, p. 364 note 2.

6. Plus tard, Thoutmosis III se fit représenter à la place de la reine, ou tout au moins ce fut l'initiative des prêtres et de Thoutmosis IV, désireux d'amplifier ce sanctuaire solaire jusqu'à l'enrichir à l'arrière d'un obélisque unique (*tékhèn ouâty*), qui fut transporté et érigé à Rome, place Saint-Jean-de-Latran, où on peut encore l'admirer.

7. La fouille permit de constater que les assises de fondation du socle de l'obélisque méridional étaient faites d'une architrave au nom de Thoutmosis II et d'un bloc portant le nom de Thoutmosis III : A. Varille, *loc. cit.*, p. 140. Cela ne démontre pas l'exploitation systématique de monuments que l'on voulait faire disparaître. De pareilles pratiques, au contraire, semblent avoir été utilisées pour valoriser le nouveau bâtiment en lui donnant la « bénédiction » de témoignages royaux déjà consacrés, mais réutilisés, sortes de « dépôts de fondation » bénéfiques. Pour ces obélisques, les plus grands que les Egyptiens semblent avoir jamais érigés, *cf.* L. Habachi, *The Obelisks of Egypt*, Le Caire, 1982, p. 51-83.

8. Dans les ruines du temple ont été trouvés des fragments de blocs sculptés au nom de la princesse Néférourê, prouvant que la reine avait tenu à faire figurer sa fille et héritière dans ce bâtiment voué au soleil. Il est à noter qu'un des pyramidions de ces obélisques est de nos jours exposé dans le jardin du musée du Caire. Il est orné de l'image d'Amon, devant qui Hatshepsout était agenouillée. Lorsque la vengeance fut exercée sur les images de la reine, sa silhouette fut entièrement martelée, et remplacée par une table d'offrandes.

9. On a longtemps pensé que Ramsès II était le fondateur de ce temple de l'Est à Karnak, dont il a évidemment usurpé la paternité comme il l'a fait pour beaucoup d'innovations d'Hatshepsout. *Cf.* Ch. Desroches Noblecourt, *Ramsès II – La véritable histoire*, Paris, Pygmalion/Gérard Watelet, 1996, p. 359-360, où j'ai répété l'erreur.

10. Cf. P. Barguet, *Le temple d'Amon-Rê à Karnak*, Le Caire, IFAO (*RAPH* 21), 1962, p. 167-182 ; Id., « La structure du temple Ipet-Sout d'Amon à Karnak, du Moyen Empire à Aménophis II », *BIFAO* LII, 1953, p. 145-155.

11. Le « Palais (ou la Grande demeure) de Maât », peut-être déjà construit sous Thoutmosis II, où se déroulaient certaines lustrations avant de prendre une porte latérale pour se diriger vers le sanctuaire de la barque. La définition de ce quartier Sud du temple n'est pas claire : de précieuses offrandes, principalement alimentaires, y étaient en tout cas déposées. Son sol de grès était orné de *ankh - djed - ouas*, en relief.

12. *Cf.* P. Lacau, « Deux magasins à encens du temple de Karnak », *ASAE* LII, 1952, p. 185-198.

13. *Cf. Urk.* IV, 409, 9. La statue agenouillée de Sénènmout, une des plus importantes pour s'efforcer de comprendre ce mystérieux personnage, avait été dressée dans ce temple de Mout.

14. Ces magnifiques chapelles, usurpées par Ramsès II, furent agrandies, et ainsi respectées en leur emplacement. Elles furent englobées au Nord-Ouest de la grande cour aménagée par Ramsès devant la colonnade de Toutânkhamon à Louxor. Pour les six reposoirs de barques entre Karnak et Louxor, voir plus loin, et aussi C. Nims, « Places about Thebes », *JNES* XIV, 1955, p. 115 et 123.

15. Longeant à l'Ouest l'avenue de sphinx partant du VIIIe pylône, Hatshepsout avait fait jeter les bases du temple dédié à l'Amon-*Ka-Moutef*, c'est-à-dire l'Amon « taureau de sa mère ». Très détérioré, il avait été dédicacé par Thoutmosis III (traces dans les dépôts de fondation) et Hatshepsout (le cryptogramme caractéristique de la reine ayant été trouvé). Il avait été prévu une cour avec étable, pour abriter le taureau blanc du culte de Min. *Cf.* H. Ricke, *Das Kamutef-Heiligtum Hatshepsuts und Thutmosis III. in Karnak*, Glückstadt, 1954. Au Nord de Karnak, le temple de Monthou possédait une étable pour le taureau qu'il fallait entretenir. Des travaux y étaient surveillés par Sénènmout. Enfin le Maire de la région occidentale de Thèbes contrôlait l'état du petit temple édifié dès Aménophis Ier à Médinet Habou. Il était aussi responsable de la forteresse de Gourna, au bord du fleuve, face à Thèbes, comme son nom l'indiquait : *Khéfèt-hèr-nébès*, « Face à son maître ».

CHAPITRE XI : LES PRÉPARATIFS - L'EXPÉDITION AU PAYS DE *POUNT* (p. 190 à 208)

1. Cette date n'a pas été repérée dans les inscriptions. Je l'ai choisie afin d'indiquer la période approximative à laquelle l'expédition a dû prendre le départ.

2. Pour un exemple du fonctionnement de ce *Livre des rêves*, *cf.* Ch. Desroches Noblecourt, « Une coutume égyptienne méconnue », *BIFAO* XLV, 1947, p. 185-232.

3. Voir l'étude de J. Yoyotte, « Les Sémèntiou et l'exploitation des régions minières à l'ancien empire », *BSFE* 73, 1975, p. 44-55.

4. Voir page 192.

5. Pour les habitants de l'horizon (*akhèt*), voir Ch. Kuentz, « Autour d'une conception égyptienne méconnue : l'Akhit ou soi-disant horizon », *BIFAO* XVII, 1920, p. 121-190.

6. Pour *Ouadj-our*, voir Ch. Desroches Noblecourt, *Amours et fureurs de la Lointaine*, Paris, Stock-Pernoud, 1995/1997, p. 146 ; pour *Ouadj-our* = Nil en inondation qui draine le bananier sauvage d'Ethiopie (*Musa ensete*), cf. p. 58-60 ; consulter également la pl. XV (le Nil en inondation).

7. Consulter Cl. Vandersleyen, *Ouadj-our, un autre aspect de la vallée du Nil*, Bruxelles (*Connaissance de l'Egypte ancienne*), 1999, et tout récemment « Encore Ouadj-our », *DE* 47, 2000.

8. « Aspects de la marine au temps des Pharaons », *Revue maritime* avril 1953, p. 132-160.

9. Voir page 195.

10. A propos d'une interprétation erronée due au mélange de deux textes différents pour une seule traduction, *cf.* K. A. Kitchen, « Punt and how to get there (Animadversiones) », *DE* 46, 2000, p. 184-205 et principalement p. 190.

11. Pour *mou-ked*, « l'eau inversée », *cf.* VdS, p. 257-258.

12. VdS, p. 64-65.

13. G. Lefebvre, *Romans et contes égyptiens de l'époque pharaonique*, Paris, Maisonneuve, 1949, p. 29-40. Cl. Vandersleyen, « En relisant le Naufragé », *Mélanges Miriam Lichtheim* II, Jérusalem, 1990, p. 1023-1024. Ch. Cannuyer, « Le voyage comme tension eschatologique dans l'Egypte ancienne. Les leçons du Naufragé », *Le voyage dans les civilisations orientales, Acta Orientalia Belgica* XI, Bruxelles/Louvain-la-Neuve, 1998, p. 27-42. Ch. Desroches Noblecourt, « Le périple du « Naufragé » et le calendrier du Ramesseum », *Memnonia* IX, Le Caire, 1998, p. 59-66.

14. VdS, p. 243 : « Tous les efforts des pharaons furent-ils lucidement de faire sauter le verrou de Kerma, intermédiaire gênant entre les commerçants du sud et l'Egypte ? »

15. Ch. Desroches Noblecourt, *Amours et fureurs de la Lointaine*, Paris, Stock-Pernoud, 1995/1997, p. 150-153 et pl. XVIII (Amon de Napata). Pour le Nil serpent et véhicule, p. 153-154. Au reste, quelques années plus tard, Thoutmosis III fondait au pied de l'immense rocher son temple dédié à l'Amon de Napata.

16. A propos de ces différentes barbes, consulter à nouveau Ch. Desroches Noblecourt, « Une coutume égyptienne méconnue », *BIFAO* XLV, 1947, p. 185-232.

17. *Urk.* IV, 345, 16.

18. L'identification de ces plantes a été faite par V. Laurent-Täckholm, « The Plant of Nagada », *ASAE* LI, 1951, p. 299-311. Pour sa symbolique, Ch. Desroches Noblecourt, *Amours et fureurs de la Lointaine*, Paris, Stock-Pernoud, 1995/1997, p. 58-59.

19. A l'Ancien Empire, les grands bateaux (certains s'étaient déjà rendus, par cabotage, sur la côte orientale de la Méditerranée) possédaient un mât double, fixé aux 1/3 du pont du navire. Au Nouvel Empire, le mât est simple et fixé au milieu de la coque.

20. *Urk.* IV, 349, 10 – 359, 4.

21. Les textes de Deir el-Bahari font une seconde fois allusion à cet oracle, *cf. Urk.* IV, 320, 12-17 et 322, 4-5 : « On a navigué sur *Ouadj-our* pour prendre la meilleure

route vers le Pays du dieu. Les soldats du seigneur des Deux Pays abordent en paix au pays de *Pount*, selon l'oracle du seigneur des dieux, Amon seigneur des Trônes des Deux Terres... ».

22. Pour *Irem* et sa localisation non loin de l'embouchure de l'Atbara, *cf.* D. O'Connor, « The Location of Irem », *JEA* 73, 1987, p. 92-135.

23. *Punt*, *ADAIK* 6.

24. Voir page 203.

25. Sur ce problème, consulter aussi Jacke Phillips, « Punt and Aksum : Egypt and the Horn of Africa », *Journal of African History* 108, 1997, p. 428-457, et plus spécialement p. 440 : « A number of inscriptions and other finds in the area of Kurgus (between the Fifth and the Sixth Cataracts, again already known for some years, indicate continued Egyptian interest and indeed presence in this area, especially during the Eighteenth Dynasty when there is surprisingly little direct evidence for Egyptian use of the Red Sea route to Punt, except for the Deir el Bahari reliefs. Until the Gash evidence, however the Kurgus area was thought to be the Southernmost limit of a pharaonic Egyptian presence. The identification of some jar rim and body fragments in the recent Sudan Archaeological Research Society Survey near Meroë of Egyptian New Kingdom type also further points to Egyptian contact further South, and connects it to the Kassala area ». Cette référence est également due à la grande amabilité d'Anne Saurat. Consulter également : A. Manzo, « Note sur quelques tessons égyptiens découverts près de Kassala (Sud-Est du Soudan) », *Bulletin de liaison du Groupe International d'Etude de la Céramique Egyptienne* XVII, 1993, p. 41-46.

26. Voir N. DE Garis-Davies, *BMMA* XXX, 1935, II, supplément novembre 46, 9). D'autres scènes dans M. Baud, *Les dessins ébauchés de la nécropole thébaine*, *MIFAO* LXIII, Le Caire, IFAO, 1935, p. 169-170, pl. 347-348. Voir encore G. A. Wainwright, « Early Foreign Trade in East Africa », *Men* 47, 1947, p. 143-144.

27. « L'eau mauvaise » se disait *mou bin'*. Pour cet incident, *cf.* VdS, p. 258.

28. « Chef des rameurs », et non « Amiral » comme on l'a longtemps écrit.

29. Par eau, depuis Thèbes jusqu'à pénétrer dans l'Atbara qui amènerait les envoyés de la reine à l'intérieur des terres du Pays du dieu.

30. La Terre du dieu « située des deux côtés de *Ouadj-our* » signifierait probablement entourée par la portion triangulaire du terrain entre le Nil et l'Atbara en crue, durant la période de l'Inondation, à moins que l'espace visé concerne la totalité du pays de *Pount* entre Nil Bleu, Nil Blanc et Atbara (*Urk.* IV, 320, 5 et 325, 12-13).

31. La reine se méfiait de l'animosité visible du Grand-prêtre d'Osiris en Abydos, Nébouaouy (*Urk.* IV, 207, 15 – 209, 17), qui s'abstient de la mentionner et ne veut reconnaître que la présence de Thoutmosis III.

32. *Cf.* W. Stevenson Smith, « The Land of Punt », *JARCE* I, 1962, fig. 61.

33. *Urk.* IV, 319, 17.

CHAPITRE XII : L'AVENTURE - L'EXPÉDITION AU PAYS DE *POUNT* (p. 209 à 239)

1. L'expédition au pays de *Pount* est située dans le temple de Deir el-Bahari, sur le mur du portique Sud du deuxième niveau. Cette colonnade a été dégagée des ruines par Auguste Mariette en 1858. La relation de cette extraordinaire exploration, vieille de 3 400 ans, a été publiée partiellement par son inventeur Mariette Pacha, *Deir el-Bahari, Documents topographiques, historiques et ethnographiques recueillis dans ce temple pendant les fouilles, Texte*, Paris, 1877, puis par Edouard Naville, dans le volume III de *Deir el Bahari*, pl. LXIX à LXXXVI et p. 11-19. Pour une vision générale de toute l'aventure, consulter Ratié, chapitre IX, p. 139-161. La signification du nom de *Pount*, étudiée par plusieurs auteurs, n'est pas définitivement percée. On pourrait sans doute suivre W. Vycichl, « Lag das Land Punt am Meer oder in Sudan », *CdE* XLV n° 90,

1970, p. 318-324, qui reconnaît un mot d'origine chamitique, « « rivage », utilisé sur la côte des Somalies et dans l'arrière-pays éthiopien : *Pwani* ».

2. La présence de ces poissons avait été un des principaux arguments pour situer par la mer Rouge l'arrivée à la Terre du dieu, ce qui paraît un faux problème, comme le suggère également Cl. Vandersleyen, *DE* 47, 2000, p. 103 et 105, car il fait bien remarquer l'arrivée de ces bateaux, au retour à Thèbes, sur des eaux ornées des mêmes frises de poissons : « La mer Rouge ne battait pourtant pas de ses flots les quais de Karnak », a-t-il écrit !

3. Voir le chapitre précédent, p. 197.

4. Voir les références indiquées par Ratié, p. 148, note 53. Aussi R. O. Faulkner, « Egyptian seagoing Ships », *JEA* XXVI, 1940, p. 7-9 et pl. IV, n. 53 ; T. Säve-Söderbergh, *The Navy of the Eighteenth Egyptian Dynasty*, Uppsala/Leipzig, 1946. Pour un essai de reconstitution, G. Artagnan, « Le projet Pount », *BSFE* 73, juin 1975, p. 28-43.

5. *Cf. La Revue du Caire*, n° spécial 1955-56, consacré aux grandes et récentes découvertes archéologiques en Egypte.

6. Voir page 214.

7. Voir page 215.

8. E. Naville, *DelB* III, pl. LXXII-LXXIII.

9. A ce propos, on a parlé de tortose et de la stéatopygie des Hottentotes et des Pygmées, ou de l'éléphantiasisme tropical. Les médecins, particulièrement le Dr Ghalioungi, ont plutôt détecté l'affection pathologique connue sous le nom de maladie de Dercum. *Cf.* P. Ghalioungi, « Sur deux formes d'obésité représentées dans l'Egypte ancienne », *ASAE* XLIX, 1949, p. 303-316, fig. 1, 2, 15. Plus tard, les reines méroïtiques présenteront une silhouette analogue. Il se peut que cette particularité physique ait été la suprême marque de la beauté recherchée par la société princière du pays, et n'ait heureusement pas atteint la majorité des femmes éthiopiennes.

10. Les noms des fils et des filles ne sont pas donnés. Cette partie de la décoration a été sauvagement prélevée après le dégagement fait par Mariette : il l'avait heureusement dessinée dès la découverte : A. Mariette, *Deir el Bahari*, 17, pl. V-XIII. Consulter aussi Ch. Nims, *Thebes of the Pharaohs*, Londres, 1965, pl. 12. Naville, dans sa publication, a reproduit la décoration après le vol. Le relief est exposé au musée du Caire (JE 14276, JE 89661).

11. Ce ne sont pas des boomerangs, ils ne reviennent pas à leur point de départ. Des boomerangs n'ont été trouvés, à ce jour, qu'en Australie.

12. Voir page 219.

13. *To-méry*, nom parfois donné à l'Egypte. On a pu traduire par « terre aimée », mais il faudrait plutôt comprendre « terre cultivée » (la terre d'abondance), par rapport au désert environnant.

14. Voir page 222.

15. Voir page 222.

16. Depuis la 1re dynastie les Egyptiens fabriquaient du vin. Les « appellations contrôlées », en quelque sorte, remontent à cette époque. Pour les vins de Chypre, le premier Niqmat, roi d'*Ougarit* (Ras Shamra, face à Chypre), avait dû en envoyer en présent à la reine. Au sujet de ce Niqmat, roi d'*Ougarit* contemporain de cette période, de son successeur du temps d'Aménophis IV, et de ses relations avec l'Egypte, *cf.* Ch. Desroches Noblecourt, « Interprétation et datation d'une scène gravée sur deux fragments de récipient en albâtre provenant des fouilles du palais d'Ougarit », *Ugaritica* III (mission de Ras Shamra) t. VIII, Paris, Geuthner, 1956, p. 179-220.

17. Le mot *noub*, « or », est inscrit au-dessus de ces anneaux. On aurait plutôt attendu celui de *djam*, « électrum », cet alliage naturel trouvé au pays de *Pount*, très précieux pour les Egyptiens, de fameux chimistes qui, après analyse du métal extrait à *Pount*, en arrivèrent à reconstituer eux-mêmes cet alliage naturel.

18. Le texte égyptien parle de tributs, mot impropre en l'occurrence puisqu'il s'agissait en réalité de troc, et non d'un impôt.

19. Voir page 223.

20. Pour la seconde fois, le texte dit « sur les deux côtés de *Ouadj-our* » : *Ouadj-our* ne peut donc pas signifier « la mer ». Le lieu où la tente du festin est dressée est une terre limitée par le Nil et l'Atbara, et non entre l'Erythrée et l'Arabie heureuse.

21. *Urk.* IV, 319, 11-16, 220, 10 ; Naville, *DelB* III, LXIX. Cette inscription martelée permet par endroit une lecture reconstituée. Dans ce texte, il est clairement indiqué les liens étroits entre Amon et *Pount*, et le souci qui avait été pris d'aménager un magnifique endroit (une *sèt-djésérèt*) pour recevoir le groupe d'Amon et d'Hatshepsout : L. Gabolde-V. Rondot, « Une chapelle d'Hatshepsout remployée à Karnak-Nord », *BIFAO* 96, 1996, p. 177-215 (p. 212).

22. Il est certain que la documentation relevée sur papyrus par les artistes d'Hatshepsout au pays de *Pount* devait figurer parmi les joyaux conservés dans les archives du temple et du palais. Les détails les plus savoureux inspirèrent toute la décoration du « portique de *Pount* » à Deir el-Bahari. Ils furent aussi utilisés plus tard par les décorateurs de Thoutmosis III. On peut alors découvrir avec étonnement la présence de certaines plantes exotiques relevées à *Pount*, et de volatiles tel cet oiseau à la queue terminée par trois longues plumes, le *cinnytis metallica* (*cf.* Ratié, p. 151), figurés comme provenant des campagnes syriennes de Thoutmosis III. Pour de plus amples détails sur les plantes, consulter N. Beaux, *Le cabinet de curiosités de Thoutmosis III. Plantes et animaux du « Jardin botanique » de Karnak* (*OLA* 36), Louvain, 1990.

23. Ce sont des *Boswellia frereana*, ou *thurifera*, ou *carteri*, ou *sacra*, ou *papygera*, ou des *Commiphora pedumculata*. Si *ânty* ou *ântyou* correspond à l'oliban, le *sénétèr* doit être la résine de térébinthe, et la myrrhe doit correspondre au *kash*, à *l'ikhem* ou au *khem* (le *shal* de la langue copte), *cf.* Ratié, p. 154.

24. Naville, *DelB* III, LXXIV ; *Urk.* IV, 327, 11-13, 328, 3-6.

25. Naville, *DelB* III, LXXV ; *Urk.* IV, 321, 1-8.

26. Naville, *DelB* III, LXXV ; *Urk.* IV, 329, 15.

27. Ce décor symbolique, participant de l'héraldique royale, est formé de l'image des poumons (*séma*), signifiant « réunir », « réunion », autour duquel sont enlacées les deux plantes de la Haute (le « lys ») et de la Basse Egypte (le papyrus). Il évoque avant tout le pouvoir du souverain sur les deux parties constitutives du pays, et apparaît de chaque côté des trônes royaux dès le début de l'histoire égyptienne. Par extension, il peut évoquer la période de l'Inondation pendant laquelle les eaux nouvelles se répandaient sur toutes les terres du domaine royal, ainsi rénovées dès l'arrivée du flot fécondateur, c'est-à-dire au jour de l'an. *Cf.* Ch. Desroches Noblecourt, *Amours et fureurs de la Lointaine*, Paris, Stock-Pernoud, 1995/1997, p. 61-74.

28. Voir page 233.

29. Le *djam*, or pâle qui est, je le répète, un alliage naturel composé de 75 % d'or pur, de 22 % d'argent et de 3 % de cuivre : l'électrum.

30. Naville, *DelB* III, LXXIX. Thoutiy, le grand orfèvre qui a succédé à Inéni. C'est lui qui a plaqué d'électrum, et peut-être incrusté de pierres fines la base des deux plus grands obélisques de la reine, à l'Est de Karnak (54 mètres de haut).

31. Cet incident n'a échappé ni à Ratié (p. 159), ni à VdS (p. 283).

32. Naville, *DelB* III, LXXXII ; *Urk.* IV, 339, 13 – 340, 6.

33. C'est le mot *rékhyt*, que l'on peut comprendre à cette époque comme exprimant une certaine classe du peuple. Ce terme prouve bien que cette grande cour du temple avait donné accès à des représentants de la population.

34. *Urk.* IV, 542, 2.

35. La présence si exceptionnelle de cet animal, arrivé ainsi en Egypte, constituait un événement que les Egyptiens étaient loin d'oublier, ainsi qu'en témoigne sa représentation dans la chapelle funéraire de Rekhmara, vizir de Thoutmosis III : N. DE Garis Davies, *Paintings from the Tomb of Rekh-mi-re' at Thebes*, New York, 1943, pl. XVII.

36. Voir page 236.

37. *Urk.* IV, 436, 5-16.

38. Naville, *DelB* III, LXXXIII.

39. Le mot *djéser* est ici employé pour « merveilleux ». On le retrouve à chaque occasion où la reine veut indiquer un endroit exceptionnel en rapport avec sa dévotion à Amon, et le pays de *Pount.* Il faut rappeler que son temple jubilaire, également édifié en l'honneur d'Amon, était appelé le *Djéser-djésérou*, « la Merveille des merveilles ».

40. Le mot traduit par « gomme » en français, provient du mot égyptien utilisé ici-même : *kémyt.*

41. *Urk.* IV, 344, 6 – 347, 1.

42. Naville, *DelB* III, LXXXV.

43. Ce Grand-prêtre d'Amon, qui était aussi prêtre-*sem* d'Hathor, très proche d'Hatshepsout et de Sénènmout, possédait un cénotaphe au Gebel Silsilé (n° 15). Comme administrateur d'Amon, il déclarait lui-même : « l'or était sous mon sceau » (*Urk.* IV, 473, 1). On a pu se demander s'il avait participé à l'expédition de *Pount*, en raison d'une scène très originale représentée dans sa tombe thébaine (TT 67, à Gourna). En effet, il est figuré debout devant un homme agenouillé, une hache en main, en train de déraciner un arbre à encens. *Cf.* N. M. Davies, « A Fragment of a Punt Scene », *JEA* XLVII, 1961, p. 9-23, pl. IV-V. De toute façon, il est certain qu'il participa à la préparation de toute l'aventure. S'il avait accompagné Thoutiy, pourquoi n'aurait-il pas, alors, participé aux entretiens avec Paréhou ?

CHAPITRE XIII : HATSHEPSOUT ET SA CELLULE FAMILIALE (p. 240 à 250)

1. Berlin n° 2296.

2. Caire n° 42.114 et 42.115.

3. British Museum n° 1513.

4. Caire n° 42.116.

5. Statuette conservée au Field Museum de Chicago, n° 173800. Il faut ajouter à ces exemples la statue-cube de Sénènmout protégeant Néférourê sculptée au-dessus de la « chapelle » de Sénènmout (TT 71), et de même celle ébauchée au-dessus de l'entrée de la tombe (TT 252) du Précepteur royal Senmèn. En ce qui concerne la première représentation de Néférourê dans le sanctuaire de Deir el-Bahari, le visage de la princesse a été détaché probablement vers 1880 pour aboutir, par le truchement d'un collectionneur anglais, au musée de Dundee. *Cf.* K. A. Kitchen : A Long-Last Portrait of Princess Néféruré from Deir el-Bahari, in J.E.A. 49 (1963) 38-40, p. 245.

6. Voir page 241.

7. Indiqué par Luc Gabolde et signalé par VdS, p. 279.

8. Sa tombe se trouve à Gourna (TT 252). Pour l'« Enfant du *kep* », voir plus haut, pp. 120, 241, 265-266, 270.

9. VdS, p. 239.

10. *Urk.* IV, 467, 8-17 (statue C 953, trouvée dans le temple de Mout à Karnak), *cf.* L. Borchardt, *Statuen und Statuetten*..., CGC, Le Caire, 1934, p. 2-3, pl. 159.

11. Naville, *DelB* V, CXLIII, mur Nord, p. 141-143.

12. C'est aussi ce titre qui lui est donné par Sénènmout, *Urk.* IV, 406, 9 et 391, 13.

13. Ce qui est contesté par plusieurs auteurs, sans preuves valables. D'autres hésitent à se prononcer. Voir aussi W. C. Hayes, *Scepter* II, p. 105.

14. *Cf.* Ch. Desroches Noblecourt, *La femme au temps des pharaons*, Paris, Stock-Pernoud, 1986, p. 218-220 ; réédition en grand format illustré, Paris, Stock-Pernoud, 2000, p. 191-193.

15. *Urk.* IV, 391-393.

16. A. H. Gardiner-E. Peet-J. Cerny, *The Inscriptions of Sinai* I, Londres, 1952, n° 179, pl. 58, et Caire JE 38846 ; W. Helck, *OLZ* 79, 1984, et A. R. Schulman, « Some Remarks on the alleged « fall » of Senmut », *JARCE* VIII, 1969-1970, p. 43.

17. Cette lecture est contestée par P. Dorman, *Senenmut*, 1988, p. 176 n. 74.

18. La perruque devait être en partie recouverte par la « dépouille » du vautour (les traces de la queue du vautour sont visibles à l'arrière du crâne).

19. P. Dorman suggère que Néféroure aurait pu en fait vivre un certain nombre d'années après l'an XVI (p. 78).

20. Voir Ah. Fakhry, « A new Speos from the Reign of Hatshepsut and Thutmosis III at Beni Hasan », *ASAE* XXXIX, 1939, p. 720-721, fig. 71.

21. Musée du Caire, n° 42.117, et P. Dorman, p. 134.

22. C'est un des rares titres de Sénènmout qui mentionne la barque *Ousèrhat* : P. Dorman, *Senenmut*, p. 134.

23. Il s'agit de la stèle Caire CG 34013, découverte par G. Legrain dans le temple de Ptah à Karnak : G. Legrain, « Le temple de Ptah-Ris-anbou-f dans Thèbes », *ASAE* III, 1903, p. 108.

24. Pour la superposition des deux noms, *cf.* VdS, p. 317-318, et P. Dorman, *Senenmut*, p. 78.

25. Pour les Epouses du dieu, voir l'étude de M. Gitton, *Les divines épouses de la 18e dynastie*, Paris, 1984, p. 66-72.

26. D. B. Redford (*LÄ* VI, 544 n. 93), en revanche, affirme qu'il n'existe aucune preuve selon laquelle Thoutmosis III aurait épousé Néféroure. Pourtant (*JEA* 51, 1965, p. 108), il suggère qu'Amenemhat pourrait être le résultat de l'union entre Néféroure et Thoutmosis III ! Voir aussi Ratié, p. 314. Quant à J. Tyldesley (*La femme pharaon*, Paris, Editions du Rocher, 1997, p. 108-110), elle se pose la question, mais préfère (note 23) s'en référer à G. Robins, *Women in Ancient Egypt*, Londres, British Museum Press, 1993, p. 49.

27. J. VON Beckerath, « Ein Wunder des Amun bei der Tempel gründung in Karnak », *MDAIK* 37 (Mélanges Labib Habachi), 1981, p. 41-49.

28. *Cf.* VdS, p. 280.

29. Cl. Vandersleyen, *Les guerres d'Ahmosis*, Bruxelles, 1971, p. 219-222.

30. J. Tyldesley, *op. cit.*, p. 107-108. Cette dernière ne pense pas que Néféroure aurait pu épouser Thoutmosis III.

31. Voir page 248.

32. V. Loret, « Les tombes de Thoutmosis III et Aménophis II », *BIE* 3e série, tome 9 fascicule 1 (janvier-mars 1898), 1899, p. 96, pl. VI.

33. W. Helck, *Zur Verwaltung des Mittleren und Neuen Reichs*, Leyde, Brill (*Probleme der Ägyptologie* III), 1958, p. 478.

34. La stèle Caire CG 34.108 nous montre Thoutmosis III et sa mère Isis, accompagnés de Mérytrê-Hatshepsout. A. Weigall, « A Report on the Excavation of the funeral Temple of Thoutmosis III at Gurneh », *ASAE* VII, 1908, p. 120-141 (p. 134-136).

35. Cette tombe fut par la suite réutilisée, non pas comme on a pu le croire comme sépulture pour Thoutmosis II, mais par les nobles thébains Sennéfer et Sénètnaÿ. *Cf.* H. Carter, « Report upon the Tomb of Sen-Nefer found near that of Thotmes III, n° 34 », *ASAE* II, 1901, p. 196-200. Voir aussi J. Romer, « Tuthmosis I and the Bibân El-Molûk : Some Problems of Attribution », *JEA* 60, 1974, p. 121 sqq. ; C. N. Reeves, *Valley of the Kings, the Decline of a royal Necropolis*, Londres, 1990, p. 24-25 ; M. Eaton-Krauss, « The Fate of Sennefer and Senetnay at Karnak Temple and in the Valley of the Kings », *JEA* 85, 1999, p. 123-124.

CHAPITRE XIV : HATSHEPSOUT ET SÉNÈNMOUT – L'AN X DE LA CORÉGENCE (p. 251 à 271)

1. Voir page 251.

2. A l'exception, principalement, de P. Dorman et de Cl. Vandersleyen, *cf.* VdS, p. 272-293. Quant à la reine, les mots accusateurs d'« usurpatrice », « ambitieuse », « marâtre » se retrouvent encore sous certaines plumes, très favorables à porter des

jugements catégoriques sur les sentiments de vengeance implacable de Thoutmosis III à l'endroit de sa tante exécrée !

3. *Cf. supra*, chapitre IV, p. [70-71].

4. Voir page 254.

5. Voir page 254.

6. Voir page 254.

7. Ainsi, la statue conservée au musée de Berlin (n° 2296), « dédiée par faveur de la reine », ou encore celle du musée du Caire (CGC 579), « pour que (Sénènmout) demeure dans le temple de Mout, dame d'*Ishérou*, et pour qu'il reçoive les offrandes sorties devant la grande déesse... de par la faveur du roi, pour prolonger (son) temps de vie jusqu'à l'éternité, et pour que les hommes gardent sa mémoire parfaite, tout le long des années ».

8. Il est accompagné d'une inscription assez rapidement gravée : « Donner louange à Hatshepsout... pour Maâtkarê par le Majordome Sénènmout. » *BMM* march 1926, Part II, p. 13 fig. 10, et W. C. Hayes, « Varia from the Time of Hatshepsut », *MDAIK* XV, 1957, pl. IX, 1-2 ; H. Winlock, *Excavations at Deir el Bahri*, New York, Macmillan, 1942, pl. 45. Lorsque les portes étaient ouvertes, les inscriptions gardaient leur secret.

9. Texte en grande partie reconstitué par W. Hayes, et très probablement exact : « Varia from the Time of Hatshepsut », *MDAIK* XV, 1957, p. 84, fig. 2 et 3. Voir aussi J. H. Breasted, *A.R.* II, § 345 notes a et b ; A. R. Schulman, « Some Remarks on the alleged « fall » of Senmut », *JARCE* VIII, 1969, p. 29-33.

10. Ce sarcophage, qui ne fut semble-t-il jamais déposé dans le caveau et qui demeurait en attente dans la chapelle funéraire de Sénènmout, fut brisé en environ 3 000 fragments. Il fut publié et reconstitué par W. C. Hayes, « A Replica of Royal Sarcophagi », *BMMA* 27, March 1932, Section II, p. 22 ; *id.*, « The Sarcophagus of Sennemut », *JEA* 36, 1950, p. 19-23. Voir aussi Ratié, p. 253, et Dorman, *Tombs*, p. 17.

11. Pour l'étude complète de la chapelle et du caveau de Sénènmout, P. Dorman, *The Tombs of Senenmut, the Architecture and Decoration of Tombs 71 and 353*, The Metropolitan Museum of Art Egyptian Expedition, 1991.

12. C'était véritablement la voie suivie par tous les jeunes Egyptiens. *Cf.* Ch. Desroches Noblecourt, *La femme au temps des pharaons*, Paris, Stock-Pernoud, 1986, principalement p. 275.

13. Salle A, mur Est, côté Sud : Dorman, *Tombs*, p. 6.

14. Dorman, *Tombs*, p. 139.

15. Le cinquième nom du protocole royal, introduit par le terme « fils du soleil », n'est pas cité. A sa place apparaît la mention du titre et du nom de Sénènmout.

16. Voir page 257.

17. *Urk.* IV, 381, 17.

18. B. VON Bothmer, « More Statues of Senenmut », *BMA* XI, 1969-1970, p. 126, fig. 9-11.

19. W.C. Hayes, *Scepter* II, p. 125.

20. *Cf.* Dorman, *Senenmut*, p. 166 note 11.

21. Statue du musée de Berlin 2296, *Urk.* IV, 404, 17 – 405, 9.

22. *Urk.* IV, 414, 17 – 415, 3 (statue du musée du Caire 579, temple de Mout).

23. Cet artifice, ce jeu de l'esprit à été déchiffré par Etienne Drioton, à l'époque Conservateur au musée du Louvre, en 1935, alors que jusqu'à cette date, ce procédé par « cryptogrammes » dans les textes hiéroglyphiques était demeuré indéchiffrable : suivant les termes utilisés par le grand égyptologue Kurt Sethe, il demeurait « scellé de sept sceaux ». Il faut noter l'existence de quelques essais, remontant à l'Ancien Empire, également détectés par E. Drioton.

24. En Egypte et dans tout le Moyen Orient, pour ne parler que de cette partie du globe, l'importance du nom est considérable. Il pèse sur l'identité complète de l'individu, d'où découle parfois l'affectation d'un second nom, et aussi d'un diminutif. Une personne nuisible pouvait être contrainte de se voir attribuer un nouveau nom, péjoratif

en l'occurrence. Les condamnés à mort étaient au préalable privés de leur nom. On évitait de prononcer le nom d'un ennemi, voire d'un adversaire. Un exemple : durant la domination perse en Egypte, les occupants n'étaient en principe jamais définis par leurs noms, ces derniers étant remplacés par le pronom « eux ». Ainsi à cette époque certains jeunes enfants avaient été appelés *Imen-èr-ou*, ce qui veut dire « Amon est contre eux », ou *Sekhmet-èr-ou*, « Sekhmet est contre eux » ! Cette habitude est encore généreusement utilisée de nos jours dans nombre de pays, sans oublier la France si j'en juge par la mauvaise tendance à condamner aux oubliettes les noms de certains contemporains ou collègues jalousés ou gênants...

25. Cryptogramme figurant sur la statue n° 2296 conservée au musée de Berlin. Il est également reproduit sur trois statues analogues des musées de Berlin et du Caire (42.114 et JE 47.278). *Cf.* E. Drioton, « Deux cryptogrammes de Senenmout », *ASAE* XXXVIII, 1938, p. 231-246 et pl. XXX-XXXI, n° 1 et 2.

26. Le second cryptogramme, qui sert à donner le nom de Maâtkarê, est publié à la pl. XXXI, n° 1 de la même étude.

27. Pour la survivance de ces groupes de mariage de nos jours en Egypte, se reporter à Ch. Desroches Noblecourt, *La femme au temps des pharaons*, Paris, Stock-Pernoud, 1986, éd. 2000 en grand album illustré, p. 179-187 ; et pour les groupes d'éternité, *ibid.*, éd. 1986, p. 275-276. Voici la destinée souhaitée par un couple d'Egyptiens, connue par un texte gravé sur leur stèle funéraire et inspiré par la dame : « Nous désirons reposer en paix, Dieu ne peut nous séparer. Aussi vrai que tu vis, je ne t'abandonnerai pas avant que de moi tu ne sois lassé. Nous ne voulons être qu'assis, chaque jour en paix, ensemble nous irons au pays d'éternité, pour que nos noms ne soient pas oubliés. »

28. Berlin n° 2296, Caire CG 214 et Caire JdE 47.278.

29. G. Legrain, *CGC Statues et statuettes de rois et de particuliers*, Le Caire, 1906, p. 63-64.

30. Ratié cite le texte, mais sans commentaire concernant l'hypothèse que je présente maintenant (p. 130).

31. Dorman (*Senenmut*, p. 125), estime à juste raison qu'il s'agit de la plus inusuelle inscription apparaissant sur une statue de la XVIIIe dynastie. Il fait remonter le monument à la période qui se situe après l'an VII de Thoutmosis III, mais sans interprétation.

32. Ch. Meyer considère sans se tromper que ce texte constitue la preuve du pouvoir de Sénènmout à cette époque.

33. P. Lacau, *RHR* CXLIII, 1953, p. 5-6.

34. R. Caminos-T.G.H. James, *Gebel es-Silsilah* I – *The Shrines* (*ASE 31st Memoir*) Londres, 1963, p. 5 et pl. 44. Ces représentations très détériorées, parce que détruites volontairement par les détracteurs de la reine – et de Sénènmout, sont traitées dans le « relief en creux », alors que les autres cénotaphes étaient simplement peints.

35. Cette particularité avait été aussi bien remarquée par Cl. Vandersleyen (Clio, p. 290). A noter que c'est dans ce cénotaphe qu'apparaît pour la première fois un des plus anciens titres de Sénènmout : « Gouverneur de tous les offices de la déesse. » Ce détail n'avait pas échappé à Ratié, p. 252 note 59.

36. Dans leur publication, Caminos et James se demandent si la reine ne porte pas un pagne ; mais rien n'est moins sûr, à considérer les traces subsistant après les cruels martelages.

37. Ces deux statues sont conservées au British Museum (EA 1513, la plus soignée, et EA 174, assise, portant dans ses bras Néférourê. *Cf.* M. Eaton-Krauss, « The Fate of Sennefer and Senetnay at Karnak Temples and in the Valley of the Kings », *JEA* 84, 1998, p. 207-209 ; T. G. H. James (*BSFE* 75, 1976, p. 7-30) imaginait – sans preuves – que le groupement des statues aurait été factice, exécuté pour les besoins du vendeur des statues, Mohammed Mohasseb.

38. *Urk.* IV, 429, 3.

39. Consulter l'extraordinaire accumulation de titres, touchant à toutes les fonctions de l'Etat, rassemblés par Dorman, *Senenmut*, p. 202-211.

40. Il est de fait que sur les milliers de graffiti de la montagne thébaine, dont j'avais poursuivi la recherche avec le Professeur J. Cerny, et organisé les relevés de localisation et la publication, l'absence de graffiti érotiques ou obscènes (pour la période pharaonique) est quasiment totale. *Cf.* J. Cerny-M. Kurz-Ch. Desroches Noblecourt, *Les graffiti de la montagne thébaine I – Introduction*, Le Caire, CEDAE, 1970, p. XIV.

41. Ces graffiti furent repérés pour la première fois par H. Carter, *BMMA* February 1928 Part II, p. 36. Les motifs ont été ensuite étudiés par L. Manniche, « Some Aspects of Ancient Egyptian Sexual Life », *Acta Orientalia* 38, 1977, 21 fig. 4, p. 222. A propos de ces images, *cf.* D.P. Silverman, *Egypt's Golden Age, The Art of Living in the New Kingdom, 1558-1085 B.C.*, Boston, 1982, p. 278. Les deux principaux commentaires qui portent sur ses graffiti sont proposés par J. Romer, *Romer's Egypt : A New Light on the Civilisation of Ancient Egypt*, Londres, 1982, p. 157-160 ; une étude complémentaire a été reprise par E. Wente, « Some Graffiti from the Reign of Hatshepsut », *JNES* 43 n° 1, janvier 1984, p. 47-54.

42. Cette stèle a été étudiée par M. Marciniak, « Une inscription commémorative de Deir el-Bahari », *MDAIK* 37, 1981, p. 299-305 et pl. 17. Dans l'entrée inachevée de la « grotte », on rencontre également des graffiti hiératiques de l'époque d'Hatshepsout. Bref, tout concorde pour attribuer les images érotiques en question à l'époque de la reine.

43. Citées sur la stèle de Tombos, *cf.* VdS, p. 256. Mot tiré du verbe *gn*, « graver, inciser ». Ceux dont on les avait marqués s'appelaient les « scarifiés », les *guénou*.

44. Voir page 265.

45. Voir page 265.

46. *Cf.* Ch. Desroches Noblecourt, *Le secret des temples de Nubie*, Paris, Stock-Pernoud, 1999, p. 79-82.

47. Voir page 265.

48. G. Daressy, *CGC Fouilles de la vallée des rois,* Le Caire, 1902. La momie porte le n° 24.099. Elle fut extraite de son cercueil le 22 mars 1901. La date du décès fut indiquée en se fondant sur la chronologie établie à l'époque.

49. Ces meubles funéraires de bois noirci, ornés d'appliques décoratives d'or, annoncent des éléments analogues, découverts plus tard dans la tombe des parents de la reine Tiyi, Thouya et Youyoua. Le prototype sans doute existait déjà sous Hatshepsout, mais il n'en avait pas encore été trouvé. Les autres éléments du mobilier funéraire sont d'un style conforme à des éléments analogues remontant au début de la XVIIIe dynastie.

50. Le « lit rituel d'Osiris », dont le second exemplaire royal connu et bien conservé remonte à Toutânkhamon, était une caisse basse, sans couvercle, découpée suivant la forme de la momie d'Osiris de profil. Au moment des obsèques, on y déposait de la boue du Nil semée d'orge, que l'on arrosait. Dans la nuit de la tombe, les grains germaient, évoquant le renouveau du dieu victime, qui revenait à la vie en suivant le cycle de la nature.

51. Il ne portait aucune trace de circoncision.

52. G. Daressy, « Observations prises sur la momie de Maherpra », *ASAE* IV, 1903, p. 74-75.

53. *Id.*, *ibid.*, p. 58.

54. Conservée au musée du Caire, sous le n° 24.099.

55. Ch. Desroches Noblecourt, *Amours et fureurs de la Lointaine*, Paris, Stock-Pernoud, 1995/1997, p. 82, et Id., « Les déesses et le Sema Taouy », *Studies in Honor of William Kelly Simpson* I, Boston, Museum of Fine Arts, 1996, p. 191-197.

56. Ce papyrus est déroulé et exposé sur les murs d'une salle du premier étage du musée du Caire, dans cinq cadres sous verre.

57. Nombre d'« enfants du *kep* » (qui, au reste, gardaient toute leur vie ce titre) devenus fonctionnaires royaux citaient les noms de leurs parents dans leurs biographies.

1. *Urk.* IV, 415, 14-15.

2. Pour la « Maison de vie », *cf.* A. H. Gardiner, « The House of Life », *JEA* 24, 1938, p. 157-179.

3. Ces litanies figurent sur la statue n° 174 du British Museum, publiée dans *Hieroglyphic Texts from Egyptian Stelae & c. in the British Museum* V, Londres, 1914, pl. 30, où sont évoquées les nombreuses dénominations d'Amon.

4. Voir page 272.

5. *BMMA* February 1928 Part II, fig. 37.

6. Voir page 273.

7. Chapitre 61.

8. T. G. Allen, « A Unique Statue of Senmut », *AJSL* 44, 1927, p. 53. Ce chapitre a pour titre : « Ne pas permettre que soit enlevée à un homme son âme dans la nécropole. »

9. Statuette de grès compact rose, conservée au Louvre (E 11057), commentée par P. Barguet, « Une statuette de Senenmout au Musée du Louvre », *CdE* XXVIII n° 55, 1953, p. 23-27 et fig. 5. Celui qui s'exprime en termes sibyllins sur la statuette de Brooklyn est en réalité Khnoum-Shou, l'arpenteur des textes, « qui préside à l'Inondation ». Cette identification a été faite par Paul Barguet grâce à une inscription (texte « de la famine »), gravée sur un rocher de l'île de Séhel, près de la 1re Cataracte : P. Barguet, « Khnoum-Shou, Patron des arpenteurs », *CdE* XXVIII n° 56, juillet 1953, p. 221. On peut y lire :

« Les merveilles de l'Inondation et du jaillissement du Nil sont à Eléphantine, où règne Khnoum... Il est l'Eternel, en tant que supérieur des rives : le chef des champs, l'appellera-t-on (après qu'il aura dénombré les terres de Haute et de Basse Egypte) à départir à chaque dieu, car lui, il régit l'orge... les oiseaux, les poissons, et tout ce dont ils vivent. Il y a là une corde d'arpentage et une palette de scribe, il y a là un support de bois et sa croix (le *groma* des latins), en bois *isout*, pour son peson, qui sont sur la rive, à quoi est affecté Shou, fils de Rê, en tant que supérieur des rives. »

10. Les carrières de grès furent exploitées à partir de cette époque pour les constructions religieuses : c'est de ce site de « pierre solaire » qu'Aménophis IV-Akhénaton fit extraire de quoi composer les murs de ses premiers sanctuaires au globe solaire, érigés à l'Est du grand temple de Karnak. Après Horemheb, dont le grand spéos conserve entre autres des scènes de son couronnement, Séthi Ier et Ramsès II firent sculpter leurs magnifiques grandes stèles-chapelles dédiées à l'Inondation. On dit que le Gebel Silsilé, – la « montagne de la chaîne », – a été baptisée ainsi parce que les marins voulant éviter que la coque de leur bateau ne se brise en cognant sur les parois de grès, y avaient fixé des chaînes pour s'y accrocher, à l'époque des hautes eaux.

11. A propos de la mythologie du Nil, de l'Inondation, etc., *cf.* Ch. Desroches Noblecourt, *Amours et fureurs de la Lointaine*, Paris, Stock-Pernoud, 1995/1997, chapitre VII et principalement p. 170-180.

12. L'exploitation des carrières de grès du Gebel Silsilé a commencé sous le règne d'Aménophis Ier, *cf.* VdS, p. 244 (témoignage laissé à Shatt er-Rigal par un certain Péniaty, « Responsable des travaux depuis Aménophis Ier jusqu'à Hatshepsout », *Urk.* IV, 52).

13. La grotte la plus ancienne au Gebel Silsilé est celle de Ménekh (fin du règne de Thoutmosis Ier au plus tôt) : R. Caminos-T.G.H. James, *Gebel es-Silsilah I. The Shrines* (*ASE 31st Memoir*), Londres, 1963, p. 11. Les chapelles funéraires, quant à elles, étaient aménagées dans la falaise de la montagne à l'Ouest de Thèbes.

14. Pour la Lointaine et sa légende, que j'ai pu identifier avec l'Inondation et les 364 jours qui l'ont précédée, *cf.* Ch. Desroches Noblecourt, *Amours et fureurs de la Lointaine*, Paris, Stock-Pernoud, 1995/1997, p. 30-45.

15. R. Caminos-T.G.H. James, *Gebel es-Silsilah I — The Shrines* (*ASE 31st Memoir*), Londres, 1963, p. 9.

16. Sans pour autant être renié. Mais il n'est plus évoqué à tout moment, et il est relégué dans les actes strictement funéraires. Les mentions de son nom apparaissent réduites au minimum dans la tombe de Sénènmout à Deir el-Bahari (sur sa stèle uniquement et sur une statue de la fin de sa vie). Il est quasiment éclipsé dans le temple jubilaire d'Hatshepsout au *Djéser-djésérou*, au bénéfice d'Amon et d'Anubis.

17. Inscription gravée sur la base de la statue du cénotaphe n° 11, de Séninéfer et Hatshepsout : R. Caminos-T.G.H. James, *Gebel es-Silsilah I. The Shrines* (*ASE 31st Memoir*), Londres, 1963, p. 7. Pour *mou-ouâb*, « l'eau pure », p. 34, et P. Barguet, *BIFAO* 50, 1952, p. 55-62.

18. Voir page 279.

19. R. Caminos-T.G.H. James, *Gebel es-Silsilah I. The Shrines* (*ASE 31st Memoir*), Londres, 1963, p. 55 et pl. 44.

20. *ASAE* IV, 1903, p. 194.

21. A la très importante note 2.

22. Ratié (p. 250) s'appuyant sur l'aspect de cette statue, décrit son sujet comme « obèse, et remontant aux derniers jours de sa vie ». Alors que (p. 82) elle l'évoquait comme l'image d'un « homme très massif, présentant les plis d'obésité thoracique qui semblent avoir été symboliques d'une vie riche, aisée et sédentaire. C'était peut-être primitivement une statue-cube ». Le Dr Ratié avait en tout cas le mérite d'insister sur l'obésité, si toutefois elle n'a pu chercher dans une direction nouvelle et s'en est tenue au commentaire classique devant les statues masculines présentant des plis de graisse sur le thorax.

23. Ainsi R. Caminos-T.G.H. James, *Gebel es-Silsilah I. The Shrines* (*ASE 31st Memoir*), Londres, 1963, p. 55 : « This statue seems unusually thick in body from front to back and it is possible that in its original state it represented Senenmut with the young princess Nefrurè on his lap. However, no certain trace of such a figure of the princess now remains. »

24. Voir page 280.

25. R. Caminos-T.G.H. James, *Gebel es-Silsilah I. The Shrines* (*ASE 31st Memoir*), Londres, 1963, p. 55 : « Four seated deities. A much mutilated figure represents a god adipose and pot-bellied ; he occupies the same relative position on this wall as does Nun (who exhibits a similar torso) on the north wall » (pl. 41 et 42).

26. Et ceci pour suivre cette « multiplicité des approches », très proche-orientale, et propre également au rendu égyptien, appliquée aussi bien à l'art figuratif qu'à l'expression littéraire et métaphysique. La phrase qui vient d'être citée figure sur la statue de Sénènmout conservée au musée de Chicago, dont il a été question plus haut.

27. Voir page 281.

28. Pour l'étude sérieuse des calendriers lunaire et solaire, il est nécessaire de consulter l'excellent travail de Richard Parker, *The Calendars of Ancient Egypt* (*SAOC* 26), Chicago, 1950. Pour les douze cercles (mois) en rapport avec les signes du zodiaque, *cf.* Ch. Desroches Noblecourt, *Amours et fureurs de la Lointaine*, Paris, Stock-Pernoud, 1995/1997, p. 209-211. Pour une connaissance de l'astronomie égyptienne, voir les ouvrages de O. Neugebauer-R. Parker, *Egyptian Astronomical Texts*, Londres, trois volumes : I – *The Early Decans*, 1960 ; II – *The Ramesside Star Clocks*, 1964 ; III – *Decans, Planets, Constellations and Zodiacs*, 1964.

29. Le caveau de la tombe de Sénènmout est intégralement publié par P.F. Dorman, *The Tombs of Senenmut – The Architecture and Decoration of Tombs 71 and 353*, New York (*The MMA Egyptian Expedition*), 1991, p. 81-139, pl. 39-96. Le plafond astronomique, dans la chambre A, est décrit aux p. 138-147, pl. 84-86.

30. A ce sujet consulter Ch. Desroches Noblecourt, *Amours et fureurs de la Lointaine*, Paris, Stock-Pernoud, 1995/1997, p. 11-18 et chapitre VI, p. 141 sqq.

31. Voir page 282.

32. Pour toutes les observations et les calculs, consulter Ch. Leitz, *Studien zur ägyptischen Astronomie* (*ÄA* 49), Wiesbaden, Harrassowitz, 1989, p. 35-48. L'observation du ciel semble marquée comme ayant été faite dans les parages de Memphis.

33. Voir page 284.

CHAPITRE XVI : HATSHEPSOUT ET LA SYMBOLIQUE DES TEMPLES (p. 285 à 305)

1. Voir page 285.

2. *Khéménou*, « la ville des Huit », nom tiré du mot *Khémen*, « huit », allusion aux quatre principes mâles et aux quatre principes féminins vénérés dans ces lieux savants.

3. On peut rapprocher ce phénomène de « fusion » de celui du « big bang », plus récent et moins symbolique, mais qui n'explique pas plus un mystère à pénétrer. Le lointain souvenir de l'accouplement cosmique de ces éléments est encore évoqué sur les murs des temples tardifs, de l'époque ptolémaïque, par le défilé des quatre éléments mâles, résumés par Thot (ou Pharaon) à leur tête, ce qui fait cinq, le fécondateur, et celui des quatre éléments femelles, résumés par Maât (ou la Grande Epouse royale) qui marche devant elles, ce qui fait encore cinq, la fécondée.

4. Ces principes, dans cette « soupe initiale » sans lumière, sont avec Amon-Amonèt, Héhou-Héhèt, Kékou-Kékèt, Niaou-Niaout : expressions du « caché », des ténèbres, etc. *Cf.* K. Sethe, *Amun und die acht Urgötter von Hermopolis*, *APAW* 4, 1929.

5. Aménophis IV, le futur Akhénaton, s'inspira de la théologie prônée par notre reine. Aussi, lorsqu'il créa sa ville d'*Akhèt-aten* (« l'horizon du globe »), il ne manqua pas d'orner chacune des tours de ses pylônes solaires – face à Hermopolis – de cinq mâts symboliques. *Cf.* Ch. Desroches Noblecourt, *L'Extraordinaire aventure amarnienne* (Histoire mondiale de la sculpture), Editions des Deux Mondes, Londres, Rainbird, 1960, p. XI.

6. « La Grande Prairie », nom donné au Nouvel Empire à la nécropole des rois, peut-être à partir du règne d'Hatshepsout, et que Champollion nomma la « Vallée des Rois ».

7. *Urk.* IV, 422, 6-10.

8. *Cf.* W. Hayes, « A Selection of Tuthmoside Ostraca from Dèr el-Bahri », *JEA* 46, 1960, p. 29-52.

9. Sur la liste des « donateurs », le troisième Thoutmosis était simplement mentionné sans titulature officielle et pompeuse : *Pa nésout*, c'est-à-dire « le roi ». *Cf.* W. Hayes, « A Selection of Tuthmoside Ostraca from Dèr el-Bahri », *JEA* 46, 1960, pl. Xa, ostracon n° 6.

10. Voir page 291.

11. La première et magistrale publication du temple, comprenant une description rapide (mais savante pour l'époque), des plans généraux et de magnifiques relevés graphiques, a été donnée par le grand Edouard Naville, de 1895 à 1908. Les premiers dégagements, exécutés par A. Mariette, ont été repris à cette époque par Naville pour le compte de l'Egypt Exploration Fund (1893-1896, 1903-1906). Une seconde vague d'études est due à l'initiative savante et courageuse de H. Winlock et de son équipe du Metropolitan Museum de New York (1911-1931). Depuis 1958, alors que le Proche-Orient traversait de graves difficultés, et sur ma proposition auprès du Ministre de la Culture de l'époque, Saroïte Okacha, les travaux de reconsolidation architecturale, l'étude archéologique et les fouilles ont été confiés à l'équipe d'archéologues de l'Université et du Musée de Varsovie. La publication d'Edouard Naville (*The Temple of Deir el Bahari*), comporte 6 volumes : Part I, *The North-Western End and the Upper Platform* ; Part II, *The Ebony Shrine, Northern Hall of the Middle Platform* ; Part III,

End of Northern Hall and Southern Hall of the Middle Platform ; Part IV, *The Shrine of Hathor and the Southern Hall of Offerings* ; Part V, *The Upper Court and the Sanctuary* ; Part VI, *The Lower Terrace, Additions and Plans.* En 1949, une description architecturale du temple fut publiée par M. Werbrouck : *Le temple de Deir el-Bahari*, Bruxelles. L'ensemble des statues retrouvées en multiples fragments, grâce à la ferveur de H. Winlock, a été entièrement analysé par Roland Tefnin, *La statuaire d'Hatshepsout, portrait royal et politique sous la 18e dynastie* (*Monumenta Ægyptiaca* IV), Bruxelles, Fondation Egyptologique Reine Elisabeth, 1979. Dans cet imposant et minutieux ouvrage, R. Tefnin proposa de déceler trois étapes dans la construction du temple. Il est contredit par Dorman (*Senenmut*, p. 40-41), qui semblerait opter pour les deux étapes démontrées par Meyer (*Senenmut. Eine prosopographische Untersuchung*, Hambourg (*HÄS* 2), 1982, p. 66-69). Quoi qu'il en soit, R. Tefnin pense que l'édification a dû commencer par le sanctuaire d'Amon et se continuer vers l'Est. Mon propos n'est pas ici de polémiquer, mais pour faciliter la visite d'inspection de la reine, je lui ai fait parcourir suivant la visite logique toute l'aire de son *Djéser-djésérou*.

12. Voir page 293.

13. *Urk.* IV, 416, 17 – 417, 3 et 16.

14. Ces ostraca ont été surnommés « name stones » par les fouilleurs américains : *cf.* W. Hayes, *Scepter* II, p. 88.

15. *Cf.* A. Lansing, « Excavations in the Assassif at Thebes », *Supplement to the BMMA*, New York, mai 1917, p. 8, fig. 3.

16. Voir page 294.

17. L'allée avait été en partie découverte par deux jeunes officiers polytechniciens de l'Expédition d'Egypte, Jollois et Villiers (*Description de l'Egypte, Antiquités* II, Paris, 1812, pl. 20). Ils avaient repéré les vestiges d'un dromos de 100 paires de sphinx régulièrement espacés à 10 m d'intervalle (leur base étant de 10 x 3 m) sur une chaussée de 13 m de large et sur une longueur de 450 m. A. Mariette et R. Lepsius, plus tard, purent encore repérer les emplacements de ces sphinx, disparus dès que la route moderne menant à Deir el-Bahari fut aménagée. H. Winlock, le « champion de la reine », durant le premier quart du siècle dernier, tria avec une admirable patience, entre autres, les milliers de fragments et débris de ces sphinx, entassés par les détracteurs d'Hatshepsout dans la carrière au Nord-Est du temple, et les reclassa.

18. H. Winlock, « The Museum's Excavations at Thebes », *BMMA* 1932, Section II (mars), fig. 5. Pour toutes les statues représentant la reine, trouvées à Deir el-Bahari, voir l'étude très structurée de R. Tefnin, *La statuaire d'Hatshepsout, portrait royal et politique sous la 18e dynastie*, Bruxelles, 1979, p. 121-128 et pl. XXIXb – XXXIa. Pour la coiffe *khât*, *cf.* M. Eaton-Krauss, « The *khat* Headdress to the End of the Amarna Period », *SAK* 5, 1977, p. 21-39.

19. *Urk.* IV, 294.

20. L'accès du caveau était ménagé par un couloir creusé sous la terre et le rocher, tout proche des tombes des princes de la XIe dynastie (*cf.* H. Winlock, *JEA* X, 1924, p. 218-219). Non loin avait été édifiée une chapelle dédiée à Aménophis Ier et à sa mère Ahmès-Nofrétari, chapelle qui drainait les pèlerinages dans la région (H. Winlock, *BMMA* décembre 1924, Part II, p. 14-16 et p. 20 ; *BMMA* mars 1932, Part II, p. 22), de même qu'une petite chapelle à Hathor contenant des stèles portant les images votives d'yeux et d'oreilles. *Cf.* B. Bruyère, *ASAE* XXV, 1925, p. 83-88, pl. II.

21. Ces perséas étaient plantés dans des trous creusés dans le sol stérile, remplis de terre végétale. Les racines étaient encore en place lorsque Winlock les dégagea (*BMMA* décembre 1924, Part II, fig. 16 et 17 ; mars 1926, fig. 15).

22. H. Winlock, *BMMA* mars 1922, Part II, p. 14.

23. Pour les bassins en T, *cf.* Ch. Desroches Noblecourt, *Amours et fureurs de la Lointaine*, Paris, Stock-Pernoud, 1995/1997, p. 181, figure ; mais surtout, du même auteur, « Les trois saisons du dieu et le débarcadère du ressuscité », *MDAIK* 47 (Mélanges W. Kaiser), 1991, p. 67-90.

24. Ch. Desroches Noblecourt, *Vie et mort d'un pharaon, Toutankhamon*, Paris, Rainbird-Hachette, 1963 (rééd. Pygmalion, 1977), p. 180-181.

25. Le lion incarne deux symboles majeurs. C'est d'abord celui du roi, vaillant combattant. Lorsqu'il est sauvage, il symbolise la force destructrice qu'il faut terrasser. Le roi devait alors le combattre et en faisait la démonstration, peut-être pendant les épreuves publiques du sacre (de même pour le taureau). *Cf.* Ch. Desroches Noblecourt, « Un petit monument commémoratif du roi athlète », *RdE* 7, 1950, p. 37-46. On connaît les célèbres « scarabées commémoratifs » d'Aménophis III, sanctifiant ses succès retentissants à la chasse au lion et au taureau : C. Blankenberg-Van Delden, *The Large Commemorative Scarabs of Amenhotep III*, Leyde (*Documenta et Monumenta Oriens Antiqui* 15), 1969. Quant à la lionne, elle présente plutôt un aspect bénéfique – mais cette protectrice peut cependant connaître des colères redoutables qu'il faut apaiser par des interventions de savante magie, *cf.* Ch. Desroches Noblecourt, *Amours et fureurs de la Lointaine*, Paris, Stock-Pernoud, 1995, p. 30-34. Quoi qu'il en soit l'aspect protecteur du roi des animaux, en Egypte, est primordial. Il garde les montagnes de l'horizon d'où surgit le soleil matinal, sa tête orne et protège les fauteuils et tabourets royaux, elle orne les gargouilles, protège les issues, les portes et même les serrures. Les sphinx au corps de lion constituent les dromos protecteurs.

26. On pourra consulter avec intérêt l'étude de Constant De Wit, *Le rôle et le sens du lion dans l'Egypte ancienne*, Leyde, 1951.

27. E. Naville, *DelB* VI, de la planche CLII à la planche CLVI.

28. E. Naville, *DelB* VI, pl. CLX.

29. *Cf.* Ch. Desroches Noblecourt, « Poissons, tabous et transformations du mort », *Kêmi* XIII, 1954, p. 33-42.

30. Ces mesures comprennent les deux annexes latérales dont les emplacements respectifs rompaient légèrement la régularité du plan, mais dont les implantations répondaient à des besoins magico-religieux, et qui furent adjointes après le tracé du plan d'ensemble.

31. *Cf.* P. Lacau-H. Chevrier *et al.*, *Chapelle*, p. 171 et § 251.

32. Pour la ville de Thèbes, ses différents quartiers – chacun placé sous la protection d'un dieu ou d'une déesse – les divers canaux, etc., *cf.* Ch. Nims, « Places about Thebes », *JNES* XIV, 1955, p. 113-123.

33. Ces bancs de sable, qui apparaissaient dès que le niveau des eaux baissait, étaient appelés des *tjessou*. Ils étaient redoutés par les bateliers, mais faisaient le bonheur des riverains qui les plantaient et récoltaient ainsi des légumes jusqu'à l'arrivée de la nouvelle inondation.

34. E. Naville, *DelB* II, pl. XLVII à LV, et *DelB* III, pl. XLIX à LV.

35. E. Naville, *DelB* III, pl. LVIII à LXIII.

36. E. Naville, *DelB* III, pl. LVIII à LXXXVI.

Chapitre XVII : Le temple jubilaire (suite) (p. 306 à 332)

1. Depuis le déchiffrement des hiéroglyphes par Champollion, les égyptologues continuent à chercher, encore sans succès, le symbole de ces deux signes. Je suis persuadée que le crochet est non seulement l'insigne du pouvoir du chef, mais qu'il est en rapport avec le Sud : le Vice-roi de Nubie porte même cet insigne en main. D'ailleurs des Nubiens, anciens « enfants du *kep* », possèdent également, très souvent, ce signe dans leurs noms égyptianisés : Hékanéfer, Hékaernéheh, etc. Quant au « fouet » (flagellum ?), aucune suggestion concluante n'a été avancée.

2. *Cf.* E. Drioton, « Sarcasmes contre les adorateurs d'Horus », *Mélanges syriens offerts à M. René Dussaud II*, Paris, 1939, p. 495-506.

3. Sur ce point encore, Aménophis IV-Akhénaton reprend visiblement l'enseignement d'Hatshepsout. Ainsi, après avoir créé l'image du globe (de l'œil) solaire lançant

ses rayons terminés par de petites mains, il les munit des signes *ânkh* et *ouas* (pour les premières images de sa réforme, ainsi dans la tombe de Ramosé à Thèbes). Ces signes traduisent visiblement l'action solaire.

4. Pendant le début de la corégence surtout, le nom de couronnement de Menkhéperrê pouvait être écrit Menkhéperkarê.

5. Les architectes polonais en charge de la restauration du temple pensent qu'à l'origine, il s'agissait d'une salle hypostyle. *Cf.* L. Dabrowski, « The Main Hypostyle Hall of the Temple of Hatshepsut at Deir el-Bahri », *JEA* 56, 1970, p. 101-104.

6. Ces statues représentaient peut-être, presque toutes, la reine en costume féminin (habillée d'une gaine moulante), ou encore si peu masculinisée, porteuse cependant du pagne royal, telle la splendide image de la reine assise, unique encore en son genre, qui pourrait être considérée comme le chef-d'œuvre des portraits d'Hatshepsout : New York, Metropolitan Museum of Art n° 29-3-3. Pour donner un aperçu des problèmes rencontrés par H. Winlock lorsqu'il a voulu reconstituer les statues détruites et pillées depuis le XIXe siècle, il faut savoir que la statue assise de la reine (MMA 29-3-3), dont il vient d'être question, possède une tête et une partie inférieure découvertes par l'Egyptian Expedition en 1927-1928 dans la carrière de Deir el-Bahari, et un torse rapporté d'Egypte par le Prince Hendrik de Hollande en 1869 (offert par le musée de Leyde en 1928 au Metropolitan Museum of Art de New York).

7. Pour les statues osiriaques, voir R. Tefnin, *La statuaire d'Hatshepsout*, p. 36-70.

8. Pour la représentation des bassins de lait, *cf.* E. Naville, *DelB* V, pl. CXLII, avec la mention suivante : « Bassins de lait, faits par Sa Majesté pour qu'ils soient près de ce dieu lorsqu'il réside dans le *Djéser-djsérou.* »

9. *Cf.* S. Schott, « Das Löschen von Fecheln in Milch », *ZÄS* 73, 1937, p. 1-25, pl. I.

10. E. Naville, *DelB* V, pl. CXLIII.

11. E. Naville, *DelB* V, pl. CXLV. Le nom de cette petite princesse, morte en bas âge, avait été lu *Akhbèt-néférou.*

12. E. Naville, *DelB* V, pl. CXLI.

13. E. Naville, *DelB* V, pl. CXXII-CXXV. Pour un essai concernant cette festivité dont on ne connaît vraiment que les manifestations publiques : G. Foucart, « Etudes thébaines – La Belle Fête de la Vallée », *BIFAO* XXIV, 1924, p. 1-8.

14. Est-ce la raison pour laquelle les portiques des deux terrasses sont ornés en façade de onze piliers ? Pour suivre E. Naville, qui les a bien consignés sur son plan, et non douze comme le déclarent la plupart de ceux qui décrivent le temple, sans trop vérifier, et qui songent instinctivement, à tort, aux douze mois de l'année.

15. Une autre allusion à cette fête, remontant encore au temps d'Hatshepsout, figure sur un mur de la « Chapelle rouge » de la souveraine, à Karnak. Voir P. Lacau-H. Chevrier *et al.*, *Chapelle*, p. 185 et § 226, 227, 242, 253 et 259.

16. E. Naville, *DelB* V, pl. CXXII.

17. E. Naville, *DelB* V, pl. CXXV.

18. E. Naville, *DelB* V, pl. CXXV.

19. Le groupe de soldats-marins (marsouins) marchant à la suite des guépards est défini comme une troupe spéciale de « travailleurs du (métal ?) de la Double Grande maison (*Per-ouy-âa*) ». C'est la seconde fois que le terme « Pharaon » est utilisé. Il semble ici ne plus signifier les deux corégents, mais bien la souveraine elle-même, identifiée aux palais.

20. E. Naville, *DelB* IV, pl. CXVI.

21. E. Naville, *DelB* IV, pl. CXV.

22. Sur le mur Est de ce vestibule, il faut noter qu'Hatshepsout avait demandé d'y faire figurer les sept vaches grasses de l'Inondation.

23. Cette stèle du premier Thoutmosis est, depuis presque un siècle, conservée au département des Antiquités égyptiennes du musée du Louvre (C 48). Elle a été étudiée par H. Winlock, « Notes on the Reburial of Tuthmosis I », *JEA* 15, 1929, pl. XIII.

24. Pour le symbolisme des quatre points cardinaux et leur message, d'une très grande importance dans le culte funéraire et jubilaire, consulter Ch. Desroches Noblecourt, *Vie et mort d'un pharaon, Toutankhamon*, Paris, Rainbird-Hachette, 1963 (rééd. Pygmalion, 1977). Le thème est entièrement développé dans le chapitre 8, « Le dieu mort qui doit renaître », p. 245-274.

25. Le plan de l'autel solaire, auquel est « accrochée » la petite chapelle d'Anubis, est publié dans Naville, *DelB* I, pl. I. Le socle de l'autel est légèrement rectangulaire, et possède encore des vestiges de sa corniche. En des proportions encore aussi importantes la forme se perpétue, par exemple à la XIXe dynastie, au nord du temple jubilaire de Séthi Ier à Gourna. En revanche, Ramsès le Second donna à l'autel solaire d'Abou Simbel un aspect beaucoup plus complet, mais plus réduit. Il en subsistait les compléments : deux petits obélisques, quatre cynocéphales en adoration et une chapelle évoquant le cheminement des 24 heures (nuit et jour : cynocéphale et scarabée). Ces petits monuments devraient maintenant être regroupés au musée de la Nubie à Assouan. Cet autel solaire est publié par Abdel Hamid Youssef et Ch. Desroches Noblecourt, Le Caire, CEDAE, 1978.

26. E. Naville, *DelB* II, pl. II.

27. E. Naville, *DelB* II, pl. IV.

28. E. Naville, *DelB* I, pl. VII-XXII.

29. E. Naville, *DelB* I, pl. IX-XII. Il sera à nouveau question de la nébride à propos de la seconde chapelle d'Anubis, *cf.* plus loin. La nébride est la peau, abandonnée par le mort à la fin de ses « transformations » : cette peau animale est à la fois celle d'Anubis lui-même et l'enveloppe dans laquelle le nouveau soleil s'est reconstitué, d'où l'explication du titre *imy-out*, « celui qui est dans l'enveloppe (la peau) », attaché à Anubis.

30. E. Naville, *DelB* I, pl. XIV.

31. E. Naville, *DelB* I, pl. XIII.

32. E. Naville, *DelB* I, pl. XVI.

33. E. Naville, *DelB* I, pl. XVIII.

34. E. Naville, *DelB* I, pl. XIX.

35. E. Naville, *DelB* I, pl. XXII. Cette cérémonie de la course royale n'est pas encore très bien comprise. Elle semble cependant en rapport avec la prise de possession d'un terrain consacré et l'achèvement d'un rite.

36. Anubis prend, ici, une importance jamais rencontrée.

37. E. Naville, *DelB* V, pl. XC, XCVII, LXXXVII, LXXXVIII.

38. Après la théogamie (*cf. supra*, pp. 163-179), seront traitées les scènes concernant la mise au monde de la princesse. La reine sur son lit fait face aux deux nourrices, auxquelles une tête de bovidé a été donnée pour rappeler le rôle joué par Hathor. En confirmation, un rappel du miracle est figuré : au registre inférieur, sous un autre lit, ont été figurées deux vaches tournant la tête vers la petite princesse et son ka accroupie sous chacune d'elles, occupée à se nourrir au pis de la mère divine (les martelages subis après la disparition d'Hatshepsout ont presque anéanti ces images).

39. E. Naville, *DelB* V, pl. LXXXVII et XCIV.

40. *Urk.* IV, 236, 15. Le mot à mot est *khénem*, « remplir, saturer » – *nésout*, « la souveraine » – *em*, « avec » – *ânkh-ouas*, « le lait ».

41. E. Naville, *DelB* V, pl. CIV-CV.

42. Ch. Desroches Noblecourt, *Amours et fureurs de la Lointaine*, Paris, Stock-Pernoud, 1995/1997, et album illustré de *La femme au temps des pharaons*, Paris, Stock, 2000, pl. 86-87).

42 bis. Quelques mois après cette identification, le professeur Pascal Vernus, occupé à déchiffrer une stèle se rapportant à la piété personnelle d'un ouvrier de la nécropole thébaine, de la XIXe dynastie, a donné confirmation complète de ma reconstitution archéologique, grâce au texte d'une stèle du British Museum, décrivant le pèlerinage. *Cf.* P. Vernus, *La Grotte de la Vallée des Reines dans la piété personnelle d'un*

ouvrier de la nécropole thébaine, British Museum n°278 ; Deir el Medineh : *The third millenium* AD. *A Tribute to Jac J. Janssen*, Leyde, 2000.

43. Cinq statues connues de Sénènmout étaient ornées du sistre d'Hathor. Un rite lié au culte d'Hathor était même exécuté par Thoutmosis-Menkhéperrê avec un bâton rituel de bois d'olivier. *Cf.* E. Uphill, *JNES* 20, 1961, p. 250. C'était le rite de « frapper la balle pour Hathor, maîtresse de Thèbes ».

44. La place revenait d'office à Sat-Rê, dite Inèt, cette grande dame qui avait toujours été si proche d'Hatshepsout, et lui avait donné sa première éducation. La statue fut, naturellement, elle aussi brisée cruellement. Le texte dédicatoire qui la recouvrait fut reconstitué par H. Winlock, « The Egyptian Expedition 1930-31 », *BMMA* 32-2, p. 5-10. Sat-Rê, dans la dédicace, y est citée comme « la nourrice principale, qui allaite la Maîtresse du Double Pays ».

45. Le visage de la déesse est maintenant entouré d'une perruque à deux longues mèches ondulées et verticales, différentes des deux boucles en volutes qui ornaient ces perruques au Moyen Empire.

46. Cette façade architecturale pouvait contenir l'image des deux uræus, figurant les deux mères primordiales Nékhabit et Ouadjit, vautour et cobra ; ou encore la course du souverain, comme pour affirmer sa présence agissante. Au début du règne, le visage d'Hathor sur ces piliers est encore entouré des deux pans bouclés de cheveux se terminant en volutes, comme au Moyen Empire : ainsi représenté dans le temple dédié à Satèt à Eléphantine.

47. Voici la raison pour laquelle Thoutmosis-Menkhéperrê, inspiré par sa noble tante, fit creuser au pied du temple une petite grotte-chapelle personnelle, où il consacra la magnifique statue de la vache Hathor, qui semble surgir du marécage de papyrus, et qui nourrit de son pis le petit Aménophis II (statue conservée au musée du Caire, JE 38574-5).

48. Cette seconde chapelle d'Anubis figure dans E. Naville, *DelB* II, pl. XXXI-XLV. L'architecture des deux chapelles d'Anubis a été étudiée, sans en saisir la complète signification, par M. G. Witkowski, « Le rôle et les fonctions des chapelles d'Anubis dans le complexe funéraire de la reine Hatshepsout à Deir el-Bahari », *Akten der IV internationalen Ägyptologen Kongresse – München 1985*, Hambourg, 1990, p. 431-440.

49. Cette légende de la nébride tourne autour du phénomène d'Anubis. Quelques pistes de recherche sont contenues dans le papyrus Jumilhac, conservé au musée du Louvre (E 27110) : J. Vandier, *Le papyrus Jumilhac*, Paris, 1961. Pour ma part, je suis persuadée qu'Anubis est à la fois comme l'ombre du sujet en transformation et l'enveloppe qui contenait son devenir, c'est-à-dire, pour emprunter un terme médical savant, le *chorion*.

50. La nébride est maintenant martelée. C'est donc qu'on avait voulu, au moment de la « persécution », faire disparaître cette nébride au même titre que l'image de la reine. Pour l'illustration, *cf.* E. Naville, *DelB* II, pl. XLII.

51. E. Naville, *DelB* II, pl. XLIV.

52. E. Naville, *DelB* II, pl. XLIV.

53. Pour un exemple probant d'Anubis confondu avec le mort en train de réapparaître en soleil, il n'est qu'à se reporter au tombeau de Toutânkhamon. Sur le mur de briques fermant la « salle de l'est » du caveau, la salle où s'affirmait la renaissance, A. H. Gardiner avait pu lire : « (Toutankhamon)-Nebkhépérourê-Anubis est triomphant », *cf.* Ch. Desroches Noblecourt, *Vie et mort d'un pharaon, Toutankhamon*, Paris, Rainbird-Hachette, 1963 (rééd. Pygmalion, 1977), p. 274.

54. Voir plus haut p. 322 *sq*.

55. Paroi Sud-Ouest, E. Naville, *DelB* IV, pl. XCVII.

56. E. Naville, *DelB* V, pl. XXXVIII. Les têtes de bouquetin ornant la proue et la poupe de cette barque étaient en rapport avec le renouvellement de l'année. A ce propos consulter les commentaires de C. Cannuyer, « Le scarabée de la tombe de Sennedjem à

Deir el Medineh », *L'animal* (*Acta Orientalia Belgica* XIV), Louvain-la-Neuve/Bruxelles, 2001, p. 45-47 et 49, fig. 1 ; J. Quaegebeur, *La naine et le bouquetin, ou l'énigme de la barque en albâtre de Toutankhamon*, Louvain, 1999.

57. E. Naville, *DelB* V, pl. XCI. L'objet a réellement existé. Pour la XVIIIe dynastie, deux exemplaires ont été trouvés dans la cour de la chapelle funéraire de Rekhmara, vizir de Thoutmosis III. Un exemplaire est conservé au musée du Louvre (E 3163), un autre se trouve au Metropolitan Museum of Art de New York.

58. Cette représentation de Sénènmout a réellement été sculptée tout au fond de la grotte, cachée par la porte de la petite niche de gauche.

Chapitre XVIII : Les années XIII à XV de la corégence (p. 333 à 350)

1. Ce serait une faute d'histoire d'employer le mot « Pharaon » avant le milieu de la corégence Hatshepsout-Thoutmosis. En fait, le mot *Per-âa* apparaît pour signifier le seul souverain sous Thoutmosis III, *cf.* W. Hayes, « A Selection of Tuthmoside Ostraca from dèr el-Bahri », *JEA* 46, 1960, p. 41 (ostracon n° 14, lignes 8, 11, 16).

2. F. Hintze-W. Reineke, *Felsinschriften aus dem sudanesichen Nubien I, Texte I*, Berlin (Publikationen der Nubien-Expedition 1961-1963), 1989, p. 172, n° 562.

3. Voir page 334.

4. Les adjonctions aux noms des corégents se trouvent dans la partie centrale de cette succession de salles. Une statue d'Hatshepsout, tenant le collier *ménat*, fut semble-t-il trouvée sur place.

5. Voir page 335.

6. Stèle du musée du Caire, n° JE 38.546 ; A. H. Gardiner-E. Peet-J. Cerny, *The Inscriptions of Sinai* I, Londres, 1952, p. 14 et pl. LVIII, p. 179 ; A. R. Schulman, « Some Remarks on the alleged « fall » of Senmut », *JARCE* VIII, 1969-1970, p. 43.

7. D. Valbelle-Ch. Bonnet, *Le sanctuaire d'Hathor, maîtresse de la Turquoise*, Paris, Picard, 1996 : le temple restauré par Hatshepsout et Thoutmosis III, p. 98 et 162, fig. 86 ; spéos Sud, p. 91 ; création du complexe religieux, p. 50.

8. Voir page 337.

9. Voir page 337.

10. Les hiéroglyphes, dont Thot est le maître. Ils constituent la langue spécifique des dieux. *Cf.* H. Te Velde « Some Remarks on the mysterious language of the Baboons », funerary symbols and religion. (Essays dedicated to prof H. van Voss I) Kampren (?), 1988, pp. 129-136.

11. C'est ce qu'on appelle le système acrophonique, qui consiste à écrire un mot en utilisant, par jeu, plusieurs vocables dont on ne doit en réalité retenir que la première lettre. Ainsi, en transposant, pour écrire « chat », les ouvriers sémites auraient pu emprunter la première lettre des signes pictographiques représentant le cochon, le hibou, l'aigle et le tapir. Pour une explication concise, consulter Ch. Desroches Noblecourt, « L'Egypte et la naissance de l'écriture », *in* Catalogue de l'exposition *Naissance de l'écriture* (Paris, Grand Palais, 7 mai-9 août 1982), Paris, 1982, p. 32-35. Les Doriens empruntèrent ensuite ces signes encore déformés, puis les Latins, et ils arrivèrent, cahin-caha, jusqu'à nous.

12. Voir page 337.

13. Voir page 337.

14. A. H. Gardiner-E. Peet-J. Cerny, *The Inscriptions of Sinai* I, 14 et pl. LVIII.

15. Par la suite, cette image d'Hatshepsout a été entièrement martelée.

16. A. H. Gardiner-E. Peet-J. Cerny, *The Inscriptions of Sinai* I, pl. LXI, n° 180.

17. *Cf.* W. Wolf, *Das schöne Fest von Opet*, Leipzig, 1931. Une belle représentation de cette fête est, entre autres, figurée dans la tombe thébaine d'Amenhotep, mais sans les détails récemment fournis par la Chapelle rouge. Sous Toutânkhamon, la

colonnade du temple de Louxor porte sur ses deux flancs la plus complète figuration de cette fête, qui avait un très important impact populaire, et se perpétua dynastie après dynastie. Ses réminiscences sont encore tangibles de nos jours, entre Karnak et Louxor, par le défilé de la barque du saint Abou el-Haggag, faiseur de miracles, dont la petite mosquée funéraire est enclavée dans le temple de Louxor.

18. Consulter à ce sujet la longue étude de L. Bell, « Luxor and the Cult of the Royal Ka », *JNES* 44, 1985, p. 251-294.

19. Voir page 339.

20. Le trajet de la procession se faisait sur le chemin qui à la fin de la dynastie était bordé de sphinx. Sous Aménophis III, c'est toujours assurément la barque d'Amon, mais escortée des deux barques de Mout et du petit Khonsou, qui prenait le chemin vers Louxor. Les chapelles pour ce trajet n'étaient plus utilisées, et toute la flotte prenait le canal parallèle au Nil. Le trajet de retour se faisait alors par voie de terre.

21. *Cf.* Ch. Nims, « Places about Thebes », *JNES* 14, 1935, p. 113-123.

22. Cette « Maison du Coffre » est une chapelle dont on ne peut pas exactement déceler l'usage : elle devait être édifiée près de l'enceinte du temple de Mout.

23. C'est du moins ce qui apparaît sur les quatre chapelles suivantes, figurées sur les murs de la Chapelle rouge de Karnak, et qui présentent le même aspect, *cf.* P. Lacau-H. Chevrier *et al.*, *Chapelle*, p. 161.

24. Voir page 342.

25. Voir page 342.

26. Cet hymne est aussi inscrit sur une autre chapelle de la reine, édifiée dans de l'albâtre, et connue sous le nom « *Ferme est la fondation d'Amon* ». Le titre « exalté de bras », conféré à Amon, est un des attributs de sa forme ithyphallique, Amon-Min.

27. Je rappelle que la coudée mesure un peu plus de 0,52 m. Ce trait est rapporté sur un mur de la tombe d'Amenhotep (TT 73, à Gourna), *cf. Urk.* IV, 458, 3-13. Ce terrifiant animal devait avoir été engraissé en Nubie, comme cela semble avoir été l'habitude. Sous Ramsès II, un des murs de la cour de Louxor, édifiée par ce dernier roi, est orné du défilé des bœufs pour la fête d'*Opèt*. Ils présentent une taille assez monstrueuse : engraissés à l'étable, ils ne pouvaient presque plus se mouvoir, comme en témoignent leurs sabots de corne qui avaient poussé sans être usés, et qui ressemblaient ainsi à des sortes de « sabots à la poulaine » !

28. A l'époque d'Hatshepsout, le temple de Louxor ne montrait pas l'aspect actuel, et les bâtiments cultuels ne commençaient qu'au moins après la future cour d'Aménophis III. Ainsi n'y avait-il pas encore la grande colonnade attribuée à Toutânkhamon, pas moins encore le grand 1er pylône et la cour de Ramsès II. A l'entrée de la vaste aire sacrée, probablement dans l'angle Nord-Ouest, avait été érigée la chapelle où résidait la barque d'Amon, pendant les noces du dieu. Lorsque Ramsès engloba cette chapelle dans la vaste cour fermée par le grand pylône qui subsiste encore de nos jours, il en profita pour flanquer ce local de deux autres pièces destinées à recevoir, d'un côté la barque de Mout, de l'autre la barque de Khonsou. La façade de ces trois pièces présente encore les colonnes fasciculées d'Hatshepsout, qu'il recouvrit, de même que l'architrave, de son protocole.

29. Voir Ch. Desroches Noblecourt, *Amours et fureurs de la Lointaine*, Paris, Stock-Pernoud, 1995/1997, p. 30-34.

30. Pour l'*ashérou* (ou *ishérou*), *cf.* S. Sauneron, « Villes et légendes d'Egypte VI-A propos du « toponyme » Achérou (Isrw) », *BIFAO* LXII, 1964, p. 50-57. Pour le retour de la Lointaine et son apaisement dans les eaux de l'*ishérou*, *cf.* R. Freys, « Les montants du Per-Nou et la Fête de la Bonne réunion à Dendera », *RdE* 51, 2000, p. 216. A la déesse qui revient de *Pount*, sont offerts, pour son corps, des pots d'*ântyou* (oliban), car « son odeur est la sueur divine, les tresses de ses cheveux sont le parfum... Elle est l'œil de Rê qui est venu de *Pount* » (p. 198, p. 214).

31. Il faut signaler ici que le temple jubilaire du premier Thoutmosis, appelé

« *Âakhéperkarê se joint à la vie* », de taille peu importante, avait été consacré dans un emplacement situé entre Gourna et Deir el-Bahari. Des briques estampillées au nom d'Hatshepsout, trouvées sur les lieux, permettraient de penser qu'elle le fit réparer : H. E. Winlock, « Notes on the Reburial of Tuthmosis I », *JEA* XV, 1929, p. 66. Ce temple est signalé dans la liste des sanctuaires sculptée sur les blocs de la Chapelle rouge de Karnak (§ 129).

32. Pour bien préciser que cette chapelle de Thoutmosis Ier servait aux instants qui précédaient le renouveau du défunt, la porte de la chapelle s'appelait « *Qu'Amon lui donne le vent du Nord* », ou vent étésien qui souffle au Jour de l'An, avec l'arrivée de l'inondation et le réveil des défunts.

33. Ainsi que je l'ai déjà signalé, on ne peut être complètement assuré d'identifier la tombe à laquelle Hapouséneb fait allusion dans les inscriptions de sa statue-cube, conservée au musée du Louvre (*cf. Urk.* IV, 472, 12) : « [*J'ai été promu*] *responsable des travaux pour sa (?) tombe rupestre, tant étaient remarquables mes talents*. » S'agit-il de la tombe de Thoutmosis II ou de celle de la reine ?

34. L'identification de cette seconde tombe d'Hatshepsout a été l'objet de controverses, depuis sa découverte par les savants de l'Expédition d'Egypte et les fouilles de T. Davis, E. Naville et H. Carter : *The Tomb of Hatshopsitu*, Londres, 1906, particulièrement chapitre V. Il semble que rien ne soit à retenir des hypothèses qui ont depuis été formulées. Les éléments fournis par les ruines et le maigre contenu de la tombe parlent d'eux-mêmes en faveur de sa première et définitive attribution, ainsi que les dépôts de fondation, tous au nom de la souveraine. Certains de ces dépôts sont conservés au musée du Louvre, *cf.* J. Vandier, *Guide sommaire du Département des Antiquités égyptiennes du musée du Louvre*, Paris, 1973, p. 78. D'autres sont conservés au musée de Florence, *cf.* E. Bresciani, « L'Expédition franco-toscane en Egypte et en Nubie, 1828-1829 », *BSFE* 64, 1972, p. 115.

35. Voir, parmi les nombreuses études sur l'histoire de Deir el-Médineh, et en parallèle avec les nombreux rapports des fouilles dirigées pendant de longues années par B. Bruyère, complétés par les études philologiques de J. Cerny (fouilles de l'IFAO), les études de synthèse parmi lesquelles J. Cerny, *A Community of Workmen at Thebes in the Ramesside Period*, Le Caire, IFAO (*BdE* 50), 1973 ; D. Valbelle, *Les ouvriers de la tombe – Deir el-Médineh à l'époque ramesside*, Le Caire, IFAO (*BdE* 96), 1985 ; M. Bierbrier, *The Tomb Builders of the Pharaohs*, Londres, British Museum Publications, 1982.

36. Ces ciseaux de silex, extrêmement durs, étaient aiguisés tous les jours. Un atelier, dans la nécropole, était aménagé à cet effet où, après le travail en fin de journée, les ouvriers venaient les déposer, pour les reprendre à nouveau aiguisés le lendemain matin. Les scribes pointaient les entrées et les sorties de ces outils essentiels.

37. Ces deux sarcophages de Thoutmosis le Premier, furent retrouvés par Maspero et son équipe dans la cachette des momies royales. Ils avaient été remployés par Pinédjem Ier, *cf.* H. E. Winlock, *JEA* XV, 1929, p. 61, 64 et 67.

38. Ce sarcophage-cuve, dont la forme évoque ceux de l'Ancien Empire, et dont la reine s'inspirait, est maintenant conservé au musée de Boston, n° 04.278.

39. Ce dernier sarcophage est conservé au musée du Caire : CGC 52.459 = JE 37.678. Ainsi la reine s'était successivement préparé trois cuves-sarcophages : le dernier emprunte la forme définitive du cartouche royal, adoptée par les pharaons qui se succédèrent dans la Vallée des Rois : W. Hayes, *Royal Sarcophagi of the XVIIIth Dynasty*, Princeton, 1935, p. 17-21.

40. Entre le temple jubilaire et la tombe d'Hatshepsout : 400 mètres les séparent à travers la montagne.

41. Plusieurs auteurs proposent cette interprétation judicieuse, dont Vandersleyen : VdS, p. 263.

42. *Cf.* l'étude de J.-Cl. Goyon, *Confirmation du pouvoir royal au Nouvel An [Brooklyn Museum Papyrus 47.218.50]*, Le Caire, IFAO (*BdE* 52), 1972.

43. L'odyssée du premier Thoutmosis ne s'arrêta pas là. Lorsque Thoutmosis III devint pharaon à part entière, il fit semble-t-il aménager dans la Vallée des Rois une tombe (KV 38) pour recevoir la momie de son grand-père... dans un nouveau sarcophage à son nom ! Selon Luc Gabolde, « *La chronologie du règne de Thoutmosis II, ses conséquences sur la datation des momies royales et leurs répercussions sur l'histoire du développement de la Vallée des Rois* », *SAK* 14, 1987, p. 61-87. Voir aussi J. Romer, « Tuthmosis I and the Bibân El-Molûk : Some Problems of Attribution », *JEA* 60, 1974, p. 119-129 et appendice p. 129-133 par Ch. C. van Siclen III.

44. En fait, on ne connaît pas de monuments érigés au nom d'Hatshepsout dans ces régions. Le constat ressort bien de l'étude de Ch. Zivie, *Giza au deuxième millénaire*, Le Caire, IFAO (*BdE* 70), 1976, p. 261 : « *du règne de Thoutmosis II et d'Hatshepsout nous n'avons pas de traces à Giza, ce qui n'étonne guère, étant donné le règne relativement bref et assez obscur de Thoutmosis II et l'importance accordée à Thèbes par Hatshepsout* ». La même absence de monuments est constatée pour Memphis où les fouilles du temple de Ptah à Mit Rahineh n'ont encore livré qu'un minuscule fragment de vase au nom d'Hatshepsout. *Cf.* R. Anthes *et al.*, *Mit Rahineh 1955*, Philadelphie (*The University Museum, Museum Monographs* 4), University of Pennsylvania, 1955, pl. 26, n° d. 155.

Chapitre XIX : Le « Spéos Artémidos » ou le bilan du règne (p. 351 à 364)

1. Pakhèt, à qui était dédié le Spéos Artémidos, fut considérée par les Grecs comme l'image de leur Artémis chasseresse ; c'est pourquoi ils donnèrent à ce temple-grotte le nom de *Spéos Artémidos*. La notion d'un être héroïque reste sans doute toujours attachée à ce sanctuaire, puisque les voyageurs de notre XIXe siècle apprirent des habitants de la région que la grotte, depuis l'occupation ottomane, était considérée comme l'*Istabl 'Antar* (l'Etable d'Antar).

2. Le couteau se prononçait *Sérit* (> *sro*), le mot était déterminé par une étoile, sans doute en raison des rapports de la géographie de la vallée avec l'étoile Sothis, et l'Inondation (Pakhèt était « la maîtresse de Sothis »). *Cf.* H. W. Fairman-B. Grdsloff, « Texts of Hatshepsut and Sethos I », *JEA* XXXIII, 1947, p. 13. Cette vallée est située à un peu plus d'un kilomètre au sud des tombes rupestres de Béni Hassan.

3. « En dédiant le Spéos Artemidos à Pakhet, (la reine) garantit l'utilisation légitime de la pierre dérobée à la montagne. Elle assure ainsi la protection des carriers et prévient les manifestations de la fureur de Pakhet », écrivent justement S. Bickel et J.-L. Chappaz, « Le Speos Artemidos, un temple de Pakhet en Moyenne Egypte », *Les dossiers d'Archéologie* 187, novembre 1993, p. 94-101.

4. Ces rois libérateurs sont Sékénenrê, mort sur le champ de bataille, Kamosé, Ahmosis (le grand vainqueur), Aménophis Ier, Thoutmosis Ier. Ces deux derniers surtout ayant pour charge de s'opposer aux agresseurs du Sud du pays. Kamosé le précise bien, en déclarant à son conseil qu'il « se trouvait entre deux rapaces », l'un à *Avaris* et l'autre en *Koush*, entre l'Asiatique et le Noir ! *JEA* V, p. 45 (*cf.* référence suivante).

5. *Cf.* B. Gunn-A. H. Gardiner, « New Renderings of Egyptian Texts », *JEA* V, 1918 ; *Urk.* IV, 9, 3-6 ; Breasted, *AR* II, 380 (British Museum, papyrus Sallier I, et tablette Carnarvon n° 1).

6. Pour Téti, fils de Piopi, *cf.* B. Gunn-A. H. Gardiner, *loc. cit.*, p. 46 ; T. Säve-Söderbergh, « The Hyksos Rule in Egypt », *JEA* 37, 1951, p. 69. Ainsi que le fait remarquer Säve-Söderbergh, cette situation d'occupé « n'était pas sans avantages... Il était possible de passer des arrangements (avec eux). Ainsi, les Thébains pouvaient faire paître leurs troupeaux dans (les riches terres) du Delta ».

7. Les *Médjaÿ* étaient les habitants du désert entre le Sud-Est de l'Egypte et la mer Rouge. Mercenaires de l'armée égyptienne, leur action était redoutée et préfigurait – *mutatis mutandis* – celle de nos « nettoyeurs de tranchées » ou des *ghourkas* utilisés par les Britanniques.

8. *Cf.* P. Lacau-H. Chevrier *et al.*, *Chapelle* I, p. 143-145, bloc 184b. Le « Criard » (*shed-khérou*), *cf. Wb* IV, 566, 7.

9. Parmi les quelques allusions à d'éventuels troubles au cours du règne d'Hatshepsout, on trouve cette citation provenant d'un texte gravé sur le bloc 184b de la chapelle rouge de la reine à Karnak, section XI, P. Lacau-H. Chevrier *et al.*, *Chapelle*, p. 143-144.

10. Ce vestibule est plutôt barlong. Les représentations intérieures, dont certaines sont restées inachevées, ont été détériorées à l'époque où la mémoire d'Hatshepsout a été poursuivie. Séthi Ier au début de la XIXe dynastie usurpa le sanctuaire et se fit représenter à la place d'Hatshepsout, en remaniant fortement les reliefs. Une très minutieuse et savante étude du spéos a été maintenant entreprise par deux égyptologues genevois, S. Bickel et J.-L. Chappaz (cf. note 3).

11. L'étude du sanctuaire a permis à S. Bickel et J.-L. Chappaz d'établir que cette porte était à vantail unique. Quant aux portes (au pluriel) dont parle la grande inscription de la façade, « en bois d'acacia, incrustées de bronze » (l. 21), fermaient-elles le vestibule entre les quatre piliers à face hathorique ?

12. *Cf.* H. W. Fairman-B. Grdsloff, *JEA* 33, 1947, p. 13.

13. Ce texte est tiré de la grande inscription (ligne 16) de 42 colonnes de la façade du Spéos Artémidos. Le texte hiéroglyphique, dont une des premières copies a été faite par le savant russe W. Golénischeff en 1880, est publié dans le volume IV des *Urkunden*, p. 383-391. Une des meilleures traductions a été donnée par A. H. Gardiner, « Davies's Copy of the Great Speos Artemidos Inscription », *JEA* 32, 1946, p. 43-56. Depuis, plusieurs passages en ont été extraits et utilisés par les historiens de cette période, et spécialement le texte de la fin, qui débute à la ligne 35 et relate l'adresse de la reine à son peuple : *cf.* Ratié, p. 180 ; VdS, p. 288.

14. Voir page 357.

15. Voir page 358.

16. *Cf.* la note 7. Ce sont les descendants de ceux qui aidèrent Kamosé à chasser les Hyksôs. Ils appartenaient aux tribus *Bedja*, écumeurs du désert entre Nil et mer Rouge. Leurs sépultures circulaires et assez rudimentaires furent appelées « pan-graves » par les archéologues anglais, en raison de leur forme de poêle.

17. Voir page 359.

18. La statue E 27135 du département des Antiquités égyptiennes du Louvre montre l'image, maintenant acéphale, de la reine Néférousébek (fin du Moyen Empire) vêtue d'une robe à bretelles sur laquelle elle portait le pagne royal masculin.

19. Voir page 359.

20. Grande inscription du spéos, lignes 9-20.

21. Les carrières de Toura étaient proches du Caire.

22. Hat-Noub, en Moyenne Egypte – non loin de Tell el-Amarna – possédait les meilleurs gisements de calcite du pays.

23. Sauf quelques coupures, cette inscription est contenue entre les lignes 25 et 35. *Urk.* IV, 387-10 à 389-17. La traduction est de A. H. Gardiner, *JEA* 32, 1946, p. 47, complétée pour quelques détails par Ratié, p. 178. Elle sera certainement encore améliorée, grâce aux nouvelles lectures sur place, par S. Bickel et J.-L. Chappaz.

24. Voir page 361.

25. C'est une véritable communion ! Le texte qui vient d'être cité est gravé aux lignes 8 à 11.

26. Voir page 361.

27. Ces deux textes figurent aux lignes 13 et 14 de l'inscription de la façade du spéos. Hatshepsout ne devait pas exagérer lorsqu'elle évoquait le soin pris pour entretenir et améliorer son armée : quelques mois, à peine, après la disparition de la reine, Thoutmosis-Menkhéperrê pouvait disposer de tous les moyens matériels et humains pour accomplir sa première et plus glorieuse expédition guerrière au Proche-Orient.

28. La reine a été annoncée par les nombreux oracles d'Amon.

29. Mot à mot « en qualité de « elle se manifeste (elle) s'empare » ». Cl. Vandersleyen propose la périphrase élégante « comme celle qui est née pour régner » (VdS, p. 288), S. Ratié « comme devant être efficace en action » (Ratié, p. 180), A. H. Gardiner, le plus proche du sens, « As a born conqueror » (*JEA* 32, 1946, p. 48).

30. Voir page 361.

31. Cette image d'Aton qui répand ses rayons sur la titulature est réellement capable d'avoir inspiré le futur Aménophis IV.

32. Ce dernier texte correspond aux lignes 35 à 42 de la grande inscription.

33. *Per-âa* = Pharaon.

34. *Cf.* Ahmed Fakhry, « A New Speos from the Reign of Hatshepsut and Tuthmosis III at Beni Hasan », *ASAE* XXXIX, 1939, p. 709-723.

35. Ce sanctuaire était situé non loin de Béni Hassan. Ses prêtres pouvaient également servir Thot à Hermopolis, et ceci jusqu'à la Basse Epoque, ainsi que le prouvent les précieuses inscriptions du tombeau de Pétosiris : *cf.* G. Lefebvre, *Le tombeau de Pétosiris*, Le Caire, SAE, 1923-1924, inscription n° 61, ligne 33.

36. Ces trois princesses syriennes furent enterrées dans la même tombe rupestre, derrière la Vallée des Reines non loin du ouadi Sikkat Taquet ez-Zeïd, où se trouve le caveau d'Hatshepsout Grande Epouse royale. *Cf.* H. Winlock, *The Treasure of three Egyptian Princesses*, New York, The Metropolitan Museum of Art, 1948. Ces trois princesses s'appelaient : Menhèt, Ménoui et Merty. Elles portent toutes les trois le titre d'Epouse royale (et non pas de concubine). Leur présence pose un problème : il semble en effet qu'elles auraient pu être inhumées en même temps. Serait-ce à la suite d'une épidémie ou d'un complot de harem ? *Cf.* H. Winlock, *op. cit.*, p. 6. Dans le mobilier funéraire furent trouvés un bracelet offert par Hatshepsout, souveraine, et de la vaisselle tirée des « réserves » du Palais, marquée au nom d'Hatshepsout Grande Epouse royale (Winlock, p. 35).

Chapitre XX : Les années XV-XVI-XVII – Le Grand Jubilé (p. 365 à 383)

1. *Cf. Urk.* IV, 422, 17 – 423, 1. Ce temple, connu par les textes, n'avait pas encore été localisé avant 1980, lorsque ses ruines furent découvertes et déblayées par les fouilleurs polonais. *Cf.* Ch. Meyer, *Senenmut. Eine prosopographische Untersuchung*, Hambourg (*HÄS* 2), 1982, p. 65. Voir aussi VdS, p. 286. Ce temple fut ensuite remanié par Thoutmosis III, et appelé *Djésèr-akhèt*, ainsi que Ch. Meyer en a donné les preuves. Une statue de Sénènmout a été découverte dans ses ruines, statue qui subsista dans le sanctuaire au temps où Thoutmosis III le « reprit » à son compte, tout en le modifiant beaucoup plus tard au cours de son règne.

2. Fêté avec ferveur, cet instant crucial du renouvellement trouvait aussi une résonance au début de chacune des trois saisons de l'année, ou bien encore au retour d'une personne après une absence, une réapparition. Ainsi, encore de nos jours, en Egypte, il n'est pas surprenant qu'en revenant d'un long déplacement, le voyageur se voie accueillir par les amis égyptiens avec des vœux de « Bonne année » (voir la fameuse expression en guise de bienvenue : *coul'sana enta tayyeb*, « que l'année soit bonne pour toi ! »).

3. Ce qui, naturellement, n'a pas toujours été le cas et a souffert plusieurs exceptions. Pour une très sérieuse documentation rassemblée sur ce bien difficile sujet, consulter E. Staehelin-E. Hornung, *Studien zum Sedfest*, Bâle-Genève (*AH* I), 1974.

4. La question a évolué depuis le début du siècle dernier. Comme pour tout ce qui concerne le règne d'Hatshepsout, elle présente de nombreuses difficultés. Les hypothèses ont progressé depuis le début du siècle dernier au fur et à mesure que certains documents sont apparus au cours des recherches. J'ai volontairement simplifié ou regroupé toutes les suppositions élaborées par ceux des égyptologues qui se sont pen-

chés sur le problème de la supposée fête *sed* de la reine, principalement : J. H. Breasted, *A.R.* 90, qui acceptait la façon dont Hatshepsout était arrivée au compte des trente années nécessaires pour accéder à la cérémonie de la fête *sed*. Cet avis était partagé par K. Sethe, « Altes und Neues zur Geschichte der Thronstreitigkeiten unter den Nachfolgern Thutmosis'I. », *ZÄS* 36, 1898, p. 24-81 (p. 65). En 1961, E. P. Uphill, « A Joint Festival of Tuthmosis III and Queen Hatshepsut », *JNES* 20, 1961, p. 218-251, est persuadé que la cérémonie s'est déroulée et que le temple de Deir el-Bahari en constitue la preuve. Il pense que le temple aurait été inauguré à cette occasion. 1974 : E. Staehelin et E. Hornung, *op. cit.*, p. 57, hésitent, n'étant pas assurés que cette cérémonie ait eu lieu. 1976 : en revanche, E. Wente et Ch. van Siclen III, « A Chronology of the New Kingdom », *Studies in honor of George R. Hughes*, Chicago (*SAOC* 39), 1976, p. 226, sont favorables à la fête *sed* de la reine, mais prêteraient à Thoutmosis II un règne de 12 années ! 1978-1979 : R. Tefnin, *La statuaire d'Hatshepsout*, Bruxelles (*Monumenta Aegyptiaca* 4), p. 52, parle même de la « transformation d'un portique du *Djeser-djeserou* pour le jubilé de l'an 16 ». En 1979, Ratié, p. 201 sqq, ne doute pas de la célébration de ce jubilé de l'an XVI. 1985 : L. Bell, « Luxor Temple and the Cult of the Royal Ka », *JNES* 44, p. 251-294, est de la même opinion. 1987 : J. von Beckerrath, « Nochmals zur Regierung Tuthmosis'II. », *SAK* 17, p. 65-74, et L. Gabolde, « La chronologie du règne de Thoutmosis II... », *SAK* 14, 1987, p. 67-68 et 70-72, s'appuient sur la mention de cette fête sur un pilier de Deir el-Bahari et sur l'inscription de la base (face Nord) de l'obélisque encore dressé d'Hatshepsout à Karnak, ce qui leur paraît une preuve suffisante. 1988 : quant à P. Dorman, *Senenmut*, p. 174, il hésite à se prononcer, bien que certains éléments soient en faveur du déroulement de cette cérémonie en l'an XVI, et déclare en définitive que l'existence de la fête *sed* d'Hatshepsout n'est pas « conclusively demonstrated ». 1995 : en dernier lieu, Cl. Vandersleyen suppose que « si réellement Hatshepsout a célébré une fête-*sed* et (si) ce n'est pas simplement un vœu pieux, ce fut en l'an 16 du règne de Thoutmosis III » (Clio, p. 253-254). Il ajoute « qu'il faudrait calculer trente ans à partir de (l')an 2 » de son père et de la reine, et situer la célébration de la fête vers le 2ᵉ mois de *Pérèt* (rappelant qu'Hatshepsout aurait été « proclamée roi le 29ᵉ jour du 2ᵉ mois de *péret* »).

5. Ici (*Urk.* IV, 459, 16), il s'agit bien de *Per-âa*, et non de *Per-our*.

6. Voir page 370.

7. Certains auteurs se sont appuyés sur des titres portés par Sénènmout pour envisager sa présence au jubilé d'Hatshepsout. Ils s'appuient sur une inscription gravée sur une grande sculpture où Sénènmout est représenté en statue-cube, tenant la petite Néférourê, *cf.* J. Berlandini-Grenier, « Senenmout, stoliste royal, sur une statue-cube avec Neferourê », *BIFAO* 76, 1976, p.124. Sur cette statue, Sénènmout porte des titres qui ne lui sont attribués nulle part ailleurs. Il est le *Chef des secrets dans la Maison du matin, le Stoliste d'Horus en privé, le Gardien du diadème ornant le roi, Celui qui couvre la double couronne avec le tissu rouge, Serviteur de la chapelle blanche de Geb, Celui qui équipe les deux déesses tutélaires avec des vêtements rouges, et Gardien de la coiffure* ; titres de celui qui purifie le roi et peut le revêtir des différentes pièces de ses habits royaux et des insignes du pouvoir, au moment du couronnement et du jubilé. Voir encore P. Dorman, *Senenmut*, p. 128-130. Cependant, je crois qu'il faut exclure son action directe pour la célébration du jubilé. En l'an VII de Thoutmosis, Sénènmout a obligatoirement officié au couronnement d'Hatshepsout, mais en l'an XVI, il avait certainement renoncé à continuer à se faire représenter en statue-cube, tenant l'enfant Néférourê contre lui. Ce qui exclut sa présence d'exécutant au jubilé. Célèbre en raison de son originalité, cette statue porte dans le jargon des égyptologues le nom de la réserve du temple de Karnak où elle est conservée : « statue du Sheikh Labib ».

8. *Cf.* L. Habachi, « Two Graffiti at Sehel from the Reign of Queen Hatshepsut Pharaoh », *JNES* 16-2, 1957, p. 91-97, fig. 3 p. 94. Pendant l'extraction des obélisques, Amenhotep se fit représenter en deux graffiti : l'un sur l'île de Séhel (fig. 4), l'autre sur

l'île de Bigé (fig. 5). Sur les deux effigies on le voit portant sur lui la peau sacerdotale de guépard, car il était, dans la province, parmi ses nombreux autres titres, Premier prophète de la déesse Anoukèt. Sur le graffito n° 140, il apparaît avec son épouse, Aménémipèt. Pour ce personnage, voir W. Helck, *Zur Verwaltung des Mittleren und Neuen Reichs*, Leyde, Brill (*Probleme der Ägyptologie* III), 1958, p. 364 ; Ratié, p. 266, et *Urk.* IV, 455 à 459 et 463. Il a été gratifié de titres très importants, que portait également Sénènmout, tel celui de Grand des grands, ce qui le différencie peut-être des autres fidèles de la reine, mais qui furent également Grands Intendants de la Grande Maison : Oudjarènpout et Djéhoutyhotep (W. Helck, *Der Einfluss des Militarführer in der 18. äg. Dynastie (Untersuchungen* 14), 1939, p. 45). Amenhotep fut enterré dans la tombe n° 73 de Gourna, publiée par T. Säve-Söderbergh, *Private Tombs at Thebes. Four Eighteenth Dynasty Tombs*, Oxford, 1957, 1-9, où il fit représenter les deux obélisques.

9. Il semble avoir été assisté par Djéhoutyhotep, qui l'aurait remplacé peu après, en l'an XX, comme en témoigne un ostracon portant cette date : *cf.* Dorman, *Senenmut*, p. 137.

10. *Urk.* IV, 364, 6-17, 365, 1-13.

11. Il faut remarquer ici la mention du mot *Iounit* (*Urk.* IV, 364, 16) : « salle à piliers », du mot *ioun*, « pilier ». Les socles des obélisques avaient donc été placés dans la salle avant l'introduction des monolithes. On comprendra plus loin pourquoi la même salle est aussi appelée *Ouadjit*, « salle à colonnes en forme de papyrus (*ouadj*) ».

12. Voir page 374.

13. Voir page 374.

14. *Cf. Urk.* IV, 366, 13-17 et 367, 1-12. Pour toute la compréhension du passage, cf. Ch. Desroches Noblecourt, « Deux grands obélisques précieux d'un sanctuaire à Karnak. Les Egyptiens ont-ils érigé des obélisques d'électrum ? », *RdE* 8, 1951, p. 47-61.

15. *Urk.* IV, 358, 8-9, sur le fût de l'obélisque, côté Est.

16. Je rappelle encore ici la composition de cet alliage naturel, produit à profusion par le pays de *Pount* : 75 % d'or, 22 % d'argent, 3 % de cuivre. Les Egyptiens, de fameux chimistes, étaient arrivés à analyser cet alliage et avaient pu reconstituer. La Terre Noire (*Kémèt*, qui était un des noms de l'Egypte, en raison des alluvions brun foncé qui la couvraient chaque année) était renommée pour cet art qu'elle pratiquait merveilleusement. Les Grecs forgèrent sur son appellation le mot de *Kémèt* > *Kêmi* > Chimie.

17. Ch. Desroches Noblecourt, *op. cit.*, 1951, p. 58-61. Ces deux monuments d'électrum massif furent dressés à Karnak, et saisis comme butin de guerre par l'Assyrien Assourbanipal à l'époque du sac de Thèbes. Ils étaient l'œuvre du Chef des travaux d'orfèvrerie Pouyemrê, un des anciens fidèles d'Hatshepsout.

18. Le rapport entre l'érection d'obélisques et la fête *sed* est certain, *cf.* E. Staehelin-E. Hornung, *op. cit.*, 1974, p. 31, et W. J. Murnane, « The Sed Festival. A Problem in Historical Method », *MDAIK* 37, 1981, p. 372.

19. L. Gabolde se pose la même question : « Les obélisques d'Hatchepsout à Karnak », *Egypte* 17, mai 2000, p. 48.

20. Cette mesure a été calculée par L. Gabolde, *op. cit.*, p. 47. Beaucoup de détails pour reconstituer toute l'opération n'ont pas été envisagés concernant ces obélisques, jusqu'à leur érection. Ainsi, on ne peut savoir exactement quand et comment ils ont été délivrés de leur « corset » protecteur et libérés de leurs traîneaux pour que les sculpteurs exécutent leur décoration et que les orfèvres posent les plaques d'électrum. Les diverses manipulations devaient être extrêmement périlleuses. On en vient à se demander si toutes ces opérations n'auraient pas été exécutées une fois les pierres mises en place, et à l'aide d'échafaudages ?

21. *Cf.* J.-Cl. Golvin, « Hatchepsout et les obélisques de Karnak », *Les dossiers d'Archéologie* 187, novembre 1993, p. 39-40, qui ne se pose pas la question.

22. L'obélisque Nord n'est pas tout à fait d'aplomb sur sa base, ayant effectué un

léger mouvement de rotation sur son axe : il penche légèrement vers le Nord-Est, *cf.* R. Engelbach, *The Aswan Obelisk, with some Remarks*, Le Caire, 1922, p. 41 fig. 8, et M. Pillet, « Rapport sur les travaux de Karnak (1923-1924) – III. – l'obélisque de Thoutmès III », *ASAE* XXIV, 1924, p. 69-72 et pl. VI.

23. P. Lacau-H. Chevrier *et al.*, *Chapelle*, p. 104. P. Lacau rappelle à ce propos le tableau bien connu de la vache sacrée d'Hathor, dans le marécage de papyrus. Dans la chapelle d'Hathor à Deir el-Bahari, l'animal de la déesse annonce la (re)naissance du souverain au cours de ses nombreux jubilés d'éternité. Plus tard Aménophis II, petit-fils d'Hatshepsout par sa seconde fille Mérytrê-Hatshepsout, fit graver sur une des colonnes de cette salle un texte relatif à la prédestination du futur souverain. *Cf.* P. Barguet, *BIFAO* LII, 1953, p. 147 sq. La *Ouadjit* reçut de graves modifications voulues par Thoutmosis III, qui fit « chemiser » les deux obélisques, devenus ainsi invisibles dans la salle.

24. *Urk.* IV, 358, 14-15.

25. Heureusement repérée dans les textes, elle ne figure pas encore sur les documents contemporains de la reine, connus à ce jour. On voit apparaître cette scène dans le temple d'Amada, en Nubie, dans le pronaos édifié par Thoutmosis IV. La scène est reprise, avec bonheur et emphase, par Ramsès II, sur les reliefs de ses temples et même sur une statue du roi prosterné sur les branches de l'*ished* en poussant devant lui le vase d'Amon (musée du Caire).

26. En effet, au cours de sa déclaration devant le Spéos Artémidos, Hatshepsout fit allusion à son « père Amon qui a inauguré (le rite) de l'arbre *ished* », *cf.* le chapitre précédent note 24. Un peu plus tard en Amada, la scène se déroule en présence d'Amon.

27. Voir page 381.

28. Hatshepsout présente l'eau, et Thoutmosis le lait. *Cf. Urk.* IV, 355, 12-15 ; E. Naville, *DelB* III, pl. LXV-LXVI.

29. *Cf.* E. Uphill, *JNES* XXI, 1961, p. 248-251, et R. Tefnin, *op. cit.*, p. 52-54.

30. *Urk.* IV, 276 = Naville, *DelB* IV, pl. XCII.

31. Voir page 382.

32. Voir page 382.

33. P. Lacau-H. Chevrier *et al.*, *Chapelle*, p. 232, § 369.

34. J'ai déjà signalé que la *Ouadjit* fut bien utilisée par Aménophis le Second. Néanmoins les transformations imposées à cette salle par Thoutmosis-Menkhéperrê étaient notoires. En effet, il fut un temps où ce dernier fit entourer la base et la partie inférieure des deux monolithes par un large mur de 16 m de haut ! Ensuite, lorsque couverture et colonnes de bois furent dégradées par des pluies diluviennes, il fit reconstruire le bâtiment avec de solides pierres, en surélevant encore le mur. Cependant, le sommet des obélisques était encore visible de loin. D'après L. Gabolde, *op. cit.*, p. 47.

35. *Urk.* IV, 362, 11-16.

36. *Urk.* IV, 459, 17.

37. *Urk.* IV, 456, 3-17 ; 460, 6-7 ; Ratié, p. 266.

38. Gourna, Tombe Thébaine 73. Consulter T. Säve-Söderbergh, *Private Tombs at Thebes* I. *Four Eighteenth Dynasty Tombs*, Oxford, Griffith Institute, 1957. Les deux obélisques sont représentés pl. VI, IX.

CHAPITRE XXI : LES DERNIERS FEUX (p. 384 à 401)

1. *Cf.* PM II, *The Theban Temples*, p. 169, *Sanctuary*, n° 51… 34, 36-38, 49-50, 54, 55-57, et *Room* VI, 63-64. Voir aussi U. Hölscher, *The Excavation at Medinet Habu* II-*The Temple of the Eighteenth Dynasty*, Chicago, OIC, 1939, p. 11. Il faut attendre la complète publication de ce monument, entreprise par les égyptologues de l'Oriental Institute de l'université de Chicago, pour bien connaître l'histoire du noyau initial de ce sanctuaire. Je fais ici allusion à ce petit édifice en raison de la présence de Mérytrê-

Hatshepsout, représentée aux côtés de son époux Menkhéperrê, sur un des murs du sanctuaire, que Champollion lors de son unique séjour en Egypte avait relevée. Ce bâtiment fut par la suite agrandi depuis la XXVe dynastie jusqu'à l'époque ptolémaïque, par les différents occupants de l'Egypte.

2. *Cf.* J.-F. Champollion, *Monuments* II, pl. CXLV, n° 3 ; G. Maspero, *Histoire ancienne des peuples de l'Orient classique* II – *Les premières mêlées*, p. 243, note 4 ; W. M. Fl. Petrie, *A History of Egypt* II, p. 78 ; H. Gauthier, *Le Livre des rois d'Egypte* II – *De la XIIIe à la fin de la XVIIIe dynastie*, Le Caire, IFAO (*MIFAO* 18), 1912, p. 235.

3. Voir page 385.

4. VdS, p. 371. Il pense même que Mérytrê ne serait pas fille de roi, p. 340. Voir aussi M. Gitton, *Les épouses divines de la 18e dynastie*, Paris, Centre de recherches d'histoire de l'Université de Besançon, 1984, p. 75-84.

5. *Cf.* M. Benson-J. Gourlay, *The Temple of Mut in Asher*, Londres, Murray, 1899, p. 165-166.

6. *Urk.* IV, 418, 9, 15. Plus loin, Senmèn cite « l'Epouse du dieu » qu'il appelle simplement Hatshepsout, tout court. *Urk.* IV, 418, 16 : K. R. Lepsius, *Denk.* III, 25 bis g ; Ratié, p. 214-215. Ne pas oublier J. R. Butles, *The Queens of Egypt*, Londres, Constable, 1908, chap. VIII, p. 96-99.

7. *Urk.* IV, 34, 18-20 = *A.R.* II, p. 143-144, § 344. W. Helck, *Zur Verwaltung des Mittleren und Neuen Reichs*, Leyde, Brill (*Probleme der Ägyptologie* III), 1958, p. 478.

8. Ainsi, cette parenté serait évoquée par la stèle du Caire, CGC 34108, où Thoutmosis-Menkhéperrê avec sa mère Isis sont accompagnés par Mérytrê-Hatshepsout. *Cf.* A. Weigall, « A Report on the Excavations of the Funeral Temple of Tuthmosis III at Gurnah », *ASAE* 7, 1908, p. 134-135, et déjà J.-F. Champollion, *Monuments* II, pl. CXCV, n° 3.

9. A propos du sort de Néférourê, morte très jeune après avoir été mariée à Thoutmosis, voir son cartouche, où son nom de Néférourê, Epouse du dieu, martelé (seul le soleil, Rê, subsistait) fut recouvert par le nom de la reine Satiâh, l'autre Epouse royale de Thoutmosis-Menkhéperrê. Cette dernière ne fut jamais <u>Grande</u> Epouse royale.

10. Ou « *la place favorite d'Amon*» (*sèt-ib Imen*), décrite en ces termes poétiques : « comme l'horizon du ciel », *Urk.* IV, 167, 1-3. Erigé en quartzite rose et repeint en une teinte rougeâtre, ce monument a été baptisé par les archéologues travaillant à Karnak « La Chapelle rouge ».

11. Décédé en l'an XVI, le Grand Prêtre d'Amon, Chef des prophètes du Sud et du Nord, fut certainement, comme cela apparaît, le plus important personnage du temps d'Hatshepsout après Sénènmout, responsable de charges civiles et sacerdotales considérables. A l'inverse du Grand Intendant dont les monuments funéraires personnels et la vie privée témoignent d'une relative sobriété et d'un mysticisme certain, le spéos du Gebel Silsilé que le Grand Prêtre s'était fait aménager semble être un palais ! Son poids à Karnak devait être considérable, bien que contrôlé par Sénènmout. Il déclarait pourtant : « L'or était sous mon sceau » (*Urk.* IV, 473, 1). On a pu lui attribuer, comme « architecte », la responsabilité du VIIIe pylône de Karnak et du tombeau de la reine à travers la montagne de Deir el-Bahari. Cependant, le texte qui fait allusion à la tombe, gravé sur la statue conservée au musée du Louvre, ne peut pas en donner la certitude (*Urk.* IV, 472, 10-13). On a également prétendu que le Grand Prêtre avait, à la fin de sa vie, en tant que Maire de la ville, exercé les fonctions de vizir, mais il semble que cette charge ait été seulement honorifique. On peut cependant assurer qu'il fut responsable de l'érection du VIIIe pylône d'Hatshepsout (*Urk.* IV, 474, 5 – 475, 6 – 476, 6-9). Dans sa tombe (TT 67 à Gourna), on le voit représenté en train de surveiller le dégagement d'arbres à oliban à *Pount*. Aussi, sans en avoir la certitude, je me demande si le Premier Prophète d'Amon ne s'était pas rendu à *Pount* avec l'expédition. *Cf.* N. M. Davies, *JEA* XLVII, 1961, p. 19-23, pl. IV-V ; W. Helck, *LÄ* II, 955-956 ; S. Pernigotti, « In margine al dossier di Hapuseneb », *Egitto e Vicino Oriente* 4, 1981, p. 177-179 ; Ratié,

p. 274 ; L. Delvaux, « La statue Louvre A 134 du Premier Prophète d'Amon, Hapouseneb », *SAK* 15, 1988, p. 53-67.

12. *Cf.* le début de la dédicace de l'édifice : G. Legrain, « Notes d'inspection XVII. Un texte inédit de la reine Hatshopsitou », *ASAE* 5, 1904, p. 283-284, et *Urk.* IV, 376.

13. Paul Barguet avait proposé de situer l'édifice plus à l'Ouest (IVe pylône). Voir aussi Ch. Nims, « Places about Thebes », *JNES* XIV, 1955, p. 113. La chapelle aurait ainsi été située dans la « cour des fêtes ». Elle est intégrée au « palais de Maât », en réalité.

14. Il s'agit de François Larché, codirecteur du Centre franco-égyptien de Karnak. Il vient, en partie en s'appuyant sur le travail préliminaire de Pierre Lacau et Henri Chevrier, de reconstituer avec les éléments retrouvés sur place à ce jour la « Chapelle rouge » d'Hatshepsout (300 blocs sont mis en place, il manque grosso modo un quart des éléments). La chapelle est exposée dans l'aire du temple, joyau du « Musée de plein air ». Pour la reconstitution architecturale du monument, *cf.* F. Larché, « L'anastylose de la Chapelle rouge », *Egypte* 17, mai 2000, p. 15-22. Pour cette construction en boutisses et parpaings (les boutisses étant décorées aux deux bouts et donnant ainsi l'épaisseur des murs), voir P. Lacau-H. Chevrier *et al.*, *Chapelle*, p. 5.

15. Pour la plante d'Amon-Min, *cf.* L. Keimer, *Die Gartenpflanzen im alten Ægypten* (*ÄS* I), Hambourg-Berlin, 1924, p. 1-6.

16. Voir page 391.

17. Le texte de Deir el-Bahari avait été complètement martelé : sa lecture extrêmement difficile a été grandement améliorée par l'exemplaire de la « Chapelle rouge ».

18. P. Lacau-H. Chevrier *et al.*, *Chapelle*, p. 108.

19. P. Lacau-H. Chevrier *et al.*, *Chapelle*, p. 147, § 186 b.

20. Pour ce couronnement et la réunion des couronnes, *cf.* P. Lacau-H. Chevrier *et al.*, *Chapelle*, p. 234-256. Sept couronnes sont seulement mentionnées : il devait, en réalité, en exister dix. *Cf.* E. Lefébure, *Inscriptions grecques de Rosette*, Paris, p. 253 = *Urk.* II, 192.

21. P. Lacau-H. Chevrier *et al.*, *Chapelle*, p. 117.

22. P. Lacau-H. Chevrier *et al.*, *Chapelle*, p. 127.

23. P. Lacau-H. Chevrier *et al.*, *Chapelle*, p. 127. Citation d'une structure d'importance en pierre, pour un pays où les digues étaient quasiment toutes en briques de terre crue.

24. P. Lacau-H. Chevrier *et al.*, *Chapelle*, p. 147, § 186 b.

25. P. Lacau-H. Chevrier *et al.*, *Chapelle*, p. 109.

26. Voir page 393.

27. P. Lacau-H. Chevrier *et al.*, *Chapelle*, bloc n° 194.

28. Cette barque divine est bien l'ancêtre de toutes les barques de procession qui véhiculaient dans toute l'Europe chrétienne les statues de la Vierge Marie, ou même de tel saint local.

29. P. Lacau-H. Chevrier *et al.*, *Chapelle*, p. 230-231, § 365.

30. P. Lacau-H. Chevrier *et al.*, *Chapelle*, p. 231-322, § 369.

31. *Urk.* IV, 365, 3.

32. P. Lacau-H. Chevrier *et al.*, *Chapelle*, p. 229.

33. Voir page 399.

34. P. Lacau-H. Chevrier *et al.*, *Chapelle*, p. 280.

35. P. Lacau-H. Chevrier *et al.*, *Chapelle*, § 454.

36. La Haute et la Basse Egypte, mais on pourrait également comprendre la Terre Noire (cultivée, la vallée et le Delta) et le Pays Rouge (le désert et les oasis), ou encore les Deux Rives.

37. Le bois *mérou* est souvent cité dans les textes de la XVIIIe dynastie. Certains objets du trésor de Toutânkhamon portent sur eux l'indication « bois *mérou* », et sont conservés au musée du Caire. La simple analyse attendue nous renseignerait sur l'identité de cette matière.

38. Texte gravé sur le socle de l'obélisque nord de la *Ouadjit* : *Urk.* IV, 372, 2 – 373, 11. Voir aussi Ratié, p. 224.

39. *Urk.* IV, 248, et E. Naville, *DelB* III, pl. LVII.

Chapitre XXII : La progressive disparition (p. 402 à 413)

1. Voir page 403.

2. Voir page 403.

3. *Urk.* IV, 393, 15 – 394, 17. A. H. Gardiner-E. Peet-J.Cerny, *Inscriptions of Sinai* I, Londres, 1952, pl. XIV, 44, et II, 74.

4. Il s'agit bien de la tombe 353. C'est une jarre à vin, trouvée sur place, qui porte cette date de « l'an XVI, le 1er mois de *Akhèt* (l'inondation), le 8e jour ».

5. La tombe souterraine de Sénènmout a été publiée avec le plus grand soin par P. Dorman, *The Tombs of Senenmut – The Architecture and Decoration of Tombs 71 and 353*, New York (*Metropolitan Museum of Art, Egyptian Expedition*), 1991. C'est seulement *in fine* que Dorman estime que la « tombe 71 » est, en réalité, la chapelle funéraire.

6. F. Hintze et W. Reinecke, *Felsinschriften aus dem sudanischen Nubien I, Text – II, Tafeln*, Berlin (*Publikationen der Nubien Expedition 1961-1963*), 1989, p. 90, n° 355. L'inscription fut martelée par la suite, *cf.* VdS, p. 281.

7. A. H. Gardiner-E. Peet-J. Cerny, *Inscriptions of Sinai* I, Londres, 1952, pl. LVII, n° 181 ; Ratié, p. 295 ; VdS, p. 276-277.

8. C. M. Firth-J. E. Quibell, *Excavations at Saqqara, The Step Pyramid* I, Le Caire, 1935, p. 80 F.

9. *Cf.* M. Drower, in R. Mond-O. Myers, *Temples of Armant. A Preliminary Survey*, Londres (*EES Memoir* 43), 1940. Sans raisons convaincantes, Albrecht Alt s'oppose à cette hypothèse acceptée par nombre d'égyptologues (*Neue Berichte über Feldüge von Pharaonen des Neuen Reiches nach Palästina* (*ZDPV* 70), 1954, p. 35).

10. Voir page 407.

11. Manéthon vivait sous le règne de Ptolémée II Philadelphe (308-246 avant notre ère). Il rédigea une histoire d'Egypte qui a disparu et dont on connaît certains passages conservés (dont celui qui concerne la reine), cités ou résumés par des historiens juifs ou chrétiens (Flavius Josèphe, Eusèbe de Césarée...). *Cf.* William G. Waddell, *Manetho, with an English Translation*, Londres (*Loeb Classical*), 1940.

12. VdS, p. 277. J.-L. Chappaz se pose également les mêmes questions : *op. cit.*, p. 97 note 22.

13. Trois *sinous*, savants médecins, furent représentés dans la grande chapelle du culte et des offrandes de la reine, à l'étage supérieur Sud du *Djéser-djésérou* à Deir el-Bahari. *Cf.* F. Jonckheere, *La médecine de l'Egypte pharaonique. Essai de prosopographie*, Bruxelles, FERE (*La médecine égyptienne* n° 3), 1958, p. 80-81 ; E. Naville, *DelB* IV, pl. CIX, CXII.

14. *Urk.* IV, 34, 5-17.

15. L. Gabolde, *SAK* 14, 1987, p. 70, traduit par « l'âge parfait », celui de la retraite.

16. Voir page 409.

17. Ainsi, Douaouynéheh, le Contrôleur des artisans, ne lui donne pas le titre de *Né-sout-bit* = roi de Haute et de Basse Egypte (mot à mot « Celui de la plante du Sud et celui de l'abeille »). Il l'appelle pourtant Maâtkarê (le prénom que la reine s'est donné pour marquer son autorité), Maîtresse des Deux Pays, l'aimée du Grand dieu (*Urk.* IV, 452, 12 – 454, 13). De même, Inebni, Chef des archers et Maître des armes royales (*Hieroglyphic Texts from Egyptian Stelae & c. in the British Museum* V, Londres, 1914, pl. 34, sur sa statue, et Ratié, p. 280). Nébamon, Premier prophète de Khonsou (tombe de Dra abou'l-Naga n° 24), ne cite même pas la reine, ayant pourtant vécu sous le deuxième et le troisième Thoutmosis (Ratié, p. 287). En revanche, certains autres proches de la souveraine lui donnèrent les titres de la royauté, tels Touri (spéos du Gebel Silsilé) et surtout Thoutiy, le Grand orfèvre (*Urk.* IV, 434,

3), tout comme Ménou, Intendant des serfs d'Amon (spéos du Gebel Silsilé). Pour les plus importants familiers de la reine, *cf.* W. C. Hayes, *Scepter* II, p. 112 (il ne parle que des principaux) et Ratié (chap. XX, p. 265-289), qui en épuise relativement la liste.

18. *Urk.* IV, 59 – 60, 4.

19. *Urk.* IV, 60, 5-11.

20. En Abydos, avant tout, le nom d'Hatshepsout pharaonne n'existait pas dans les listes établies par Séthi Ier. De même, j'ai moi-même, en étudiant la procession des « ancêtres » du deuxième Ramsès, accusé ce dernier d'avoir, par manœuvre politique, supprimé l'image d'Hatshepsout dans le défilé des statues royales sur un mur de la deuxième cour du Ramesseum. Je dois avouer qu'à cette époque, j'ignorais ce que je viens de découvrir pour Hatshepsout, et qui change les données du problème. Ramsès II n'avait pas de raison officielle de faire figurer la personne d'Hatshepsout dans le défilé des rois qui l'avaient précédé sur le trône. Cependant, Hatshespout l'aurait amplement mérité ! Ramsès s'est même inspiré de l'exemple de la reine sur bien des sujets, sans avoir jamais atteint, dans le domaine architectural, la suprême élégance des créations d'Hatshepsout... et de son Grand Intendant.

21. Voir page 412.

22. T. Davis-E. Naville-H. Carter, *The Tomb of Hatshopsitu*, Londres, 1906, p. 93-102, pl. X, XII, XIII. Voir par la suite L. Gabolde, « Les tombes d'Hatshepsout », *Egypte* 17, mai 2000, p. 55.

23. La tombe n° 41 de la Vallée des Rois, celle de Ramsès XI, aurait servi de réserve pour récupérer les ultimes éléments des mobiliers funéraires royaux, avant la réinhumation des momies royales. Parmi les débris de toutes sortes, il y fut retrouvé des fragments d'un des cercueils de la reine : *cf.* N. Reeves, *Valley of the Kings. The Decline of a Royal Necropolis*, Londres, 1990, p. 121-123.

24. Caire, JE 26.250. *Cf.* A. Dodson, *The Canopic Equipment of the Kings of Egypt*, Londres, 1994. Certains auteurs se demandent si ce coffret n'aurait pas été remployé pour les restes de la reine Makara de la XXIe dynastie, réenterrée également dans la « cachette royale » de Deir el-Bahari. Une momie anonyme, de sexe féminin, a aussi été retrouvée dans cette cachette, mais aucun indice ne permet de supposer qu'elle serait celle d'Hatshepsout.

CHAPITRE XXIII : HATSHEPSOUT-MAÂTKARÊ – LE PREMIER RÉEL PHARAON (p. 414 à 424)

1. *Cf.* P. Grandet, *Ramsès III, Histoire d'un règne*, Paris, Pygmalion/Gérard Watelet (*Bibliothèque de l'Egypte ancienne*), 1993, pp. 330-341.

EPILOGUE (p. 425 à 439)

1. P. Lacau-H. Chevrier *et al.*, *Chapelle*, p. 259.

2. *Urk.* IV, 147, 1-4.

3. P. Lacau-H. Chevrier *et al.*, *Chapelle*, p. 260-261.

4. P. Dorman, *Senenmut*, p. 54-55, et P. Lacau-H. Chevrier *et al.*, *Chapelle*, p. 393 pour les portes, 398 pour leur remploi.

5. Plus tard, les blocs furent réutilisés, en grande partie, pour le remplissage des fondations du IIIe pylône, par Aménophis III, ce qui permit de les préserver... et de les réédifier de nos jours.

6. Il est vrai qu'Hatshepsout n'avait plus besoin d'affirmer ses droits au trône... Ce déménagement n'était pas, pourtant, la fin des déambulations de la momie du père d'Hatshepsout, qui reçut par la suite un nouveau caveau, pour aboutir, à la fin de

l'époque ramesside, lamentablement disloquée, les membres maintenus par des rames de bois, dans la cachette royale de Deir el-Bahari.

7. *Cf.* L. Gabolde, « Les obélisques d'Hatchepsout à Karnak », *Egypte* 17, mai 2000, p. 47.

8. W. Hayes, « A Selection of Tuthmoside Ostraca from Dèr el-Bahri », *JEA* 46, 1960, p. 43-52.

9. Ce *Khâ-akhèt*, dont le nom signifie « Le lieu le plus élevé », était considéré comme « Le grand siège d'Amon », ainsi que le décrit l'architecte Thoutiy, qui travailla pour Hatshepsout : *Urk.* IV, 422, 17. Pour l'identification du *Djéser-akhèt* avec le *Khâ-akhèt*, *cf.* Ch. Meyer, *Senenmut. Eine prosopographische Untersuchung*, Hambourg (*HÄS* 2), 1982, p. 65.

10. M. Marciniak, « Une nouvelle statue de Senenmout récemment découverte à Deir el-Bahari », *BIFAO* 63, 1965, p. 201-207.

11. P. Dorman, *Senenmut*, p. 135, chap. 5 (ap. 2A, 21 et 22).

12. Pour des suggestions qui paraissent s'éloigner d'une interprétation de ces statues dans un sens positif, *cf.* Barbara Lesko, « The Senmut Problem », *JARCE* 6, 1967, p. 113-118.

13. Voir page 429.

14. Voir page 430.

15. Ratié, p. 151.

16. Consulter à ce propos N. Beaux, *Le cabinet de curiosités de Thoutmosis III*, Louvain (*OLA* 136), 1990 ; Ratié, p. 151 ; R. Fattovich, « The Problem of Punt in the Light of recent Field Work in the Eastern Sudan », *Akten des vierten internationalen Ägyptologen Kongresses, München 1985*, t. IV, Hambourg (*BSAK* 4), 1991, p. 257-272.

17. Parmi les auteurs les plus récents, il faut citer M. Werbrouck, S. Ratié, R. Tefnin, L. Gabolde, J.-L. Chappaz, B. Mathieu et surtout Cl. Vandersleyen. J'espère y avoir aussi bien contribué, *cf. La femme au temps des pharaons*, Paris, Stock-Pernoud, 1986, chap. 6 et 7, p. 124-162, puis la réédition en album couleurs avec compléments dans les légendes photographiques, Paris, Stock-Pernoud, 2000.

18. *Urk.* IV, 489, 3-5.

19. *Urk.* IV, 440, 5.

20. Ch. Desroches Noblecourt-Ch. Kuentz, *Le petit temple d'Abou Simbel*, Le Caire, CEDAE (*Mémoires du CEDAE* I), 1968, p. 111-112 ; Ch. Desroches Noblecourt, *Amours et fureurs de la Lointaine*, Paris, Stock-Pernoud, 1995, p. 171-173.

21. R. Caminos-T. G. H. James, *Gebel es Silsilah* I – *The Shrines*, Londres, EES, 1963.

22. H. Schäfer, *Die Mysterien des Osiris*, *Untersuchungen* 4, 2, 1904.

23. Ainsi, le pyramidion d'un des deux obélisques de l'Est, à Karnak, exposé actuellement dans la cour du musée du Caire.

24. Alors Séthi se fit représenter agenouillé, face à l'image d'Amon, jugeant sans doute plus prudent de ne pas lui tourner le dos, en toute confiance, ainsi qu'Hatshepsout l'avait fait.

25. Imhotep, architecte de Djéser, roi de la IIIe dynastie, l'auteur de la pyramide à degrés de Sakkara et de son ensemble funéraire, et Amenhotep fils de Hapou, qui construisit entre autres le temple jubilaire du troisième Aménophis, dont les ruines les plus visibles sont constituées par les colosses dits « de Memnon ».

26. Fondateur de la première congrégation religieuse, à Esna, entre Thèbes et Assouan.

INDEX

Religion

Noms de personnes et de peuples

Musées

Monuments

Toponymes

Traduction de mots égyptiens

Notabilia

TABLE

Imprimé en France
sur les presses de Maury-Eurolivres
45300 Manchecourt
Dépôt légal : mars 2002
Numéro d'Edition : 752